PT・OTビジュアルテキスト

リハビリテーション基礎評価学

編集
潮見泰藏
下田信明

第2版

謹告

本書に記載されている診断法・治療法に関しては，発行時点における最新の情報に基づき，正確を期するよう，著者ならびに出版社はそれぞれ最善の努力を払っております．しかし，医学，医療の進歩により，記載された内容が正確かつ完全ではなくなる場合もございます．

したがって，実際の診断法・治療法で，熟知していない，あるいは汎用されていない新薬をはじめとする医薬品の使用，検査の実施および判読にあたっては，まず医薬品添付文書や機器および試薬の説明書で確認され，また診療技術に関しては十分考慮されたうえで，常に細心の注意を払われるようお願いいたします．

本書記載の診断法・治療法・医薬品・検査法・疾患への適応などが，その後の医学研究ならびに医療の進歩により本書発行後に変更された場合，その診断法・治療法・医薬品・検査法・疾患への適応などによる不測の事故に対して，著者ならびに出版社はその責を負いかねますのでご了承ください．

■ 正誤表・更新情報

https://www.yodosha.co.jp/textbook/book/6293/index.html

本書発行後に変更，更新，追加された情報や，訂正箇所のある場合は，上記のページ中ほどの「正誤表・更新情報」を随時更新しお知らせします．

■ お問い合わせ

https://www.yodosha.co.jp/textbook/inquiry/other.html

本書に関するご意見・ご感想や，弊社の教科書に関するお問い合わせは上記のリンク先からお願いします．

序
～第2版の発行に寄せて～

　リハビリテーション医療に従事する者にとって，対象者の障害像を把握し，適切な介入を提供するために行われる『評価』は重要であり，評価に関する正しい知識と技術を習得することは不可欠である．

　すでに，理学療法や作業療法の評価に関するテキストは数多く出版されている．そのなかで，本書の初版が2014年11月に発行されて以来，多くの読者に本書のコンセプトが理解され，受け入れられたことは，編著者として，このうえなく嬉しく感じている．

　初版が発行されて以来，5年が経過する間に，高齢者における「フレイル」や「栄養」などに対する理解が求められるようになった．また来年度からは，理学療法士・作業療法士養成施設において改正後の指定規則が施行される予定である．評価学について，新しい指定規則では「画像評価」などが教育内容に含まれる．

　今回の改訂では，こうした社会動向や規則改正をふまえつつ，新しい執筆者も加えて，より一層の内容の充実を図った．例えば，「画像所見の見方」では，できるだけ典型的な画像を掲載し，丁寧な説明を加えることにより，基本的な画像の読み方を理解できるようにした．また，「徒手筋力検査（MMT）」では，読者の理解を助けるために，検査実施方法の動画を閲覧できるように工夫している．さらに今回の改訂では，新たに「体幹機能」「呼吸・循環・代謝」「栄養」「フレイル」の章も加えることにより内容の充実を図った．

　以上のように，より理解しやすく時代に即した内容に改訂できたと自負している．本書を，養成校でのテキストとしてだけでなく，臨床に出てからも長く活用していただければ幸いである．

　なお，今後も広く読者の皆様からの忌憚のないご意見をいただき，ご要望にお応えしながら，本書の改善を重ねていきたいと考えている．

2019年11月

潮見泰藏
下田信明

第1版の序

　理学療法士，作業療法士をはじめとする医療専門職では，対象者が抱える障害像を把握し，具体的な介入を決定するために評価が行われる．評価は，対象者の観察に始まり，種々の検査・測定に基づいて行われるが，これは医師が診察や検査の結果に基づいて診断を行うのと同様である．したがって，正しい治療が行われるためには，正しい評価が行われなくてはならない．そして適切な理学療法や作業療法が提供されるためには，正確な評価方法に関する知識と技術を身につける必要がある．

　周知のとおり，理学療法士と作業療法士とは，制度上は姉妹のような関係にあり，法制度が整備され，教育が開始されたのも同時であった．事実，リハビリテーションに関わる専門職として，両職種には知識や技術について共通する部分も多い．筆者らは，以前から理学療法士と作業療法士が行う評価はかなりの部分が共通しており，それぞれの専門職に固有の評価項目は必ずしも多くないことに気づいていた．独立した専門職である以上，同一の患者を評価する場合，評価の視点や重みづけは異なり，それぞれの専門職に独自の評価方法が存在することも理解している．その一方で，共通した評価方法に基づいて行われる評価指標も少なくないのである．

　本書のコンセプトは，理学療法士と作業療法士に共通する基礎的な評価方法に関する解説書を作成することにあった．ただし，それぞれの職種には固有の専門的知識を必要とすることもまた事実であることから，必ずしも共通しない項目も掲載してある．したがって，本書は理学療法士およびその学生，もしくは作業療法士およびその学生が本書を手にしても十分な内容を網羅したつもりである．また，今後は理学療法士，作業療法士がお互いに固有の分野についても理解することが必要となると考えられることから，本書を通じて自分たちに不足した評価の内容について，相互に補完することが可能となろう．

　最後に，本書は理学療法士と作業療法士の合作による評価学のテキストであり，本邦では初の試みであると思う．今後，適宜，改訂の作業を行い，より充実した内容に改訂していく所存である．読者の忌憚のないご意見やご指摘を賜ることができれば幸いである．

2014年9月

潮見泰藏
下田信明

PT・OTビジュアルテキスト
リハビリテーション基礎評価学 第2版
目次概略

第1章 評価の基礎 ... 18

第2章 評価に必要な基本情報
- ❶ 評価の進め方 ... 29
- ❷ 医療面接と情報収集 ... 37
- ❸ 画像所見の見方 ... 53

第3章 脳機能・精神関連の評価
- ❶ 意識障害・全身状態の評価 ... 79
- ❷ 脳神経の検査 ... 96
- ❸ 高次脳機能（障害）の評価 ... 102
- ❹ 気分（うつ・不安）・思考の評価 ... 134
- ❺ 意欲・自己効力感の評価 ... 143

第4章 全身機能の評価
- ❶ 栄養状態の評価 ... 154
- ❷ フレイルの評価 ... 159

第5章 身体部位別の検査
- ❶ 姿勢評価・形態測定 ... 162
- ❷ 感覚検査 ... 177
- ❸ 痛みの評価 ... 195
- ❹ 反射検査 ... 203
- ❺ 筋緊張検査 ... 213
- ❻ 関節可動域（ROM）検査 ... 218
- ❼ 徒手筋力検査（MMT）... 242
- ❽ 姿勢バランス検査 ... 279
- ❾ 協調性検査 ... 308
- ❿ 持久力の評価 ... 319
- ⓫ 上肢機能検査 ... 333
- ⓬ 体幹機能評価 ... 342

第6章 活動能力の評価
- ❶ 日常生活活動評価 ... 348
- ❷ QOL評価 ... 376
- ❸ 観察に基づく動作分析 ... 383
- ❹ 運動発達の評価 ... 396

第7章 内臓関連の評価
- ❶ 呼吸機能評価 ... 407
- ❷ 循環機能評価 ... 415
- ❸ 代謝機能評価 ... 423
- ❹ 摂食・嚥下機能評価 ... 428

第8章 症例に基づく評価の進め方 ... 432

PT・OT ビジュアルテキスト
リハビリテーション基礎評価学 第2版

contents

- 序〜第2版の発行に寄せて〜 ———————————————— 潮見泰藏, 下田信明
- 第1版の序 ————————————————————————— 潮見泰藏, 下田信明

第1章 評価の基礎
潮見泰藏

1 リハビリテーション医療における評価 — 18
1）評価の意義　2）評価の目的

2 評価の過程 — 19
1）評価過程の考え方　2）評価の過程（臨床思考過程）

3 評価の対象 — 21

4 評価の構成要素 — 22
1）観察　2）検査・測定　3）統合と解釈　4）問題点の抽出　5）目標および介入計画の設定
6）介入プログラムの立案　7）記録

第2章 評価に必要な基本情報

❶ 評価の進め方 ————————————————————————— 橋立博幸
1 リハビリテーションにおける問題解決プロセス — 29
2 リハビリテーションの対象となる障害の範囲 — 31
3 リハビリテーション評価の時期 — 33
4 リハビリテーション評価計画の立て方 — 34

❷ 医療面接と情報収集 ————————————————————— 橋立博幸
1 医療面接の目的と実施するタイミング — 37
2 医療面接の実施手順 — 38
3 医療面接における注意点 — 39
4 主訴とニーズ — 40
5 主な情報収集項目 — 42
6 カルテの見方 — 43

7 医学的情報の取り方（疾患，画像所見，血液・尿検査，心電図） 44

8 社会的情報の取り方（家族関係） 47

❸ 画像所見の見方 ──────────────────────── 橋立博幸

1 画像所見とは 53
1）画像所見の目的と留意点　2）リハビリテーション専門職種にとっての画像読影のポイント

2 X線画像 54
1）胸部X線画像　2）四肢X線画像

3 CT画像 60
1）胸部CT画像　2）頭部CT画像

4 MRI画像 67
1）脊柱・脊髄MRI画像　2）頭部MRI画像

第3章　脳機能・精神関連の評価

❶ 意識障害・全身状態の評価 ───────────────── 髙見彰淑

A）意識障害

1 意識障害の診かた 79

2 意識レベルの判定 80
1）意識混濁（覚醒レベル）の定性的分類　2）定量的評価法

3 意識変容の評価指標 82
1）せん妄評価　2）錯乱，混乱などの評価指標

B）バイタルサイン

1 循環器の検査 83
1）体温　2）脈拍　3）心電図の見方　4）運動負荷試験　5）血圧

2 呼吸器の検査 91
1）自覚症状と他覚症状　2）異常呼吸（代表例）　3）換気障害の種類　4）血液ガス検査／ガス検査　5）肺機能測定　6）視診　7）触診　8）打診　9）聴診

❷ 脳神経の検査 ─────────────────────── 髙見彰淑

1 脳神経（cranial nerve）とは 96

2 検査の方法 97
1）Ⅰ（嗅神経）　2）Ⅱ（視神経）　3）Ⅲ・Ⅳ・Ⅵ（動眼・滑車・外転神経）　4）Ⅴ（三叉神経）　5）Ⅶ（顔面神経）　6）Ⅷ〔聴（内耳）神経〕　7）Ⅸ・Ⅹ（舌咽神経・迷走神経）　8）Ⅺ（副神経）　9）Ⅻ（舌下神経）

❸ 高次脳機能（障害）の評価 ──────────────── 小賀野 操

1 高次脳機能（障害）評価の流れとポイント 102
1）高次脳機能とは　2）疾患・障害の特徴と高次脳機能障害　3）高次脳機能評価の進め方

contents

- **2** 簡易知的機能検査と高次脳機能障害スクリーニング検査 ······················· 105
  1) 改訂長谷川式簡易知能評価スケール（HDS-R） 2) Mini-Mental State Examination（MMSE） 3) 高次脳機能障害のスクリーニング検査
- **3** 高次脳機能障害とその評価 ······················· 105
  1) 半側無視と右半球症状 2) 失語症 3) 失行 4) 失認 5) 注意の障害 6) 記憶の障害 7) 前頭葉機能の障害

❹ 気分（うつ・不安）・思考の評価 ─────────── 河野　眞
- **1** 気分（うつ・不安）・思考を評価するにあたって ······················· 134
- **2** 気分（うつ・不安） ······················· 134
  1) 気分，うつ，不安とは 2) うつを観察するポイント 3) 不安を観察するポイント 4) うつ・不安の検査法
- **3** 思考 ······················· 140
  1) 思考および思考の障害とは 2) 思考の障害を観察するポイント 3) 思考の障害の検査法
- **4** 精神障害における全般的機能の評価尺度 ······················· 141

❺ 意欲・自己効力感の評価 ─────────── 下田信明
- **1** 意欲の評価 ······················· 143
  1) 意欲の障害とは 2) 観察の視点 3) 標準意欲評価法（Clinical Assessment for Spontaneity：CAS） 4) Vitality Index 5) やる気スコア
- **2** 自己効力感の評価 ······················· 151
  1) 自己効力感とは 2) 観察の視点 3) 一般性セルフ・エフィカシー（自己効力感）尺度（General Self-Efficacy Scale：GSES）

第4章　全身機能の評価

❶ 栄養状態の評価 ─────────── 廣瀬　昇
- **1** 栄養状態評価の意義 ······················· 154
- **2** 栄養補給 ······················· 154
- **3** 運動時の栄養 ······················· 155
- **4** 栄養状態の評価 ······················· 156
  1) 身体計測 2) 血液生化学的検査

❷ フレイルの評価 ─────────── 潮見泰藏
- **1** フレイルになるメカニズム ······················· 160
- **2** フレイルの判定基準 ······················· 160

第5章　身体部位別の検査

❶ 姿勢評価・形態測定 ─────────── 冨田和秀
A) 姿勢評価
- **1** ヒトの抗重力姿勢の特徴 ······················· 162

2 異常姿勢のタイプと原因 163
3 姿勢評価の意義 164
4 姿勢評価の手順 164
1）体格・姿勢タイプ　2）立位姿勢（正面，側面，後面）　3）立位前屈位（正面，側面，後面）
4）座位姿勢（正面，側面，後面）　5）背臥位　6）腹臥位　7）下肢長（棘果長，転子果長）

B）形態測定
1 身長，体重の測定と体格指数 167
1）測定の進め方　2）体格指数と判定基準
2 四肢長および周径の測定 168
1）意義・目的，注意事項　2）測定の進め方　3）四肢長の測定　4）周径の測定
3 臨床における四肢長・周径測定のポイント 172
1）観察から脚長差が疑われる場合　2）筋萎縮が考えられる場合　3）筋肥大の効果を判定する場合

❷ 感覚検査 ———————————————————— 小賀野 操
1 感覚の概要 177
1）感覚とは　2）感覚の分類　3）体性感覚の役割
2 感覚障害の基礎 178
1）感覚の伝導路　2）デルマトームと末梢神経皮膚支配　3）病変部位による感覚障害のパターン
3 感覚検査 184
1）感覚検査の目的　2）検査にあたっての注意点　3）結果の記録　4）検査前の準備　5）中枢神経疾患・障害における感覚検査の実際　6）末梢神経損傷における手部の感覚検査の実際

❸ 痛みの評価 ———————————————————— 冨田和秀
1 痛みとは 195
1）痛みの定義　2）痛みの分類と病態生理，臨床症状
2 運動器に関連した疼痛評価の進め方 195
1）問診・観察　2）運動検査　3）触診検査
3 痛みの臨床的評価尺度 198
1）主観的な痛み強度の評価尺度　2）痛みの性質の評価尺度　3）痛みの行動学的評価尺度
4）痛みの心理学的評価ならびにQOLの評価

❹ 反射検査 ———————————————————— 藤平保茂
1 反射とは 203
1）反射の定義　2）反射弓　3）反射の種類
2 深部腱反射 204
1）深部腱反射の経路　2）深部腱反射検査の実施上の注意事項　3）深部腱反射の増強法　4）ハンマーの選び方　5）深部腱反射の実際　6）判定法および記録の記載方法　7）検査結果の解釈
3 病的反射 209
1）病的反射の意義　2）病的反射の実際　3）検査結果の解釈
4 表在反射 212
1）腹壁反射　2）検査結果の解釈

❺ 筋緊張検査 ―――――――――――――――――――――――――― 髙見彰淑

1 筋緊張とは 213
2 手技 213
3 判定のしかた 215
　1）痙縮　2）固縮（筋強剛，硬直）　3）筋緊張低下　4）その他　5）痙縮の評価スケール

❻ 関節可動域（ROM）検査 ―――――――――――――――――― 橋立博幸

1 正常な関節可動域と異常な関節可動域 218
2 関節可動域における最終域感 220
3 関節可動域検査の手順 220
4 関節可動域検査（頸部） 223
5 関節可動域検査（胸腰部） 224
6 関節可動域検査（肩甲帯） 226
7 関節可動域検査（肩） 227
8 関節可動域検査（肘・前腕） 229
9 関節可動域検査（手） 230
10 関節可動域検査（手指） 231
11 関節可動域検査（股） 233
12 関節可動域検査（膝） 234
13 関節可動域検査（足） 235
14 関節可動域検査の結果の解釈 236
付録表　関節可動域表示ならびに測定法 237

❼ 徒手筋力検査（MMT）―――――――――――――――――――― 伊藤俊一

1 徒手筋力検査（Manual Muscle Testing：MMT）とは 242
　1）はじめに　2）MMTの意義　3）MMTの目的
2 判定基準 243
3 テスト手技 244
4 信頼性 244
　1）検者内信頼性（Intra-Rater Reliability）　2）検者間信頼性（Inter-Rater Reliability）
5 代償運動 245
6 固定と抵抗 250
7 具体的手順と注意点 250
8 その他の客観的筋力評価法 251
　1）等速性筋力測定機器　2）徒手筋力計（Hand Held Dynamometer：HHD）
9 おわりに 254

付録図　MMT の実際 ─────────────────────────────── 255
　　1）頭部・頸部　2）体幹　3）上肢　4）股関節　5）膝関節　6）足関節・足部　7）骨盤

❽ 姿勢バランス検査 ──────────────────────────── 橋立博幸

1 姿勢バランスの概要 ─────────────────────────── 279
　　1）姿勢バランス　2）姿勢反射

2 座位バランス検査 ─────────────────────────── 288

3 立位バランス検査 ─────────────────────────── 291

4 パフォーマンステスト ───────────────────────── 293
　　1）外乱負荷応答の姿勢バランス検査　2）支持基底面内での随意運動の姿勢バランス検査
　　3）支持基底面内外での随意運動の姿勢バランス検査　4）総合的な姿勢バランス検査

5 姿勢バランス検査の留意点 ─────────────────────── 299

付録表 ──────────────────────────────────── 300
　　1）Balance Evaluation Systems Test（BESTest）　2）Mini-Balance Evaluation Systems
　　Test（Mini-BESTest）　3）Brief-Balance Evaluation Systems Test（Brief-BESTest）

❾ 協調性検査 ──────────────────────────────── 酒井桂太

1 協調運動障害 ────────────────────────────── 308
　　1）協調運動とは　2）協調運動障害はどの機能の障害によって生じるのか　3）運動失調とは
　　4）協調運動障害の主な症状　5）運動失調症の分類

2 協調性検査の実際 ─────────────────────────── 310
　　1）運動失調検査　2）その他の検査　3）検査結果の記録　4）協調性検査実施上の注意

❿ 持久力の評価 ────────────────────────────── 酒井桂太

1 体力とは ──────────────────────────────── 319
　　1）定義　2）構成要素　3）体力測定　4）持久力とは

2 運動耐容能 ────────────────────────────── 320
　　1）運動耐容能とは　2）エネルギー供給機構　3）無酸素系エネルギー供給機構　4）有酸素系
　　エネルギー供給機構

3 筋持久力の評価 ──────────────────────────── 322
　　1）筋持久力とは　2）筋持久力の測定

4 全身持久力の評価 ─────────────────────────── 323
　　1）運動負荷試験の目的　2）運動負荷試験の指標　3）METs とは　4）運動負荷試験の種類
　　5）運動負荷試験に使用する機器　6）運動負荷モード　7）運動負荷試験の手順　8）嫌気性代
　　謝閾値とは　9）平地歩行試験

⓫ 上肢機能検査 ────────────────────────────── 下田信明

1 上肢機能における観察の視点 ────────────────────── 333
　　1）上肢機能とは　2）観察の視点

2 上肢機能検査 ────────────────────────────── 334
　　1）簡易上肢機能検査（Simple Test for Evaluating Hand Function：STEF）　2）Box and
　　Block Test　3）Action Research Arm Test（ARAT）　4）パーデュー・ペグボード・テスト
　　（Purdue Pegboard Test）　5）ナインホールペグテスト（The Nine Hole Peg Test）　6）日
　　本語版 Wolf Motor Function Test（WMFT 日本語版）

3 脳卒中を対象とした日常生活における使用状況の主観的評価 ……… 338
1）日本語版 Motor Activity Log（日本語版 MAL） 2）Jikei Assessment Scale for Motor Impairment in Daily Living（JASMID）

⑫ 体幹機能評価 ───────────────────────── 潮見泰藏

1 体幹機能とは ……………………………………………………………… 342
2 体幹機能の評価方法 ……………………………………………………… 342
1）体幹機能の評価 2）体幹機能評価の留意点
3 代表的な体幹機能評価指標 ……………………………………………… 344
1）体幹制御検査（Trunk Control Test：TCT） 2）臨床的体幹機能検査（Functional Assessment for Control of Trunk：FACT） 3）体幹機能障害尺度（Trunk Impairment Scale：TIS）

第6章 活動能力の評価

❶ 日常生活活動評価 ───────────────────────── 丹羽 敦

1 日常生活活動（ADL）とは ……………………………………………… 348
2 FIM（機能的自立度評価法） …………………………………………… 348
1）評価項目と特徴 2）採点基準 3）採点範囲とポイント
3 Barthel Index …………………………………………………………… 358
1）特徴 2）評価項目と尺度基準
4 観察に基づく評価 〜身の回り動作（食事・トイレ・更衣・入浴） …… 361
1）動作能力の判定基準 2）身の回り動作（食事・トイレ・更衣・入浴）別の観察に基づく評価内容
5 Lawton の IADL スケール ……………………………………………… 371
6 老研式活動能力指標 ……………………………………………………… 373
7 Frenchay 拡大 ADL 尺度（日本語版） ………………………………… 374

❷ QOL 評価 ─────────────────────────── 丹羽 敦

1 QOL とは ………………………………………………………………… 376
2 SF-36（MOS short-form36） ………………………………………… 376
1）開発者および開発年度 2）特徴 3）構成
3 EuroQol（EQ-5D） ……………………………………………………… 377
1）開発者および開発年度 2）特徴 3）構成
4 HUI ………………………………………………………………………… 379
1）開発者および開発年度 2）特徴 3）構成
5 改訂 PGC モラール・スケール ………………………………………… 379
1）開発者および開発年度 2）特徴 3）構成
6 主観的健康感の VAS …………………………………………………… 381

❸ 観察に基づく動作分析 ──────────────────────── 藤澤祐基

1 動作分析・動作観察の基本的な考え方 ………………………………… 383
1）はじめに 2）動作分析の目的

2 臨床で求められる動作分析とは ……………………………………………… 384
1) 動作の自立度, 手段, 動作環境の判定　2) ではなぜその自立度（実用性）なのか考える　3) 観察結果を運動学用語で言い表す

3 分析の種類 ………………………………………………………………… 385

4 起居・移動の動作分析（正常な動作と頻度の高い問題点）……………… 386
1) 姿勢観察　2) 寝返り　3) 起き上がり　4) 立ち上がり　5) 歩行

5 機能的動作獲得に向けた動作分析 ……………………………………… 394

4 運動発達の評価 ─────────────────────── 河野　眞

1 運動発達を評価するにあたって ………………………………………… 396
1) 運動発達と全体の発達　2) Key Months　3) 運動発達の正常範囲　4) 情報収集　5) 発達全体の評価に用いられる検査

2 運動発達の評価 ………………………………………………………… 399
1) 反射・反応　2) 姿勢・粗大運動　3) 微細運動

3 生活機能の評価 ………………………………………………………… 405

第7章　内臓関連の評価

1 呼吸機能評価 ─────────────────────── 廣瀬　昇

1 呼吸機能の概要 ………………………………………………………… 407

2 呼吸機能の主な評価項目 ……………………………………………… 407
1) 肺機能検査（スパイロメトリー）　2) 肺気量分画（スパイログラム）　3) 換気障害分類　4) フローボリューム曲線　5) 呼吸筋力　6) 呼吸困難感　7) フィジカルアセスメント（視診, 触診, 打診, 聴診）

2 循環機能評価 ─────────────────────── 廣瀬　昇

1 循環機能の概要 ………………………………………………………… 415

2 循環機能の主な評価項目 ……………………………………………… 415
1) 現病歴, 前駆症状, 発症時の状況の把握　2) 12誘導心電図　3) 胸部X線画像　4) 血液検査（生化学的検査）　5) 心超音波検査（心エコー）　6) 冠動脈造影検査　7) 運動耐容能　8) その他の評価

3 代謝機能評価 ─────────────────────── 廣瀬　昇

1 代謝機能の概要 ………………………………………………………… 423

2 代謝機能の主な評価項目 ……………………………………………… 424
1) 身体所見と自覚症状　2) 肥満度　3) メタボリックシンドローム　4) エネルギー消費量　5) 血糖　6) インスリン分泌能　7) インスリン抵抗性（HOMA-IR）

4 摂食・嚥下機能評価 ─────────────────── 下田信明

1 摂食・嚥下障害とは …………………………………………………… 428
1) 摂食・嚥下の過程　2) 摂食・嚥下障害　3) 摂食・嚥下障害重症度分類

2 摂食・嚥下障害の評価 ………………………………………………… 429
1) 観察の視点　2) 質問紙　3) 改訂水飲みテスト・食物テスト　4) 嚥下造影検査（Videofluorography：VF）

contents

第8章 症例に基づく評価の進め方　　　　　　潮見泰藏, 下田信明

症例1）脳卒中患者 ... 432
- **1 理学療法評価** ... 433
  - 1）心身機能・身体構造　2）活動　3）参加　4）個人因子　5）環境因子　6）問題点　7）理学療法方針　8）目標設定　9）理学療法プログラム（3単位）
- **2 作業療法評価** ... 437
  - 1）心身機能・身体構造　2）活動　3）参加　4）問題点　5）作業療法方針　6）目標設定　7）作業療法プログラム（3単位）
- **3 プログラム実施時の留意点** ... 440

症例2）大腿骨頸部骨折（人工骨頭置換術後）患者 ... 440
- **1 理学療法評価** ... 441
  - 1）心身機能・身体構造　2）活動・参加　3）問題点　4）理学療法における介入方針　5）目標設定　6）理学療法プログラム（2単位）
- **2 プログラム実施時の留意点** ... 444

巻末付録　各種代表的疾患の主な障害と評価項目ならびに疾患特異的評価指標　　　　　　潮見泰藏, 下田信明

- **1** 脳卒中（脳血管障害） ... 446
- **2** パーキンソン病 ... 456
- **3** 脊髄小脳変性症 ... 457
- **4** 脊髄損傷（SCI） ... 459
- **5** 多発性硬化症（MS） ... 463
- **6** 筋萎縮性側索硬化症 ... 465
- **7** 関節リウマチ ... 468
- **8** 変形性股関節症 ... 469
- **9** 大腿骨頸部骨折 ... 471
- **10** 切断 ... 472
- **11** 末梢神経損傷 ... 474
- **12** 統合失調症 ... 474
- **13** 認知症 ... 476
- リハビリテーション計画書 ... 478

● 索引 ... 480

PT・OT ビジュアルテキスト

リハビリテーション基礎評価学

第2版

第1章

評価の基礎

学習のポイント
- 評価の意義と目的を理解し，評価の過程を説明できる
- 評価の基本的構成について学ぶ

1 リハビリテーション医療における評価

1）評価の意義

- 評価の意義は，次のとおりである．
  ①個々の症例の病状，病態に加え，それらによって生じた障害の特徴や重症度，全身状態，精神・心理状態，さらには社会的背景を含めた全体像を把握すること．
  ②障害モデルを理解したうえで，実際に理学療法/作業療法の介入を行うにあたって，その適応と禁忌を確認し，さらに介入手技や介入方法の選択と，目標設定における指標とすること．
  ③実際に介入を行い，その後の効果判定や，最終的な予後を推測するための指標とすることもある．
- 理学療法および作業療法における評価には，図1に示したような3つの過程が含まれる．
  1) **情報の収集**：カルテ情報，観察・面接，検査・測定によって，対象者のもつ症状や障害を把握すること．
  2) **情報の分析**：得られた情報を分析することによって障害像を明らかにし，問題点を捉えること．
  3) **介入計画の立案**：問題点に対応する具体的な解決策を立案すること．
- 評価では情報収集や検査・測定は標準的な指標で進めることが望ましいが，対象者の個別性を反映したものであることが必要である．すなわち，対象者固有の問題点や目標につながるものでなければならない．
- 臨床場面で行われる評価は，特定の時間を設けて実施するだけでなく，理学療法介入や作業療法介入の過程において，対象者の動作や反応を観察することによって得られる情報も含まれる．このことから，「介入することは，すなわち，評価することである」といわれることが多い．

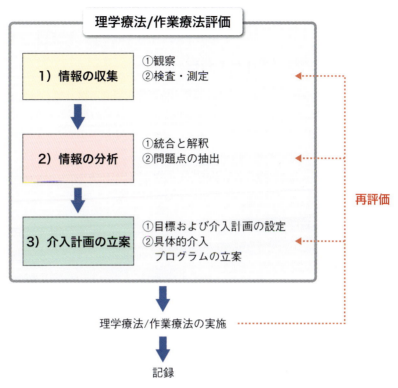

図1 理学療法/作業療法における評価過程

2) 評価の目的

- 評価の目的は以下のように要約される．
  ①対象者の全体像を把握する．
  ②介入計画の参考にする．
  ③目標設定に役立てる．
  ④効果判定を行う．
  ⑤介入前にベースライン（基準線）の設定を行う．
- 理学療法士や作業療法士（以下，セラピストとする）が行うすべての介入やトレーニングは，評価結果に基づいて行われる．なお，対象者の障害を正しく捉えるには，信頼性・妥当性・確実性のある標準化された評価が要求される．

2 評価の過程

1) 評価過程の考え方

- セラピストが，その対象である対象者の抱える問題を捉え，それをもとに介入目標を設定し，介入プログラムを立案する．さらにそれに基づいて理学療法や作業療法を実施していく過程において，まず必要となるのは，対象者の抱えるさまざまな問題を包括的に捉える

ための評価を行うことである．
- 前述のように，一般に，評価は図1に示すような一連の過程から構成される．

2）評価の過程（臨床思考過程）

- 評価の過程は，セラピストの基本的な臨床思考過程（図2）に一致している．評価の過程も，臨床思考過程も，疾患や病態を問わず共通の枠組みを適用できる．内山らは，臨床思考過程を8段階に分類しており，これは次のように捉えることができる．
  - ▶第1～第5段階：初期評価
  - ▶第5～第7段階：介入過程
  - ▶第7段階：再評価
  - ▶第8段階：最終評価

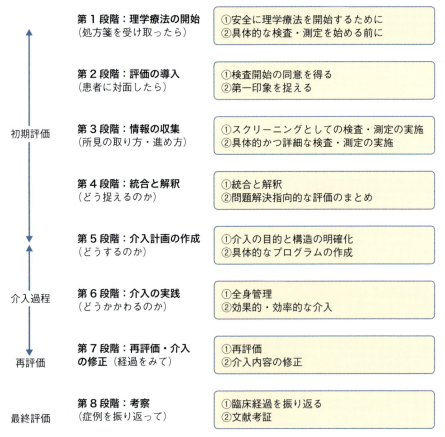

図2　理学療法/作業療法における基本的な臨床思考過程
文献1をもとに作成．

- 上記の8段階において，初期評価（第1～第5段階）における具体的展開は次のようになる．

第1段階：理学療法の開始（処方箋を受け取ったら）
　①安全に理学療法を開始するために，医師，看護師，カルテなどから必要な情報を収集し，処方箋（診断）の理解，全身状態の把握，リスク等の確認を行う．
　②具体的な検査・測定を開始する前に，病態を理解し，予測される症状や障害に対する検査項目を選択する．事前に，病巣や介入経過を理解し，大まかな重症度を把握する．

第2段階：評価の導入（患者に対面したら）
　①患者に検査の同意を得るために，自己紹介を行い，実施内容を説明する．そして患者の理解と同意を得る．
　②第一印象を捉えるために，主訴・体調の確認，言語的・非言語的な反応の確認，全身状態の把握，自然な動作の観察を行う．

第3段階：情報の収集（所見の取り方・進め方）
　①スクリーニングとしての検査・測定の実施目的は，個々の検査・測定を実施する前に全体像を捉えることであり，主訴・要望（デマンド：demand）の確認，姿勢・動作の観察，高次脳機能の概要確認，大まかな能力の把握を行う．
　②具体的かつ詳細な検査・測定では，スクリーニングで整理した症状・障害に基づいて，機能・能力の正確な計測，動作分析，ADLなどの調査を実施し，ニーズを共有化する．

第4段階：統合と解釈（どのように捉えるのか）
　①統合と解釈とは，医療面接，観察，検査・測定，調査の結果をまとめる過程であり，各検査結果の解釈，検査項目間の関係の理解，症候障害学的な理解，さらに国際障害分類（ICIDH）もしくは国際生活機能分類（ICF）（後述）による分類を行う．
　②問題解決的な視点から評価をまとめる．統合と解釈によって得られた全体像をもとに，主な課題と長期目標の設定，目標の構造化を行う．

第5段階：介入計画の作成（どのように進めるのか）
　①介入の目的と構造を明確化する．そのためには，介入の基本方針を決定し，エビデンスに基づくプログラムを選択し，主治医に確認するとともに関係職種と調整を行う．
　②具体的なプログラムを作成する．医療従事者間で大枠が共有された内容を具体化するために，基本事項の決定，安全管理の徹底，介入環境の設定を行い，各項目の詳細を検討する．

3 評価の対象

- 理学療法や作業療法で評価の対象となるのは，対象者がもつ症状や障害であるが，それらを個人の機能，能力（活動），役割の3つの側面により段階づけるとわかりやすい．
- 現在，世界保健機関（WHO）による概念モデル〔**国際障害分類（ICIDH）**：機能障害（Impairment）－能力障害（Disability）－社会的不利（Handicap）〕（図3）および**国際生活機能分類（ICF）**（図4）の2つの概念が，リハビリテーション医療や福祉領域では広く活用されている．これらの概念は，理学療法および作業療法領域における評価では，急性期，回復期，維持期などの状況に応じて使用されるべきである．

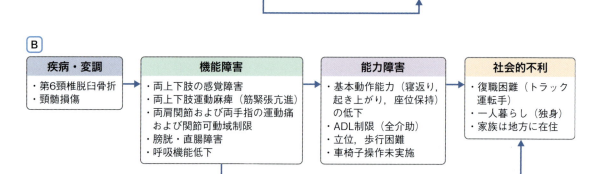

図3 ICIDHの障害構造（A）および頸髄損傷による障害モデル例（B）

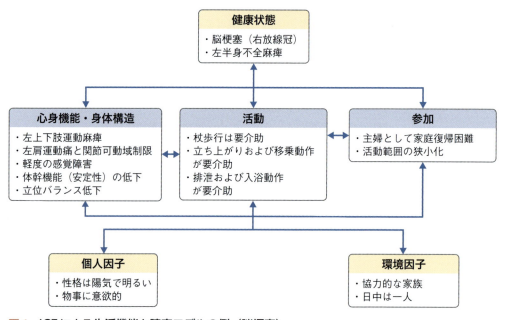

図4 ICFによる生活機能と障害モデルの例（脳梗塞）

4 評価の構成要素

- 理学療法および作業療法で行われる評価は，図1で示したように，下記の各要素から構成されている．
  1) 観察
  2) 検査・測定
  3) 統合と解釈
  4) 問題点の抽出
  5) 目標および介入計画の設定

6）介入（理学療法/作業療法）プログラムの立案
7）記録

1）観察

- **観察**（observation）は，観察者が主として肉眼で対象者の姿勢や動作・行動をありのままに把握する方法である．
- 観察は，身体の形態を中心とした表面的観察と対象者の心理的，精神的な側面に関する内面的観察の両面から行う必要がある．
- 局所的（部分的）観察から全体的（全身的）観察へと広げていくようにする方法と，全体的（全身的）観察から局所的（部分的）観察へと広げていくようにする方法がある．

2）検査・測定

- **検査**（test）は一定の条件（基準）の下で実施され，対象者を把握し判定する方法である．判断基準は対象者の動作や反応を「可能（できる）」「不可能（できない）」，「陽性（＋）」「陰性（－）」などによって判定するものと，動作能力を数量化して判定するものがある．
  例：徒手筋力検査，運動発達検査，日常生活活動検査，片麻痺機能検査など．
- **測定**（measurement）は対象者の形態的変化やパフォーマンスを数量化して判定するものである．
  例：筋力計（dynamometer）を用いた筋力測定，歩行速度測定，肢長・周径測定，関節可動域測定など
- 検査・測定時の注意事項は以下のとおりである．
  ①患者にオリエンテーションを十分に行い，検査に必要な協力を得るようにする．
  ②検査の目的（必要性）を十分検討し，その目的に合った検査・測定指標を選択する．
  ③患者の負担を最小限に抑え，疼痛や疲労を避けるようにする．
  ④検査・測定を行う順序をあらかじめ決めておき，手際よく，正確に実施する．
  ⑤測定者は同一の者が継続して行う．
  ⑥定期的に実施する場合には，検査・測定をできるだけ同一の条件や方法で行う．
  ⑦できるだけ同一の肢位で実施し，無用な体位・肢位の変換を避ける．
- 観察や検査・測定に先立って対象者に関する情報を収集する必要がある．対象者に関する情報には次のようなものがある．
  ①個人情報：患者のプライバシーに関するもので，介入上必要となる情報．
  ②医学的情報：疾病や障害，診断・介入内容に関するもの．
  ③心身機能に関する情報：理学療法や作業療法を行ううえで必要となる情報．
  ④生活関連情報：生活歴で家庭を中心とした生活圏に関する情報など．職業関連の活動圏による情報など．

> **memo** **個人情報の保護**
>
> 「患者の個人情報」については，個人の権利・利益を保護するために適切に管理することが社会的責務と考えられている．したがって，個人のさまざまな情報が漏洩しないように万全の注意を払う必要がある．患者個人について知り得た情報を，他の場所で不用意に口外したり，データを施設外に持ち出したりすることも禁止されている．メモ書きはもちろんのこと，USBメモリやノートパソコンの取り扱いには十分注意すること．
> ①個人情報とは
> 　生存する患者等の個人を特定することができる情報のすべてを指す．氏名，生年月日，住所等の基本的な情報から，既往症，診療の内容，受けた処置の内容，検査結果，それらに基づいて医療従事者が行った診断・判断，評価・観察等までをも含む．また，学生が作成した患者レポートも含まれる．
> ②診療記録等
> 　診療の過程で患者の身体状況，症状，介入等について作成または収集された書面，画像等のすべてを含む．診療録，手術記録，麻酔記録，各種検査記録，検査成績，X線画像，看護記録，紹介状，処方箋の控え等．当然，これらも個人情報に含まれる．
> ③匿名化
> 　個人情報の一部を削除または加工することにより，特定の個人を識別できない状態にすること．匿名化された情報は個人情報としては扱われない．ただし，その情報を主として利用する者が，他の情報と照合することによって容易に特定の個人を識別できる場合には，匿名化は不十分である．

3）統合と解釈

- **情報の統合**（integration）：入手したすべての情報は，バラバラに捉えていたのでは意味がない．それぞれ相互の関連性に着目し，意識して全体的に捉えるようにすることが望まれる．そのためにはそれらの情報，特に検査や測定結果の記録を集めて統合する作業が必要となる．
- **統合結果の解釈**（interpretation）：統合された情報は，介入プログラムの時期と目的により，適切に解釈されることで実施方法が決定する．解釈によって実施方法や介入の方向性が左右されることになるため，この統合結果の解釈が非常に重要となる．
- 「統合と解釈」の意味は，「他部門から収集した情報や検査・測定で得られた情報を統合させ，**それがその個人にとって，どのような意味をもつか解釈する過程**」である．また，「間接的・直接的に得られた情報を目的に沿って統合することであり，介入方針を決定するためにその情報について重みづけを行うこと」ということもできる．
- 実際には，あらゆる情報を統合して対象者のもつ障害を障害分類に基づいて分類し，その相互関係を理解したうえで，障害の構造を明らかにすることが多い．以下の2つの目的について統合することが大切である．
　①活動制限や動作制限とその原因や要因との因果関係を解明すること．
　②対象者がこれまでどのような生活を送ってきたか，また，これから送ろうとしているのかについて考えること．そのうえで「障害となっていることは何か」という視点から，「克服すべきことは何か」ということを考えるべきで，機能的な側面のみを改善することが目的とならないようにしなければならない．したがって，機能的な側面の改善にとどまることなく，その人の実生活に役立つか否かという点を常に意識する必要がある．
- 入手した詳細な情報を分析・検討し，全人間的視点から評定し，以後の方針や計画を決定する．その際，以下の項目について十分配慮する必要がある．
　①問題点の探索：疾病や障害が実際の介入や生活に与える阻害因子を知る．
　②残存能力の把握：患者が更生するには，残存能力の開発が重要であることを認識し，的

確に把握する．

③回復能力の推定：現状の障害の状況と残存能力から，心身の回復能力がどの程度期待できるのか推定する．

④改善度合いの予測：可及的最大限の努力によってどの程度回復が可能であるか，そのレベルを予測する．

4）問題点の抽出

- 種々の情報，検査・測定の結果から抽出された介入（理学療法や作業療法）上の問題点をあげる．
- 問題点は，問題のある（ネガティブな）点を単に列挙するのではなく，**「解決するために解釈した課題」**と捉えるべきである．したがって，解決の可能性を見出すために，現在の問題点をポジティブに捉えることも必要となる．
- 問題点は以下のように分類される．
  ①理学療法や作業療法の立場から積極的に解決すべき問題
  ②理学療法や作業療法を進めるうえで考慮すべき問題（例えば，再発や併存疾患の存在など）
- 問題点は理学療法や作業療法に必要な医学的，社会的，心理的な事項に分類・整理して，リスト（箇条書き）に掲げる．また，優先順位を決定することも必要となる．

■ 問題点リストの整理の仕方

①障害レベルに基づく問題点の整理

- 患者の情報収集が終了すると，それぞれの情報をもとに次の順序で問題点の整理を行う．収集した情報から国際障害分類（ICIDH）もしくは国際生活機能分類（ICF）に従って問題点を整理するのが一般的である（表1）．
  ①機能障害レベル（心身機能・身体構造レベル）における問題
  ②能力障害レベル（活動レベル）の問題
  ③社会的不利レベル（参加レベル）の問題
- 上記の分類を，さらに理学療法部門もしくは作業療法部門，その他の部門，リスクの問題に分けて問題点リストを作成する．

表1　ICIDHによる問題点整理の例（脳卒中右片麻痺患者）

レベル	理学療法部門 （積極的問題）	他部門 （非積極的問題）	リスク （非積極的問題）
機能障害 (Impairment)	＃1　右上下肢随意運動の低下 ＃2　右上下肢筋（末梢部）の痙縮 ＃3　右上下肢の可動域制限 ＃4　右肩の運動痛（屈曲・外旋時） ＃5　右上下肢知覚低下（鈍麻）	＃6　失語症（運動性）	
能力障害 (Disability)	＃7　基本動作能力の低下（寝返り・起き上がり・立ち上がりおよび立位不安定） ＃8　歩行困難 ＃9　基本的ADL困難（更衣・排泄・入浴）		＃10　心臓弁膜症 ＃11　高血圧
社会的不利 (Handicap)		＃12　独居	

②時間的関係による優先順位に基づく問題点の整理

- 障害像を理解するためには，収集した情報から問題点についてICIDHやICFの概念に基づいて整理したうえで障害を階層化し，箇条書きで示すことが多い．また，関連図を用いることで，障害の関連性が整理しやすくなる．この際，問題解決の優先順位を決定することが重要となる．この場合，早急に解決する必要性の高いものから問題点リストを整理することによって，患者の障害のポイントが明確になり，介入計画が立てやすくなる．
- 問題点リストの整理にあたっては問題ごとに番号をつけ，できるだけ介入プログラムの番号と一致させると理解しやすい．
  注：問題点リストには，しばしば#という記号が使われるが，これは「シャープ」ではなく，「ナンバー」と読む．したがって，#1は「ナンバーワン（イチ）」である．

5) 目標および介入計画の設定

- 目標は，疾患の病態やその特徴に加えて，種々の情報，また患者に適応した検査・測定結果から設定する．この際，患者の主訴によって目標が大きく異なることがある．
- 主訴とは，自覚症状に加えて，患者自身の病気や障害の理解と受容に基づいた患者の（生の）声である．主訴は，さらにニーズ（needs），デマンド（demand）と分類できる．
  ①ニーズ（needs）：生活を満たすための要求，需要，客観的な必要性．
  ②デマンド（demand）：可能であればという要望，希望，期待，主観的な必要性．
  現実には，ニーズとデマンドは必ずしも一致しないことが多い．そして，主訴を目標に反映させるためには，ニーズを明確にすることが重要となる．
- **目標設定**（goal setting）には到達時期を明示することが必要である．多様な視点から分析や検討を行うことによって，その達成レベルと期間を決定する．
- 目標設定には，プログラムの実施によって短期間で達成可能と推測される目標設定と，長期間で達成可能と推測される目標設定の2つがある．
  ①短期目標（short term goal：STG）の設定：長期目標を達成するにあたって，当面の達成（解決）すべき目標である．
  ②長期目標（long term goal：LTG）の設定：最終的な患者の状態を予測し，そこに適応した目標を設定したものである．
  リハビリテーションの期間は有限であるので，通常，短期目標では開始から1～2週間程度，長期目標では2～3カ月以上，6カ月程度（退院時の場合もある）とすることが多いが，患者によってこの期間は異なり，一概に期間を設定できるものではない．また，急性期では長期目標を設定することが困難なことが多く，先に短期目標を設定し，順次達成する過程で長期目標を設定する場合もある．なお，近年では，在院日数の短縮化に伴い，短期・長期目標とも期間が短くなることが多い．
- **介入計画**は，リハビリテーションチームの掲げる目標（介入方針）と整合性のあるもので，どのような方向づけでプログラムを進めるか，さらにどのような種目や手技を用いるか，の2つが考えられる．介入計画は以下のような順序で進められる．
  ①介入方針の決定
  ②実施方法の設定
  ③効果判定
  ④記録

6）介入プログラムの立案

- **介入プログラム**の立案とは目標達成のために，理学療法部門あるいは作業療法部門の問題点に対する解決策を立てることである．
- 具体的なプログラムを立案するにあたって，目標達成に向けてどのような方針で理学療法や作業療法を進めていくかということを明確にしておく必要がある．
- プログラムを構成するリハビリテーションにおける各アプローチとして，機能・構造障害に対してその改善や軽減を図るもの（介入的アプローチ），活動制限に対して機能代償や補装具などの手段を用いて，反復練習によってスキルの向上を図るもの（練習的アプローチ），参加制約に対して日常生活や社会生活上での不都合につながる環境条件の調整を図るもの（調整的アプローチ），さらに，運動障害に伴う不安や回復意欲といった心理状態に対する支持的な対応（心理的アプローチ）などがある（図5）．
- プログラムには介入種目だけでなく，その内容〔使用機器，実施肢位，実施部位，方法（手段），強度（難易度），頻度・回数，量など〕について，できるだけ具体的に明記する必要がある（表2）．例えば，問題点で指摘された下肢の筋力低下に対して，単に「筋力増強運動」というように介入項目をあげただけでは不十分であり，症例に合わせて筋力トレーニングの実施方法を具体的に説明できるようにすることが大切である．
- 原疾患，経過期間，年齢，全身状態，合併症の有無，社会的背景などの諸因子を考慮し，一人ひとりの状態に合った介入プログラムを立案する．

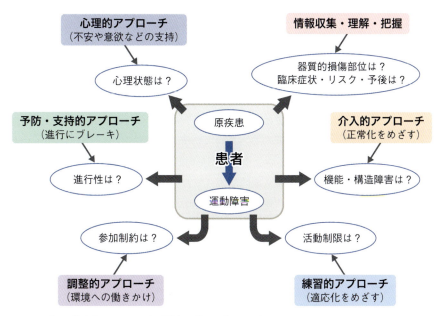

図5　リハビリテーションにおける各アプローチ
文献2をもとに作成

表2 介入プログラムの立案例〔脳卒中右片麻痺患者（理学療法　3単位）〕（表1参照）

問題点		介入プログラム	内容
機能障害 (Impairment)	＃1	①随意運動の促通（手指および膝のコントロール）	手指伸筋群・膝屈伸・足背屈筋（5分）：背臥位
	＃2	②痙縮筋に対する持続伸張	手指および肘屈筋・下腿三頭筋（15分）起立台使用：立位
	＃3	③関節可動域運動	他動＋一部自動介助（各関節10回，5分）：背臥位
	＃4	④良肢位の保持による肩関節の保護	アームスリング使用　※ROMexは愛護的に実施
能力障害 (Disability)	＃7	⑤寝返り・起き上がり動作の練習	マット上（10分）・病室ベッド（5分）：背臥位
	＃7	⑥立ち上がり・立位バランス練習	平行棒内（10分）　※麻痺側膝を保持
	＃8	⑦歩行練習	平行棒内　※立位バランス安定後に装具使用

7）記録

- 理学療法や作業療法に関する診療内容は，評価の結果も含め，患者の経過を診療録に記録する．

■1 記録の要件

- 記録にあたって，留意すべき点は次のとおりである．
  ①後に診療録を見て変化を容易に理解できること．
  ②他の医療従事者が見ても理解できること．
  ③そのために，正確かつ簡潔に記載すること，共通の医学用語を使用すること，書式が統一されていること，等が求められる．
- 経過記録には，初期計画に基づいてケア・介入を実行した結果，各問題がどのように変化したかについて，問題ごとにその経過を記録する．
- 理学療法や作業療法に関する診療記録は，評価と介入経過に関する必要かつ十分な内容を記入してまとめる．

■2 記録の形式

- 診療録には，一般に問題指向システム〔problem oriented system（POS）〕が用いられ，記録形式は **SOAP** が導入されている．
- SOAPでは，以下のように問題指向的な分類をして記載する．
  S（subjective）：主観的情報（患者もしくは家族などから得た情報であり，主に症状や経過に関する内容）
  O（objective）：客観的情報（主に検査・測定結果に関する内容，事実に関する記述）
  A（assessment）：評価（主に統合と解釈に関する内容，SとOに基づいた判断）
  P（plan）：介入方針・計画，実施内容（患者への説明内容も含む）

■ 文献

1）「理学療法フィールドノート1 脳血管障害・神経疾患」（内山 靖/編），pp2-3，南江堂，2008
2）「理学療法学 第2版」（内山 靖/編），p249，医学書院，2013

■ 参考図書

本項執筆にあたり，以下の書籍を参考とした．
- 「理学療法評価学 改訂第4版」（松澤 正，江口勝彦/著），金原出版，2012
- 「理学療法評価学Ⅰ」（石川 朗/総編集），中山書店，2013
- 「理学療法評価学 第2版」（内山 靖/編），医学書院，2004
- 「作業療法評価学 第2版」（岩崎テル子，他/編），医学書院，2011

第2章 評価に必要な基本情報

1 評価の進め方

> **学習のポイント**
> - リハビリテーションにおける問題解決プロセス，リハビリテーションの対象となる障害を学ぶ
> - リハビリテーション評価を実施する評価時期，評価計画の立て方を学ぶ

1 リハビリテーションにおける問題解決プロセス

- 臨床現象としてみられる障害とその原因を論理的に考え，情報収集と解釈，仮説の形成と証明，といった過程を通して問題となる障害や症状を解決する思考や手段のプロセスを**臨床推論（クリニカルリーズニング）**という（図1）．リハビリテーションにおいても，臨床推論を通して対象者の問題となるさまざまな障害を解決する．
- 臨床推論において実際に問題解決のための介入を実施する前には十分な評価（情報収集，統合と解釈，問題点抽出，目標設定，介入プログラム立案）を行うが，リハビリテーションにおける評価過程の代表的な考え方として「**ボトムアップ過程**」と「**トップダウン過程**」がある（図2）．

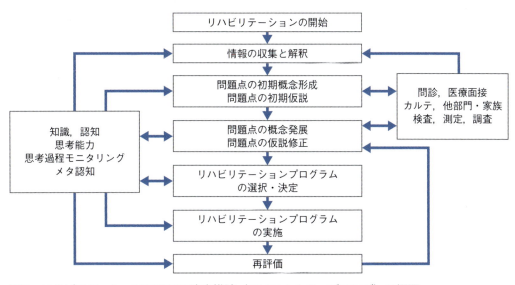

図1 リハビリテーションにおける臨床推論（クリニカルリーズニング）の概要

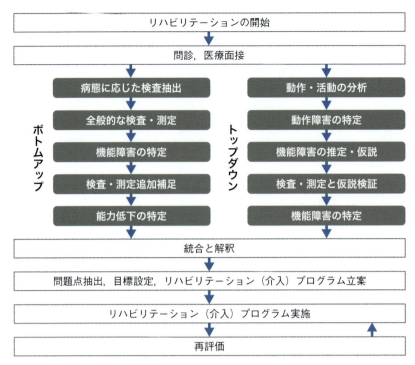

図2　ボトムアップ過程とトップダウン過程

- ボトムアップ過程は，疾患や病態から考えられる画一的な検査や測定を一通り網羅的に実施し，その結果から心身機能・構造の問題点を把握し，動作や活動の問題点にどのようにつながっているのかを考えて全体の障害像を分析する過程である．
- トップダウン過程は，動作や活動の問題点を念頭に置き，その問題の原因となる心身機能・構造の問題点の仮説を立て，その仮説を検証するための検査や測定を実施して障害像を明らかにする評価過程である．
- ボトムアップ過程とトップダウン過程はそれぞれに利点と欠点がある（表1）．
- リハビリテーションの初学者では，対象者の障害像を分析するために多くの情報と，情報収集や分析のための時間が必要になることが多い．そのため，まずはボトムアップ過程での評価実施が推奨されることもある．
- 実際の臨床現場では，限られた時間で，最大限のリハビリテーション効果を引き出すためにトップダウン過程での評価を求められる．また，リハビリテーション業務経験が増すにつれてトップダウン過程で評価を進める比率が高くなる．
- いずれの評価過程で評価を実施するにせよ，最も重要なことは，臨床推論の中で得られた情報を十分に吟味しつつ効率的で妥当な評価を実施し，対象者の問題解決の焦点と解決方法を導き出すことである．

表1 ボトムアップ過程とトップダウン過程の利点と欠点

	ボトムアップ過程	トップダウン過程
利点	・網羅的に評価するため，情報の漏れを減らせる．問題点を見逃すことが少なくなる ・リハビリテーション評価の経験の少ない人でも実施しやすい ・多くの情報が得られるため，過去の知見を応用しやすい	・心身機能・構造の問題点が動作や活動の問題点とどのように関連しているのか考えやすい ・検査項目や問題となる焦点を絞り込みやすい ・対象者の動作や活動における問題を主軸にした評価を展開しやすい ・対象者の訴えやニーズに合わせた検査が可能になり，満足度も高くなりやすい ・効率がよい ・必要性の低い検査項目を減らすことができる ・対象者および評価者にとって，評価に要する時間や労力を最小限にできる ・短期間で評価し，リハビリテーションプログラム実施へ移行しやすい
欠点	・検査や測定をする段階でその目的を十分考えずに実施する傾向に陥りやすい ・障害の細かな視点にとらわれて全体の障害像を見誤る可能性が高まる ・検査結果が，実際の動作や活動の障害にどのように影響しているのかを考えることが，二の次になってしまいやすい ・効率が悪い ・数多くの評価を実施するため，対象者および評価者にとって時間と労力が必要となる ・評価からリハビリテーションプログラム実施へ移行するまでの時間がかかる	・検査の漏れが起きる可能性が高くなる ・問診や動作および活動の観察や分析が適切でなければ正しい問題点を導き出せない ・検査項目を抽出する際に経験に基づく予測が必要とされる ・疾患の急性期や日常生活動作が重度介助レベルの対象者には不向きである

2 リハビリテーションの対象となる障害の範囲

- リハビリテーションの対象年齢は小児から高齢者まで幅広く，リハビリテーションの対象疾患も多岐にわたる．リハビリテーションは数多くの分野や領域で健康増進，障害・疾病予防，機能回復を図るが，いずれにおいても共通したリハビリテーションの対象は「障害」である．世界保健機関（WHO）によると，障害は「外傷あるいは疾病，先天異常による身体的または精神的能力の低下」と定義されている．
- WHOが提唱した代表的な障害モデルである**国際生活機能分類**（ICF：International Classification of Functioning, Disability and Health）では，心身機能，身体構造，活動/参加のそれぞれのレベルにおいて着目する生活機能が分類されている（表2）．いずれの生活機能についても，対象者にとっての問題が発生すれば「**機能障害，活動制限，参加制約**」のいずれかのレベルの障害として捉えられるため，障害の範囲は非常に幅広い．
- 多岐にわたる障害のうち，特にリハビリテーションで改善を図る主たる対象の焦点は「**動作能力に関する障害**」であり，動作能力障害の原因となる機能障害や，動作能力障害が影響を及ぼす活動制限/参加制約と併せて改善を図る．
- そのため，リハビリテーション評価では，まず日常生活活動に必要な要素である**基本的動作能力**や**応用的動作能力**にどのような障害があるかを基軸として，その動作能力障害が，

表2　ICFにおける生活機能の要点

心身機能	
精神機能（全般的）	意識，見当識，知的機能，気質・人格，活力・欲動，睡眠
（個別的）	注意，記憶，精神運動，情動，知覚，思考，高次認知，言語，計算
感覚機能と痛み	視覚，聴覚，前庭，味覚，嗅覚，固有受容覚，触覚，温覚，痛覚
音声と発話の機能	音声，構音，言語リズム，代替性音声
心血管系・血液系・免疫系・呼吸器系の機能	心，血管，血圧，血液，免疫，呼吸，呼吸筋，運動耐容能
消化器系・代謝系・内分泌系の機能	摂食，消化，同化，排便，体重維持，代謝，体温調節，内分泌
尿路・性・生殖の機能	尿路，尿排泄，排尿，性，月経，生殖
神経筋骨格と運動に関連する機能	関節可動性，関節安定性，骨可動性，筋力，筋緊張，筋持久力，運動反射，不随意運動反応，随意運動制御，不随意運動，歩行パターン，運動感覚
皮膚の機能	皮膚保護，皮膚修復，毛，爪

身体構造	
神経系の構造	脳，脊髄，髄膜，交感神経，副交感神経
目・耳および関連部位の構造	眼窩，眼球，目の周囲，外耳，中耳，内耳
音声と発話にかかわる構造	鼻，口，咽頭，喉頭
心血管系・免疫系・呼吸器系の構造	心血管系，免疫系，呼吸器系
消化器系・代謝系・内分泌系に関連した構造	唾液腺，食道，胃，腸，膵臓，肝臓，胆嚢・胆管，内分泌腺
尿路性器系および生殖系に関連した構造	尿路系，骨盤底，生殖系
運動に関連した構造	頭頸部，肩部，上肢，骨盤帯，下肢，体幹，筋骨格構造
皮膚および関連部位の構造	皮膚，皮膚腺，毛，爪

活動／参加	
学習と知識の応用（目的をもった感覚的経験）	注意して視ること，注意して聞くこと
（基礎的学習）	模倣，反復，読む学習，書く学習，計算学習，技能習得
（知識の応用）	注意の集中，思考，読む，書く，計算，問題解決，意思決定
一般的な課題と要求	単一課題の遂行，複数課題の遂行，日課の遂行，ストレスとその他の心理的要求への対処
コミュニケーション（コミュニケーションの理解）	話し言葉の理解，非言語的メッセージの理解，公的手話によるメッセージの理解，書き言葉によるメッセージの理解
（コミュニケーションの表出）	話すこと，非言語的メッセージの表出，公的手話によるメッセージの表出，書き言葉によるメッセージの表出
（会話ならびにコミュニケーション用具および技法の利用）	会話，ディスカッション，コミュニケーション用具および技法の利用
運動・移動（姿勢の変換と保持）	基本的な姿勢の変換，姿勢の保持，乗り移り（移乗）
（物の運搬・移動・操作）	持ち上げることと運ぶこと，下肢を使って物を動かす，細かな手の使用，手と腕の使用
（歩行と移動）	歩行，移動，さまざまな場所での移動，用具を用いての移動
（交通機関や手段を利用しての移動）	交通機関や手段の利用，運転や操作，交通手段として動物に乗ること
セルフケア	自分の身体を洗うこと，身体各部の手入れ，排泄，更衣，食べること，飲むこと，健康に注意すること
家庭生活（必需品の入手）	住居の入手，物品とサービスの入手
（家事）	調理，調理以外の家事
（家庭用品の管理および他者への援助）	家庭用品の管理，他者への援助
対人関係（一般的な対人関係）	基本的な対人関係，複雑な対人関係
（特別な対人関係）	よく知らない人との関係，公的な関係，非公式な社会的関係，家族関係，親密な関係
主要な生活領域（教育）	非公式な教育，就学前教育，学校教育，職業訓練，高等教育
（仕事と雇用）	見習研修（職業準備），仕事の獲得・維持・終了，報酬を伴う仕事，無報酬の仕事
（経済生活）	基本的な経済的取引，複雑な経済的取引，経済的自給
コミュニティライフ・社会生活・市民生活	コミュニティライフ，レクリエーションとレジャー，宗教とスピリチュアリティ，人権，政治活動と市民権

どのような機能障害で説明され，どのような活動制限/参加制約に影響を及ぼしているか，ということについて，検討するべく思考を展開し，評価の対象を具体化していく．

- リハビリテーション評価過程では，対象者の生活機能においていずれの障害があるか，どの程度の障害であるか，について明らかにし，疾患に関する医学的な情報，対象者を取り巻く住環境の情報を考慮しつつ，対象者の障害像はどのようなものかについて障害モデルを用いて整理しながら分析する．そのうえで，どの障害に対して，どのような目標に向かって，どのようなリハビリテーションプログラムを実施して障害を改善するかを判断し，一貫して「障害」に関する問題の解決を図る．

3 リハビリテーション評価の時期

- リハビリテーション評価は実施する時期によって，①初回（初期）評価，②中間評価，③最終評価に分類され，それぞれの評価時期に合わせて適切なタイミングで再評価を実施する（図3）．

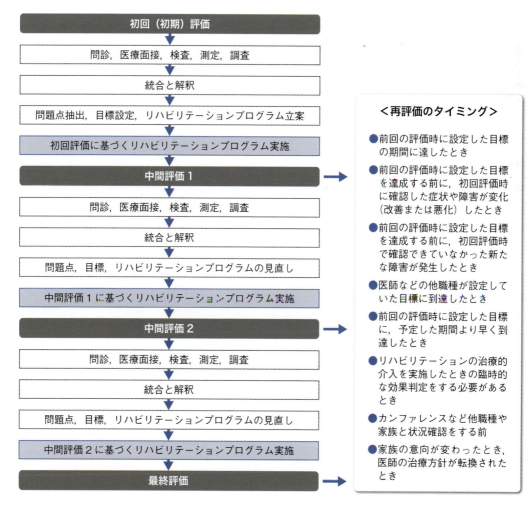

図3　リハビリテーション評価過程と評価時期

- **初回評価**は，対象者のリハビリテーションを始めるときに行うリハビリテーション評価である．リハビリテーション開始時における対象者の障害像を把握し，今後のリハビリテーションの方針を決定する．
- **中間評価**は，リハビリテーションの効果判定をするときに行うリハビリテーション評価である．一定期間のリハビリテーションを実施した後，前回実施した評価時に比べてどこまで障害が改善したか，変化したか，リハビリテーション介入の効果がどの程度であったかを見直して次のリハビリテーションの方針を決定する．
- **最終評価**は，リハビリテーション終了時に行うリハビリテーション評価である．初回評価時や中間評価時に比べて最終的にどこまで障害が改善したか，変化したかを確認する．
- 初回評価に対して，中間評価と最終評価は，いわゆる「再評価」にあたる．再評価は，前回のリハビリテーション評価時に設定した目標の到達時期を目安にして実施する．

4 リハビリテーション評価計画の立て方

- リハビリテーション評価は重要であるが，評価ばかりに時間をかけて実際の介入の開始が遅れることのないよう，効率的かつ効果的なリハビリテーション評価を実施するためにあらかじめ評価計画を立てる．
- 対象者の評価に必要な時間，場所，検査器具，評価結果を記録する評価用紙を事前に準備するとともに，対象者との限られた評価時間を有効活用するように評価の実施手順も事前に確認しておく．
- リハビリテーションの対象者の中には，高次脳機能障害や動作障害のために検査により多くの時間が必要な場合や，検査肢位が限られるために予定した検査ができない場合，広い場所や特別な検査器具がない場合，状態が不安定であったり，疲労しやすい対象者の場合，実施可能となる検査が限られ円滑に予定通りの評価を実施できない場合がある．予定した評価を実施できなかった場合には，翌日以後の評価計画を速やかに修正する．

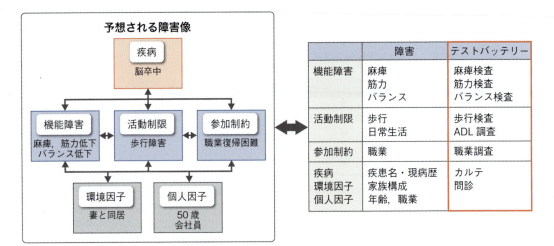

図4　テストバッテリーの考え方

- リハビリテーション評価では，多面的な情報を収集して障害をより総合的に理解し，対象者が呈する障害像を総体的に明らかとするために，必要と考えられた単一の評価尺度を複数選択して**テストバッテリー**（検査バッテリー）を組み，包括的かつ効率的に検査・測定・調査を実施する（図4，5）．
- テストバッテリーで組み合わされる検査・測定・調査項目は，対象者の問題と想定される焦点かどうか，対象者の主訴やニーズに関係するか，対象者への負担はどの程度か，といった点をもとに優先順位をつけて選択する．
- リハビリテーション評価で実施される検査・測定では，さまざまな**評価尺度**を用いた結果が数値として示される．それぞれの検査結果の数値は，名義尺度，順序尺度，間隔尺度，比率尺度（または比例尺度）のいずれかの尺度水準の特性を有しているため，検査結果を解釈する際に数値の特性を考慮する（表3）．

新しく担当する患者で以下のような情報の人が入院し，リハビリテーションを実施することになった．3カ月前に脳卒中右片麻痺を発症した45歳男性，急性期治療後に病態は安定，脳卒中以外の既往症は特になし，一級建築士として20年以上設計業務に従事，一人暮らし，近隣に家族・親類はいない，歩行障害のために自宅復帰・職業復帰困難，リハビリテーションを希望．

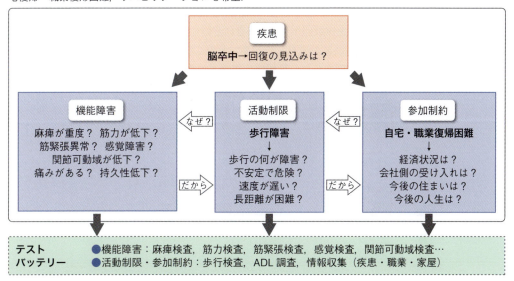

図5 テストバッテリーの考え方の例

表3 評価尺度の特性

尺度名	例	記号性	順序性 大小関係	等間隔性 加減	絶対零点 乗除	情報量
名義尺度 (nominal scale)	ID番号，性別，血液型	○	×	×	×	少ない ↕ 多い
順序尺度 (ordinal scale)	徒手筋力検査（MMT），Brunnstrom stage，Barthel Index	○	○	×	×	
間隔尺度 (interval scale)	摂氏温度，pH	○	○	○	×	
比率尺度 (ratio scale)	長さ，質量，時間，速度，角度，周波数	○	○	○	○	

表 4　望ましい評価尺度の条件

対象者	・負担が少ない，疲れを招きにくい ・安全である
検者	・短時間で計測できる ・特別な時間や場所でなくても計測できる ・特別な機器や技術がなくても計測できる
尺度特性	・信頼性が高い（測定の精度が高い） ・妥当性が高い（測定しようとしたものをよく表している） ・感度が高い（障害が存在していることを正しく検出できる） ・特異度が高い（障害が存在していないことを正しく検出できる） ・参考値が提示されている ・量的データ（量的変数）である（情報量が多いデータである）

- リハビリテーション評価での検査・測定では，対象者，検者，尺度特性において望ましい要件をできるだけ満たしている評価尺度を用いる（表4）．
- 特にリハビリテーション評価では，検査結果に高い**信頼性**（reliability）が求められ，一人の検者が患者を複数回検査したときにどのくらい結果が一致するかの程度（**検者内信頼性**），複数の検者が患者を検査したときにどのくらい結果が一致するかの程度（**検者間信頼性**）が高いことが望ましい．信頼性を確保するために，検者は正確な検査技術を修得することが必要である．また，症状の日内変動や日間変動がある対象者では，検査結果の信頼性が対象者の病態や症状によっても左右されやすいため，検査・測定をする際には対象者の症状の変動に留意することも必要である．

第2章 評価に必要な基本情報

2 医療面接と情報収集

学習のポイント
- 医療面接の目的，手順，注意点を学ぶ
- 情報収集のためのカルテの見方，医学的情報，社会的情報の取り方を学ぶ

1 医療面接の目的と実施するタイミング

- **医療面接**は，面接形式の対話によって患者から情報を引き出すことである．主に医師の分野で実施され始めたが，セラピストも問診，オリエンテーションの一環として実施する．
- 医療面接は治療の前置きや単なる挨拶ではなく，医療行為の一部分を担う．
- 医療面接の主な目的は，以下の3つである．
  ① 対象者（患者）の心理，考え方，障害像の理解を深めるための情報収集と問題点の抽出
  ② 信頼関係の構築，対象者の感情面への対応
  ③ 対象者への教育および治療への動機づけ，診療方針の交渉と合意
- セラピストが医療面接を実施するタイミングは評価（再評価）を行うタイミングに似ている（2章-1参照）．すなわち，初回評価，中間評価，最終評価の各時点，リハビリテーション実施経過などで，必要に応じて実施する（表1）．

表1 医療面接を実施するタイミング

・初回評価・中間評価・最終評価の実施前後（この3つのタイミングでは必ず行う）
・前回の評価時に設定した目標の期間に達したとき
・前回の評価時に設定した目標を達成する前に，初回評価時に確認した症状や障害が変化（改善または悪化）したとき
・前回の評価時に設定した目標を達成する前に，初回評価時に確認できていなかった新たな障害が発生したとき
・医師などの他職種が設定していた目標に到達したとき
・前回の評価時に設定した目標に，予定した期間より早く到達したとき
・リハビリテーションの治療的介入を実施したときの臨時的な効果判定をする必要があるとき
・カンファレンスなど他職種や家族と状況確認をする前
・対象者本人の意向・意欲・希望が変わったとき
・家族の意向が変わったとき
・医師の治療方針が転換されたとき

2 医療面接の実施手順

- 医療面接の手順は，①はじめに，②**問診**，③**検査・測定**，④**次の段階への導入**で構成される（図1）．前述の面接の目的を達成することが最も重要であり，必ずしもこの順序どおりでなくてもよい．
- 医師の医療面接は主に診察室で実施されるが，セラピストの医療面接は診察室以外に会議室，リハビリテーション室，ベッドサイドなどでなされることもあり，個人情報保護に十分留意する．
- 医療面接前の情報収集は，医療面接を円滑に実施するためだけでなく，全体像の把握，準備，リスクの把握と予測に役立つ．医療面接を実施する際には，本人と直接面接する前に，カルテ調査，他職種からの情報，家族からの情報などについて，可能な限り事前に情報収集を行う．
- 医療面接開始時は，セラピストの挨拶と自己紹介から始め，初めて対面する対象者では本人の氏名を確認したうえで，面接の目的と予定を伝え，同意を得る．緊張感のある中で面接を実施することも多いため，場の空気を読んで可能な限り対象者の緊張を解くことに努める．
- 問診では，疾患，症状，障害，経過，日常生活動作に関する項目を聴取し，本人の主訴，ニーズ，面接時に抱える課題とその捉え方を確認する．
- 問診は，最初に自由度の高い質問をして対象者に自由に話してもらい，無駄に情報の再収集をしないよう留意する．また，込み入った家族背景や予後予測の判断が困難な疾患に関するデリケートな話は，何のために聞く必要があるのかを伝え，必要最小限の範囲の内容について聴取する．
- 問診の後，実際に面接の場で簡単な検査・測定を実施してもよい．医療面接に多くの時間を設けることが困難なことが多いため，このとき実施する検査はスクリーニング目的で行

```
●事前準備，事前調査
  処方箋，診療録（カルテ），医療従事者，家族から情報収集
          ↓
①はじめに
  挨拶，自己紹介，対象者氏名の確認，面接の目的と予定の確認と同意，緊張緩和
          ↓
②問診
  主訴，ニーズ，疾患と症状（健康状態），障害，経過，日常生活動作に関する聴取
          ↓
③検査・測定
  確認と了承，実施，結果説明（※可能な範囲で実施，初診時困難であれば次回へ）
          ↓
④次の段階への導入
  挨拶，簡潔に要約した現時点の見立てと今後の予定を説明
```

図1　医療面接の主な手順

い，詳細な検査・測定は後日実施する．その場合，検査・測定で今後に予定される事項を説明し，確認と同意を得る．
- 最後に必ず確認と要約をして面接内容の要点をまとめるとともに，今後のリハビリテーション診療予定について伝え，医療面接を終了する．

3 医療面接における注意点

- 医療面接では，**共感的態度**（対象者の訴えや考えに支持と理解を示すとともに共感的に接する態度）と**傾聴**を基本的姿勢として臨む（表2）．
- 共感的態度と傾聴によって，対象者の話に理解を示して安心感を与え，会話が円滑に進行することで，信頼関係を築きやすくなる．

表2 傾聴の方法

①アイコンタクト
- 相手を一個人として認めるというサインを伝えていることになる
- 信頼関係を築きやすい
- 書類などに目を奪われると対象者の目を見ずに会話をすることがあるため注意する

②沈黙
- 主訴を聴取する場合は必須である
- 相手に関心をもっていることを態度で示しながら沈黙する
- 「沈黙」という名の無音の言語であり，傾聴していることを態度で示す
- 対象者は話がしやすく（葛藤を表出しやすく），訴えたいことを自分で整理しながら話すことができる
- 対象者は沈黙を埋めようとして応答が促進される（傾聴が前提）
- 寡黙な患者には有効な方法といえない場合もあるため注意する

③相槌，うなずき
- 「うんうん」，「それで?」，「そうですか」，「なるほど」などのように相槌をうつ
- 相槌，うなずきによって対象者の話に反応すると，対象者の応答をさらに促進できることが多い
- 対象者の言っていることを本当に理解しないで頻回かつ機械的に行うと対象者に不快感を与える場合があるので注意する

④繰り返し
- 対象者「～というわけで，とてもつらいのです」，セラピスト「とてもつらいのですね」など，対象者の訴えの大事な言葉をそのまま繰り返す
- 「わかりました」に代わる「あなたの言われたことを理解できました」というメッセージになり，対象者は自分の発言に注意や焦点が当てられたと感じる
- 対象者の言っていることを本当に理解しないで機械的に言葉を繰り返す「オウム返し」は対象者に不快感を与えるので注意する

⑤要約
- 聴取したことをまとめて言い換え，問題点を絞り込む
- 対象者は自身に関心をもって対応してくれていると感じ，話を発展させることができる

表3　医療面接での質問法

①自由質問法（open-ended question）
・返答の自由度が高い質問 「どのような痛みですか？」，「もう少し詳しく教えていただけませんか？」
・返答項目が限定されないため，対象者はありのままを具体的に述べることができる
・訴えや考えを率直に聴取できる．主訴の聴取に適する
・明確な返答が得られにくい場合がある
②直接的質問法（closed question）
・返答が単純明快な質問，Yes or No question 「頭痛はありますか？」
・数値で明確に返答する質問 「それは何日前からですか？」
・Yes or Noの質問は対象者にとって返答項目が2択になるため，返答しやすい
・端的な一側面の質疑応答にしかならない．一度に多くの項目を含んだ質問をしないよう注意する
③多項目質問法（multiple choice question）
・返答の選択肢を2つ以上設けた質問 「痛みは内側ですか？ 外側ですか？ それとも真ん中ですか？」
・対象者にとって返答項目が限定されるため，返答しやすい
④重点的質問法（focused question）
・求める返答の焦点を絞り込んだ質問 「どのような痛みか，もう少し詳しく話してください」
・訴えや考えを具体的に聴取できる
・明確な返答が得られにくい場合がある
⑤中立的質問法（neutral question）
・評価者の意見や考えを挟まない連続した質問 「なるほど，それで？」，「と申しますと，それはどういうことですか？」
・評価者の断片的な先入観を混入させずに，返答内容の前後に関連する情報が客観的に得られやすい

- 医療面接では対象者に問いかける場面が多くあるが，質問法には，**①自由質問法**，**②直接的質問法**，**③多項目質問法**，**④重点的質問法**，**⑤中立的質問法**があり，各質問法の特性を考慮して使い分ける（表3）．
- 医療面接が始まったら，まずは自由質問法で問いかけ始め，中立的質問法で対象者が話せるように促し，状況に応じて直接的質問法や多項目質問法を用いて，重点的質問法で内容を絞る，などといった工夫をする．

4　主訴とニーズ

- 「**主訴**（chief complaint）」および「**ニーズ**（needs）」は，リハビリテーション評価の手がかりや目標設定に役立つ非常に重要な確認事項である．
- 主訴は，「疾病や障害に関する対象者の主な訴え」で，現在最も困っていることや苦痛に感

じることを対象者の言葉で表現されたものとして，医療面接をはじめとするリハビリテーション評価過程で確認する．

- ニーズは，「セラピストの評価によって対象者にとって客観的に必要と判断されること」で，対象者本人が主観的に要求するものである「**要望**（デマンド：demand）」とは区別する．主訴「膝が痛い，連続100 m以上歩けない，買い物に行けない」，ニーズ「膝の痛みを減らすこと，100 m以上連続で歩けるようになること，買い物に行けるようになること」のようにニーズは主訴に関連することが多い．一方，主訴「自宅屋外を連続100 m以上歩けない」，要望「自宅屋外を連続100 m以上歩けるようになりたい」という対象者であっても，疾患や障害の状態によっては，ニーズ「自宅屋外を連続10 m以上歩けるようになること」となって，要望とニーズに差が生じる場合もある．
- リハビリテーションの対象者は，心身の症状や社会的状況に関するさまざまな点において訴えを有する可能性があるため，主訴は1つではなく複数の場合も少なくない．多くの訴えがあるために訴えの焦点がぼやける可能性があり，主訴を聴取する際には，その都度で整理と確認を行う．
- 意識障害や高次脳機能障害を有する対象者や，自身の状態や状況の冷静な判断が困難である対象者の場合は，家族介護者から聴取した情報が主訴やニーズに反映されることがあるため，必要に応じて家族介護者にも主訴やニーズに関することを確認する．
- 実際に主訴，要望，ニーズを聴取し確認する主な手順は，**①主訴の聴取，②要望の聴取と対象者にとってのニーズの推測，③社会的情報，家族介護者やキーパーソンの要望の確認，④対象者にとってのニーズの確認と判断**で構成される（図2）．

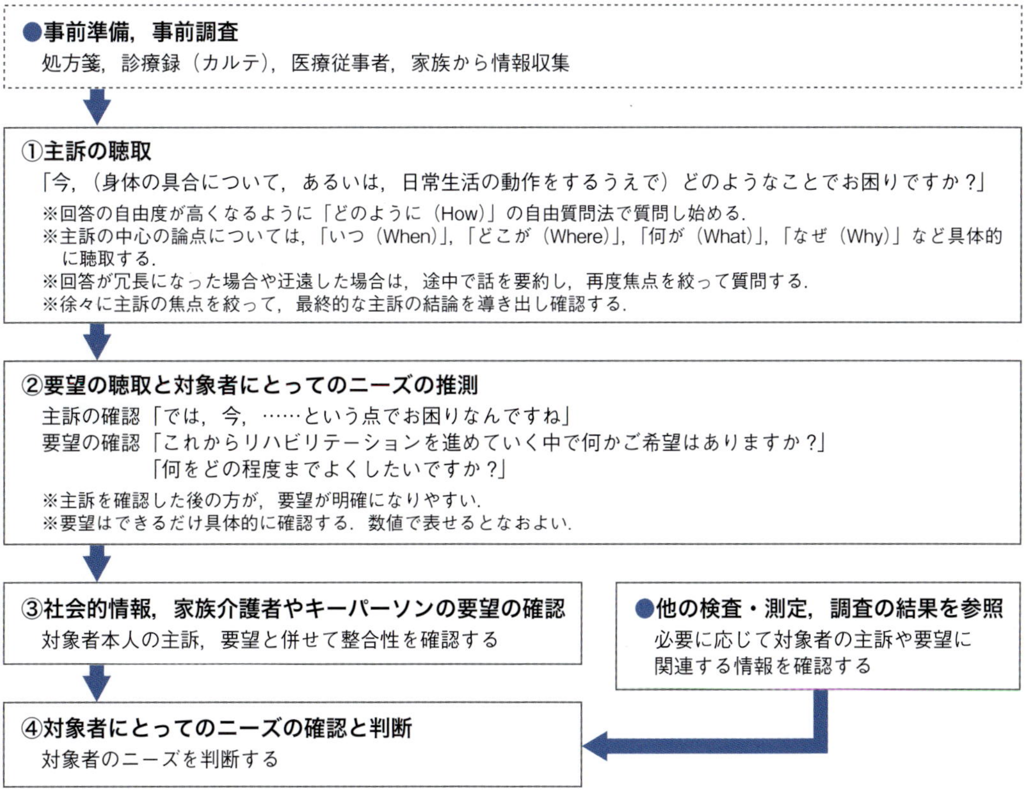
●事前準備，事前調査
処方箋，診療録（カルテ），医療従事者，家族から情報収集
①主訴の聴取
「今，（身体の具合について，あるいは，日常生活の動作をするうえで）どのようなことでお困りですか？」
※回答の自由度が高くなるように「どのように（How）」の自由質問法で質問し始める．
※主訴の中心の論点については，「いつ（When）」，「どこが（Where）」，「何が（What）」，「なぜ（Why）」など具体的に聴取する．
※回答が冗長になった場合や迂遠した場合は，途中で話を要約し，再度焦点を絞って質問する．
※徐々に主訴の焦点を絞って，最終的な主訴の結論を導き出し確認する．
②要望の聴取と対象者にとってのニーズの推測
主訴の確認「では，今，……という点でお困りなんですね」
要望の確認「これからリハビリテーションを進めていく中で何かご希望はありますか？」
「何をどの程度までよくしたいですか？」
※主訴を確認した後の方が，要望が明確になりやすい．
※要望はできるだけ具体的に確認する．数値で表せるとなおよい．
③社会的情報，家族介護者やキーパーソンの要望の確認
対象者本人の主訴，要望と併せて整合性を確認する
●他の検査・測定，調査の結果を参照
必要に応じて対象者の主訴や要望に関連する情報を確認する
④対象者にとってのニーズの確認と判断
対象者のニーズを判断する

図2　主訴，要望，ニーズの聴取の手順

- 主訴や要望は，①疾患の症状や病態，心身機能・構造に関するものと，②動作，活動，社会参加に関するものと，必ず区別して聴取し確認する．
- 主訴や要望は疾患の症状や機能・構造に関するものが中心になりやすく，対象者によっては動作や活動の制限がありながらも痛みやしびれなどの症状に関することだけを訴える場合がある．そのため，症状の改善だけでなく，動作の改善も指向してリハビリテーションを進められるように訴えを整理して聴取する．
- 実際に主訴や要望を聴取する場合は，まず自由質問法によって対象者本人のありのままの訴えを聴取する．主訴の内容を明確にしようとするあまり，対話の最初から直接的質問法などで客観的に聴取したり安易に要約したりすると，対象者にとっての真の訴えや隠れた訴えを見逃したり誤って捉えたりする可能性が高くなる．

5 主な情報収集項目

- 主に収集する情報には氏名，年齢，性別，身長，体重といった**基礎的な個人情報**とともに，**医学的情報**，**社会的情報**がある（表4）．医学的情報としては，疾患に関する情報〔診断名，診断過程，現病歴，既往歴，手術歴，対象者への病状説明，治療計画・治療内容（手術療法，薬物療法，物理療法）〕，治療経過，リハビリテーション実施上のリスク，予後予測診断結果，各種の検査結果〔画像所見（X線，CT，MRI），血液・尿検査，心電図など〕について調べる．社会的情報としては，実生活の住環境や家族関係に関する情報を収集する．
- 情報収集項目は多岐にわたるため，必要な情報を漏れなく収集するためにも，DOCTOR JADE（表5）のように項目を準備しておくと，とり忘れることなく効率よく情報収集ができる．

表4 主な情報収集項目

①基礎情報
- 氏名，年齢，性別

②医学的情報
- 病名，現病歴，既往歴，手術歴
- 治療計画，リハビリテーション処方
- 治療経過，リハビリテーション経過
- リスク，禁忌事項，注意事項
- 検査結果，画像所見
- 病棟での日常生活活動状況
- 病前（入院前）の日常生活活動状況
- 主訴，要望，ニーズ

③社会的情報
- 職業，経済状況，保険，社会資源
- 学歴，趣味，嗜好
- 家族構成，キーパーソン
- 家族の要望，ニーズ
- 家屋構造，居住地域環境

表5 主な情報収集項目の参考

項目	意味	内容
D (Disability)	主訴，要望，ニーズ	主観的な訴え（対象者および家族）
O (Onset)	症状の始まり方	発症時の経緯・状態
C (Course)	症状の経過	発症後の経過，罹患期間，改善・維持・悪化
T (Treatment)	受けた治療とその効果	治療内容，治療効果，受療行動
O (Old times)	既往歴	既往歴，既往症，リスク，予後
R (Relatives)	家族歴	家族構成，家族関係，家族介護者
J (Job)	職業	仕事の内容，通勤手段と経路
A (ADL)	日常生活活動	基本的ADL，手段的ADL，趣味，役割
D (Development)	発達歴	小児の発達歴，認知機能障害者の教育歴
E (Environment)	環境，経済状況	家屋構造，間取り，経済状態，保険

6 カルテの見方

- **カルテ**（chart）は医療や介護を受ける対象者に関する情報を各専門部門の医療従事者が記述した診療録（診療記録）の集合体であり，貴重な情報源となる．カルテはさまざまな書類で構成される（表6）．
- カルテは，リハビリテーション開始前だけでなく，リハビリテーション開始後も他部門の情報を入手し続けるために，定期的に確認する（表7）．
- カルテから情報収集する際，漠然とカルテを眺めても情報を十分に得ることはできない．カルテからどのような情報を得たいかという目的意識をもって読む必要がある．カルテを見る前に収集したい情報の項目をあらかじめ準備しておくと情報収集を円滑に進めることができる．
- カルテは重要な情報源ではあるが，自分がほしい情報のすべてが記載されているとは限らない．自分が進めようとするリハビリテーションに必要となる情報が何であるかの狙いを定めて積極的に読み取り，手がかりとなる情報を能動的に抽出し収集する．
- カルテにはセラピスト以外に，医師，看護師，社会福祉士などの他部門の記録が含まれ，他部門の記録で専門用語・略語が使われている箇所を読み解く場合は，医学辞典や略語集を用いて調べることも必要になる．どうしても不明な箇所については必要に応じて他職種に直接確認する．
- カルテに含まれる書類とその様式は各機関によって呼称のされ方が異なることがあり，対象者によっては含まれない記録もあることに留意する．

表6　カルテを構成する書類の例

①個人の一般情報や社会的情報（氏名，生年月日，保険，家族構成など）を記入する用紙
②医学的情報（傷病名，現病歴など）を記入する用紙
③紹介状（診療情報提供書），依頼書，他の医療機関や介護施設からの申し送り報告書
④診療計画書
⑤対象者や家族への説明書と同意書
⑥手術記録
⑦各種の検査結果報告〔血液検査，生化学検査，画像検査（X線・CT・MRI）など〕
⑧経過記録（医師）
⑨医師の指示書，処方箋
⑩看護計画書
⑪看護記録
⑫リハビリテーション実施計画書
⑬経過記録（リハビリテーション職種）（理学療法・作業療法診療記録を含む）

表7　カルテを確認するタイミングと留意点

カルテを確認するタイミング
①リハビリテーション開始時（初回評価時），中間評価時，最終評価時
②医師のリハビリテーションへの指示が変更されたとき
③対象者の容態の変化や新たな訴えがあったとき
④日々の綿密な状態確認が必要なとき
⑤他部門の診療方針が変わったとき
⑥定期的な経過確認をするとき
⑦カンファレンスを実施するとき
⑧退院，転院，外泊，外出などのとき
⑨その他
留意点
①カルテは収集したい情報を念頭に，積極的に「読み取る」
②自分の得たい情報のすべてが記載されているとは限らない
③不明な専門用語は調べる，または記入者に確認する
④カルテを施設外に持ち出さない
⑤リスク管理のため，疾患の情報（禁忌事項，注意事項），感染症の情報を確認する
⑥守秘義務，個人情報保護を厳守する
⑦医師による記録は，診断結果，治療方針，リスク管理，予後予測を知るうえで重要である
⑧看護師による経過記録は，疾患の治療経過だけでなく，対象者が病棟で日々生活する活動や動作の状況が記載され，有益な情報が多く得られる場合がある

7　医学的情報の取り方（疾患，画像所見，血液・尿検査，心電図）

- 疾患に関する情報は，まず，診断名とその現病歴，既往症とその既往歴を確認し，次に過去または現在に認められた症状や病態について確認する．
- 疾患の特性（その疾患の経過が予後良好な疾患かどうか，進行性の疾患であれば症状の悪化が急速なのか緩やかなのか）とともに，疾患の経過（入院前，発症前，手術前の生活状況）について併せて確認し，今後の機能回復，予後予測，目標設定，リスク管理のための情報として活用する．
- 疾患には，接触感染，空気感染，飛沫感染，経口感染，血液感染などによって他者に感染する危険のあるものがある．院内感染や施設内感染を防ぐために，そしてセラピスト本人の健康を守るために，感染症対策の必要性の有無と感染予防方法を事前に確認する．
- さらに，医師による治療内容や治療方針を確認する．手術療法を実施した対象者では，手術記録，術前指示書，麻酔記録，術中看護記録などを，薬物療法を実施した場合では，処方された薬の作用と副作用について確認し，リハビリテーションを実施する際の予後予測とリスク管理のための情報として活用する．

表8 画像所見の特徴（X線，CT，MRI）(2章-3参照)

	X線	CT	MRI
特徴	X線を利用して撮影された画像 CT・MRIと比べて安価 CT・MRIと比べて簡便で短時間で撮影可能 ポータブル装置にてさまざまな場所で撮影可能 造影剤を用いない単純X線と造影剤を用いる造影X線がある X線被曝の影響あり 小さな病巣の描出が困難	X線を利用して撮影された断面画像 X線と比べて情報量が多く，より正確な診断が可能 ヘリカルCTが主流 造影剤を用いない単純CTと造影剤を用いる造影CTがある 造影CTでは造影剤の副作用に留意必要 X線被曝の影響あり（単純X線より被曝量多い） MRIと比べて検査時間が短い	磁場を利用して撮影された断面画像 任意の方向の断面画像が容易に得られる X線・CTと比べて描写される組織間のコントラストが高い T1強調画像，T2強調画像，拡散強調画像などの撮影が可能 造影剤を用いない単純MRIと造影剤を用いる造影MRIがある 造影MRIでは造影剤の副作用に留意必要 X線被曝の影響なし 金属や磁性体が体内にある人は禁忌または要注意
適応	骨・関節・脊椎 胸部 腹部 頭頸部 ※特に胸腹部および骨関節では有用	骨・関節・脊椎 胸部 腹部 頭頸部 脳神経	骨・関節・脊椎 胸部 腹部 頭頸部 脳神経　　※あらゆる領域で有用
写り方	X線の透過濃度によって白〜黒に写る ・透過しやすい⇒黒く写る ・透過しにくい⇒白く写る 白　骨・石灰化した部位・金属 　　軟部組織 　　水 　　脂肪 黒　空気	X線の透過濃度によって白〜黒に写る ・透過しやすい⇒黒く写る ・透過しにくい⇒白く写る 白　骨 　　血液 　　筋・軟部組織 　　水 　　脂肪 黒　空気	撮影条件によって異なる ・高信号⇒白く写る ・低信号⇒黒く写る 　　　　　T1強調画像　T2強調画像 脂肪　　　高信号（白）　中等度（灰色） 脳脊髄液　低信号（黒）　高信号（白） 血液　　　低信号（黒）　高信号（白） 筋　　　　低信号（灰色）低信号（灰色） 靱帯　　　低信号（黒）　低信号（黒） 空気　　　低信号（黒）　低信号（黒）

- 疾患に関する情報は，記録物を確認するだけでなく，不明な点は必要に応じて積極的に医師や看護師に直接確認する．特に，以下の3点を優先的に確認する．
  ① 諸症状（過去から現在にかけてどのような治療がなされ，各症状はどのように経過しているか）
  ② 予後予測（今後どのような経過になりそうか，どのような機能回復が目標として想定されるか）
  ③ リスク管理（禁忌事項は何か，どのようなことを行ってはならないか）
- 疾患に関する詳細な検査情報には，画像所見（表8），血液検査（表9），尿検査（表10），心電図（図3）などがある．臨床検査の結果は，基準値や以前の対象者のデータと比較するとともに，1つの検査結果だけにとらわれず多くの検査結果から対象者の病態や特性を総体的に理解するように努める．
- すべての対象者があらゆる臨床検査を実施しているとは限らず，一般的には医師が必要と判断した検査が実施されているため，可能な範囲で情報収集し，対象者の診断名や病態と照らし合わせながら有効活用する．

表9　代表的な血液検査

分類	血液学的検査	略称名	基準範囲	備考
血球算定検査	白血球数	WBC	男 3,900～9,700/μL 女 3,600～8,900/μL	細菌や異物を排除する機能に関与し，炎症性疾患，感染症，血液疾患で増減する
	血小板数	Plt	15～36×10⁴/μL	止血の機能に関与し，さまざまな血液疾患で増減する
	赤血球数	RBC	男 410～567×10⁴/μL 女 380～504×10⁴/μL	全身に酸素を運搬する機能に関与し，貧血症では減少し，多血症では増加する
	血色素量（ヘモグロビン）	Hb	男 13.4～17.5 g/dL 女 11.1～15.5 g/dL	
	ヘマトクリット値（赤血球容積比）	Ht	男 39.7～52.4 % 女 34.4～45.6 %	
	平均赤血球容積	MCV	84.2～99.0 fL	赤血球の大きさ，赤血球中のヘモグロビンの量や濃度に関係し，貧血症で変動する
	平均赤血球血色素量	MCH	27.2～33.0 pg	
	平均赤血球血色素濃度	MCHC	31.8～36.0 g/dL	
炎症反応検査	赤血球沈降速度	赤沈値（1時間）	男 10 mm 以下 女 20 mm 以下	炎症を起こしていることを示し，感染症，膠原病，外傷などで検出される

分類	生化学的検査	略称名	基準範囲	備考
肝臓・胆嚢・膵臓機能検査	総タンパク	TP	6.3～8.6 g/dL	血液中のタンパクの量を示し，低栄養，腎疾患，肝疾患で変動する
	アルブミン	Alb	3.8～5.3 g/dL	血液中のアルブミンの量を示し，低栄養，腎疾患，肝疾患で変動する
	コリンエステラーゼ	CHE (ChE)	男 203～460 IU/L 女 178～432 IU/L	肝臓に含まれる酵素であり，肝疾患で低下し，脂肪肝で増加する
	アルカリホスファターゼ	ALP	100～359 IU/L	肝臓に含まれる酵素であり，肝疾患，胆嚢・胆管の疾患，骨疾患で高値を示す
	アスパラギン酸アミノトランスフェラーゼ	AST (GOT)	5～40 IU/L	肝臓に含まれる酵素であり，肝疾患，心疾患，骨疾患で高値を示す
	アラニンアミノトランスフェラーゼ	ALT (GPT)	4～45 IU/L	肝臓に含まれる酵素であり，肝疾患で高値を示す
	乳酸脱水素酵素	LDH	119～237 IU/L	心筋，肝臓，骨格筋，赤血球などに含まれる酵素であり，肝疾患，心疾患，貧血，炎症で高値を示す
	γグルタミルトランスペプチダーゼ	γ-GTP	男 0～80 IU/L 女 0～30 IU/L	肝臓に含まれる酵素であり，特にアルコールに対して敏感に反応して高値を示す
	総ビリルビン	T-Bil	0.2～1.3 mg/dL	ヘモグロビンの代謝産物であり，肝疾患，胆道系疾患，溶血性疾患などで高値を示す
	直接ビリルビン	D-Bil	0.0～0.3 mg/dL	
	アミラーゼ	AMY	37～160 IU/L	膵臓や唾液腺から分泌される酵素であり，膵疾患や唾液腺疾患などで増加する
尿酸代謝	尿酸	UA	男 3.0～7.5 mg/dL 女 2.1～6.0 mg/dL	核酸（プリン体）の代謝産物で，腎臓から排泄される．腎機能低下，尿酸生成促進によって血中濃度が増加する
腎機能検査	尿素窒素	BUN	8～23 mg/dL	腎臓から排泄される物質であり，腎機能低下や腎不全によって血中濃度が増加する
	クレアチニン	CRE (Cre)	男 0.6～1.3 mg/dL 女 0.4～1.1 mg/dL	
筋関連酵素	クレアチンキナーゼ	CK (CPK)	男 55～240 IU/L 女 44～200 IU/L	骨格筋，心筋，平滑筋，脳に存在する酵素であり，筋や脳が損傷したときに高値を示す
炎症反応検査	C反応性タンパク	CRP	0.3 mg/dL 未満	炎症を起こしていることを示し，感染症，膠原病，外傷などで異常が検出される
糖質代謝	血糖	BS	65～109 mg/dL	血液中のブドウ糖の濃度を示し，一般的に朝の空腹時血糖値で判定される．食事の影響を受け，食後に増加する
	ヘモグロビンA1c（NGSP）	HbA1c (N)	4.6～6.2 %	糖が結合したヘモグロビンのうち最も血糖の変化に敏感に反応し，およそ4～8週前の血糖のコントロール状態を反映する．食事の影響を受けない
	ヘモグロビンA1c（JDS）	HbA1c (J)	4.3～5.8 %	
脂質代謝	総コレステロール	T-Cho	128～240 mg/dL	血液中のコレステロールの総量を示し，高値では動脈硬化の危険がある
	中性脂肪	TG	29～149 mg/dL（空腹時）	血液中の中性脂肪の量を示し，高値では肥満，脂肪肝，動脈硬化の危険がある．食事の影響を受け，食後に増加する
	HDL-コレステロール	HDL-Cho	男 40～86 mg/dL 女 40～99 mg/dL	血液中の善玉コレステロールの量を示し，低値では動脈硬化の危険がある
	LDL-コレステロール	LDL-Cho	65～139 mg/dL	血液中の悪玉コレステロールの量を示し，高値では動脈硬化の危険がある
電解質検査	カリウム	K	3.5～5.0 mmol/L	神経・筋の興奮に関与し，腎不全，下痢，嘔吐などで変動する
	ナトリウム	Na	132～148 mmol/L	水分代謝や体液バランスに関与し，腎不全，脱水，下痢などで変動する
	クロール	Cl	96～108 mmol/L	
	カルシウム	Ca	8.2～10.6 mg/dL	骨代謝，筋収縮，血液凝固に関与し，腎臓，骨，副甲状腺の疾患などで変動する
	無機リン	P	2.4～4.5 mg/dL	骨代謝に関与し，腎臓，骨，副甲状腺の疾患などで変動する
	マグネシウム	Mg	1.8～2.6 mg/dL	さまざまな酵素反応や代謝に関与し，腎不全などで高値を示す
	鉄	Fe	男 54～187 μg/dL 女 40～172 μg/dL	ヘモグロビンを構成する成分の1つであり，貧血症で変動する

表10 代表的な尿検査

尿検査	略称名	基準範囲	備考
色調	色調	定性：淡黄色	尿の色は通常は黄色で，水分を多く摂取すれば薄くなり，水分不足で濃くなる
清濁	清濁	定性：(－)陰性	通常の尿は透明であり，血液，膿，便などが混じると濁る
量	尿量	定量：1,500 mL/日	無尿：100 mL/日以下，乏尿：100〜400 mL/日，多尿：2,500 mL/日以上
比重	比重	定量：1.006〜1.030	腎臓の尿の濃縮力を反映し，腎疾患，水分摂取，発汗，運動などで変動する
pH	pH	定量：4.8〜7.5	尿の水素イオン濃度指数を示し，通常は中性〜弱酸性を呈し，さまざまな要因で変動する
尿タンパク	U-TP	定性：(－)陰性	尿中のタンパクの有無を示し，通常，検出されない．腎疾患，妊娠，運動などによって検出される
		定量：30 mg/日以下	尿中のタンパクの量を示し，腎疾患，妊娠，運動などによって増加する
尿糖	U-GLU	定性：(－)陰性	尿中の糖質の有無を示し，通常，検出されない．糖尿病，腎疾患などで検出される
		定量：0〜0.2 g/dL	尿中の糖質の量を示し，糖尿病，腎疾患などで増加する
ケトン体	KET	定性：(－)陰性	脂肪酸およびアミノ酸の不完全代謝産物の有無を示し，通常，検出されない．糖尿病，高熱，下痢などで検出される
ビリルビン	U-Bil	定性：(－)陰性	尿中のビリルビンを示し，通常，検出されない．肝疾患，胆道系疾患などで検出される
潜血	RBC	定性：(－)陰性	尿中の血液の有無を示し，通常，検出されない．尿路結石，膀胱腫瘍，炎症性疾患などで検出される
ウロビリノーゲン	URO	定性：(±)擬陽性	ビリルビンの代謝産物の有無を示し，肝疾患などで中等度以上の陽性（＋＋），胆道閉塞で陰性（－）が検出される
白血球数	WBC	定性：(－)陰性	尿中の白血球を示し，通常，検出されない．尿路感染症などで検出される
尿素窒素	U-UN	定量：0.2〜0.5 g/日	尿中の尿素窒素の量を示し，糖尿病，外傷などで増加する
クレアチニン	U-CRTN	定量：0.5〜1.5 g/日	尿中のクレアチニンの量を示し，筋ジストロフィー症，甲状腺疾患で減少する
尿酸	U-UA	定量：0.4〜3.0 g/日	尿中の尿酸の量を示し，痛風で増加する

8 社会的情報の取り方（家族関係）

- 住環境情報は，①**目標設定**（どのような住環境でどこまでの動作や活動ができるようになることを目標とするか），②**リハビリテーションプログラム立案の際のプログラム実施環境設定**（より実用的な動作や活動を獲得するために自宅の生活場面を想定したプログラムをどのように実施するか），③**住環境整備**のために確認する．
- 住環境評価は，リハビリテーション開始当初，リハビリテーション終了前（目標達成前），住宅改修実施前後，などの時期に実施する．
- 病院に入院した対象者では，入院後2週間以内の初回訪問，退院予定日の約1カ月前の退院前訪問指導，通所リハビリテーションの利用者では利用開始時，訪問リハビリテーショ

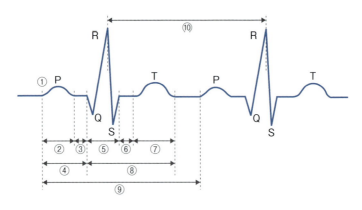

	要点	計測ポイント	臨床的意義	基準
①	Pの開始	P波の始点	洞房結節の脱分極	—
②	P幅	P波の始点から終点までの間隔	心房の脱分極，心房筋の興奮，心房興奮伝播期，洞房結節から房室結節への興奮伝播	0.06～0.10秒
③	PQ区間	P波の終点からQRSの始点までの間隔	房室結節の脱分極，心房筋の再分極過程の一部	0.02～0.04秒
④	PQ時間	P波の始点からQRSの始点までの間隔	房室興奮伝達時間，心房興奮に続いて心室興奮が起こるまでの時間	0.12～0.20秒
⑤	QRS幅	Q波の始点からS波の終点までの間隔	心室（ヒス束，左右両脚，プルキンエ線維）の脱分極，心室筋の興奮，心室興奮伝播期	0.05～0.10秒
⑥	ST部分	S波の終点からT波の始点までの間隔	心筋の再分極，心室興奮極期	基線と一致
⑦	T幅	T波の始点から終点までの間隔	心室の再分極，心室興奮の回復過程	0.10～0.25秒
⑧	QT時間	Q波の始点からT波の終点までの間隔	電気的心室収縮時間	0.30～0.45秒
⑨	PP時間	P波の始点から次のP波の始点までの間隔	心拍動1周期，1拍分の時間，60秒間中のPP間隔の数（または60/PP時間）が心拍数（心房拍数）	0.60～1.0秒
⑩	RR時間	R波の頂点から次のR波の頂点までの間隔	心拍動1周期，1拍分の時間，60秒間中のRR間隔の数（または60/RR時間）が心拍数（心室拍数）	0.60～1.0秒

確認ポイント	異常所見	代表的な不整脈と病態
P波	数の減少	洞性徐脈
	数の増加	洞性頻脈
	消失	心房細動，心室細動，洞停止，洞房ブロック，心室性期外収縮
PQ時間	延長（0.20秒以上）	第1度房室ブロック，高カリウム血症
	短縮（0.12秒以下）	結節性期外収縮，WPW症候群
	不規則	第2度房室ブロック
QRS幅	延長（0.10～0.12秒）	不完全脚ブロック
	延長（0.12秒以上）	完全脚ブロック，心室性期外収縮
	異常Q波	心筋梗塞
	各波判別不可	心室細動，心室粗動
ST部分	上昇	心筋梗塞，異型狭心症
	低下	狭心症，頻脈性不整脈
T幅	増高	心筋梗塞（冠性T波）
QT時間	延長	脚ブロック，心室性期外収縮
	短縮	ジギタリス使用，高カルシウム血症
PP時間・RR時間	0.6秒以下	頻脈（洞性頻脈，発作性上室性頻拍）
	1.0秒以上	徐脈（洞性徐脈）
	不規則	上室性期外収縮，第2度房室ブロック

図3　正常洞調律の心電図と代表的な異常所見

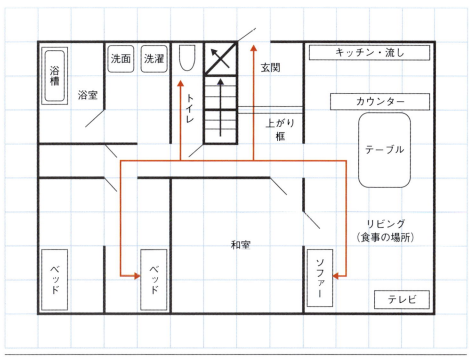

- 方眼紙を利用して作成する
- 2目盛1畳（1目盛90 cm）の寸法で描く
- 壁は太い線で描く
- 主だった家具や介護用品を記載する
- 主要動線を別の色で示す
- 適宜，具体的なコメントを追記する
- 要所の写真を撮影する

図4　間取り図の例

ンの利用者は毎回の訪問時に，それぞれ自宅や施設での住環境を随時評価する．

- 住環境情報は，できるだけ前もって**間取り図**を作成し（図4），現地へ直接訪問して確認する．実際に自宅へ訪問した際には，間取り図を確認するとともに，必要に応じて対象者本人や家族の了解を得たうえで，カメラを用いて要所を撮影し，巻尺を用いて要所の寸法を計測する．円滑に評価を実施するために，訪問前にはチェック項目リストを作成し，事前に確認する項目を準備しておく（表11）．
- 対象者と同伴している場合は，対象者本人が住環境の中で各動作を実施したときの状況を確認する．
- 家族構成や家族関係に関する情報は，対象者がどこまで生活機能が回復すれば（または回復しなければ），どのような環境で生活することになるか，家族にどのような介護を実施してもらうか，を検討するために聴取する．
- 家族構成は対象者本人または対象者の家族に聴取して**家族構成図**を作成する（図5）．家族構成図を作成したら，独居かどうか，キーパーソンは誰か，家族の仕事は何をしているか，家族は介護力に影響を及ぼしうる疾患や障害を有しているか，家族の介護に対する考え方や協力性はどのようであるか，本人と家族の生活上の役割は何か，家族関係が良好かどうか，そして，介護力はどの程度まで期待できるか（許容されるか），といった点を確認する．
- 必要に応じて，家族介護者の介護負担感を家族から聴取し，家族介護者の介護力を検討する．実際には代表的な評価指標である**ツァリット（Zarit）介護負担尺度短縮版（J-ZBI_8）**

表11 家屋調査項目の例

自宅

所有区分	□持ち家　□借家	建て方	□戸建　□集合住宅
階数	_____階	エレベーター	□あり　□なし

自宅周辺

	最寄のバス停	最寄の駅	最寄の買物先または職場
移動手段	□徒歩　□自転車 □自動車　□電車	□徒歩　□自転車　□自動車　□電車	□徒歩　□自転車 □自動車　□電車
自宅からの距離	_____m	_____m	_____m
自宅からの移動時間	_____分	_____分	_____分

自宅内

	本人の居室・寝室	階段	主要動線の廊下
階数	_____階	_____階 ～ _____階	_____階
広さ	_____畳	幅_____cm	幅_____cm
段差	□なし　□あり_____cm	□なし　□あり 踏面_____cm　蹴上_____cm	□なし　□あり_____cm
手すり	□なし　□あり_____cm	□なし　□片側　□両側_____cm	□なし　□片側 □両側_____cm
その他	入口の戸：□なし　□引戸 　　　　　□開戸　□折戸 床：□畳　□フローリング 　　□その他 寝床：□ベッド　□敷布団	階段の形状：□直線　□折れ階段 踊り場：□踊り場あり　□踊り場なし	主要動線の 最大移動距離：_____m

	玄関	居間・リビング	トイレ
階数	_____階	_____階	_____階
広さ	_____畳	_____畳	_____畳
段差	□なし　□あり_____cm	□なし　□あり_____cm	□なし　□あり_____cm
手すり	□なし　□あり_____cm	□なし　□あり_____cm	□なし　□あり_____cm
入口の戸	□なし　□引戸　□開戸　□折戸	□なし　□引戸　□開戸　□折戸	□なし　□引戸 □開戸　□折戸
居室からの距離	_____m	_____m	_____m
その他	上がり框：□なし 　　　　　□あり_____cm	床：□畳　□フローリング　□その他	便器：□洋式　□和式 　　　□男子便器

	脱衣室・洗面室	浴室	台所
階数	_____階	_____階	_____階
広さ	_____畳	_____畳	_____畳
段差	□なし　□あり_____cm	□なし　□あり_____cm	□なし　□あり_____cm
手すり	□なし　□あり_____cm	□なし　□あり_____cm	□なし　□あり_____cm
入口の戸	□なし　□引戸　□開戸　□折戸	□なし　□引戸　□開戸　□折戸	□なし　□引戸 □開戸　□折戸
居室からの距離	_____m	_____m	_____m
その他	蛇口：□一般　□レバー式	蛇口：□一般　□レバー式 浴槽：□据置式　□埋込式 洗い場から見た浴槽縁の高さ：_____cm 浴槽の深さ：_____cm	蛇口：□一般　□レバー式

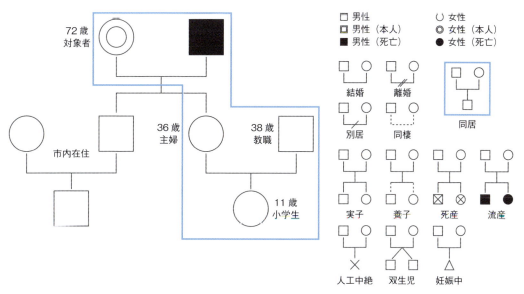

図5　家族構成図（左：記載例，右：記載方法）

表12　Zarit介護負担尺度短縮版（J-ZBI_8）

質問項目	思わない	たまに思う	時々思う	よく思う	いつも思う
1．介護を受けている方の行動に対し，困ってしまうと思うことがありますか	0	1	2	3	4
2．介護を受けている方のそばにいると，腹が立つことがありますか	0	1	2	3	4
3．介護を受けている方のそばにいると，気が休まらないと思いますか	0	1	2	3	4
4．介護をだれかに任せてしまいたいと思うことがありますか	0	1	2	3	4
5．介護を受けている方に対して，どうしていいかわからないと思うことがありますか	0	1	2	3	4
6．介護があるので，家族や友人と付き合いづらくなっていると思いますか	0	1	2	3	4
7．介護があるので，自分の社会参加の機会が減ったと思うことがありますか	0	1	2	3	4
8．介護を受けている方が家にいるので，友達を自宅によびたくてもよべないと思ったことがありますか	0	1	2	3	4

質問項目1～5：Personal strain（介護を必要とする状況に対する否定的な感情の程度）
質問項目6～8：Role strain（介護によって社会生活に支障をきたしている程度）

（表12）などを用いて評価する．J-ZBI_8は家族介護者に対する8つの質問項目で構成され，それぞれの質問に対して「思わない（0点）」～「いつも思う（4点）」の5段階で評価する．合計0～32点で点数が多いほど介護負担感が大きいことを示し，Personal strainとRole strainの2つの側面から介護負担感を評価できる．

- 実際の対象者の日常生活動作の介助をする場合の一つひとつの介護負担量を調べる場合，Barthel Indexの日常生活動作項目（食事，移乗，整容，トイレ動作，入浴，歩行，車椅子での移動，階段昇降，更衣など）やFIM（Functional Independence Measure）の運動項目〔食事，整容，清拭，更衣（上半身），更衣（下半身），トイレ動作，ベッド移乗，トイレ移乗，浴槽移乗，歩行，階段など〕について，対象者本人の自立度を調べるとともに，家族介護者の介護負担について「全く負担ではない（0）」〜「非常に負担である（10）」の10段階で聴取すると，対象者の自立度と家族介護者の介護負担の双方から評価できる（表13）．
- 経済状態の評価では，療養生活や退院後の生活を過ごす際に経済的な問題があるかどうか，家族や本人の収入や預貯金が今後十分に確保されるか，どのような社会保障制度（医療保険，労働者災害補償・保険，障害年金，身体障害者手帳，介護保険など）を利用しているか，利用できる社会資源は何があるか，といった事項を確認する．

表13　FIMの項目を用いた家族介護者の介護負担評価

日常生活動作項目	対象者の自立度	家族介護者の介護負担 (0〜10)
食事		
整容		
清拭		
更衣（上半身）		
更衣（下半身）		
トイレ動作		
ベッド移乗		
トイレ移乗		
浴槽移乗		
歩行		
階段		

※対象者の自立度（FIMに準拠）

採点基準	介助者	手出し	
7：完全自立	不要	不要	
6：修正自立	不要	不要	時間がかかる，補助具が必要，安全の配慮
5：監視・準備	必要	不要	監視，指示，促し
4：最小介助	必要	必要	75％以上自分で行う
3：中等度介助	必要	必要	50％以上，75％未満自分で行う
2：最大介助	必要	必要	25％以上，50％未満自分で行う
1：全介助	必要	必要	25％未満しか自分で行わない

※家族介護者の介護負担
「全く負担ではない（0）」〜「非常に負担である（10）」の10段階で聴取

第2章 評価に必要な基本情報

3 画像所見の見方

学習のポイント
- 患者情報の1つである画像所見の重要性を学ぶ
- 代表的な画像所見（X線，CT，MRI）に関する基本的事項と実際の見方について理解する

1 画像所見とは

1）画像所見の目的と留意点

- リハビリテーション評価で収集する医学的情報のうち，画像所見は疾患に関する有益な情報になる．画像は身体の「**形態異常**」の有無と程度を明示する情報源であり，画像上に示された身体の形態異常の局在に相応した「**機能障害**」や「**臨床症状**」を推論することができる．画像を確認することで，患者の「損傷した部位・機能障害（否定的側面）」だけでなく「損傷していない部位・残存機能（肯定的側面）」の情報を得ることができ，病態を理解し解釈するための大きな根拠になる．

- 画像所見は，医師，診療放射線技師，臨床検査技師によって収集され，医師が医学的な診断や診察をする際に用いられる．リハビリテーション職種は医師が診断した後に以下の目的で画像所見を確認する．
  - ▶医師の診断結果や画像所見が示す異常によって生じると推測される症状と，実際に認められる臨床症状の双方から患者の病態と障害像を把握する．
  - ▶評価または再評価する必要がある項目を検討する．
  - ▶損傷した部位から予想される現在の症状，損傷した部位の回復が期待できる見込み，損傷していない部位が代償できる機能について検討する．
  - ▶機能的な予後予測に関する根拠を得るとともに，リハビリテーション実施上のリスクを確認する．
  - ▶介入後の画像所見から治療の結果と経過を確認する．

- 通常の限局的な器質性病変では，画像上に形態異常が認められれば，その部位が担う機能が障害され，病的な症状が生じている可能性が高い．しかし，広範囲の病変や多発性・びまん性の病変，全身疾患，複数の疾患の既往などでは，臨床上，画像所見と患者の症状や機能障害が必ず一致するとは限らない．患者の病態や障害像は多岐におよび，実際には典型例もあれば非典型例もある．画像所見は努めて先入観をもたずに客観的に確認することが重要である．

2) リハビリテーション専門職種にとっての画像読影のポイント

① 画像の撮影日に即した情報（現病歴，他の臨床検査結果，症状，障害など）を準備する．患者の病態に関するこれらの情報を踏まえて，画像を確認する．
② 画像を見る準備をする．まず，画像の上下・前後・左右を確認する．後述するように画像によっては画像の左右の設定が異なるものがあるので注意する．
③ 画像を見る．医師の診断結果に沿って病変部位を確認する．CTやMRI画像では複数のスライスレベル（断面）で撮像されるため，ランドマークを手がかりにいずれの位置の断面なのかを特定する．

▶ 正常から逸脱した異常な形態を示す部位，異常な物質の有無を確認する．確認する主なポイントは，「**形状**」，「**対称性**」，「**色調**」であり，まず，画像全体を見渡し，本来あるべき形状や対称性，映し出されるはずの色調であるかどうかを見る．特に，水平面や前額面で撮影された画像は各部位の位置と形状が左右対称であるかどうかを確認し，医師が診断した病変部位を同定する．

▶ 病変部位を同定した後，その異常がある部位に機能不全が生じている可能性を考え，臨床症状を推測して整理する．または，現在示している臨床症状と合致しているかどうか確認する．病変がある部位に異常や損傷が生じているということは，その部位が担っている生理機能が低下もしくは消失し，そのために異常な症状が生じている可能性が高い．確認しようとする画像が示す本来の正常な解剖学的構造と各部位が担う生理機能を事前に把握しておく．

▶ 医師からの指示や情報提供の内容を踏まえて，今後の機能的な予後予測とリハビリテーション実施上のリスクを検討する．

2 X線画像

- **X線**（X-ray）は，X線を発見したWilhelm Conrad Röntgen（ヴィルヘルム・コンラート・レントゲン）にちなんでレントゲン線（Röntgen Rays）ともよばれ，X線画像は**X-P**（X-ray Photograph）と表記される．
- **X線画像**は，X線を用いて撮影された画像であり，X線の透過性が物質によって異なることを利用して人体の中の状態を画像に写す．基本的に濃淡をもつ**白黒画像**として描出される．
- 造影剤を使わずに撮影する**単純X線**と，造影剤を投与した後に撮影する**造影X線**があり，一般的な検査では単純X線が用いられる．消化管X線造影検査ではX線吸収率の高いバリウムを用いて撮影される．
- X線検査は，CTやMRIと比べて安価・簡便・短時間で撮影可能であり，CTと比べて放射線の被曝量が少なく，胸腹部や四肢の異常や病変を疑ったときに行われる優先順位の高い検査である．
- X線の透過性は「骨（カルシウム）・金属→水分・筋・皮膚→脂肪→空気・ガス」の順で高くなり，X線透過度の高いところほど黒い，白黒の濃淡像として描出される．骨の状態，石灰化した箇所，結石の有無，腸管内のガスの状態，空気を含む肺の病変などを評価することが可能である．

- 空気やガス状のものはX線をよく通すため，肺や腸管のような部位は**黒く写る**（**陰影濃度が薄い**）．一方，骨や石灰化した組織など金属元素であるカルシウムを含むものはX線を通しにくいため，骨や心臓のように硬い組織，密度の高い組織，厚い組織では**白く写る**（**陰影濃度が濃い**）．
- 前額面で撮影された頭部・胸腹部のX線画像は，一般的に上下を揃えると「**画像の左側が患者の右側，画像の右側が患者の左側**」として写される．

1）胸部X線画像

- 胸部X線画像では，①撮影方向（前方→後方，後方→前方），②撮影時の体位（立位で背側からX線を当てて撮ったのか，座位で前方からX線を当てて撮ったのか），③最大吸気位で測定したものかどうかを確認する．座位で撮影した場合は斜位での撮影になりやすく，肺の状態が確認しにくいことがあり，これらの撮影条件によって心肺の写り方や画質が変化するため，経時的変化を比較する際に留意する．そのうえで，④肺野の状態（色：透過性，形状：肺容積），心臓を含む縦隔の形状，骨格（胸郭，脊柱）の正常／異常を確認する．
- 胸部X線画像は，正面像では胸壁，横隔膜，縦隔，肺野などの胸部全体（図1），側面像では正面像で確認しにくい胸骨後面（前縦隔），肺門付近，心背部，横隔膜背部，胸骨，胸椎について確認する．
- 胸郭を構成する骨は左右対称の**白〜灰色**，縦隔の心臓や大血管は血液・水分が多く含まれ左右非対称に**白く写る**．空気を多く含む左右の肺（気管支・肺胞）は中央の縦隔の両側に**黒く写り**，黒く写る肺野の中に肺の血管が枝状に**白く写る**．
- 肺野下端を境界とするドーム型の濃淡は，胸腔と腹腔を隔てる横隔膜を示す．右側の横隔膜は左側よりも約半肋間ほど高く位置し，第6〜10肋骨の高さに相当する．肺，横隔膜，縦隔，骨格の位置関係から**シルエットサイン**を確認し，いずれの部位に病変があるのか確認する．

＊シルエットサイン：胸部PA像（後方→前方）で，心臓，大動脈，横隔膜などの境界陰影が消失する所見のこと．

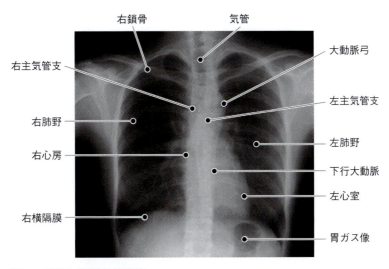

図1 正常な胸部X線画像
文献1より引用．

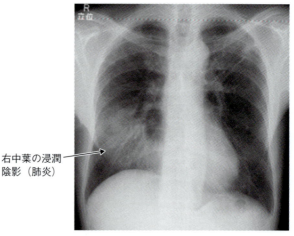

図2　肺炎症例の胸部X線画像
右肺に白くぼんやりとした浸潤影がみられる．文献2より引用．

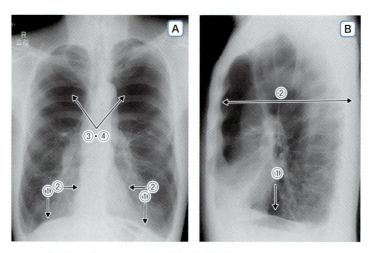

図3　肺気腫（COPD）症例の胸部X線画像
A）正面像：肺過膨張のために①横隔膜が下がり平坦化している，②心陰影が押されて小さい（滴状心），肺胞が破壊され，③肺野血管陰影の狭小化・消失が生じ，④肺野の透過性が亢進する（黒さが増す）．B）側面像：肺過膨張のために①横隔膜が下がり平坦化している，②胸郭の前後径が拡大している（樽状胸郭）．文献2より引用．

- 肺炎などで肺に炎症が生じて滲出液や分泌物が貯留すると，病変部位ではX線の透過性が低くなるため肺に**浸潤影**や**すりガラス様陰影**が白く写る（図2）．貯留物で満たされ空気を含まない肺胞が多いほど浸潤影を示し，少ないほど淡いすりガラス様陰影を示す．肺がんなどで肺に腫瘍が生じると，明確な腫瘤影が白く写る．

- 代表的な閉塞性肺疾患である肺気腫では，炎症による呼気時の気道狭窄と肺胞壁の破壊（肺の収縮性低下）のために残気量が増加し，肺野が大きくなるため（肺過膨張），形状の変化として，①横隔膜が下がり平坦化し（横隔膜と側胸壁とでつくられる肋骨横隔膜角が鈍角になる），②心胸郭比（胸郭最大横径に対する心最大横径の比率）が減少して心臓は長細い形状に写ることが多く（滴状心），③胸郭の前後径が拡大する（樽状胸郭）（図3）．また，気腔が拡大し正常の肺組織よりも空気の含有率が多くなるために，色調の変化として，④肺

野が部分的または全体的により黒く写り（肺野の透過性亢進），⑤肺野血管陰影の狭小化・消失が生じる．

2）四肢X線画像

- 四肢X線画像では，**骨**については①骨の輪郭を形成する皮質骨の連続性と変化，②骨内部の骨髄腔に存在する骨梁の連続性と変化を，**関節**については①骨端の形状，②関節面の適合状態と脱臼の有無，③関節裂隙の広さ，④関節のアライメント，⑤肢長の長さ，⑥観血的治療をした場合はインプラント〔人工関節，ネイル（釘），プレートなど〕を確認し，左右両側の画像があれば左右で比較する．
- **骨・関節は白〜灰色**に写る．皮質骨は骨密度が高いため陰影は濃く厚みがあり，長管骨では中央部が厚く，骨幹端が薄い．海綿骨は荷重線に沿って網目状に配列する骨梁として観察される．皮質骨は骨幹端では薄くなり，関節面では薄い軟骨下骨がある．軟骨下骨は関節面に沿って滑らかな凸面あるいは凹面を形成し，その表面を関節軟骨が覆う．相対する関節面との間の間隙が関節裂隙であり，正常な関節ではおおむね両関節面の間の距離を均一に保つ．
- **長管骨の骨折**では，骨の連続性が損なわれた部位，骨片の転位，観血的治療後の状態を確認する（図4，5）．骨粗鬆症では骨におけるX線透過性が高いため骨全体の陰影が薄く黒く写る．
- 関節疾患である**変形性関節症**では，軟骨下骨に骨硬化が生じて関節面の陰影が濃くなり，関節面の形状の変形や骨棘の形成がみられる（図6〜8）．また，関節の変形に伴って関節面に不適合が生じ，関節裂隙の狭小化と関節のアライメント異常が認められる．術前後ではインプラントの設置部位とともに関節のアライメントや肢長の長さなど形態の変化について確認する（図8，9）．
- **関節リウマチ**では，初期から骨萎縮が生じて骨の陰影が薄く黒く写り，脆弱になった関節周囲の骨に徐々に損壊（骨びらん）が生じて関節破壊が進む．関節は破壊されるだけでなく関節裂隙が狭小化し関節変形へ進行する（図10）．

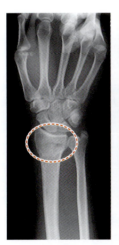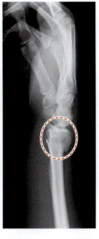

図4　右橈骨Colles骨折症例のX線画像
右橈骨遠位端の骨折，橈骨遠位骨片の背側への転位が確認される．文献3より引用．◯は著者追記．

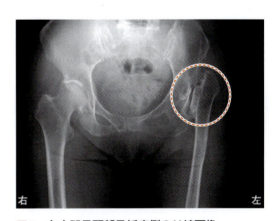

図5　左大腿骨頸部骨折症例のX線画像
左大腿骨頸部内側骨折が確認される．文献4より引用．◯は著者追記．

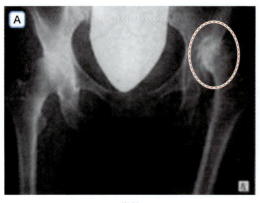
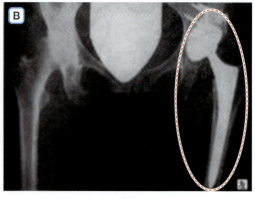

図6　先天性股関節脱臼の既往がある症例の人工骨頭置換術前後のX線画像

A）術前：左股関節における関節裂隙の狭小化，臼蓋形成不全，臼蓋荷重部の骨硬化，骨棘形成が確認できる．B）術後：左大腿骨に置換された人工骨頭の陰影が確認される．文献5より引用．○は著者追記．

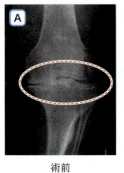
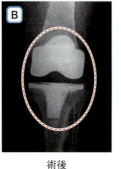

図7　左変形性膝関節症症例の人工膝関節全置換術前後のX線画像

A）術前：左膝関節における関節面の骨硬化，関節裂隙の狭小化（とくに内側関節裂隙），骨端の骨棘形成，内反変形（内反膝）が確認できる．B）術後：大腿骨と脛骨に置換された人工膝関節の陰影が確認され，術前と比べて，関節裂隙が拡大し，内反膝であったアライメントが修正されている．文献6より引用．○は著者追記．

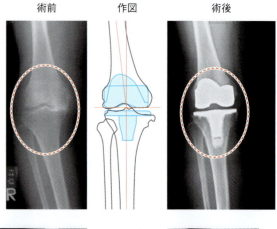
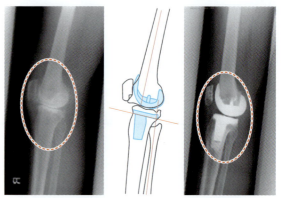

図8　変形性膝関節症症例に対する人工膝関節全置換術（TKA）の術前・術後のX線画像

術前のX線画像をもとに，TKAのための作図がなされる．下肢荷重線，大腿骨軸，下腿骨軸をトレースして，骨切りライン，大腿骨インプラント，脛骨インプラントのサイズや位置が検討される．術後のX線画像では，人工関節の陰影，関節裂隙の拡大，内反膝のアライメントの修正が確認できる．文献7より引用．○は著者追記．

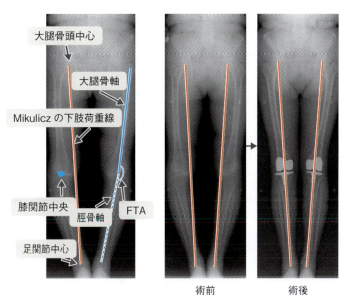

図9　変形性膝関節症症例のアライメント異常と人工膝関節全置換術の術前・術後のX線画像

術前と比べて術後では膝関節の中心が下肢荷重線上，もしくはやや内側に位置するようにアライメントが修正される．FTA：大腿骨長軸と脛骨長軸のなす角度．文献7より引用．

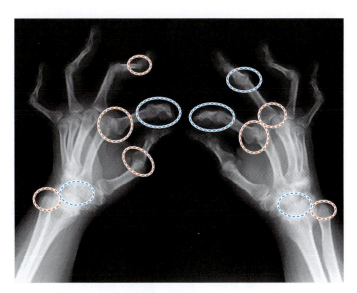

図10　関節リウマチ症例のX線画像

○：亜脱臼．○：骨性強直．手関節およびMP関節の亜脱臼，手根骨および手指IP関節の骨性強直，母指のZ変形，手指のスワンネック変形が確認される．文献8より引用．○，○は著者追記．

3 CT画像

- **CT**（computed tomography，コンピューター断層撮影）は，X線を利用して撮影された断層画像であり，X線の吸収値（または透過性）が物質によって異なることを利用して人体の中の状態を画像に写す．基本的に濃淡をもつ**白黒画像**に処理・出力される．
- 造影剤を使わずに撮影する**単純CT**と，造影剤を投与した後に撮影する**造影CT**があり，一般的な検査では単純CTが用いられることが多い．また，造影CTでは一般的にX線吸収率の高いヨード造影剤を血管内に注射して撮影される．
- CT検査は，MRIと比べて**骨**（骨病変）や**石灰化**（石灰化病変）の描出に優れ，安価・簡便・短時間に，かつ，体内に心臓ペースメーカーや人工関節などの金属を有する人の多くにも撮影可能であり，脳を含む頭蓋内の異常や病変を疑ったときや，救急疾患や術後の評価に用いられる優先順位の高い検査である．
- CT画像は，組織のX線吸収値（またはX線透過性）に応じて白黒の濃淡像として描出される．X線は原子番号の大きい原子ほど吸収されやすい（透過しにくい）特徴があり，CTでは，そのX線吸収値を**CT値**〔単位：**HU**（Hounsfield unit）〕として算出し，X線吸収の強弱を白黒の濃淡として画像化する．CT値は水 0 HU，空気 −1,000 HU が基準となり，各種生体組織のCT値は水と空気の基準の相対値として表される（図11）．
- 前述したようにX線の透過性は人体組織において「骨→水分・筋・皮膚→脂肪→空気」の順で高くなるように，CT値（X線吸収値）は「空気→脂肪→水→筋・軟部組織→血液→骨」の順で高くなる．空気や水を多く含む部位はX線を吸収せず透過しやすいため，体の外側や肺野のような部位は**黒く写る**〔低吸収域（low density area：LDA）〕．一方，骨や金属はX線を吸収し透過しにくいため，金属元素であるカルシウムを含む骨・人工関節や義歯などの金属は**白く写る**〔高吸収域（high density area：HDA）〕．脳CT画像では，骨は脳実質より高吸収域，脳実質のうち灰白質は白質よりわずかに高吸収域，脳髄液が満たさ

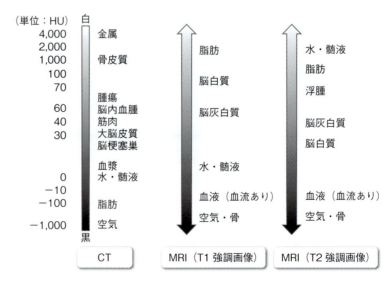

図11　CT値およびMRIのコントラストの目安
文献9より引用．

れた脳室は低吸収域としてコントラストが描かれる．

- 水平断（下面）の頭部・胸腹部CT画像は，身体の前側を上にそろえると，一般的に「**画像の左側が患者の右側，画像の右側が患者の左側**」として写される．

1）胸部CT画像

- 胸部CT画像は，胸部の病態の評価，異常の早期発見，治療効果判定，胸部X線では鑑別しにくい部位の精査や鑑別診断に用いられ，肺胞・気管・血管などの観察に適する**肺野条件**と，心臓・大血管などの評価に適した**縦隔条件**といった撮影条件で撮影される（図12）．

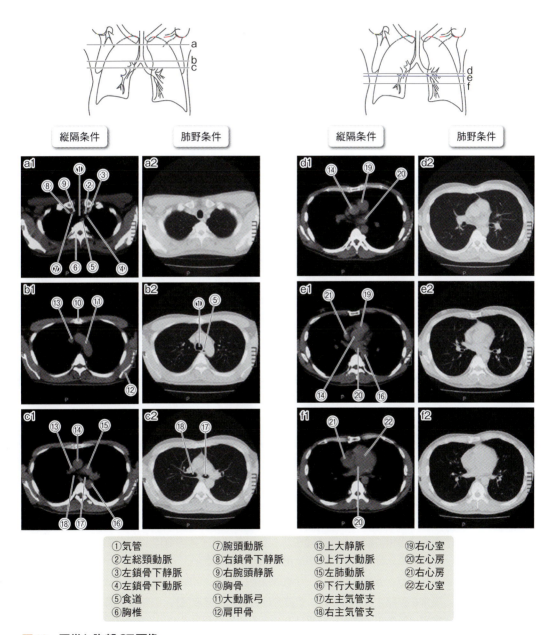

図12 正常な胸部CT画像
文献1より引用．

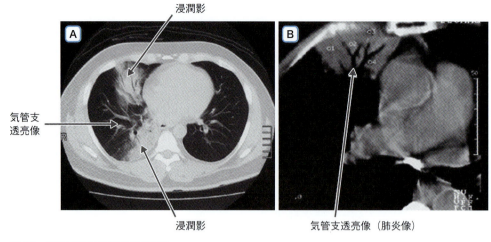

図13　肺炎症例の胸部CT画像
A）肺野条件：右肺に浸潤影, 気管支透亮像を認める. 文献1より引用. ➡は著者追記. B）縦隔条件：右肺に気管支透亮像を認める. 文献2より引用.

- 胸部CT画像は水平断で示され, 前後方向を確認し, ①肺野の状態（色：吸収域, 形状：肺容積）, ②心臓を含む縦隔の形状, ③骨格（胸郭, 脊柱）の正常／異常を確認する.
- 胸部CT画像は, 横断レベルに応じた肺野, 胸郭を確認する（図12）. 胸郭を構成する骨・縦隔の心臓・大血管・気管支は**白〜灰色（高吸収域）**, 空気を多く含む肺胞や気管支の内腔は**黒く写る（低吸収域）**.
- **肺炎**などで肺に炎症が生じて滲出液や分泌物が貯留すると, 病変部位ではX線の透過性が低くなるため肺に**浸潤影**や**すりガラス様陰影**が白く写る（図13）. 貯留物で満たされ空気を含まない肺胞が多いほど浸潤影を示し, 少ないほど淡いすりガラス様陰影を示す. 肺がんなどで肺に腫瘍が生じると, 明確な腫瘤影が白く写る.
- 肺炎では, 気管支周囲の炎症性病変によって分泌物が溜まり, 気管支内腔の空気がコントラストされてよくみえる**気管支透亮像〔エアーブロンコグラム（air bronchogram）〕**を示す（図13）.
- **肺気腫**では, 肺野条件にて肺胞壁の破壊を示唆する低吸収域が観察される（図14）.

2）頭部CT画像

- 頭部CT画像は, 脳神経の病態の評価, 異常の早期発見, 治療効果判定に用いられる. 頭部CTは脳出血の検出に有効であり, 一般的に脳卒中が疑われる場合は**CT画像で出血性病変の有無を確認し, 脳出血が否定された場合はMRIで虚血性病変の有無を確認する**.
- 頭部CT画像は, 水平断像, 矢状断像, または前額断像で示される. 脳は三次元の立体的な構造の中に細かな機能局在があり, 各スライス画像によって描出される部位が異なる. 臨床的には特に水平断像が活用されることが多い.
- 前後・左右方向を確認し, ①脳と頭蓋骨の色と形状, ②脳髄液が満たされた部位の正常／異常を確認する（図15）. 頭蓋骨は**白色（高吸収域）**, 脳髄液は**黒く写る（低吸収域）**. 脳実質は**灰色**を示すが, 白質はやや黒く, 灰白質はやや白く描かれる.
- 脳については, 各スライス画像において, 大脳皮質, 大脳基底核, 白質（投射線維, 連合

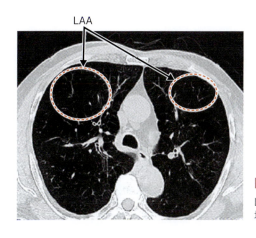

図14　肺気腫（COPD）症例の胸部CT画像
LAA（low attenuation area，低吸収域）：肺胞破壊，気腫性病変を表す．文献2より引用．

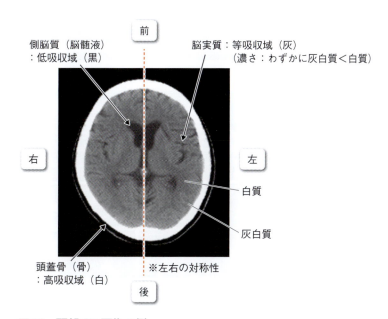

図15　頭部CT画像の例

線維，交連線維），脳室，脳幹（中脳，橋，延髄），小脳といった各部位を確認する．水平断像や前額断像では，正中線で左右を分け，①各部位（脳実質，脳室，脳溝など）の位置と形状が左右対称かどうか，②各部位の色調が左右対称かどうかという視点から確認すると異常部位を判断しやすい．

- 頭部CT画像の水平断は，一般的に眼窩耳孔線（orbito-meatal line：OM line）を基軸に，各高位のスライス画像が撮像される（図16）．複数の脳の水平断像を識別する際にランドマークの1つとして側脳室を活用すると理解しやすい．以下に，各高位（レベル）で何が写るのかを解説する．

- **橋レベル**（図16B, L）：直回，眼窩回，海馬，扁桃体，側頭極，側脳室下角，橋，小脳脚，小脳半球，小脳虫部

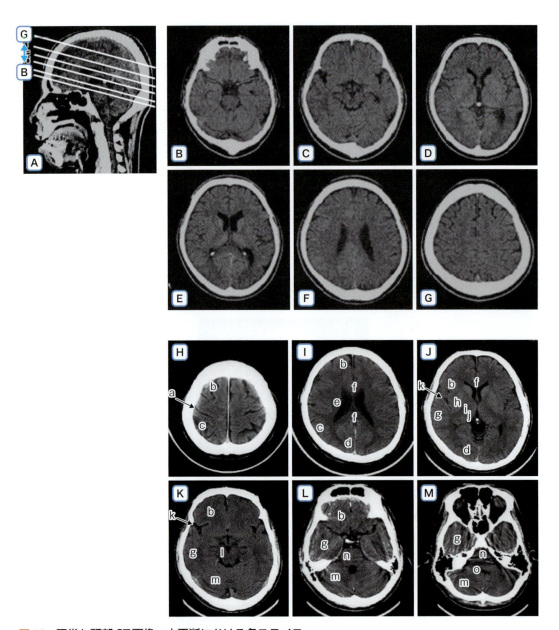

図16 正常な頭部CT画像：水平断における各スライス

A〜GとH〜Mは別の患者の画像．A) OM line（orbito-meatal line）下からB〜Gの高位を示す．B) 橋レベル，C) 中脳レベル，D) 松果体レベル，E) 脳梁膨大レベル，F) ハの字レベル，G) 半卵円中心レベル．H〜Mの高位は，Hが頭頂部側．H) 側脳室体部上方レベル，I) 脳梁体部レベル，J) 松果体レベル，K) 中脳レベル，L) 橋レベル，M) 延髄レベル．a：中心溝，b：前頭葉，c：頭頂葉，d：後頭葉，e：放線冠，f：脳梁，g：側頭葉，h：被殻，i：内包，j：視床，k：シルビウス裂，l：中脳，m：小脳半球，n：橋，o：延髄．A〜Gは文献10より，H〜Mは文献11より引用．

- **中脳レベル**（図16C, K）：直回，眼窩回，海馬，扁桃体，上側頭回，中側頭回，下側頭回，中脳，大脳脚，小脳半球，小脳虫部
  - **橋〜中脳が観察される側脳室下角のレベル**．脳幹と小脳の病変の確認に適する．
  - 脳幹や小脳の病変では，運動麻痺，感覚麻痺，運動失調，脳神経症候など多彩な障害を生じる．脳幹では運動神経線維が各部位の内側，感覚神経線維が各部位の外側をそれぞ

れ走行するため，内側の病変では対側の片麻痺（病変が大きい場合は四肢麻痺），外側の障害では対側の感覚障害を生じる．小脳の障害では，四肢体幹の運動失調や姿勢バランス障害を認める．また，脳幹のうち中脳からⅢ～Ⅴ脳神経，橋からⅥ～Ⅷ脳神経，延髄からⅨ～Ⅻ脳神経が走行するため，病変部位に応じた脳神経症候を示す．

- **松果体レベル**（図16D, J）：中心前回，中心後回，下前頭回，中前頭回，上前頭回，上側頭回，中側頭回，後頭葉，視放線，外側溝，尾状核頭，内包前脚，視床，内包後脚，淡蒼球，被殻前部，被殻後部，島，側脳室前角，第三脳室，松果体，前頭橋路，皮質延髄路，皮質脊髄路，皮質網様体路

- **脳梁膨大レベル**（図16E）：中心前回，中心後回，下前頭回，中前頭回，上前頭回，上側頭回，中側頭回，後頭葉，視放線，縁上回，視床，尾状核頭，レンズ核（被殻・淡蒼球），内包前脚，内包後脚，外側溝，島，脳梁膝，脳梁膨大

    ▶ **松果体，第三脳室～脳梁膨大とともに側脳室前角と側脳室後角が観察されるレベル**．視床，尾状核頭，被殻，淡蒼球といった大脳基底核の間に内包があり，内包では皮質延髄路と皮質脊髄路が走行する．大脳基底核や内包の病変の確認に適する．

    ▶ 内包後脚の病変では，病変と対側の運動麻痺および感覚麻痺が生じる．視床の病変では感覚障害が優位に，被殻の病変では運動麻痺が優位に，それぞれ病変と対側の運動麻痺および感覚麻痺を生じる．また，このレベルにおいて，優位半球側の前頭葉の病変ではブローカ（Broca）失語，側頭葉の病変ではウェルニッケ（Wernicke）失語，後頭葉の障害では同名半盲がそれぞれ生じる．

- **ハの字レベル**（図16F）：中心前回，中心後回，中前頭回，上前頭回，縁上回，角回，後頭葉，楔前部，放線冠，皮質脊髄路，上縦束（SLF），側脳室

    ▶ **側脳室体部がハの字で観察されるレベル**．投射線維の集合体である放線冠，同側の前頭葉と頭頂葉・側頭葉・後頭葉の間を結ぶ連合線維である上縦束が確認できる．運動麻痺や高次脳機能障害の責任病巣の確認に適する．

    ▶ 放線冠の病変では，病変と対側の運動麻痺，感覚麻痺，構音障害を生じる．頭頂葉の病変では，高次脳機能障害（失認，失行，失算など），特に劣位半球の障害では半側空間無視を生じやすい．

- **半卵円中心レベル**（図16G）：中心前回，中心後回，中前頭回，上前頭回，上頭頂小葉，下頭頂小葉，楔前部，上縦束

    ▶ **側脳室体部より上方で側脳室が観察されないレベル**．皮質直下に相当する高位であり，皮質下の病変の確認に適する．

    ▶ 中心溝直前にある中心前回は運動野，中心溝直後の中心後回は感覚野であり，各部位の病変では，それぞれ病変と対側の運動麻痺または感覚麻痺が生じる．

- 脳は，脳卒中，頭部外傷，脳腫瘍などさまざまな疾患で損傷されるが，原則として病変が生じている機能局在に応じた障害や症状が発生することを想定して画像を確認する．また，脳卒中では脳を栄養する主要な血管に出血や梗塞が生じて発症するため，脳実質の機能局在だけでなく脳血管が支配する灌流領域についても確認しておく（図17）．

- 脳卒中（脳血管障害）におけるCT画像では，出血・血腫（金属元素である鉄を含む赤血球を有する），血腫が穿破した脳室，石灰沈着した脳血管は**高吸収域（白く写る）**，梗塞・壊死，陳旧性血腫，梗塞巣の周辺に発生する脳浮腫など多くの異常は**低吸収域（黒く写る）**，としてそれぞれ描出される（図18, 19）．特に頭部CT画像では出血部位がわかりやすく，

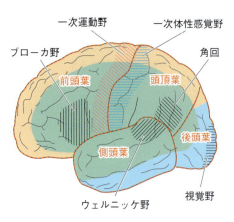
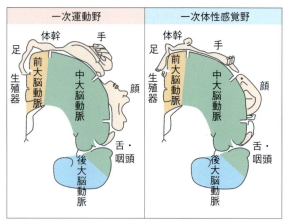
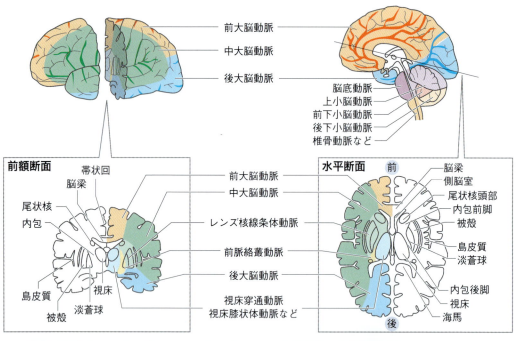

図17　脳血管の支配灌流領域

文献12より引用.

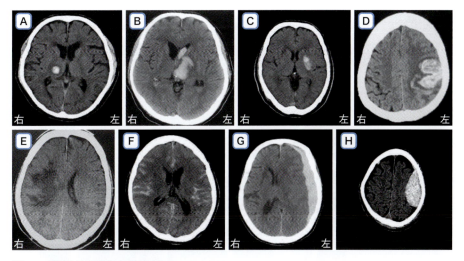

図18　頭部CT画像の異常所見

A）右視床出血症例．右視床に高吸収域が認められる．文献13より引用．　B）左視床出血症例．左視床とともに左側脳室前角や左右側脳室後角に高吸収域が認められ，脳室穿破を伴っていることが確認できる．文献14より引用．　C）左被殻出血症例．左被殻に高吸収域が認められる．文献4より引用．　D）皮質下出血症例．左中心前回や左中心後回を中心とした部位に高吸収域が認められる．文献15より引用．　E）脳梗塞症例．脳放線冠，右上縦束，右頭頂葉皮質下に低吸収域が認められる．文献16より引用．　F）くも膜下出血症例．左右の脳溝に高吸収域が認められる．文献17より引用．　G）硬膜下血腫症例．左前頭部〜側頭部にかけて三日月形の高吸収域が認められ，左大脳半球全体の脳実質が右方へ偏位していることが確認できる．文献18より引用．　H）硬膜外血腫症例．左側頭部に凸レンズ型の高吸収域が認められる．文献19より引用．

骨と比べて骨より淡い白色として描出される．

- 実際に頭部CT画像を確認する際には，まず脳実質全体の量と左右対称性を確認し，機能局在または脳血管支配灌流領域に応じた病変を探索する．脳実質全体の量は，頭蓋骨の内腔全体に脳実質が満たされているか，脳室や脳溝の拡大が生じていないかをみることで脳の萎縮について確認できる．左右対称性は正中線をもとに判断し，形状と色調を確認することで，脳の偏位，萎縮，異常な病変部位を確認しやすい．
- また，脳の構造は三次元であるが1枚のスライス画像は二次元で特定の部位のみを写しているため，病変が特定された場合は病変の前後・左右・上下のスライス画像を併せて確認し，病変の大きさや障害された部位・範囲・その機能局在を確認する．

4　MRI画像

- **MRI**（magnetic resonance imaging，核磁気共鳴画像法）は，磁場・磁気を利用して撮影された断層画像であり，人体内の水素原子に共鳴現象を起こさせる際に発生する電波を利用して，人体の中の状態を画像に写す．基本的に濃淡をもつ**白黒画像**に処理・出力される．
- MRI検査は，CT検査で検出された病変の精査のために用いられることが多い．CTと比べて軟部組織間のコントラスト（明暗差）が高く，病変を検出する性能が高いため，いずれの組織に病変があるのか詳細に検討することができる．一般的に，CT画像では評価困難な軟骨や靱帯など骨以外の運動器の異常の評価にも有用である．撮影にX線を用いないこと

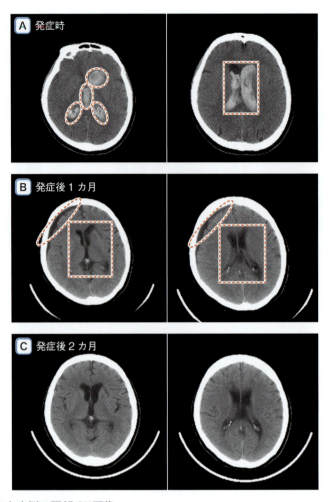

図19　左尾状核出血症例の頭部CT画像

A) 発症時．画像所見では，脳出血（左尾状核出血，脳室穿破）の診断，右前頭部から穿頭し脳室ドレナージ術実施．左尾状核の部位に血腫があり高吸収域（白）を示し，出血が脳室へ穿破しているため側脳室も高吸収域（白）を示す．
B) 発症後1カ月．画像所見では，左尾状核部に亜急性期脳出血，術後，右前頭〜側頭部にかけて硬膜下水腫．高吸収域（白）であった側脳室が低吸収域（黒）を示し，周辺の大脳基底核の間を走行する内包に明らかな損傷が確認できないため，明らかな錐体路障害（運動麻痺）は生じにくいと考えられる．右前頭葉〜側頭部と頭蓋骨の間は間隙があり脳髄液で満たされているため低吸収域（黒）を示し，左半球と比べて右半球の前頭葉や側頭葉が水腫で圧排され，左右の非対称性が生じている．身体所見では，ADL全般的に見守りで可能．Brunnstrom stage（上肢・手指・下肢）Ⅵ，体性感覚（表在・深部）正常．明らかな高次脳機能障害は認めないが，言語や運動の反応が遅れることがある．立ち直り反応が減弱し，外乱に対する右方・後方への身体動揺が生じるため転倒リスクあり．見守りで連続700 m以上歩行可能．
C) 発症後2カ月．画像所見では，左尾状核部に陳旧性脳出血，右前頭〜側頭部の硬膜下水腫が吸収され消失．脳実質や脳室の左右非対称性が改善．身体所見では，ADL自立．言語や運動の反応の遅れがなくなり，減弱していた立ち直り反応が改善し，外乱に対する転倒リスクも改善．見守りで連続2 km程度の歩行が可能．

がX線画像やCT画像と異なり，検査による放射線被曝がない．ただし，強力な磁場と電波を用いる検査であるため，体内磁性体（心臓ペースメーカーなど）を有する人には撮影禁忌となり，体内に非磁性体の金属を有する人であっても注意を要するため，患者によっては適用限界がある．

- 造影剤を使わずに撮影する**単純MRI**と，造影剤を投与した後に撮影する**造影MRI**があり，一般的な検査では単純MRIが用いられることが多い．造影剤を使わずとも血管の画像撮影が可能であり，**MRA画像**（magnetic resonance angiography，磁気共鳴血管画像）は閉

- MRIでは，人体内の水素原子に核磁気共鳴現象（NMR現象）を起こし，人体内の水素原子から得られた核磁気共鳴信号（NMR信号）の強度分布を画像化する．この信号の強度が高い部位は**白く写り**〔**高信号域**（high intensity area：HIA）〕，この信号の強度が低い部位は**黒く写る**〔**低信号域**（low intensity area：LIA）〕が，撮影条件を変えることによって，高信号と低信号である部位が異なる画像を描出できる（図11）．
- MRIはさまざまな撮影条件を設定することが可能であり，検査の目的に応じて使い分けられる．代表的なMRI画像には，**T1強調画像**（T1 weighted image：T1WI），**T2強調画像**（T2 weighted image：T2WI），**FLAIR画像**（fluid attenuated inversion recovery：FLAIR），**拡散強調画像**（diffusion weighted image：DWI）があり，各画像で人体各部位の描かれ方が異なる．
  - ▶ **T1強調画像**は，CTと近似した画像で水分が黒く描かれるという特徴がある．脂肪が高信号（白色），水のほかにも血流，骨，空気が低信号（黒色）で描かれる．
  - ▶ **T2強調画像**は，T1強調画像とは異なるコントラストで描かれた画像で，脂肪だけでなく水分が白く描かれる特徴がある．
  - ▶ **FLAIR画像**は，水分の信号を抑制したT2強調画像であり，水分は低信号（黒色）を示す特徴がある．
  - ▶ **拡散強調画像**は，組織内の水分子の動き（拡散運動）を画像化したものであり，その拡散運動が低下した部位が高信号で描かれる．
- 頭部・胸腹部の前額面または水平面でのMRI画像は，一般的に上下・前後を揃えると「**画像の左側が患者の右側，画像の右側が患者の左側**」として写される．

1）脊柱・脊髄MRI画像

- 脊柱・脊髄MRI画像は，脊柱や脊髄の病態の評価，異常の早期発見，治療効果判定，X線では鑑別しにくい部位の精査や鑑別診断に用いられる．
- 脊柱・脊髄MRI画像は矢状断像または水平断像で示され，前後方向を確認し，脊柱，椎間板，脊髄の色と形状，脊髄液が満たされた部位の正常/異常を確認する（図20，21）．T2強調画像では，脊柱を構成する**椎骨，脊髄，馬尾，神経根は灰色で写り，髄液が満たされた部位はより白く写る（高吸収域）**．
- 椎骨については，まず椎体の形状と配列をもとに頸椎・胸椎・腰椎・仙椎の何番目の椎骨かを確認したうえで，①各椎骨の輪郭や形状の連続性と変化，②各椎骨間の位置とアライメントを確認する．
- また，椎体後縁と椎弓に囲まれた椎孔が上下に連続して形成されるトンネルである脊柱管の輪郭を確認するとともに，脊柱管の中で硬膜に覆われた脊髄と髄液が満たされた部位が正常か否かについて確認する．
- 特に各椎骨間の位置やアライメントと脊柱管の形状については，①椎体前縁に沿って上下に連続する前方脊椎線，②椎体後縁（脊柱管前縁）に沿って上下に連続する後方脊椎線，③棘突起基部前縁（脊柱管後縁）に沿って上下に連続する棘椎弓線，④棘突起先端に沿って上下に連続する後方棘突起線の4つの線を描き，途絶することなく滑らかな曲線を描いているかをもとに確認する．
- 水平断像では，脊柱管の中に硬膜と髄液で収まった脊髄とともに，脊髄から枝分かれした

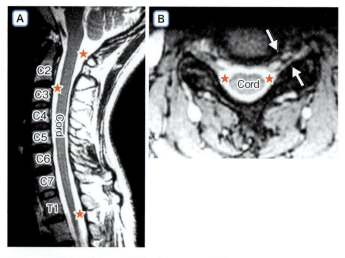

図20　正常な頸部MRI画像（T2強調画像）
A）矢状断像．★：髄液．B）水平断像．★：髄液，⇨：椎間孔．文献20より引用．

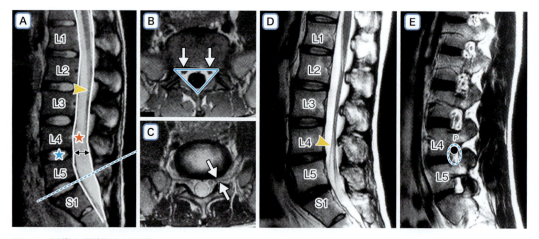

図21　正常な腰部MRI画像
A）T2強調画像，矢状断像．L1～S1：第1腰椎～第1仙椎．★：髄液，★：椎間板，▷：馬尾．B）T1強調画像，L5/S水平断像．▽：脊柱管，⇨：神経根．C）T2強調画像，L5/S水平断像．⇨：椎間孔．D）T2強調画像，正中矢状断像．▷：馬尾．E）T2強調画像，傍正中矢状断像．P：椎弓根，◌：椎間孔，●：神経根．文献20より引用．

神経根が椎間孔を通って走行していることが確認される．

- **頸椎症性脊髄症**では，椎間板や骨棘の突出や靱帯の肥厚による脊柱管内の脊髄の圧迫が確認される（図22）．また，**後縦靱帯骨化症**では，後縦靱帯の骨化に伴う脊髄の圧迫が確認される（図23）．
- **腰椎椎間板ヘルニア**では，椎間板は変性（低信号域）して形態が変化し，突出した圧迫組織による脊柱管の狭小化と硬膜・脊髄または神経根の圧迫がみられる（図24）．
- **腰椎変性すべり症**では，下位の椎体と棘突起に対して上位の椎体と棘突起が前方移動して段差（すべり）が生じ，脊柱管の狭小化と馬尾神経の蛇行がみられる（図25）．椎間板の厚みの減少もみられる．また，**腰椎分離すべり症**では，椎体と棘突起の間に段差（すべり）

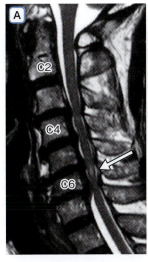
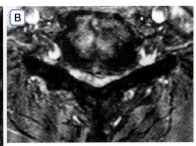

図22　頸椎症性脊髄症症例のMRI画像（T2強調画像）

A）矢状断像：頸椎全体に髄液がほとんど認められず，第3～7頸椎の高さで脊髄の圧迫が確認される．圧迫がある程度あるいはある時間以上になると脊髄内に高信号域が出現する場合がある（⇨）．B）水平断像：圧迫によって扁平化した脊髄が確認される．文献20より引用．

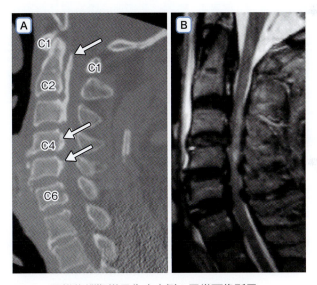

図23　頸椎後縦靱帯骨化症症例の異常画像所見

A）CT画像：第2～5頸椎の間に後縦靱帯の骨化が確認できる．
B）MRI T2強調画像：第2～7頸椎の高さで脊髄の圧迫が確認される．
文献20より引用．

が生じ，関節突起間部の亀裂（分離）が確認される（図26）．椎間板の厚みの減少もみられる．

- **椎体圧迫骨折**では，骨折や変性が生じた部位が低信号域を示して椎体の圧潰が確認される（図27）．また，骨粗鬆症の進行に応じて骨画像全体が低信号を示す．

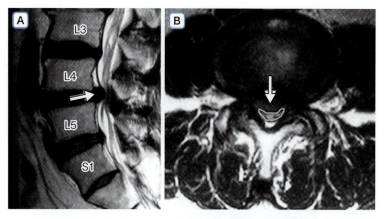

図24　正中に突出した腰椎椎間板ヘルニア症例のMRI画像（T2強調画像）

A）矢状断像：各椎間板が低吸収域（黒色）であることから椎間板の変性が示唆され，第3腰椎〜仙椎の間に椎間板の膨隆（⇨）がみられてL3/4，L5/Sに比べL4/5の椎間板が大きく硬膜を押している．B）L4/5水平断像：脊柱管の半分以上の面積を突出した椎間板が占めている．文献20より引用．

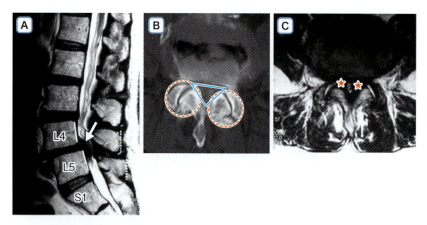

図25　腰椎変性すべり症症例のCT・MRI画像

A）MRI T2強調画像，矢状断像：第4腰椎の椎体と棘突起がそれぞれ第5腰椎の椎体と棘突起に対して前方へずれて段差が生じている．第4腰椎のすべりに伴ってL4/5のレベルの脊柱管の狭小化が生じている．B）CT L4/5水平断像：椎間関節の肥大（◯）が確認される．骨柱脊柱管（▽）．C）MRI T2強調画像，L4/5水平断像：黄色靱帯（★）に挟まれた硬膜（中央の白い部分）は極端に細い．文献20より引用．

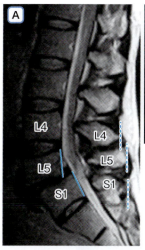
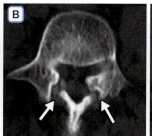
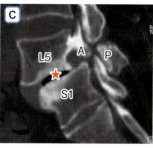

図26　腰椎分離すべり症症例のCT・MRI画像

A）MRI T2強調画像：第5腰椎と第1仙椎の椎体後面（―）にすべり（段差）があるが，すべり椎間（L5/S1）の棘突起（---）には段差がない．一方，すべりのない第4・5腰椎（L4/L5）の棘突起間に段差がある（---）．B）CT水平断像：関節突起間部の亀裂（分離）が確認される．C）CT矢状断像：A-Pの間の隙間が分離部であり，L5/S1椎間板はほとんど消失して真空現象が認められる（★）．文献20より引用．

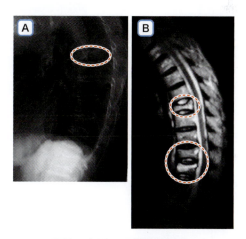

図27　脊柱・脊髄の異常画像所見

A）X線画像：椎体の圧潰が確認され，骨画像全体の陰影が黒く骨粗鬆症が疑われる．B）MRI T2強調画像：椎体の圧潰が確認できる．文献8より引用．

2）頭部MRI画像

- 頭部MRI画像は，頭部CT画像と同様に，水平断像，矢状断像，または前額断像で示され，各断像ともに有用な情報を入手できるが，臨床的には特に水平断像が活用されることが多い．前後・左右方向を確認し，脳と頭蓋骨の色と形状，脳髄液が満たされた部位の正常/異常を確認する（図28）．
- 頭部MRI画像の水平断は，頭部CT画像と同様に各高位のスライス画像を確認することが

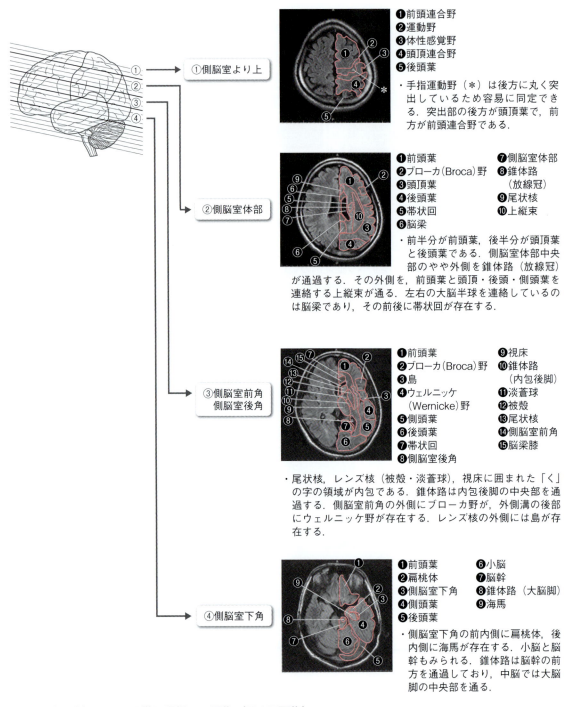

図28 水平断における正常な頭部MRI画像（FLAIR画像）
文献21より引用.

できる（図28）. ランドマークである側脳室を手がかりに確認すると理解しやすい. 頭部CT画像と同様に病変が生じている脳の機能局在や脳血管の支配灌流領域（図17）に応じた障害や症状が発生することを想定して画像を確認する.

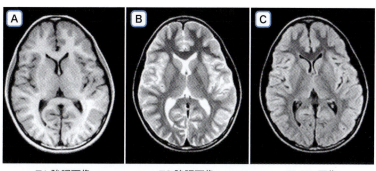

図29　正常な頭部MRI画像：水平断における各スライス

T1強調画像（**A**），T2強調画像（**B**），FLAIR画像（**C**）の松果体レベルでの断面．T1強調画像では白質と灰白質のコントラストが実際のそれに近く，多くの頭蓋内病変は低信号を呈する．T2強調画像では白質と灰白質のコントラストはT1強調画像の逆となり，脳室・脳槽の髄液は強い高信号となる．また，浮腫を含む多くの病変は高信号を呈する．FLAIR画像は髄液の信号が抑制され低信号になるような反転パルスを加えたT2強調画像である．髄液に接する脳表や脳質近傍の病変をはじめ，種々の病変を良好なコントラストで描出できる．文献22より引用．

- 実際に頭部MRI画像を確認する際には，まず脳実質全体の量と左右対称性を確認し，機能局在または脳血管支配灌流領域に応じた病変を探索する．頭部CT画像と同様に，頭蓋骨の内腔全体に脳実質が満たされているか，脳室や脳溝の拡大が生じていないかをみることで脳の萎縮について確認できる．左右対称性は正中線をもとに判断し，形状と色調を確認することで，脳の偏位，萎縮，異常な病変部位を確認しやすい．

- 脳の構造は三次元であるが1枚のスライス画像は二次元で特定の部位のみを写しているため，病変が特定された場合は病変の前後・左右・上下のスライス画像を併せて確認し，病変の大きさや障害された部位・範囲・その機能局在を確認する．

- **T1強調画像**（T1WI）は，CTと近似した画像で，脳実質は灰色を示すが，白質はやや白く，灰白質はやや黒く描かれる（図29A）．白黒のコントラストが明確であり，**脳の解剖学的構造の同定や，脳表の変化や脳萎縮の観察に適している**．梗塞巣は目立たない．脳血管障害のT1強調画像は，**脳出血では超急性期〜急性期に等信号〜やや低信号であるが，亜急性期に高信号を示す**（図30I）．水が低信号で描かれるため脳髄液や水分を多く含む虚血性病変の梗塞巣は黒く描かれ，特に急性期の虚血性病変の同定には不向きである．

- **T2強調画像**（T2WI）は，脂肪だけでなく水分が白く描かれる特徴があるため，脳髄液は高信号（白色）を示し，脳実質は灰色〜黒色を示すが，白質はやや黒く，灰白質はやや白く描かれる（図29B）．T1強調画像と比べて病変が白く描かれ，白黒のコントラストが明確であり，**脳実質内の多くの病変（梗塞，浮腫，腫瘍，脱髄など）や小さな梗塞の確認に有用である**．脳血管障害のT2強調画像は，**脳梗塞では急性期に高信号，慢性期でも高信号を示し，梗塞巣を把握しやすい**（図30E，K）．炎症性病変，脱髄性病変，腫瘍性病変も明瞭に高信号で描出される．脳の解剖学的構造の同定や，脳表の変化や脳萎縮の観察には適さない．

- **FLAIR画像**（FLAIR）は，水分の信号を抑制したT2強調画像であり，脳髄液は低信号（黒色）を示す特徴がある（図29C）．脳実質は灰色〜黒色を示すが，白質はやや黒く，灰白質はやや白く描かれる．**脳髄液が黒く描かれるため，脳室や脳溝と接した病変の特定に適している**点がT2強調画像と異なる．脳の解剖学的構造が把握しやすく，梗塞巣の鑑別も容易である．脳血管障害のFLAIR画像は，急性期から亜急性期における病変が白色，慢性期の

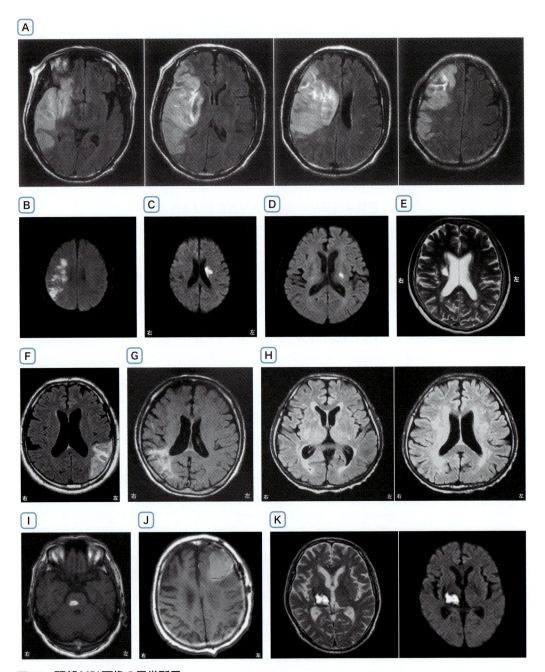

図30 頭部MRI画像の異常所見

A) 脳梗塞（右中大脳動脈領域）症例のFLAIR画像．右中大脳動脈領域に広範囲の梗塞病変を示す高信号域が認められる．文献23より引用． B) 脳梗塞（右中大脳動脈領域）症例の拡散強調画像．右中大脳動脈領域に広範囲の梗塞病変を示す高信号域が認められる．文献24より引用． C) 急性期脳梗塞（左放線冠）症例の拡散強調画像．左放線冠に高信号域が認められる．文献3より引用． D) 急性期脳梗塞（左内包）症例の拡散強調画像．左内包後脚に高信号域が認められる．文献25より引用． E) 脳梗塞（右放線冠）症例のT2強調画像．右放線冠に高信号域が認められる．文献18より引用． F) 脳梗塞（左頭頂葉）症例のFLAIR画像．左頭頂葉に高信号域が認められる．文献16より引用． G) 脳梗塞（右頭頂側頭葉）症例のFLAIR画像．右頭頂側頭葉領域に高信号域が認められる．文献26より引用． H) 多発性脳梗塞症例のFLAIR画像．左右に多発性の高信号域が確認できる．文献27より引用． I) 橋出血症例のT1強調画像．橋に高信号域が認められる．文献28より引用． J) 脳腫瘍（左前頭葉）症例の造影T1強調画像．左前頭葉に高信号域が認められる．文献29より引用． K) 視床出血症例のT2強調画像と拡散強調画像．右視床に高信号域が認められる．

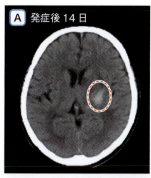
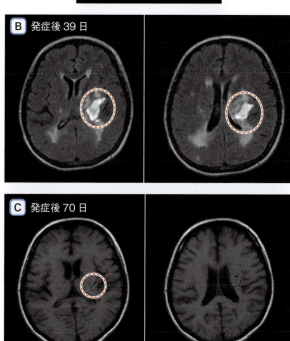

図31　左被殻出血（高血圧性）症例の頭部CT画像（A）とMRI（FLAIR）画像（B）とMRI（T1強調）画像（C）

A）発症後14日（CT画像）．画像所見では，左被殻の部位に血腫があり高吸収域（白）を示す．B）発症後39日（MRI：FLAIR画像）．画像所見：左被殻の部位に血腫があり高吸収域（白）を示し，周囲の浮腫性変化は消失．深部白質に慢性虚血性変化があり，長期に高血圧による負荷があった可能性あり．脳実質の萎縮は有意ではない．左被殻出血発症前に多数の小出血/梗塞を繰り返し，微小血管障害が強い．身体所見：病棟ADLは車椅子レベルにて一部介助必要．主な基本動作や歩行は独力で可能だが不安定で見守りや介助が必要．右上下肢の運動麻痺はBrunnstrom stage Ⅳ，体幹近位筋群の筋緊張は低く，下肢遠位筋群（下腿三頭筋）の筋緊張亢進あり，協調運動障害（運動失調）も認める．表在・深部感覚障害は重度，非麻痺側筋力と関節可動域に明らかな問題はない．C）発症後70日（MRI：T1強調画像）．画像所見：左被殻の血腫はほぼ吸収され，自然経過での回復はほぼ終了している．身体所見：病棟ADLは移乗，自室内伝い歩き，トイレ動作が自立レベル．4点杖歩行見守りレベルで，右下肢の協調的な運動は不十分（Brunnstrom stage Ⅳ），右上下肢筋群の筋緊張亢進あり，左上下肢での過剰努力あり．重度感覚障害に著変はない．

病巣が黒色で描出される（図30A，F～H，J，図31）．

- **拡散強調画像（DWI）** は，組織内の水分子の拡散運動が低下した部位が高信号で描かれ，**超急性期脳梗塞の検出に優れており**，急性期脳梗塞の描出に適しているT2強調画像と比べてより早期から鋭敏に虚血性病変を描出することができる（図30B～D，K）．

文献

1) 須藤英一, 奥仲哲弥：臨床に活かす胸部のCTのみかた. 理学療法ジャーナル, 41：495-504, 2007
2) 鵜澤吉宏, 他：胸部画像のみかた. 理学療法ジャーナル, 43：807-818, 2009
3) 第53回理学療法士国家試験問題 (https://www.mhlw.go.jp/seisakunitsuite/bunya/kenkou_iryou/iryou/topics/dl/tp180511-08a_02.pdf)
4) 第52回理学療法士国家試験問題 (https://www.mhlw.go.jp/seisakunitsuite/bunya/kenkou_iryou/iryou/topics/dl/tp170425-08b_02.pdf)
5) 第42回理学療法士国家試験問題 (https://www.mhlw.go.jp/topics/2007/04/dl/tp0427-2c.pdf)
6) 第44回理学療法士国家試験問題 (https://www.mhlw.go.jp/topics/2009/04/dl/tp0422-4b.pdf)
7) 葛山智宏, 他：膝関節画像のみかた. 理学療法ジャーナル, 43：339-347, 2009
8) 第52回理学療法士国家試験問題 (https://www.mhlw.go.jp/seisakunitsuite/bunya/kenkou_iryou/iryou/topics/dl/tp170425-08a_02.pdf)
9) 小柳靖裕：脳画像をみるための基礎知識. 理学療法ジャーナル, 49：53-62, 2015
10) 田村哲也, 吉尾雅春：水平断の脳画像からみえるもの. 理学療法ジャーナル, 49：151-158, 2015
11) 生野雄二, 他：臨床に活かす脳のCT・MRIのみかた. 理学療法ジャーナル, 41：231-239, 2007
12) 「病気がみえる vol.7 脳・神経」(医療情報科学研究所/編), メディックメディア, 2011
13) 第53回理学療法士国家試験問題 (https://www.mhlw.go.jp/seisakunitsuite/bunya/kenkou_iryou/iryou/topics/dl/tp180511-08b_02.pdf)
14) 第45回理学療法士国家試験問題 (https://www.mhlw.go.jp/topics/2010/04/dl/tp_siken_45_rigaku_04.pdf)
15) 第48回理学療法士国家試験問題 (https://www.mhlw.go.jp/seisakunitsuite/bunya/kenkou_iryou/iryou/topics/dl/tp130422-06b.pdf)
16) 第47回理学療法士国家試験問題 (https://www.mhlw.go.jp/topics/2012/04/dl/tp_siken_47_rigaku_am2.pdf)
17) 第47回理学療法士国家試験問題 (https://www.mhlw.go.jp/topics/2012/04/dl/tp_siken_47_rigaku_pm2.pdf)
18) 第48回理学療法士国家試験問題 (https://www.mhlw.go.jp/seisakunitsuite/bunya/kenkou_iryou/iryou/topics/dl/tp130422-06d.pdf)
19) 第49回理学療法士国家試験問題 (https://www.mhlw.go.jp/seisakunitsuite/bunya/kenkou_iryou/iryou/topics/dl/tp140512-06-1b.pdf)
20) 細野昇：臨床に活かす脊椎・脊髄のCT・MRIのみかた. 理学療法ジャーナル, 41：325-334, 2007
21) 「基礎から学ぶ画像の読み方 第3版」(中島雅美, 他/編著), 医歯薬出版株式会社, 2019
22) 小笹佳史：MRI脳画像の基礎知識 入門編. 脳科学とリハビリテーション, 14：1-7, 2014
23) 第43回理学療法士国家試験問題 (https://www.mhlw.go.jp/topics/2008/04/dl/tp0418-7c.pdf)
24) 第54回理学療法士国家試験問題 (https://www.mhlw.go.jp/seisakunitsuite/bunya/kenkou_iryou/iryou/topics/dl/tp190415-08a_02.pdf)
25) 第54回作業療法士国家試験問題 (https://www.mhlw.go.jp/seisakunitsuite/bunya/kenkou_iryou/iryou/topics/dl/tp190415-09b_02.pdf)
26) 第50回理学療法士国家試験問題 (https://www.mhlw.go.jp/seisakunitsuite/bunya/kenkou_iryou/iryou/topics/dl/tp150511-06-1am_02.pdf)
27) 第46回理学療法士国家試験問題 (https://www.mhlw.go.jp/topics/2011/04/dl/tp_siken_46_rigaku_02.pdf)
28) 第50回理学療法士国家試験問題 (https://www.mhlw.go.jp/seisakunitsuite/bunya/kenkou_iryou/iryou/topics/dl/tp150511-06-1pm_02.pdf)
29) 第48回作業療法士国家試験問題 (https://www.mhlw.go.jp/seisakunitsuite/bunya/kenkou_iryou/iryou/topics/dl/tp130422-06g.pdf)

第3章 脳機能・精神関連の評価

1 意識障害・全身状態の評価

> **学習のポイント**
> - 意識障害について覚醒レベルの判定ができる
> - 意識障害の質的変化である意識変容を理解できる
> - バイタルサインの測定意義と測定方法を理解，実施できる
> - 循環器の検査・測定（心電図の見方を含む）ができる
> - 呼吸器の検査・測定ができる

A) 意識障害

1 意識障害の診かた

- 意識障害には，量を示す明るさ（**意識混濁**），質を示す広がり（**意識変容・意識狭窄**）の3つの標識があるとされる（図1）．これらは必ずしも境界が明確化しているわけではなく，意識変容や狭窄の際はある程度の意識混濁を示す．ただし臨床的には，意識混濁と意識変容の2つを捉えることが多い[1]．

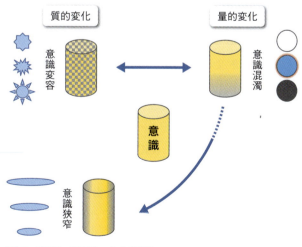

図1　意識（障害）の3標識

- 意識障害患者を診る際は，以下に示す項目に留意し実行する．
  ①**全身状態の把握**：バイタルサイン（呼吸，脈拍，血圧，体温など），姿勢変化
  ②**情報収集**：発症の状況，既往歴，基礎疾患
  ③**意識レベルの判定**：意識障害の種類と程度を判定する
  ④**麻痺症状，脳局所症状の有無**
  ⑤**眼球運動，瞳孔，各種反射**：睫毛反射や角膜反射など脳幹の反応があるかが重要
  ⑥**異常呼吸パターン**：チェーン–ストークス呼吸，中枢神経原性過換気，失調性呼吸など

2 意識レベルの判定

1）意識混濁（覚醒レベル）の定性的分類

- 意識混濁はその程度によって3〜6段階程度に分けられるが，その用語はさまざまで混乱が起こりやすい．
- ここでは代表的な分類であるメイヨー・クリニックの分類法[2]で比較的使用されている用語（4段階）を概説する．
  ①**傾眠（somnolence）**：放置されれば眠りに落ちる状態．刺激により容易に覚醒し，短時間なら合目的行動も可能である．
  ②**昏迷（昏眠）（stupor）**：強い刺激を与えると覚醒し，指示に対してある程度正しい反応を示す．
  ③**半昏睡（semicoma）**：痛みや体を揺することに対して，逃避反応などある程度合理的な体動を示す．
  ④**昏睡（coma）**：最も重篤な意識障害．強い刺激に反応がほとんどない．わずかな体動を示すのみ．腱反射や角膜反射，対光反射が消失している場合，**深昏睡（deep coma）**という．

*清明はalertなどの表現を用いる．ごく軽い意識障害はconfusion state（意識不鮮明もしくは錯乱）と表現することも多い．また，傾眠はdrowsy（正常，病的の区別なく眠り込むさま）という表現にも使われていて注意を要する．

2）定量的評価法

◼ Japan Coma Scale（JCS）（表1）

- 太田らが覚醒度の障害を大きく3段階に分け，さらに各段を3項目に分類した一次元性の定量的評価法である[3]．**3-3-9度方式**ともいわれ，本邦では広く利用されている．
- なお，閉眼しながら日時を正答した場合などは，覚醒レベルが乖離する可能性がある．意識内容については適切なコメントを添えておくことが必要となる．

◼ Glasgow Coma Scale（GCS）（表2）

- Teasdaleらが意識障害の客観的評価法として，開眼，発語，運動機能の3項目を各レベルに分け，スコア化したもの[4]．その合計点でレベルを判定する．
- JCSより客観性に富み国際的に汎用されているが，気管挿管者や失語，開眼障害，四肢麻痺に使いづらい欠点がある．また，合計点が同じでも内容が異なることがある．

表1　Japan Coma Scale（JCS）[3]

Ⅰ．刺激しないでも覚醒している状態（1桁で表現） （delirium, confusion, senselessness）
1．だいたい意識清明だが，今ひとつはっきりしない
2．見当識障害がある
3．自分の名前，生年月日が言えない
Ⅱ．刺激すると覚醒する状態－刺激をやめると眠り込む（2桁で表現） （stupor, lethargy, hypersomnia, somnolence, drowsiness）
10．普通の呼びかけで容易に開眼する ＊合目的な運動（例えば，右手を握れ，離せ）をするし，言葉も出るが間違いが多い
20．大きな声または体を揺さぶることにより開眼する ＊簡単な命令に応ずる．例えば離握手
30．痛み刺激を加えつつ呼びかけを繰り返すと辛うじて開眼する
Ⅲ．刺激をしても覚醒しない状態（3桁で表現） （deep coma, coma, semicoma）
100．痛み刺激に対し，払いのけるような動作をする
200．痛み刺激で少し手足を動かしたり，顔をしかめる
300．痛み刺激に反応しない

注）以上の他に，R：restlessness（不穏），I：incontinence（糞便失禁），A：akinetic mutism, apallic state（自発性喪失）などの付加情報をつけることがある．
例　100－I；20－RI．＊はなんらかの理由で開眼できない場合の指標．

表2　Glasgow Coma Scale（GCS）[4]

開眼 (Eye opening)	自発的に（spontaneous）	E 4
	言葉により（to speech）	3
	痛み刺激により（to pain）	2
	開眼しない（nil:no response）	1
言葉による最良の応答 (Best verbal response)	見当識あり（orientated）	V 5
	錯乱状態（confused）	4
	不適当な言葉（inappropriate）	3
	理解できない言葉（incomprehensive）	2
	発声がみられない（nil）	1
運動による最良の応答 (Best motor response)	命令に従う（obeys）	M 6
	痛み刺激部位に手足をもってくる（localizes）	5
	逃避屈曲反応（withdraws）	4
	異常屈曲反応（abnormal flexion）	3
	四肢伸展反応（extension）	2
	全く動かさない（nil）	1
＊コーマスコア	（E＋V＋M）＝3～15	

❸ Emergency Coma Scale（ECS）（表3）

- JCSの欠点を補完し，GCSの利点を取り入れたものがECSである[5]．脳卒中初期評価場面で使用されてきている．

表3 Emergency Coma Scale (ECS) [5]

概要（桁数）	内容	
覚醒している （自発的な開眼・発語または合目的動作をみる） →1桁	見当識あり 見当識なし，または，発語なし	1 2
覚醒できる （刺激による開眼・発語または従命をみる） →2桁	呼びかけにより 痛み刺激により	10 20
覚醒しない （痛み刺激でも開眼・発語および従命がなく運動反応のみをみる） →3桁	痛みの部位に四肢をもっていく，払いのける 引っ込める（脇を開けて）または顔をしかめる 屈曲する（脇を締めて） 伸展する 動きが全くない	100L 100W 200F 200E 300

- 1・2桁の覚醒とは開眼・発語・合目的あるいは従命のうち1つでもできればよしとする．閉眼していても正確にできれば覚醒とみなす．3桁は痛み刺激で評価する．
- 100LのLは痛みの部位（Localize）を認識しうるという意味．100Wは逃避する（Withdraw）の意味．200Fは除皮質姿勢で上肢の屈曲（Flexion）からきている．200Eは除脳姿勢で上肢で脇を締めて伸展（Extension）する形からきている．

3 意識変容の評価指標

- 意識変容とは意識の質的変化であり，意識の方向性が変わることをいう．せん妄や，アメンチア，夢幻状態，酩酊，もうろう状態などがある．
- 検査・測定にあたっては，①事前情報，②疾患，③手術，④薬物投与，⑤回復過程の時期，⑥回復の早さなどを考慮する．さらに，瞬時に行うもの，1日（数日）の変化で追うものとで，適切な評価指標を選択するのも重要である．意識レベルが動揺している場合は時間を明記し，長期間の観察で検者が複数名となる場合は基準の明確化を十分に行うことも大事である．

1）せん妄評価

- せん妄評価はDSM-5の診断基準を基軸として種々の評価指標があり，ICU場面ではCAM-ICU（The Confusion Assessment Method for the Intensive Care unit）が鎮痛評価と同時に汎用されている[6]．鎮静評価としては，RASS（Richmond Agitation-Sedation Scale）[7]がよく利用される．鎮痛評価は，人工呼吸器管理中でも使用できる．BPS（Behavioral Pain Scale）[8]が救命場面でも用いられている．
- ここでは日本語版もあり，せん妄の重症度判定として比較的使用されているDRS（Delirium Rating Scale）の1998年改訂版（DRS-R-98-J）に関して紹介する（表4）[9]．使用にあたっては，開発者であるTrzepaczの許可が必要なので確認する．

表4 DRS-R-98-Jの項目[9]

	項目	備考
重症度項目	睡眠覚醒サイクル	患者自身，家族，看護師を含めた情報から睡眠－覚醒パターンをみる
	知覚異常ならびに幻覚	知覚，錯覚，幻覚の違いを判断する
	妄想	被害妄想などを聴取する．論理的に話しても訂正不能な場合，ありとする
	情動の変容	情動は，患者の感じ方ではなく表出で判断する
	言語	流暢さ，文法，理解力，内容，呼称などをみる
	思考過程の異常	言語あるいは文章から思考過程の異常（思考の脱線，弛緩）をみる
	運動性焦燥	落ち着きのなさや点滴の引きちぎり，攻撃的な態度をみる
	運動抑制	活動の不活発性をみる．パーキンソニズムとは要鑑別
	見当識	日時は2日以上間違えば不正解．ただし，3週間以上入院の場合7日
	注意	注意の持続性，選択性障害（転導，分配）をみる
	短期記憶	2～3分後に提示した情報を想起させる
	長期記憶	過去の自分のエピソードを想起させる．一般的な情報を想起させる
	視空間能力	地図上の定位や積み木などで判断
診断項目	症状発症のタイミング	現病歴の聴取
	症状重症度の変動	経過報告から
	身体の障害	身体機能のチェック

2）錯乱，混乱などの評価指標

- NeelonらのNEECHAM Confusion Scale[10]が臨床上使用される．認知情報処理，行動，生理学的コントロールの3部構成で，さらに3つのサブテストに分かれる．0～30点のスコア化から4段階の重症度を判定する．
- この評価指標は綿貫らが日本語版ニーチャム混乱・錯乱状態スケール[11]として紹介しており，そちらを参照してほしい．1日数回の観察になるので看護師との協力が重要である．

B）バイタルサイン

1 循環器の検査

1）体温

- 体温は体内の熱生産と熱放散のバランス指標で，生命維持に必要な代謝活動を示す．
- 測定値をみて，他の所見と合わせ，疾患や原因となる病態を推定する．

1 手順（腋窩体温計）

①腋窩体温計を腋窩前下部から後上方に向け45°で挿入する．密着させ，腋窩動脈が走行する部位で測定する．気密性に注意し実施する．

②清潔（消毒）に保ち，汗は拭いて行う．
③測定時間は最低でも10分を要する．電子体温計は機種によるが，30秒程度で予測温が算出される．

2 体温の呼称

- **低温**：36.0℃未満，**平熱**：36.0〜37.0℃未満，**微熱**：37.0〜38.0℃未満，**中熱**：38.0〜39.0℃未満，**高熱**：39.0〜40.5℃未満，**最高熱**：40.5〜41.5℃未満，**過熱**：41.5℃以上

3 注意点

- 室温（20〜30℃）や日内変動（深夜低く，夕方高め），食事，運動，入浴，ストレス，月経などに留意する．高齢者では，体温と症状が乖離することもあり判定に注意する．

2）脈拍

- 脈拍は血管の状態や心臓機能を知るうえで，簡便かつ汎用されている検査である．

1 脈拍の触れ方

①示指，中指，薬指の3指の掌側面を皮膚面に接着させる．力を入れすぎないこと．
②患者と向き合って座り計測する．
③両手で同時に左右の橈骨動脈を触れると，左右の拍動差などを比べやすい．
④触知部位（図2）は，皮膚表面で触れやすい橈骨動脈（図3A）が主体となるが，リハビリテーション場面では，上腕動脈（図3B），膝窩動脈（図3C），足背動脈（図3D）を触診することが多い．総頸動脈，浅側頭動脈，後脛骨動脈も知っておくとよい．

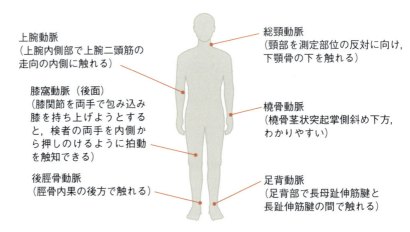

図2 体表面から触知できる部位
上腕動脈や橈骨動脈は血圧や脈拍測定には欠かせない．足背動脈は閉塞性動脈硬化症や深部静脈血栓などの補助診断でも重要である．

2 脈拍数

①測る際は，リラックスさせる（できれば3分ほど安静にして）．正常洞調律では，一般に15秒計測し4倍した数値を用いる．脈が遅い場合，30秒を2倍にする．

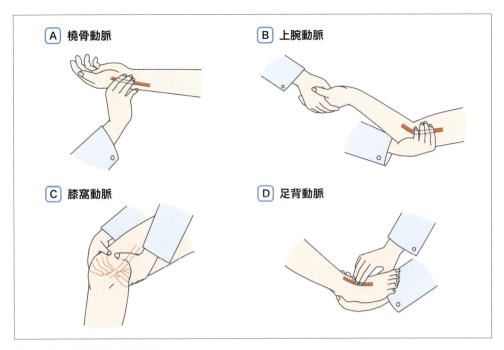

図3　主な触知部位の触診例
図にはないが左右両側を比較することも重要である．橈骨動脈は両手で同時にみる．脈の大きさ，リズム，遅速など比較してみる．膝窩動脈は大腿下部後面から触れる．セラピストは包むよう両手でもち，中指や示指の先で検知する．

②不整脈がある場合，1～2分実測し，1分単位ごとの不整の数も把握する．

3 リズム異常
①一定のリズムを**整脈**，間隔が一定でないものを**不整脈**という．
②主な不整脈を以下に示す．
　ⅰ）**洞性不整脈**：呼吸によって生じる．吸気で速く，呼気で遅くなる（図4A）．
　ⅱ）**期外収縮性不整脈**：1つの心拍から次の心拍までの間に，早期に心拍が起こる不整．脈が弱く触診では結滞として感知される（図4B）．上室性や心室性期外収縮が代表的．
　ⅲ）**絶対性不整脈**：リズム，間隔，強さ，大きさなどが不規則．心房細動や心房粗動などがある（図4C）．

4 脈拍の大きさ
● 動脈の拍動の幅で，振幅の大きさを示す．
　ⅰ）**大脈**：拍出量が大きく，大動脈弁閉鎖不全や高熱時などにみられる．
　ⅱ）**小脈**：拍出量が小さく，大動脈弁狭窄症などにみられる．

5 脈拍の緊張度
● 動脈を指で圧迫して弾力性，固さなどをみる．

6 脈拍の遅速
● 脈拍の立ち上がりの遅速をみる．
　ⅰ）**速脈**：脈拍が急に大きくなり，そして急に小さくなる状態．

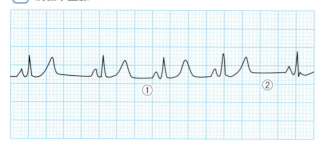

A 洞性不整脈

洞調律は正常と同じだが，呼吸等により速度が変わる．
吸気①で速く，呼気②で遅くなる．

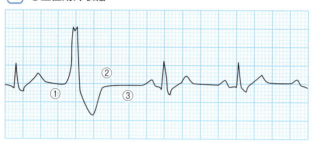

B 心室性期外収縮

洞調律は正常より早いタイミングで興奮が起こる．①P波がない，②QRS波の幅がやや広め，③T波がQRS波と逆向き．

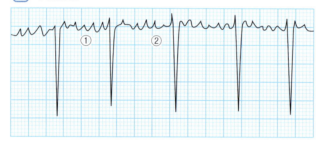

C 心房細動

P波がなく，①f波（細動波）といわれる小刻みな電気興奮波形が特徴．②QRS波の出現が不規則．

＊ちなみに，①がノコギリ状のものは心房粗動の場合が多い．

図4 主な不整脈の心電図所見
P波，T波，QRS波は後述の図5を参照．

　　ⅱ）遅脈：脈拍がゆっくり大きくなり，ゆっくり小さくなる状態．
　　P波，T波，QRS波は後述の図5を参照．

3）心電図の見方

- 心電図は，心筋収縮によって発生する活動電位の変化を増幅し捉え，記録したものである．

❶ 誘導法
- 肢誘導法（標準肢，単極肢など）や胸部誘導法がある．

❷ 見るポイント
- 心拍数，調律，波形の変化，波形の高さなどを見る（図4）（2章-2図3も参照）．

❸ 波形の種類
- P波，QRS波，T波，U波がある．図5に代表的な各波の意味を示す（2章-2図3も参照）．

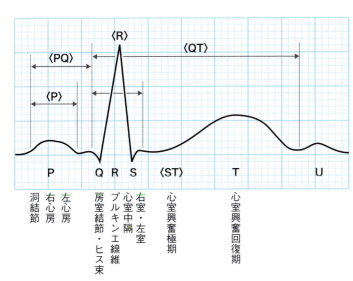

図5　心電図波形の意味（刺激伝導系）

4) 運動負荷試験

1 試験方法

- マスター2階段試験，自転車エルゴメーター，トレッドミル，反復しゃがみ運動試験がある（5章-10参照）．

2 心拍数を使った運動効率

- Physiological Cost Index（PCI）が臨床で使用されることがある．健常者は快適歩行で0.21〜0.42とされる．

3 運動強度の表示

①METs：METsは安静座位を1とし，各活動がその何倍になるか示したもの（例：食事は1.5〜2.0 METs）．1 METsは3.5 mL/kg/minの酸素消費量に相当する．

②watts：仕事量の単位．エルゴメーター等で求める．

③自覚的運動強度：ボルグ（Borg）が開発した運動中のつらさを主観的に表したもの[12]（5章-10表5参照）．

4 アンダーソン（Anderson）の運動負荷基準

- 運動負荷を決める目安としてアンダーソンの運動負荷基準がよく用いられる．本邦では，土肥によって改訂されたアンダーソンの運動負荷基準[13]が参考値として用いられる（表5）．

5) 血圧

- 血圧とは，血液が流れるときの血管壁を押し広げる圧力のことで血管内圧である．

1 測定方法

①直接法：血管へ直接，針（カテーテル）を挿入し，圧を測定する．

②間接法：非観血的に測定するもので，使用頻度が高い．触診法や聴診法，振動法などがある．

- 測定機器は，液柱型血圧計や弾性型（アネロイド式）血圧計，電子血圧計が主流である．

表5 運動療法実施のための基準（アンダーソン基準を改定）

Ⅰ．訓練を行わない方がよい場合	Ⅱ．途中で訓練を中止する場合	Ⅲ．次の場合は訓練を一時中止し，回復を待って再開する
1. 安静時脈拍数120/分以上 2. 拡張期血圧120以上 3. 収縮期血圧200以上 4. 労作性狭心症を現在有するもの 5. 新鮮心筋梗塞1カ月以内のもの 6. うっ血性心不全の所見の明らかなもの 7. 心房細動以外の著しい不整脈 8. 訓練前すでに動悸，息切れのある場合	1. 訓練中，中等度の呼吸困難，めまい，嘔気，狭心痛などが出現した場合 2. 訓練中，脈拍数140/分を超えた場合 3. 訓練中，1分間10個以上の期外収縮か，頻脈性不整脈（心房細動，上室性または心室性頻脈）あるいは徐脈が出現した場合 4. 訓練中，収縮期血圧40 mmHg以上または拡張期血圧20 mmHg以上上昇した場合	1. 脈拍数が運動前の30％を超えた場合．ただし，2分間の安静で10％以下に戻らない場合は，以降の訓練は中止するか，またはきわめて軽労作のものに切り換える 2. 脈拍数が120/分を超えた場合 3. 軽い動悸，息切れを訴えた場合

文献13より引用．

リハビリテーション部門では電子血圧計が簡便さからよく使用される．電子血圧計は振動型（オシロメトリック型）やマノメーター式，水銀血圧計に代わりコロトコフ音を聴診する聴診式電子血圧計が用いられるようになった（図6，7）．

2 測定上の注意

- 測定は，心臓とほぼ同じ高さで，できるだけ肘伸展位で計測する（図6A）．測定機器の位置は適宜配置する．
- 安静座位でリラックスさせて行う．精神的緊張を緩和しながら行う．
- 左右差があるので，特定の上腕（右が原則とされるが，左のタイプも汎用されているので説明書をよくみる）で計測するのが望ましい．電子血圧計は左のタイプが多いので，記録に残しておく．
- 血圧は24時間変動するので，一定の時刻に計測するようにする．食事や排尿前後，喫煙，もちろん運動でデータが変動するので注意する．
- 環境条件として，室温は15〜20℃，会話もできるだけしないようにする．
- 聴診器のチェストピースはマンシェットの中に入れないように心がける（図6B）．

3 具体的測定方法（聴診式電子血圧計を例に）

①聴診法（聴診器を使用する）（図6）

ⅰ）マンシェットはそのゴム嚢の中央が上腕動脈にかかるように巻き，マンシェットの下縁が肘窩の上2〜3 cmになるように巻く．その固さは指が1，2本入る程度とする．

ⅱ）聴診器をマンシェット下縁よりやや下の上腕動脈の触れる位置に当てる．

ⅲ）ゴム球を押してゴム嚢圧を急速に高める．聴診音が聞こえてきて，次に聞こえなくなる．その聞こえなくなったところから20〜30 mmHg上昇させる．
　＊後述する触診法を先に行う場合，触診法の推定値より20〜30 mmHg上昇させる．

ⅳ）次にバルブを緩め，内圧を下げると，あるところで聴診音が聞こえる．これをスワンの第1点といい，最大血圧を示す．

ⅴ）その後，1拍につき2〜3 mmHg程度下げていく．すると急激に聴診音が低くなる．これをスワンの第4点という．

ⅵ）さらに下げると聞こえなくなる．この点をスワンの第5点といい，最小血圧にあたる．
　＊このスワンの第1〜5点をコロトコフ（Korotkoff）音という．

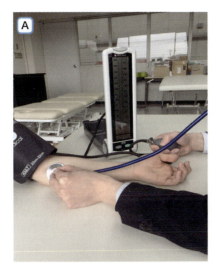 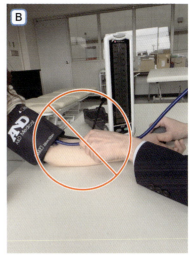

図6 血圧測定（聴診法）
A）診察台の高さと心臓の高さが同じになるように設定し行う．B）チェストピースをマンシェットに入れると計測動脈が圧迫され，正確に測れないときがあるので入れないように心がける．

図7 血圧測定機器（聴診式電子血圧計）と触診法
触診法は収縮期血圧を測る際に行う．聴診法の補足や予備検査の意味もある．聴診法での，聴診間隙（血管音第2相の欠落）の防止にもつながる．右図は橈骨動脈を触知している（Ⅱ指〜Ⅳ指で行う）．

②触診法（図7）
ⅰ）マンシェットは聴診法とほぼ同じだが，橈骨動脈（または上腕動脈）に触れて，拍動を確認する．
ⅱ）圧を上げると拍動がしなくなるところがあり，そこから2〜3 mmHg/秒程度下げていく．
ⅲ）徐々に下げると脈が触れてきて，そこが最大血圧となる．なお，最小血圧も確認できるとされるが，実際には難しく，上記の聴診法が優れる．

4 血圧の測定値

①正常血圧と異常血圧（収縮期/拡張期血圧）
- **収縮期血圧**（SPB）は最大血圧ともいい，心収縮が最大のときを示す．一方，**拡張期血圧**（DBP）は最小血圧ともいい，心筋が弛緩し，血管内圧が最低になったときを示す．
- 高血圧の定義は種々のガイドラインが存在し，ここでは日本高血圧学会高血圧治療ガイドラインを紹介する[14]．診察室と家庭内で測定する基準が異なるが，ここでは病院もしくは施設内を想定し，診察室のデータを掲載する（表6）．
- 低血圧の具体的定義はないが，動作練習や体位変換（臥位から座位・立位）時の変動が重要である．特に起立性低血圧などは，血圧低下が問題となる．
- ショックの診断上では，収縮期血圧が90 mmHg以下になることが1つの目安となっている．平時の収縮期血圧が150 mmHg超の場合なら平時より60 mmHg以上の低下，平時の収縮期血圧が110 mmHg未満の場合なら平時より20 mmHg以上の低下が目安となる．

表6 高血圧の定義と分類

分類	収縮期血圧		拡張期血圧
正常血圧	＜120	かつ	＜80
正常高値血圧	120〜129	かつ	＜80
高値血圧	130〜139	かつ/または	80〜89
Ⅰ度高血圧	140〜159	かつ/または	90〜99
Ⅱ度高血圧	160〜179	かつ/または	100〜109
Ⅲ度高血圧	≧180	かつ/または	≧110
（孤立性）収縮期高血圧	≧140	かつ	＜90

文献14より転載．

②脈圧
- 脈圧は「収縮期血圧－拡張期血圧」であり，45 mmHgが正常の上限．
- 動脈硬化と心拍出量異常に関係する．

③平均血圧
- 平均血圧は「（収縮期血圧－拡張期血圧）/3＋拡張期血圧」であり，90 mmHg未満で正常とされる．
- 平均血圧が90 mmHgを超え，脈圧が60 mmHg以上では動脈硬化を疑う．脈圧40 mmHg未満では心疾患を疑う．

④足関節/上腕血圧比（ABI）
- ABIは，閉塞性動脈硬化症（ASO）のリスク評価に使用する．
- 足関節収縮期/上腕収縮期（左右高い方）血圧の比で，0.9以下はASOを疑う．

⑤ショック指数（SI：Shock Index）
- ショック指数は心拍数/収縮期血圧の値．簡便に出血量が推測できる．
- 0.5〜0.7（正常），1.0（軽症），1.5（中等度），2.0（重症）

2 呼吸器の検査

- 呼吸機能検査は，呼吸器疾患だけでなく，脳卒中や神経筋疾患，体力などさまざまな場面で実施する．
- 呼吸自体は，外呼吸（肺胞気と血液のガス交換）と内呼吸（体内における血液と組織細胞とのガス交換）がある．
- 呼吸運動は，吸気と呼気があり，横隔膜呼吸運動（腹式呼吸運動）と肋骨呼吸運動（胸式呼吸運動）がある．
- 呼吸のリズムは，吸息：呼息：休息期＝1：1.5：1が正常とされる．
- 呼吸の評価は，呼吸数，呼吸パターン，酸素飽和度（SpO_2など）の組合わせで行う．

1）自覚症状と他覚症状

1 自覚症状
① 咳嗽：乾性咳嗽は喀痰を伴わない咳嗽，湿性咳嗽は喀痰を伴う咳嗽
② 喀痰：性状は，泡沫性，漿液性，粘液性，膿性，血性，混在性に分けられる．
③ 喘鳴
④ 呼吸困難：ヒュージョーンズ（Hugh-Jones）の分類やMRC息切れスケール（表7）[15]で検査する．
⑤ 胸痛

2 他覚症状
① チアノーゼ：表在毛細血管の色調の変化に基づいて，皮膚または粘膜が青味を帯びること（口唇，爪床）
② バチ状指（clubbed finger）を伴うときは慢性疾患を示唆．

表7 MRC息切れスケール

Grade	症状
0	息切れを感じない
1	強い労作で息切れを感じる
2	平地を急ぎ足で移動する，または緩やかな坂を歩いて登るときに息切れを感じる
3	平地歩行でも同年代の人より歩くのが遅い，または自分のペースで平地歩行していても息継ぎのため休む
4	約100ヤード（91.4 m）歩行したあと息継ぎのため休む，または数分間，平地歩行したあと息継ぎのため休む
5	息切れがひどく外出できない，または衣服の着脱でも息切れがする

文献15より引用．

2）異常呼吸（代表例）

① 頻呼吸：呼吸数のみ増加し（25回/分以上），深さは変化しない．

②徐呼吸：呼吸数のみ減少し（12回/分以下），深さは変化しない．
③過呼吸：呼吸の深さ，頻度の両方あるいはいずれか一方が増大し，分時換気量を増すもの
④無呼吸：呼吸の停止が起こったもの
⑤起坐呼吸：臥位で呼吸困難が強まるが，座位になるとおさまる．
⑥チェーン-ストークス（Cheyne-Stokes）呼吸：無呼吸と過呼吸が周期的に現れる異常呼吸パターン
⑦その他：多呼吸，減呼吸，少呼吸，奇異呼吸，陥没呼吸，ビオー（Biot）呼吸などがある．

3）換気障害の種類

①拘束性換気障害：肺炎，肺結核症，肺線維症などで肺が伸びにくいときは，肺活量が減少する．
②閉塞性換気障害：息を一気に呼出しにくい状態で，肺気腫，慢性気管支炎，気管支喘息など
③混合性換気障害：拘束性と閉塞性の両方の障害が併存しているもの

4）血液ガス検査／ガス検査

■1 動脈血ガス組成

①酸素分圧（PaO_2）：正常値 95 mmHg．動脈血中に存在する酸素の圧力
②炭酸ガス分圧（$PaCO_2$）：正常値 40 mmHg．動脈血中に存在する炭酸ガスの圧力
③酸素飽和度（SaO_2）：正常値 96.6％．最大酸素運搬能力に対する実際の酸素量の割合
④酸塩基平衡（pH）：正常値 7.40．血液中の水素イオンH^+の濃度，高値はアルカローシス，低値はアシドーシスを意味する．
  ＊パルスオキシメーターによる酸素飽和度（SpO_2）：90％を目安とする．正常値は 96〜99％．

■2 ガス代謝

①酸素消費量（VO_2）：正常値 250 mL/min
②炭酸ガス排出量（VCO_2）：正常値 200 mL/min

5）肺機能測定

- スパイロメーターにて，肺気量分画やフローボリューム曲線の測定を行う．

■1 肺気量分画（スパイログラム）（図8）

- 肺に出入りする空気の測定値の総称．安静呼吸3回と最大呼気と最大吸気を1回ずつ測定する．

■2 努力性呼出曲線（FEV曲線：forced expiratory volume）

①努力性肺活量（FVC：forced vital capacity）
②1秒量（$FEV_{1.0}$：forced expired volume in 1 second）
③1秒率（$FEV_{1.0}$％）
  - ゲンスラー（Gaensler）の1秒率：1秒量がFVCの何％であるかをみる．
  - ティフノー（Tiffeneau）の1秒率：1秒量がVC（肺活量）の何％であるかをみる．
④最大中間呼気速度（MMF：maximal mid-expiratory flow）
  - FVCの25〜75％までを呼出する間の平均呼出速度（l/sec）

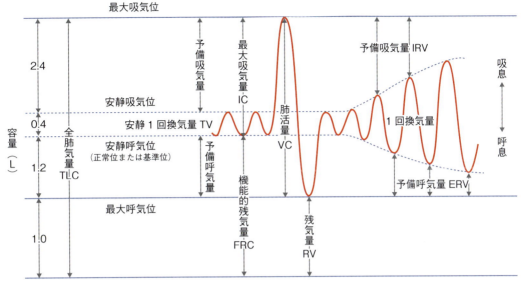

予備吸気量（IRV）	：安静吸気位からさらに吸入しうる最大量
1回換気量（TV）	：各換気周期において吸入あるいは呼出されるガスの量
予備呼気量（ERV）	：基準位から呼出しうる最大のガス量
残気量（RV）	：最大呼出した後における肺内ガス量
肺活量（VC）	：1回の吸入あるいは呼出により肺から出入りしうる最大のガス量
最大吸気量（IC）	：基準位から吸入しうる最大のガス量
機能的残気量（FRC）	：基準位における肺内ガス量
全肺気量（TLC）	：最大限に吸気を行ったときの肺内ガス量

図8 肺気量分画（スパイログラム）

3 予測肺活量

①標準肺活量の算出：ボールドウィン（Baldwin）の式（例：臥位）

VC（男性 mL）＝ {27.63 －（0.112 ×年齢）}×身長（cm）

VC（女性 mL）＝ {21.78 －（0.101 ×年齢）}×身長（cm）

②％肺活量の算出：予測肺活量に対する実測肺活量の割合

％肺活量（％VC）＝（実測肺活量／予測肺活量）× 100

4 ノモグラフ

● 標準肺活量や％肺活量を算出するためのグラフ．前述のボールドウィンのものが代表的．

5 フローボリューム曲線

● 最大吸気位から努力性呼出によって得られる曲線．横軸に肺活量，縦軸に気流速度を表す．曲線の形によって判読する．

6）視診

①胸郭の形状を確認する（正面・側面・背面）．各部位の動き，優位な呼吸パターン，拡張性などをみる．

②呼吸数，規則性，呼気吸気比も観察する．

③口唇，爪，チアノーゼ，頸静脈，四肢・顔面の浮腫などもみる．

● 視診のチェックポイントを表8にまとめた．

表8　視診（呼吸器疾患）のポイント

①胸郭・脊柱の変形（側弯，円背など），漏斗胸，鳩胸，ビア樽胸
②胸壁の突出，動きの遅延
③胸郭の拡張差，動き
④呼吸補助筋の活動状態
⑤異常呼吸パターン（奇異呼吸など），呼吸体位
⑥鎖骨上窩，胸骨上切痕の陥没．肋間腔の拡大・狭小
⑦咳嗽と喀痰：湿性，乾性，粘液性，血性，膿性

7）触診

①両手で胸郭運動のタイミングや拡張度，柔軟度，左右対称性などを安静と深呼吸で評価する．
②気道分泌物貯留に伴う振動の伝達を確認する．
③呼吸補助筋状況も把握する．
● 触診のチェックポイントを表9にまとめた．

表9　触診（呼吸器疾患）のポイント

①胸郭の運動性：拡張の左右差，時間的誤差，円滑性
②呼吸パターン：協調性など
③胸郭の柔軟性
④呼吸筋（主動作筋，補助筋）の活動状態：筋緊張など
⑤気道分泌物貯留に伴う振動の伝達を触知する

8）打診

①水分と空気の密度の違いから病変の広がりを把握する．
②左中指PIP関節から遠位部を肋間に密着させ，右中指の指先を用い，左中指DIP関節部をすばやく2〜3回叩く．左右対称に行う．
③音の高さ，調子，指先の感覚から打診音を解釈する．
● 打診のチェックポイントを表10にまとめた．

表10　打診（呼吸器疾患）のポイント

①清音：正常に空気を多く含んだ，肺野でみられる明瞭かつ長く低音．いわば正常な肺野
②濁音：短く高音で，鈍い打診音．指先の感覚で抵抗感が増加した印象を受ける
　　＊心臓や肝臓でも聞こえる
　　＊それ以外では，異常所見を疑い，無気肺や胸水，下側肺障害を考える
③鼓音：高音かつ明瞭で，比較的長く響く打診音
　　＊左上腹部の胃で聞こえる
　　＊それ以外では，肺気腫，気胸，巨大肺嚢胞などを疑う

9）聴診

①聴診器の前に，呼吸自体を耳で聞く．
②聴診器を用いて，頸部，前胸部，側部，背部の順に上下左右比較しながらすべての肺野を聴診する．
③同一部位で2回以上聴診し，音の性質，左右差，副雑音の有無をみる．
- 聴診のチェックポイントを表11にまとめた．

表11　聴診（呼吸器疾患）のポイント

1）副雑音の聴取

①断続性ラ音：以下の2つ
　A）水泡音：ボコボコといった粗く，低調音で比較的大きな破裂音．呼気・吸気に聴取可能（痰の貯留でよく聞かれる）
　B）捻髪音：プツプツと細かく高調音は断続的である．吸気後半に出現し，呼気では聞かれない（びまん性汎細気管支炎など）

②連続性ラ音：以下の2つ
　A）低音性連続ラ音：いびきに似ていて比較的気管の中枢部の異常でみられる（COPDなどでの分泌物貯留や異物，気管支狭窄症など）
　B）高音性連続ラ音：笛性ラ音ともいわれ，細気管支の閉塞などで起こる（気管支喘息に多い）

2）正常呼気音（呼吸音）の聴取

①気管支音：傍胸骨部および肩甲部間において聴取
②肺胞音：通常の肺野で聞かれる呼吸音．呼気は聞こえづらい

文献

1) 髙見彰淑：意識障害．「神経理学療法学 第2版（標準理学療法学 専門分野）」（奈良 勲/シリーズ監修，吉尾雅春，他/編），pp94-101，医学書院，2018
2) 「Clinical Examination in Neurology, 6th ed」, Mayo Clinic and Mayo Foundation, 1991
3) 太田富雄，他：意識障害の新しい分類法試案：数量的表現（Ⅲ群3段方式）の可能性について．脳神経外科，2：623，1984
4) Teasdale G & Jennett B：Assessment of coma and impaired consciousness：a practical scale. Lancet, 2：81-83, 1974
5) 「ISLSコースガイドブック」（ISLSコースガイドブック編集委員会/編），pp24-28，へるす出版，2006
6) Ely EW, et al：Evaluation of delirium in critically ill patients：validation of the Confusion Assessment Method for the Intensive Care unit（CAM-ICU）. Crit Care Med, 29：1370-1379, 2001
7) Sessler CN, et al：The Richmond Agitation-Sedation Scale: validity and reliability in adult intensive care unit patients. Am J Respir Crit Care Med, 166：1338-1344, 2002
8) Payen JF, et al：Assessing pain in critically ill sedated patients by using a behavioral pain scale. Crit Care Med, 29：2258-2263, 2001
9) Trzepacz PT, 岸 泰宏, 他：日本語版せん妄評価尺度98年改訂版．精神医学，43：1365-1371, 2001
10) Neelon VJ, et al：The NEECHAM Confusion Scale：Construction, validation, and clinical testing. Nursing Research, 45：324-330, 1996
11) 綿貫成明，他：日本語版NEECHAM混乱・錯乱スケールの開発およびせん妄のアセスメント．臨床看護研究の進歩，12：46-63, 2001
12) Borg GA：Psychophysical bases of perceived exertion. Med Sci Sports Exercise, 14：377-381, 1982
13) 土肥 豊：リスクとその対策．Medicina, 13：1068, 1976
14) 「高血圧治療ガイドライン2019（JSH2019）」（日本高血圧学会高血圧治療ガイドライン作成委員会/編），日本高血圧学会，2019
15) 「COPD（慢性閉塞性肺疾患）診断と治療のためのガイドライン第2版」（日本呼吸器学会COPDガイドライン第2版作成委員会/編），メディカルレビュー社，2004

第3章 脳機能・精神関連の評価

2 脳神経の検査

> **学習のポイント**
> - 脳神経の構成と機能を理解する
> - 脳神経の各種検査を実施でき，異常所見を判断できる

1 脳神経（cranial nerve）とは

- 脳神経は主に頭部や顔面，舌，咽喉頭の運動・知覚をつかさどる神経で，直接脳組織（一部脊髄）から神経線維を出しているものをいう．
- 脳という名前がついているが，頭蓋内より起こる末梢神経と解釈する（厳密にはⅠ・Ⅱ神経は脳神経線維路）．ほとんどが頭蓋底部にある「孔」から出て頭蓋外へ出ていく．
- 脳神経の構成（表1）：左右12対で構成されている．
  嗅神経（olfactory）・視神経（optic）・動眼神経（oculomotor）・滑車神経（trochlear）・三叉神経（trigeminal）・外転神経（abducens）・顔面神経（facial）・聴神経（auditory）（前庭神経と蝸牛神経）・舌咽神経（glossopharyngeal）・迷走神経（vagus）・副神経（accessory）・舌下神経（hypoglossal） ＊英語表記：nerve省略
- 脳神経番号と覚え方（語呂合わせ）
  嗅いで（Ⅰ）視る（Ⅱ）動く（Ⅲ：動眼）車（Ⅳ：滑車）の3つ（Ⅴ）の外（Ⅵ）顔（Ⅶ）聴く（Ⅷ：聴/内耳）舌（Ⅸ：舌咽）に迷う（Ⅹ）副（Ⅺ）舌（Ⅻ：舌下）
  ＊舌は2個出てくるが，舌下神経に「下」がついているので最後の方と覚える．
- 機能は，運動と感覚で構成される6つの機能に分類される．
  ⅰ）運動機能
    ①鰓運動性：鰓弓からの筋肉の運動
    ②体運動性：体節からの筋肉の運動
    ③内臓運動性：内分泌や内臓平滑筋運動
  ⅱ）感覚機能
    ①一般体知覚性：顔面，咽頭・喉頭の知覚
    ②特殊性体知覚性：嗅覚，視覚，味覚，聴覚，平衡感覚
    ③内臓知覚性：涙腺，唾液腺，咽喉頭，内臓器の調節制御

表1　脳神経の構成と働き

No	神経名称	構成分子	効果器	頭蓋骨出入り部	主な働き	
I	嗅神経	なし（知覚系）	嗅上皮	篩板	嗅覚	
II	視神経	特殊性体知覚性	網膜	視神経管	視覚	
III	動眼神経	体運動性	外眼筋，眼瞼挙筋	上眼窩裂	眼球運動（上斜筋，外側直筋以外）	
		鰓運動性	瞳孔括約筋，毛様体筋	上眼窩裂	瞳孔縮小	
IV	滑車神経	体運動性	上斜筋	上眼窩裂	眼球運動	
V	三叉神経	鰓運動性	咀嚼筋	卵円孔	咀嚼運動	
		特殊性体知覚性	顔，鼻口腔粘膜，角膜	上眼窩裂など*	顔面等の知覚	*正円孔・卵円孔
VI	外転神経	体運動性	外側直筋	上眼窩裂	眼球運動	
VII	顔面神経	鰓運動性	表情筋	茎乳突孔	顔面運動	
		内臓運動性	顎下，舌下，涙腺	内耳道	唾液，涙の分泌	
		内臓知覚性	舌前2/3の味蕾	内耳道	味覚	
VIII	前庭神経*1	一般体知覚性	三半規管，卵形・球形嚢	内耳道	平衡感覚，加速度	
	蝸牛神経*2	一般体知覚性	コルチ氏器官	内耳道	聴覚	
IX	舌咽神経	内臓運動性	耳下腺	頸静脈孔	唾液腺分泌	
		鰓運動性	咽頭喉頭筋群	頸静脈孔	咽頭喉頭の運動	
		内臓知覚性	舌後1/3の味蕾	頸静脈孔	味覚	
		特殊性体知覚性	耳管，咽頭・喉頭	頸静脈孔	咽頭喉頭，耳など知覚	
X	迷走神経	内臓運動性	胸腔・腹腔の臓器	頸静脈孔	内臓支配	
		鰓運動性	咽頭喉頭筋群	頸静脈孔	咽頭喉頭の運動	
		内臓知覚性	胸腔腹腔の臓器	頸静脈孔	内臓支配	
		特殊性体知覚性	耳翼	頸静脈孔	耳知覚（温痛覚）	
XI	副神経	鰓運動性	胸鎖乳突筋，僧帽筋	頸静脈孔	頸部運動	
XII	舌下神経	体運動性	舌の筋	舌下神経管	舌の運動	

*1，2：VIII神経は聴神経（内耳神経）であるが，構成分子の一般体知覚性としては，前庭神経と蝸牛神経の2種類存在する．

2　検査の方法

1　I（嗅神経）：たばこやコーヒーなどを一側鼻孔をふさいで嗅がせ，わかるか聞いていく．アンモニアなど強い刺激は三叉神経を刺激するので注意．両側とも不良の場合，鼻炎や感冒の可能性があるので確認しておく．

2　II（視神経）：視覚に関するもの．視力と視野をみる．
　a）視力（裸眼視力は問題にしない）
　　①指数弁（指の数）：例えば1 mの眼前でわかる場合「n. d./1 m」と記載する．
　　②眼前手動弁（指の動き判断）：眼前で指を動かす．30 cmでわかったら「m. m./30 cm」と記載する．
　　③光覚弁の違い（明暗のみ）：暗くし，ペンライトなどで光がわかるか確認．判別可能な

ら「sl」と記載する．

b) **視野狭窄**（対座試験：約80 cmほど離れる）
①検査は，相対して座り，患者の一方の検査しない眼を手でふさいで，他方の検査する眼は，検者の眼か鼻を注視させる．続いて検者は，示指を立てて両手を広げ，指を動かし動いている左右を当てさせる（口頭や被検者の指さし）．同様に手を上下に移動して，示指を動かし当てさせる．示指と中指2本を使うこともある．
②見える範囲を円の4区分（右上・右下，左上・左下）で考える．
③同名半盲，1/4半盲などをチェックする（視野を4分割しチェックする）．
＊頭部回旋の代償に留意して行う．

③ Ⅲ・Ⅳ・Ⅵ（動眼・滑車・外転神経）：この3つはセットで眼球運動として考えるとよい．脳幹障害の診断の補助にもなる．

a) **眼瞼下垂**：正面を見させ，左右の眼裂（眼瞼の高さ）を比較する．
b) **眼球の観察**：斜視の観察をする．また，眼球の陥没，突出も観察する．
c) **瞳孔の観察**：左右の瞳孔を比べる．一般的に2.5～4 mmが正常範囲．小さいと「縮瞳」（2 mm以下），大きいと「散瞳」（5 mm以上）と記載する．
d) **瞳孔に関する反射**：
①対光反射：瞳孔に光を当てたとき反射的に出現する縮瞳の現象．
②調整反射および輻輳反射：患者に遠くを見させ，眼前10～20 cmのところに指か鉛筆などを用意し，すばやく見るよう指示する．瞳孔を観察すると，正常では縮瞳する．これは眼前の物を鮮明に見ようとする調整反射と内側直筋による輻輳反射によるものである．

e) **眼球の運動**：眼前30～60 cmのところに目印となる指標を示してそれを見させ，上下左右に動かし，眼球運動を観察する．「頭を動かさず！」という指示をするが，結局動くことが多いので，軽く頭を押さえるとよい（図1）．
＊神経と6つの外眼筋（図2）の運動方向を確認する．まず左右で内・外側直筋の作用．ついで右か左を注視させ上下に動かす（上下直筋，上下斜筋）．
＊評価は，運動範囲，円滑さ，速度，凝視時間などをみる．運動範囲の参考例としては正常（0），完全麻痺（-4）として，運動範囲の半分で（-2）とする．

f) **眼振の観察**：眼球の運動のついでにみておく．眼球を左右，上下に30°くらい回転させるようにすると，眼振の有無を観察しやすくなる．
＊視運動性眼振：縞模様の巻き尺を用意し，眼前で左右（上下）に動かすと，回転と反対方向に急速相をもつ眼振が起こる（触発という）．大脳障害では障害側に眼振方向優位となる．脳幹では優位性が左右逆と異なる．

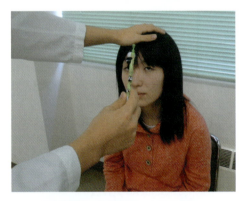

図1 眼球運動（外眼筋）の検査例
脳卒中患者などは注意障害などがあり，頭部を固定していられない人も多い．よって，軽く押さえて実施するようにする．

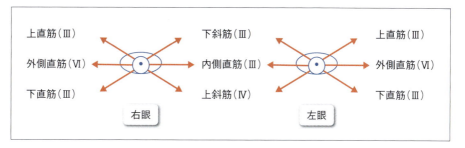

図2 外眼筋による眼球の運動方向
左を注視したときは，上方向で上直筋（左眼）・下斜筋（右眼），下方向で下直筋（左眼）・上斜筋（右眼）の動きをみる．右注視はカッコ内の左右逆．注：眼球の運動方向については，成書によって記載が異なる．「上直筋と下斜筋」および「下直筋と上斜筋」の位置が逆の場合がある．解釈には留意が必要．

4 Ⅴ（三叉神経）：眼神経，上顎神経，下顎神経の3つに分かれる．顔面の皮膚，舌前1/3，鼻粘膜，頬粘膜，結膜などの知覚を支配．咀嚼筋の運動も行う．

a) 主に顔面の触覚，痛覚，温度覚を検査する．上記の3分枝ごとにチェックする．
触覚に問題なく，温痛覚が不良のときは，感覚乖離であり三叉神経脊髄路か核の障害を考える．

b) 咬筋・側頭筋などの咀嚼筋の運動もみる（開口や噛み合わせで下顎の偏位などをみる）．

c) 角膜反射の有無も確認する．

5 Ⅶ（顔面神経）：顔面表情筋，分泌，舌前2/3の味覚をつかさどる．

a) 顔面の表情を観察する（静的な状態，目，口角，額のしわ，鼻唇溝など）．

b) 顔面の運動を観察する（以下の4つが代表的）．
①前頭筋：眉を吊り上げたときの額のしわをみる．
②眼輪筋：眼を強めに閉じさせる．麻痺しているとうまく閉じない．
また麻痺側の睫毛がよく見える（睫毛徴候）．
③口輪筋：「イ（口を左右横に開く）」「ウ（口をとがらせる）」を言わせる．
頬を膨らませる（息が漏れるかチェック）．
「pa/ta/ka」を発音させ，きれ（斬）をみる．
④広頸筋：口角を下に引く動作．口を「へ」の字に曲げさせ頸部を観察する．

＊ベル（Bell）現象：目を閉じさせると眼輪筋の働きが不良で，完全に閉じない．このベル現象により上転した目の球結膜が白く見える（兎眼）．
＊中枢性麻痺，末梢性麻痺の理解：前頭筋は両側支配であり，中枢性麻痺では前頭部のしわは寄る．末梢性では障害側でしわができづらい．
＊顔面麻痺の評価指標：柳原法（表2）[1]やハウス-ブラックマン（House-Brackmann）法[2] などがある．
＊眼輪筋と口輪筋は反射もみる．

c) 味覚検査：舌を出させて，クエン酸や砂糖，塩，キニーネ（苦い）を綿棒につけ，舌前2/3に塗り込む．キニーネはなるべく最後にする．

6 Ⅷ〔聴（内耳）神経〕：聴覚（蝸牛神経）と平衡感覚（前庭神経）がある．

a) 聴力：会話で注意．アナログの腕時計の音を聞かせる．音叉（C音叉128 Hz/FiS4音叉2,896 Hz）を使い振動音を耳元で聞かせ，患者に音が消えた後すぐ知らせるように指示し，その後，検者が確認する．まだ聞こえるなら患者の難聴を意味する．C音叉で短けれ

表2 40点柳原法（麻痺程度の評価法）

	ほぼ正常	部分麻痺	高度麻痺
安静時（観察）	4	2	0
額のしわ寄せ	4	2	0
軽い閉眼	4	2	0
強い閉眼	4	2	0
片目つぶり	4	2	0
鼻翼を動かす	4	2	0
頬をふくらます	4	2	0
口笛をふく	4	2	0
「イー」と歯をみせる	4	2	0
口をへの字にする	4	2	0

4点：左右差がない（ほぼ正常）
2点：明らかに左右差があるが，患側に筋収縮あり（部分麻痺）
0点：筋収縮が全くみられない（高度麻痺）
＊20点以上を軽症，18〜10点で中等度，8点以下で重症と判断する．
文献1より引用．

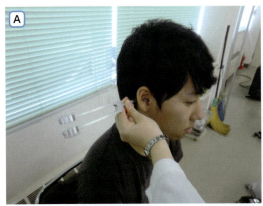 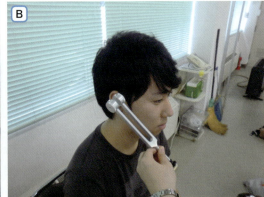

図3 リンネ試験の検査例
A）振動させた音叉を乳様突起におき，振動が伝わるか確認する．B）収まったら合図をもらい，すばやく耳元5 cmくらいに離して，振動音が聞こえるか確認する．聞こえれば正常．

ば「伝音性難聴」，FiS4音叉で短ければ「神経性難聴」を疑う．

b) リンネ試験（Rinne Test）：音叉を乳様突起におき，骨の振動が伝わらなくなったら，今度は耳元5〜6 cmの場所で振動音が聞こえるか確認する（図3）．聞こえる場合＋と判定（正常）．通常骨伝導は気導より短い．

c) ウェーバー試験（Weber Test）：振動させた音叉を前額部の中央にあてがう（図4）．振動が左右どちらによく響くか確認する．中耳炎などは患側によく聞こえ，迷路や求心性の神経障害では健側によく聞こえる．

d) 前庭検査：眼振の観察，ロンベルグ徴候・閉眼歩行でのふらつき，閉眼足踏みでの回転や移動距離などをみる．

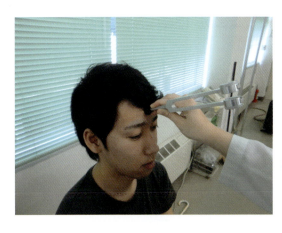

図4 ウェーバー試験の検査例
振動させた音叉を前額部の中央にあてがう．振動が左右どちらによく響くか聴取する．中耳炎などは患側によく聞こえ，迷路や求心性の神経障害では健側によく聞こえる．

表3 球麻痺と仮性球麻痺の違い

	球麻痺	仮性球麻痺
病態	下位運動ニューロン障害	両側上位運動ニューロン障害
嚥下障害	固形物が主体	液体が主体
催吐反射	低下	正常〜低下
感情失禁	なし	認めるときあり
舌萎縮・線維束収縮	舌下神経核障害であり	なし
原因疾患	脳卒中（延髄） 運動ニューロン疾患	脳卒中（テント上） 多発性硬化症

7 Ⅸ・Ⅹ（舌咽神経・迷走神経）：舌咽神経は，舌後方1/3の味覚と知覚，咽頭壁の知覚・運動，耳下腺などをつかさどる．迷走神経は頸，胸，腹部の内臓に分布し，知覚・運動・分泌をつかさどる．この2つはセットで考えるとよい．

a) 軟口蓋の観察：軟口蓋や口蓋垂の偏位をみるために「アー」と言わせる．
＊カーテン徴候（咽頭後壁が斜め後ろに引かれる現象）を観察する．

b) 咽頭反射：咽頭後壁などを舌圧子で刺激し，「ゲエ」の反射の有無をみる．
＊球麻痺（Ⅸ，Ⅹ，Ⅻ）と仮性球麻痺（両側皮質脊髄路）の違い（表3）を把握しておく方がよい．

8 Ⅺ（副神経）：胸鎖乳突筋，僧帽筋などの筋力を観察する．

9 Ⅻ（舌下神経）：舌の運動をみる．

a) 舌を出す運動の観察（偏位や萎縮）をする．

b) 舌の筋力：舌圧子の抵抗で，突き出しの力や左右の偏位の力をみる．

■ 文献

1) Yanagihara N: Grading system for evaluation of facial palsy.「The Facial Nerve」(Portmann M, ed), pp41-42, Masson Publishing USA, 1985

2) House JW & Brackmann DE: Facial nerve grading system. Otolaryngol Head Neck Surg, 93: 146-147, 1985

第3章 脳機能・精神関連の評価

3 高次脳機能（障害）の評価

> **学習のポイント**
> - 高次脳機能（障害）評価の概略を知る
> - 観察，面接で把握できる障害特徴と障害に対応した各種の検査を学ぶ

1 高次脳機能（障害）評価の流れとポイント

1）高次脳機能とは

- **高次脳機能**とは，各感覚系から入力された情報を分析，統合して外界および内的状態を把握し，貯蔵された知識に基づいて行動を計画し実行する，一連の精神活動である．
- 脳の一定領域の機能に対応した**個別的行動・認知能力**，それを支える**基盤的能力**，これらを統合して行動の計画や実行にかかわる遂行機能などの**統合的能力**に分けて考えることができる（図1）．

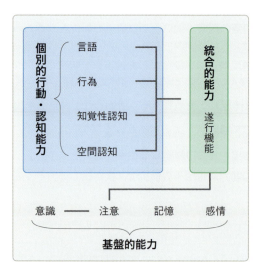

図1 高次脳機能の構成
文献1をもとに作成．

- 基盤的能力は，意識，注意，記憶を含み，精神活動の活性レベルを一定に保ちつつ処理する情報を選択し，分析にあたって参照すべき情報を提供する．また感情は，精神活動のレベル，記憶を含む情報処理，意思や行動の決定など幅広い精神活動に多大な影響を与えている．
- 「注意」は，精神活動のレベルを維持する意味では「意識」と関連し，目的に応じて情報を選択し，精神活動の方向性を決定するという意味では「遂行機能」にもかかわる，幅広い機能を包含する概念である．
- 高次脳機能障害は，高次神経障害，神経心理（学的）障害，神経行動障害，認知障害ともよばれる．

2）疾患・障害の特徴と高次脳機能障害

- 原因疾患としては，脳血管障害（脳卒中），頭部外傷，アルツハイマー病などの認知症疾患，脳炎などの炎症性疾患，脳腫瘍，中毒性疾患，精神科疾患などがある．
- 脳の広汎性病変では基盤的能力や統合的能力の障害を呈し，限局性病変ではその病変部位に対応した巣症状（個別的行動・認知能力の障害）が生じる．
- ある高次脳機能の神経基盤が左右いずれかの大脳半球に偏在しているとき，これを**側性化**（lateralization）という．
- 表1に病変と高次脳機能障害の症状との対応を示す．原因疾患や障害・症状との関係性を知ったうえで評価に臨むとよい．

表1　病変と対応する高次脳機能障害の内容例

広汎性病変（頭部外傷によるびまん性軸索損傷，低酸素脳症，脳炎など）		
基盤的能力の障害	注意障害，記憶障害	
統合的能力の障害	遂行機能障害，病識の欠如，社会的行動障害（感情コントロール低下，意欲の低下，対人技能の障害など）	
限局性病変（脳血管障害，脳腫瘍など）		
左半球損傷	前頭葉・側頭葉など	失語症
	後頭葉・側頭葉	失読，失書
	頭頂葉	左右失認，手指失認，観念運動失行，観念失行
右半球損傷	半球全般	左半側視空間失認，身体失認
	側頭葉・後頭葉	相貌失認（両側ともいわれる），街並失認
両側	後頭葉	視覚失認

3）高次脳機能評価の進め方（図2）

- 診療録に記載された診断・障害名，損傷・障害部位（画像所見）などの情報により症状を予測する．発症時期や経過，特に意識障害の有無と程度，持続期間は脳損傷の重症度の指標となる．発症後の回復経過は予後予測に役立てる．対象者のリハビリテーションゴールの考案には，病前生活の情報も重要で，詳細な情報は面接の際に対象者本人や家族から得る．
- 初期の観察・面接では，対象者から一般的な情報を聴取しながら，意識水準や情動の状態，

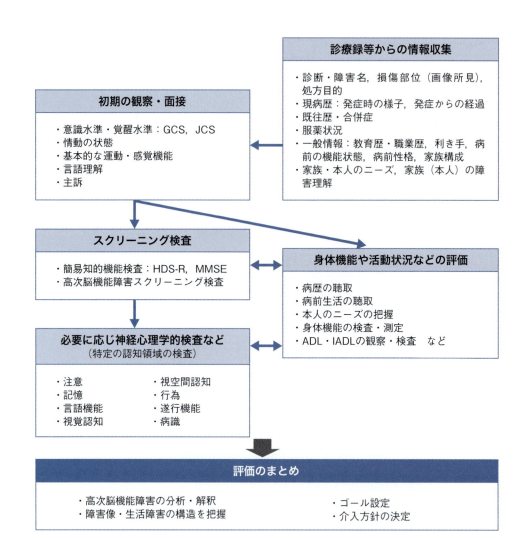

図2 高次脳機能評価の流れ

言語理解や運動麻痺・感覚障害，視覚・聴覚などの機能を確認する．情動の病的変化は，脳損傷の結果生じることもあり，その後の評価結果にも影響しうる．意思疎通が図れれば，「困っていることは何ですか」などの質問で本人の病識をみる．

- 一般状態が安定して座位の耐久力が20分程度あれば，身体機能や活動状況の評価を進めながらスクリーニング検査も実施できる．どんな誤りをしたのかなど対象者の反応を観察しながら，簡易知的機能検査や高次脳機能障害スクリーニング検査を実施し，対象者の認知機能を大まかにつかむ．
- 特定の認知領域の困難がありそうなときは，対象者の負担や検査の必要性を考慮したうえで，さらに詳しい検査を実施する．机上の検査結果のみでなく，他の評価場面や生活場面での対象者の行動を観察し，面接から日常生活への影響が大きい障害は何かを考え，総合的に障害像を構築するように努める．

2 簡易知的機能検査と高次脳機能障害スクリーニング検査

1) 改訂長谷川式簡易知能評価スケール（HDS-R）（表2)[2]

- 1974年に開発され，1991年に改訂された．わが国で最も古い歴史をもつ認知症のスクリーニング検査である．基本的な認知機能を短時間でみられることから，認知症のみならず脳損傷患者のスクリーニング検査として広く用いられている．
- 認知症と非認知症のカットオフ値を20/21に設定した場合，感度は0.90，特異度は0.82とされている．すべての項目で口頭言語による反応を必要とするため，失語症者の得点は容易に低下する．

2) Mini-Mental State Examination（MMSE）（表3)[3]

- 国際的によく使用されている簡易知的機能検査で，いくつかの日本語訳がある．口頭言語による反応を要するのはHDS-Rと同様だが，口頭命令・書字命令に従う動作や図形模写など動作課題を含む．認知症と非認知症のカットオフ値は23/24とされている．

3) 高次脳機能障害のスクリーニング検査

- 成書により聖マリアンナ式高次脳機能スクリーニング検査，浜松方式高次脳機能検査スケールが紹介されている[4)5)]．表4にその概要をまとめた．

3 高次脳機能障害とその評価

以下，各高次脳機能障害の概要と評価について述べる．高次脳機能障害の症状は，課題や状況によって変化するので，治療場面や机上の検査結果のみでなく，日常生活における行動観察が重要である．そこで，面接も含めた観察のポイントと，比較的簡易に実施できる検査を紹介する．市販されている標準化された高次脳機能障害の検査の概要は本項末尾に表としてまとめた（表22）．詳しい実施方法は各検査のマニュアル等を参照のこと．

1) 半側無視と右半球症状

- 左右どちらかに提示された刺激を報告したり，反応したり，刺激の場所や方向を示せず，それが感覚や運動機能に起因すると考えられないとき，この症状を**半側無視**という．臨床では右半球損傷による左半側無視が多い．左半側無視と合併する症状は，**右半球症状**として理解できる（表5）．
- 半側無視は，無視の対象により，空間無視，身体無視のように分類する．側頭-頭頂接合部，前頭葉，視床・基底核，側頭葉，内包後脚など，脳の広範囲の領域との関連が指摘されており，対象者により複数の症状を合併することも多いが，脳損傷の範囲が広いほど多彩な症状を呈する傾向がある．
- 半側空間無視は，半盲との鑑別を要するが，半盲は視点を固定したときの視野障害であり，自由な視覚探索での見落としは半側無視の症状と捉えるとよい．両者の合併もよくある．

表2 改訂長谷川式簡易知能評価スケール（HDS-R）

（検査日：　　年　　月　　日）　　　　　　　　　　　　　　　　　　　　（検査者：　　　　　　　　　　　　　）

氏名：	生年月日：	年齢：
性別：　男　／　女	教育年数：　　　　　　年	検査場所：
診断：	備考	

1	お歳はいくつですか？（2年までの誤差は正解）		0	1
2	今年は何年の何月何日ですか？ 何曜日ですか？ （年月日，曜日は正解でそれぞれ1点ずつ．「今日は何月何日ですか？」「何年ですか？」 「何曜日でしょう」，などとゆっくり別々に聞いてもよい．西暦でも正解）	年	0	1
		月	0	1
		日	0	1
		曜日	0	1
3	私たちがいまいるところはどこですか？ （自発的に出れば2点，正答が出なければ5秒おいて家ですか？ 病院ですか？ 施設ですか？ の中から正しい選択をすれば1点．病院名や施設名，住所などは言えなくてもよく，現在いる場所がどういう場所なのかが本質的にとらえられていればよい）		0　1　2	
4	これから言う3つの言葉を言ってみてください．あとでまた聞きますのでよく覚えておいてください．（以下のうち1つで，採用した系列に〇印をつける） 　1：a) 桜　b) 猫　c) 電車　　2：a) 梅　b) 犬　c) 自動車 （3つの言葉はゆっくりと区切って発音し，3つ言い終わったときに繰り返し言ってもらう．3つとも正答でなかった場合，正答の数を採点した後で正しい答えを教え，覚えてもらう．もし3回以上言っても覚えられない場合はそこで打ち切り，問題7の「言葉の遅延再生」の項目から覚えられなかった言葉を除外する）		0　1 0　1 0　1	
5	100から7を順番に引いてください． （100 － 7は？ それからまた7を引くと？ と質問する．「93から7を引くと？」のように，検査者が答えを繰り返し言ってはならない．最初の答えが不正解の場合，打ち切る）	(93) (86)	0　1 0　1	
6	私がこれから言う数字を逆から言ってください． （6-8-2，3-5-2-9を逆に言ってもらう．3桁逆唱に失敗したら打ち切る．数字を読み聞かせるときは，続けて言うのではなく，ゆっくりと1秒くらいの間隔を置いて提示し，言い終わったところで逆から言ってもらう）	2-8-6 9-2-5-3	0　1 0　1	
7	先ほど覚えてもらった言葉をもう一度言ってみてください． （自発的に解答があれば各2点，ない場合以下のヒントを「1つは植物でしたね」のように与え，正解であれば1点）．a) 植物　b) 動物　c) 乗り物	a： b： c：	0　1　2 0　1　2 0　1　2	
8	これから5つの品物を見せます．それを隠しますのでなにがあったか言ってください． （時計，鍵，タバコ，ペン，硬貨など必ず相互に無関係なもの5つを用意し，1つずつ名前を言いながら見せ，よく覚えるように教示する．次にそれを隠して何があったかを言ってもらう）		0　1　2 3　4　5	
9	知っている野菜の名前をできるだけ多く言ってください． （答えた野菜の名前を右欄に記入する．途中で詰まり，約10秒間待っても答えない場合にはそこで打ち切る．0〜5＝0点，6＝1点，7＝2点，8＝3点，9＝4点，10＝5点．被検者の答えた具体的な野菜の名前を記入欄に記録し，重複したものを採点しない）		0　1　2 3　4　5	
		合計得点：		

文献2より引用．

表3 Mini-Mental State Examination（MMSE）

	質問内容	回答	得点
1 （5点）	今年は何年ですか	年	/1
	いまの季節は何ですか		/1
	今日は何曜日ですか	曜日	/1
	今日は何月何日ですか	月	/1
		日	/1
2 （5点）	ここはなに県ですか		/1
	ここはなに市ですか		/1
	ここはなに病院ですか		/1
	ここは何階ですか		/1
	ここはなに地方ですか（例：関東地方）		/1
3 （3点）	物品3個（相互に無関係） 検者は物の名前を1秒間に1個ずつ言う．その後，被検者に繰り返させる．正答1個につき1点を与える．3個すべて言うまで繰り返す（6回まで）．何回繰り返したかを記せ＿＿＿＿＿＿回		/3
4 （5点）	100から順に7を引く（5回まで），あるいは「フジノヤマ」を逆唱させる		/5
5 （3点）	3で提示した物品名を再度復唱させる		/3
6 （2点）	（時計を見せながら）これは何ですか （鉛筆を見せながら）これは何ですか		/2
7 （1点）	次の文章を繰り返す 「みんなで，力を合わせて綱を引きます」		/1
8 （3点）	（3段階の命令） 「右手にこの紙をもってください」 「それを半分に折りたたんでください」 「机の上に置いてください」		/3
9 （1点）	（次の文章を読んで，その指示に従ってください） 「眼を閉じなさい」と書いたものを示す		/1
10 （1点）	（何か文章を書いてください） 何も書かれていない紙を与え，文章を書くように指示する．検者が例文を与えてはならない．主語と述語があり，意味のある文章であればよい		/1
11 （1点）	（次の図形を描いてください） 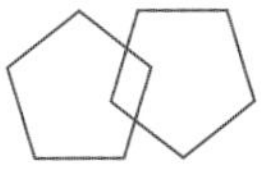		/1
		得点合計	/30

文献3より引用．

表4 高次脳機能障害のスクリーニング検査

検査名	概要	文献
聖マリアンナ式高次脳機能スクリーニング検査	・急性期の患者を対象に，高次脳機能の全体的なプロフィールを把握するために作成された． ・言語機能をみる8項目からなるテストIと，記憶，行為，視空間認知などに関するテストIIからなる． ・実施には標準失語症検査や行動性無視検査等に含まれる刺激図版の一部など他検査の用具を転用する他，図形などの模写見本を作成する必要がある． ・健常者ではほぼ間違うことはなく，脳損傷患者群120名のテストIIIの平均得点等のデータが示されている．健常者の実施時間は約20分．	文献4
浜松方式高次脳機能検査スケール	・急性期から慢性期までの脳損傷患者の第一次スクリーニングとして作成された． ・記憶，見当識，注意，視空間認知，前頭葉機能などを検査する11項目のサブテストから構成される． ・年代別にサブテストの換算表が示され，粗点を評価点としたうえでのプロフィールが得られる．	文献5

表5 右半球症状

	症状名	症状
半側無視	半側空間無視（Unilateral Spatial Neglect：USN）	無視側空間からの刺激に気づかない．視覚刺激のみならず，聴覚刺激や体性感覚刺激に応じられないことも多い．
	半側身体無視	指示に応じて自分の無視側身体を指し示したり，触ったりすることができない．
	運動無視	無視側肢の適切な運動の困難であり，無視（麻痺）側の上肢を（麻痺や感覚障害の程度から可能と考えられる動作においても）自発的に使用しない．
	片麻痺の病態失認	片麻痺や感覚障害等の半側の症状に気づかない，あるいは指摘されても積極的に否定する．上肢の自己所属感が失われ，麻痺肢を自分のものと認めない場合，他人のものであると主張する場合（身体パラフレニア）や独立した個体やペットのように扱う（麻痺肢の人格化）場合もある．
構成障害（構成失行）		二次元または三次元の図形や立体を描いたり組み立てたりすることの障害．右半球損傷では半側無視に伴う構成障害が多く，全体の形のゆがみや細部へのこだわりが特徴とされている．左半球損傷の構成障害は，全体の形は維持されるが細部の正確さに欠けるのが特徴で，行為の計画や順序づけの障害との関連が指摘されている．
着衣障害（着衣失行）		服を着られない，誤った着方をしてしまう症状で，片麻痺に半側空間無視や身体無視を合併した対象者にみられることが多い．無視（麻痺）側の上下肢を衣服に通さずにいる，脱衣を忘れる，といった様子が観察される．麻痺や無視がなくても，衣服の扱いができずに着衣が困難な「両側性の着衣障害」もまれに報告されている．
地誌的見当識障害		移動する際に道に迷う症状で，手がかりとなる既知の風景が認知できない街並失認（視覚失認の一型），風景は認知できるがそれを利用して進むべき方向がわからない道順障害，新規の場所における視空間性の記憶障害に伴うものなどがある．
プッシャー症候群（Pusher's Syndrome）		座位，立位ともに健側の上下肢に力を入れて突っ張り，患側へ強く押すために姿勢の保持が困難な現象．他動的な矯正にも抵抗する．主観的垂直位の異常との関連が報告されている．回復とともに消退することも多い．左半球病変でも起こり，左右差はないとの報告もある．
運動維持困難（Motor Impersistence：MI）		眼を閉じる，舌を出すといった動作はできるが，それを維持し続けられない．注意の持続性の障害とも解釈できる．前頭，側頭，頭頂葉を含む大病巣例に起こりやすい．

1 観察のポイント

- 対象者の姿勢や眼球運動，リーチ動作における左右差を観察する．重度の半側無視では，頸部が常に右回旋して，左を向かせようとの試みに抵抗する．眼球も運動制限はないにもかかわらず，正中より左への動きが困難な場合がある．
- 端座位の際に非麻痺側で手すり等を突っ張って麻痺側に姿勢が崩れ，それが口頭での指示や徒手的な矯正で修正されず，むしろ抵抗される場合はプッシャー症候群の可能性がある．
- ADL上の行動観察では，歩行や車椅子駆動中に向かってくる人や障害物・ドアなどに気づかず左側をぶつける，移乗の際に左ブレーキや左下肢のフットプレートへの上げ下ろしを忘れる，食事で左側の食器・食品に手をつけない，衣服や靴の着脱時に左側を忘れる，髭剃り・整髪・洗面で左側の処理を忘れる，横書き文章で左側の文字を読みとばす，漢字の偏を書き忘れるなどがみられる．
- 半側無視の日常生活上の行動をチェックする評価としてCatherine Bergego Scale（CBS）（表6）がある．観察者（家族やセラピスト）と本人の自己評価を比較し，差の大きい場合は半側無視の病態失認を疑う．
- ADL場面では，更衣の観察から着衣障害を評価し，居室とリハビリテーション室との往復の道順を覚えているか，角を左に曲がれるかなどで地誌的障害や半側無視の移動動作への影響をみる．セラピストが迎えにいくと，困難であるにもかかわらず起き上がろうともがく，車椅子を近づけると1人で立とうとするなど，衝動的な行動の背景には，注意障害や運動維持困難がある．

2 簡易な検査

描画テストや抹消テストなど，伝統的に行われてきた半側空間無視のインフォーマルな検査の集大成として行動性無視検査日本版（BIT）の通常検査がある．簡単に確認したい場合はBITの一部の下位検査をいくつか選んで実施する．

①抹消課題・線分二等分試験・図形模写・描画課題など

- 抹消課題は，整列，あるいはランダムに並んだ数字や文字列から，標的となる文字や数字を見つけて印をつけるものである．BITにも含まれているものとしては，線分抹消試験，文字抹消試験，星印抹消試験などがある．
- 線分二等分試験では，一般的に200 mmの線分が中央に印刷された紙面を対象者の正面正中に提示し，真ん中に印をつけてもらう．左右8 mm以上の偏りは異常と判定できる．座位がとれない場合は背臥位のままで，目の前に紐を提示し，真ん中と思われる箇所をつまんでもらってもよい．
- 図形模写では，立方体透視図や花の絵などを描かせる．複数の対象物を含む絵の模写では，個々の対象の左側を描き落としたり，誤ったりする（図3）．
- 描画課題では，人物や時計を描かせて，左右対称に描けているかを確認する．他に塗り絵，状況図の説明，横書き文章の音読などで半側空間無視を検出できる．

②同時刺激による消去現象の検査

- 対座法の視野検査を実施し，左右の視野を確認する．検者は対象者が左右同等に見える範囲内に左右の指を立て，右，左，または両方の指をランダムに動かして，動いた側を答えてもらう．片側ずつの指の動きを検知できても両方同時の刺激で片側を検出できない現象を，**同時刺激の消去現象**という．
- 同様に，対象者の左右の耳の横で指を擦り合わせて聞こえることを確認し，同時刺激で消

表6 Catherine Bergego Scale（CBS）日本語版

CBS観察評価法	
1. 整髪または髭剃りのとき，左側を忘れる	
2. 左側の袖を通したり，上履きの左を履くときに困難さを感じる	
3. 皿の左側の食べ物を食べ忘れる	
4. 食事の後，口の左側を拭くのを忘れる	
5. 左を向くのに困難さを感じる	
6. 左半身を忘れる（左腕を肘掛けにかけるのを忘れる．左足をフットレストに置き忘れる．左上肢を使うことを忘れる）	
7. 左側からの音や左にいる人に注意することが困難である	
8. 左側にいる人や物（ドアや家具）にぶつかる（歩行・車椅子駆動時）	
9. よく行く場所やリハビリテーション室で左に曲がるのが困難である	
10. 部屋や風呂場で左側にある所有物を見つけるのが困難である	
合計	

評価点
0：無視なし
1：軽度の無視（常に右側から探索し始め，左側へ移るのはゆっくり，躊躇しながらである．左側の見落としや衝突がときどきある．疲労や感情により症状の動揺がある）
2：中等度の無視（はっきりとした，恒常的な左側の見落としや左側への衝突がみられる）
3：重度の無視（左空間を全く探索できない）

合計得点　1〜10：軽度の無視，11〜20：中等度の無視，21〜30：重度の無視

CBS自己評価法	
1. 髪をとかすときや髭剃りのときに，左側の髪をとかしたり，左側の髭を剃ったりすることを忘れることはありますか？	
2. 左側の袖を通したり，左の履物を履いたりするのが難しいと思うことはありますか？	
3. 食事のとき，左側にあるおかずを食べるのを忘れることがありますか？	
4. 食事の後，口の周りを拭くとき，左側を拭き忘れることはありますか？	
5. 左のほうを見るのが難しいと思うことはありますか？	
6. 左半身を忘れてしまうことはありますか？（例えば，左側を車椅子の肘掛けに置いたり，左足を車椅子の足置きに載せたりするのを忘れたり，左手を使うのを忘れたりしますか？）	
7. 左のほうから音が聞こえたり，左側から声をかけられたりしたときに気づかないことがありますか？	
8. 歩いたり，車椅子で移動したりしている途中に，左側の家具やドアなどにぶつかることはありますか？	
9. よく行く場所やリハビリテーション室で左側に曲がるのが難しいと感じることがありますか？	
10. お部屋や風呂場などで，左側にものが置いてあると見つけられないことがありますか？	
合計	

評価点
0：難しくない，1：少し難しい，2：中くらいに難しい，3：かなり難しい

＊採点不可能な項目には他項目得点の平均点を採用する
＊病態失認得点＝観察得点−自己評価得点
文献6より引用.

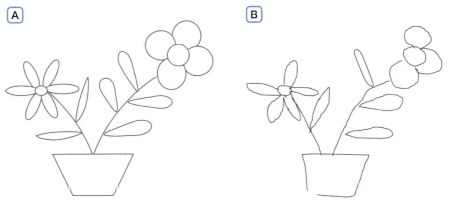

図3 半側無視の絵の模写例
A）見本，B）半側無視患者の模写．

去が起こるかどうか（聴覚刺激の消去），手背などを触り，同様に触覚にも消去が起こるかどうかを確かめてもよい（感覚障害のある場合は，麻痺側は強く刺激するなど配慮が必要ではある）．

③ 標準化された検査

- 行動性無視検査〔Behavioral Inattention Test（BIT）日本版〕（表22）がある．

2）失語症

- いったん正常な言語機能を獲得した後に，大脳半球の特定の部位の器質的病巣により言語（話し言葉と書き言葉）の理解と表出に障害をきたす．右利き失語症者の97.5％，左利き失語症者の70％で左大脳半球に損傷があるといわれている．
- 古典的な言語野としては，左下前頭回後方のブローカ野（運動言語中枢）と左上側頭回のウェルニッケ野（聴覚言語中枢），左頭頂葉の角回（文字言語中枢）がよく知られている．しかし実際には，前頭葉，側頭葉，頭頂葉を含む，言語機能にかかわる広い神経ネットワークの存在が知られている．

① 観察のポイント

- 面接やスクリーニング検査の際，言語的な指示の理解や発話の様子を観察する．表7にあげるような失語症の言語症状に留意する．
- HDS-Rでは，単語の復唱や呼称，語の想起をみることができる．
- 状況判断の能力，表情や指さしによる表出など，非言語的コミュニケーション能力も合わせて評価しておくと，失語症者とコミュニケーションをとる方法を考える貴重な情報となる．
- 急性期から回復期では，言語聴覚士（ST）による集中的なトレーニングが実施され，機能向上が期待できる．言語障害と残存機能の情報をSTより得てコミュニケーションに活用する．絵カードやコミュニケーションノートなど，代償手段を用いる場合は，各専門職が方法を統一し，さまざまな機会で利用するようにする．

② 簡易な検査

- 失語症では，聞く，読む，話す，書く能力すべてにわたって多かれ少なかれ障害が認められるが，失語のタイプ分類で重視されるのは発話の流暢性，理解，復唱である（図4）．

表7 失語症の症状

聴覚的理解の障害	
語音の認知障害	聴覚に障害がないにもかかわらず，言葉を構成する音が正しく聞き取れず，聞いた言葉の理解も復唱も困難となる．
語の理解障害（語義理解障害・語義聾）	語音の認知は可能だが，言葉の意味を理解できない．復唱は可能だが意味はわからない．
発話の障害	
発語失行（失構音・アナルトリー）	大脳のプログラミングの障害により構音の誤りやぎこちなさがみられる．自然な韻律も障害される．多くはブローカ失語にみられ，非流暢性の原因となる．
喚語困難	言いたい語を必要に応じて喚起できない．すべての失語症で起こる，失語症の中核症状．喚語困難があると，話の中に「あれ」「それ」などの指示代名詞が多くなり，回りくどい表現（迂言あるいは迂回反応）も多くなる．
錯語	発話において音や語の選択を誤る．「えんぴつ」を「えんぽつ」のように語中の音が他の音に置き換わる（音韻性錯語），「とけい」を「めがね」のように語の選択を誤る（語性錯語または意味性錯語）ものがある．「とけい」を「だきみ」のように，実在する語とは捉えられない場合は新造語という．
失文法	「男の人が歩いています」を「男，歩く」のように助詞や助動詞などが脱落し，名詞と動詞のみが産生され，電文体となる．文の断片のみの発話も含む．
ジャルゴン（ジャーゴン）	無反省に発せられる意味をなさない発話で，語の区切りのはっきりしない未分化ジャルゴン，内容語の多くが新造語の新造語ジャルゴン，語性錯語が頻発する錯語性ジャルゴン（または意味性ジャルゴン）に分けられる．
読みと書字	
失語は内言語の障害であり，読みと書字も発話や聴覚的理解と同時に障害される．ただし，話を聞くよりも漢字の読みによる理解がよい，発話よりも書字表現ができるなど，乖離のみられる場合もある．	

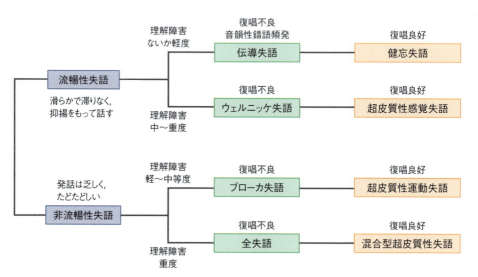

図4 失語症の分類

●前述のような行動観察の他，「今日は晴れている」「町の向こうに山が見える」などの文の復唱，「左手を上げてください」「鼻を触ってください」「耳に触ってからボールペンを取ってください」などの言語教示の理解をみる．流暢性の判断は難しい場合もあるが，話す速

度が保たれていて音韻の産生が（誤りにかかわりなく）スムーズであり，文の抑揚が障害されていない場合は流暢と判断できる．
- 発語失行と運動障害性構音障害とは合併しうるが，発声発語器官の運動障害による構音の一貫したゆがみがみられるのが構音障害である．構音動作の探索がみられ，音の誤りに一貫性がない場合は発語失行を疑う．構音器官の機能の確認とともに判断する．

3 標準化された検査
- 標準失語症検査（Standard Language Test of Aphasia：SLTA）がある（表22）．

3）失行

- 運動機能に問題がなく，何をすべきかわかっているにもかかわらず，習慣化された日常生活上の行為を目的に沿って行えなくなる．責任病巣として，左半球の頭頂葉と前頭葉が重視されている．
- 失行は**観念失行**，**観念運動失行**，**肢節運動失行**に分類される．このうち肢節運動失行は，握る，つまむといった単純な運動パターンの記憶（運動記憶）の障害で，手指の動きが不器用となる．
- 観念失行と観念運動失行の分類には諸説ある（表8）が，モルラース（Morlaás）の分類が最も一般的と思われる．観念失行は，実際の物品を使用することにかかわる空間的・時間的な運動の計画の障害で，単一あるいは複数の道具や物品の使用ができなくなる．左半球の後頭‐頭頂領域が責任病巣と考えられている．リープマン（Liepmann）は複数の物品を順序立てて操作できなくなる症状を重視していたが，この症状は全般的な認知障害や注意障害でもみられることから，失行の中心的な症状とはみなされなくなってきている．
- 観念運動失行では，「おいでおいで」など道具を使わない意味のある動作（象徴的行為）や実際の道具なしでそれを使う動作（道具使用の身振り）が困難となる．自然な状況で道具

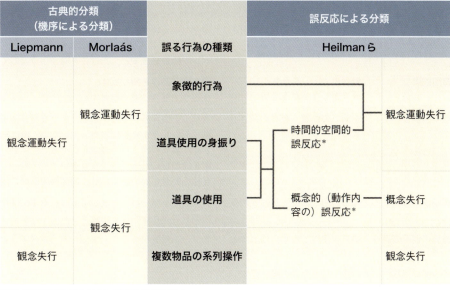

表8 失行の分類

古典的分類（機序による分類）		誤る行為の種類	誤反応による分類	
Liepmann	Morlaás		Heilman ら	
観念運動失行	観念運動失行	象徴的行為	時間的空間的誤反応*	観念運動失行
		道具使用の身振り		
	観念失行	道具の使用	概念的（動作内容の）誤反応*	概念失行
観念失行		複数物品の系列操作		観念失行

*誤反応の内容に関しては，表9を参照のこと．

が提示されると誤らなくなる．この障害のみでは実際の生活上の困難はほとんどないが，多くは観念失行と観念運動失行を合併する．
- 口腔顔面失行では，指示により喉頭，咽頭，舌，口唇，頬を使う動作が困難となる．自然な状況では可能なことから，観念運動失行の一種と考えられている．
- 観念失行と観念運動失行の区分では，系列操作の誤りを観念失行，道具使用やその身振りに関しては，誤り方によって観念運動失行と「概念失行」に分類する考え方〔ハイルマン（Heilman）ら〕もある．

1 観察のポイント
- 食事，整容における道具の使用など，日常生活における習慣的な行為を観察する．失行者の多くは，右片麻痺を合併し，日常の活動を非利き手で行わざるを得ない．多少のぎこちなさはやむを得ないが，目的を達成できないような困難が生じている場合は失行を疑う．
- 失行症では，動作がすべて常にできなくなるわけではなく，容易にできるものとできないものがある．また，場面によってできるときとできないときがある．動作が困難なときは，短時間休んでから動作を再開する，セラピストが見本を見せる，手を取って正しい動作を誘導する，といった介入を試み，適切な行為を引き出すための手掛かりを得る．

2 簡易な検査
- 失行の検査では，口頭命令で動作をしてもらうが，このように本来行う状況ではないときの動作（意図的な行為）は，一層困難となる．これに対して日常生活場面では，使用する道具や環境からの刺激が行為を引き出す（自動的な行為）ことから動作がより容易となる．これを**意図性と自動性の乖離**という．
- 表9に，失行によくみられる行為の誤り（誤反応）をあげる．日常場面や検査場面でみられる誤りの種類を記録しておく．口頭命令による検査では，失語による理解障害の影響を考慮しなければならない．

表9 失行症における誤り方（誤反応）の分類

分類	内容	例
概念的誤り	ある道具を別の道具を使用するように誤る	・歯ブラシで髪をとかそうとする ・櫛で肩を叩く ・ペンや鉛筆を渡すと，たばこを吸うようなしぐさをする
時間的誤り	動作のスピードやタイミング，繰り返しなどが不適切	・鍵を回す動作を繰り返す ・金槌を小刻みに速く動かす
空間的誤り	空間での位置，動きの向きおよび動かし方の誤り	・歯ブラシの身振りでビンをもつような握り方をする ・歯ブラシがうまく歯に当たっていない．歯に当てても動きが大きすぎる，動きの向きが不適切などできれいに磨けない ・櫛を頭の形に沿って当てられない ・金槌の動きが肘関節ではなく肩関節の運動に置き換えられる
運動順序の誤り	動作の順序に混乱がみられる	・トイレットペーパーを渡しても，拭かずに便器に捨ててしまう ・歯磨きのふたを開けるが歯ブラシにつけずにブラッシングを始める
道具の使用の誤り	道具が使用できず，使おうとしない	・スプーンや箸がもてず，手づかみで食べようとする
その他の誤り	保続：前の動作を繰り返す 非定形反応：何をしているのかわからない動作への置き換え，ためらいがみられて動作を開始できないなど	

表10　失行のスクリーニング検査

動作の種類	口頭命令	模倣 物品なし	物品の使用 自然な状況
象徴的行為（自動詞的）	①さようならと手を振ってください ②おいでおいでをしてください ③兵隊の敬礼をしてください	（見本示し）私のまねをしてください	生活場面で自然な動作を観察
道具の使用（他動詞的）	④歯ブラシをもったつもりで歯を磨くまねをしてください ⑤櫛をもったつもりで髪をとかすまねをしてください ⑥ドアに鍵をかけるまねをしてください ⑦金槌をもったつもりで釘を打つまねをしてください		道具を提供し，動作を観察
口腔・顔面の動作	⑧口を大きく開けてください ⑨舌を出してください ⑩口笛を吹くまねをしてください ⑪頬をふくらませてください ⑫舌打ちをしてください ⑬咳払いをしてください		生活場面で自然な動作を観察

文献7をもとに作成.

- 表10に失行のスクリーニング検査を示す．麻痺が軽度であれば，左右別々に実施し，左右差も評価する．

3 標準化された検査

- 標準高次動作性検査（Standard Performance Test for Apraxia：SPTA）がある（表22）．

4）失認

- 要素的な感覚障害や知能低下，注意の障害や失語による呼称障害，知識の有無では説明のつかない認知の失敗であり，視覚，聴覚，触覚といった感覚の形式により分類される．
- 視覚失認は，なかでも最も頻度が高い．視覚失認では，見ることに問題がなく，他の知覚伝達経路からの情報があればわかるのに，見えている対象が何かを認知できない．例えば，眼鏡を見ても何かわからないが，手にもたせ，触覚を介すとわかる．
- 視覚失認の責任病巣は，両側後頭葉・後頭側頭葉腹側部といわれている．
- 視覚的に物品の形態認知が困難な「**統覚（知覚）型視覚失認**」，形態は認知できても意味のわからない「**連合型視覚失認**」，細部の特徴から全体を統合する知覚過程の障害を呈する「**統合型視覚失認**」，対象物を見て何かわかるが名前の言えない「**視覚失語**」に分類される．
- ある種の対象を視覚的に認知することが困難となるカテゴリー特異的視覚失認は，色彩失認（色の認知），相貌失認（人の顔の認知），街並失認（既知の風景や建物の認知，前述），純粋失読（文字の認知）が知られている．多くは複数の障害を合併する．

1 観察のポイント

- 視覚失認患者は，「暗すぎてよく見えない」，周囲が「ごちゃごちゃしていて見にくい」，「よく見ようとすると，それが変化したり消えてなくなってしまったりする」など，見えにくさを訴えることが多い．「見えない」と訴えていても，障害物は上手によけるなど，視覚は

保たれている．
- 対象物を動かすことによって視覚的認知が改善することもある．
- 視覚以外の感覚を使うことで認知は劇的に改善する．物品の弁別は触ることで，純粋失読の読みは文字をなぞることで可能となる．

2 簡易な検査

- 視覚の基本的な機能（視力，視野），コントラストによる見え方の違いを評価する．視力表による検査が困難な場合は，ふだんの行動から推察する．
- 線画や実際の物品を用いて対象の形を把握できているか，対象の意味が理解できるかを確認する（図5）．対象の名前が言えなくても，言語的な説明や使い方の身振りができれば意味はわかっていると判断できる．

3 標準化された検査

- 標準高次視知覚検査（Visual Perception Test for Agnosia：VPTA）がある（表22）．

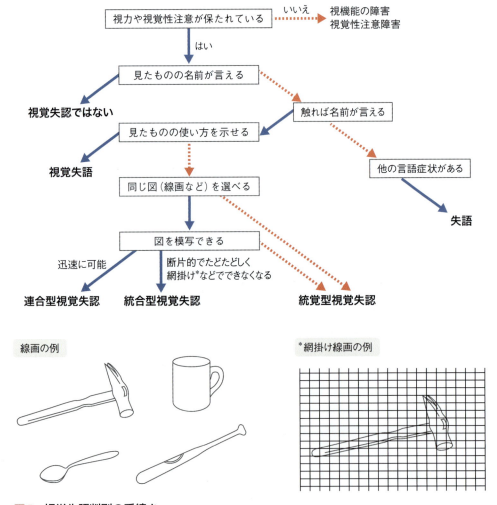

図5　視覚失認判別の手続き
文献8をもとに作成．

5) 注意の障害

- 注意は高次脳機能が有効に働くための基盤となる機能である．その場の状況に応じて精神活動を1つあるいはいくつかの対象に向け，それを維持したり，必要に応じて他の対象に移動させたりする働きを「**注意**」とよぶ．
- 注意は，意識や覚醒といった，脳の活動水準にかかわる側面から，状況に応じて意図的に精神活動をコントロールするような高次の機能（後述する遂行機能に含む考え方もある）までを含む幅広い概念であり，表11のようないくつかの特性に分けて理解できる．

❶ 観察のポイント

- 臨床では，ぼんやりして反応が鈍い（覚度の障害），気が散りやすい（制御機能の障害，転導性の亢進），運動や課題に続けて取り組めない（持続性の障害）といった状況が観察される．
- 表12は，日常生活場面での注意障害の評価スケールである．対象者の観察の視点として有用である．

❷ 簡易な検査

- スクリーニング検査では，HDS-Rの3つの言葉の記銘や計算問題，数字の逆唱の項目で注意機能をみることができる．また，検査やセラピー中の対象者の行動を観察し，気が散りやすい，検査等の後半で集中できなくなる，教示の理解が低下するといった症状に着目する．
- 表13に注意の特性と対応した検査を示す．注意の特性は独立した機能ではないので，必ずしも1対1対応ではない．紹介した表中の検査の一部は，「標準注意検査法」に含まれている．ここでは，視覚性の刺激を用いるかなひろいテストと聴覚性検査である数唱を紹介する．

①かなひろいテスト（図6）
- 2分間の制限時間以内に，ひらがなで書かれた文章の意味を把握しながら，標的となる5文字に丸をつけていく課題である．
- 正答数，誤りの数，意味把握の可否を判定する．正答数の基準値は表14のとおりである．

表11 注意の特性

特性	説明
覚度，アラートネスまたは持続的注意	精神活動を適度な強度に保ち，それを一定の時間，維持する．この側面の障害は，反応性の低下，情報処理・課題処理のスピードの低下，課題への取り組み時間の短縮（すぐに飽きる，始めてもすぐにボーっとする）のような臨床像と関連する．
選択的注意	競合する刺激を抑制し，そのとき処理している1つないしはそれ以上の重要な刺激や考えに焦点をあてて集中する．この側面の障害では，多くの対象の中から特定の対象を見つけて注目したり，たくさんの話し声から相手の話を聞き分けるのが困難となる．
注意の制御機能，注意の容量または分配	目的的な精神活動を達成するため，注意の焦点を移動させたり*，1つ以上の課題，あるいは1つの課題の多数の要素や作用に同時に反応する．この側面の障害は，1つのことに集中してしまい，より必要な刺激に反応できなかったり，逆に不要な刺激に反応してしまう（いわゆる気が散ってしまう），同時に複数の刺激に注意できず，同時並行で作業が進められないといった臨床像と関連する．

*この注意の焦点の切りかえを転換性または転導性とよぶこともある．
注：上記の特性は互いに独立した機能というわけではない．ある現象を注意障害として記述するときに，単一の特性の障害として表現するのは困難である．例えば，患者が課題に一定時間取り組むが徐々に気が散って周囲の出来事に関心を向けるようになったとき，「注意の持続が困難」とも表現できるし，「注意の転導性が亢進（制御機能が低下）している」とも表現できる．

表12　Ponsford & Kinsellaの脳損傷者の日常生活観察による注意評価スケール

1) 眠そうで活力（エネルギー）に欠けて見える
2) すぐに疲れる
3) 動作がのろい
4) 言葉での反応が遅い
5) 頭脳的ないしは心理的な作業（例えば，計算など）が遅い
6) 言われないと何事も続けられない
7) 長時間（約15秒以上）宙をじっと見つめている
8) 1つのことに注意を集中するのが困難である
9) すぐに注意散漫になる
10) 一度に2つ以上のことに注意を向けることができない
11) 注意をうまく向けられないために，間違いをおかす
12) 何かする際に細かいことが抜けてしまう（誤る）
13) 落ち着きがない
14) 1つのことに長く（5分以上）集中して取り組めない

全く認められない＝0点
時として認められる＝1点
時々認められる＝2点
ほとんどいつも認められる＝3点
絶えず認められる＝4点

文献9より引用．

表13　注意障害の検査

注意の特性	評価法
覚度・持続性	数唱（順唱），Continuous Performance Test（CPT）*，Auditory Detection Task**
選択性	かなひろいテスト，BITの文字抹消課題，Trail Making Test A，Stroop Test
制御・容量・分配・転換	Trail Making Test B，Paced Auditory Serial Addition Task（PASAT）***，数唱（逆唱）

*ディスプレイ上にランダムに現れる標的文字の出現に応じて反応する課題．ターゲットが1文字の場合（文字Xに反応）は単純な課題だが，条件づけされると（文字Aの次に現れるXにのみ反応）より複雑な課題となる．課題の前半と後半を比較すれば，持続性の評価となる．
**録音された「ト，ド，ポ，コ，ゴ」の5種類の語音を1音/秒の速度で提示し，目標語音「ト」に対してtappingなどの何らかの合図による反応を求める課題．
***被検者に与えられた数字を2組ずつ足し算する課題．例えば，「2-8-6-1-9」に対し，8を聞いた時点から「10-14-7-10」と反応する．4段階のスピードで問題が与えられる．
※下線の検査は標準注意検査法の下位検査として含まれている．

②数唱（表15）
- 無作為な順に並んだ数字を毎秒1個ずつ読み上げ，聞いたとおり正確に復唱してもらう．
- 数字2個から始めて2回続けて失敗するまで数字を増やしながら行う．これは「順唱」課題である．
- 提示された数字列を逆の順番で言ってもらう課題は「逆唱」といい，数字列を覚えたうえに順番を反転させるという操作が必要となるため，注意の分配あるいは容量を要求される，より認知的負荷の高い課題である．
- 順唱は即時記憶，逆唱はワーキングメモリの課題との見方もある．

③トレイルメイキングテスト（Trail Making Test：TMT）
- 数字のみ（Part A）または数字とひらがな（Part B）がランダムに配置された紙面を使用し，数字とひらがなを順に線で結んでもらう課題で，所要時間を記録する．

次のかな文の意味を読みとりながら，同時に「あ，い，う，え，お」をひろいあげて，○をつけてください．（制限時間2分間）

練習問題

　ももたろうは、きじといぬとさるをけらいにして、おにがしまへ、おにたいじにいきました。

本　題

　むかし　あるところに、ひとりぐらしのおばあさんがいて、としを　とって、びんぼうでしたが、いつもほがらかに　くらしていました。ちいさなこやに　すんでいて、きんじょの　ひとの　つかいはしりを　やっては、こちらで　ひとくち、あちらで　ひとのみ、おれいに　たべさせてもらって、やっと　そのひぐらしをたてていましたが、それでも　いつも　げんきで、ようきで、なにひとつふそくはないと　いうふうでした。

　ところが　あるばん、おばあさんが　いつものようににこにこしながら、いそいそと　うちへ　かえるとちゅう、みちばたのみぞのなかに、くろい　おおきなつぼを　みつけました。「おや、つぼだね。いれるものさえあれば　べんりなものさ。わたしにゃなにもないが。だれが、このみぞへ　おとしてったのかねえ」と、おばあさんは　もちぬしが　いないかと　あたりを　みまわしましたが、だれも　いません。「おおかた　あなが　あいたんで、すてたんだろう。そんなら　ここに、はなでも　いけて、まどにおこう。ちょっくら　もっていこうかね」こういって　おばあさんは　つぼのふたを　とって、なかをのぞきました。

＊上をB5サイズに拡大して使用する．

先ほど読んだ本題について，以下の質問で該当するものに1つ○をしてください

質問1　どのような人物が登場しましたか？	質問2　つぼを拾った場所はどこですか？
1．おじいさん	1．かわ
2．おばあさん	2．みぞ
3．おじいさんとおばあさん	3．みずうみ
4．おとうさん	4．いど
5．おかあさん	5．もり

図6　かなひろいテスト

文献10，11をもとに作成．

表14 かなひろいテスト標準値

年齢	正答数
30歳代	30以上
40歳代	22以上
50歳代	16以上
60歳代	11以上
70歳代	10以上
80歳代	9以上

標的の文字は全部で61である．

表15 数唱課題

数唱 （順唱）

3-7	9-2
7-4-9	1-7-4
8-5-2-7	5-2-9-7
2-9-6-8-3	6-3-8-5-1
5-7-2-9-4-6	2-9-4-7-3-8
8-1-5-9-3-6-2	4-1-9-2-7-5-1
3-9-8-2-5-1-4-7	8-5-3-9-1-6-2-7
7-2-8-5-4-6-7-3-9	2-1-9-7-3-5-8-4-6

教示：
「今からいくつかの数字を言いますから，よく聞いて，私が言ったとおりに同じ数を言ってください」

1秒間に1つの割合で数字を言う．電話番号を言うときのように数字をまとめないように気をつけること

標準 5～7以上

- Part Aでは，1から25までを順に線で結び，Part Bでは，数字の1から13とひらがなの「あ」から「し」までが印字されたものを1－あ－2－い－3…12－し－13のように数字とひらがなを交互に結んでもらう．
- Part A は注意の選択性を，Part B は注意の分配や転換を反映するが，同時に作動記憶（ワーキングメモリ）や視覚的な空間探索，情報処理速度などもみることができる．
- 高次脳機能障害学会でTMT日本版（TMT-J）が作成され，正式な評価用紙が手に入るようになった（表22）．

3 標準化された検査

- 標準注意検査法（Clinical Assessment for Attention：CAT）がある（表22）．

6) 記憶の障害

- **記憶**とは，出来事，知識，行為，手続きなどのあらゆる体験や情報を，脳が処理できる形に符号化し，貯蔵し，取り出す働きである．
- 記憶の成立は，①情報を取り込む（登録あるいは符号化），②入力された情報を把持し続ける（蓄積あるいは保持），③把持された情報を必要に応じて呼び出す（検索あるいは再生）という三過程のモデルで考える．
- 意識状態や注意機能が低下していると，情報を取り込むこと（登録）ができず，記憶が成立しない．記憶は「再生」課題で評価されるが，情報が把持されているかどうかを確認す

るため，手がかりを与えた再生（補助再生），選択肢を与えて既知のものかどうかを確認させる（再認再生）といった方法が用いられることがある．

- 記憶は，時間軸や記憶する情報のタイプなどさまざまな視点で分類できる（図7，表16）．以下に記憶障害にかかわる用語を整理する．
- **健忘症**とは，新しいことが覚えられない前向性健忘が中核症状としてあり，知的機能，注意機能，および言語機能が正常か比較的良好に保たれている状態をいう．逆向性健忘も伴うことがある．
- **見当識障害**とは，今日が何月何日か，何時頃か，自分がどこにいるのか，目の前にいる人は誰か，など，時間，場所，人に対する認識の障害である．新しい情報を記憶できなければ，日付や場所が覚えられず，近時記憶や遠隔記憶も障害されれば，知っているはずの人がわからなくなる．見当識障害の背景には記憶の障害や注意障害がある．
- **作話**は，うそをつく意図なしに，実際に体験していないことが想起されて話されるもので，内容の一貫性に欠け，病識もないまま表出される．記憶障害に伴って出現するが，特に前頭葉機能とされる現実監視能力（現実にあったことかどうかを判断する能力）や出来事の時間的な配列の混乱との関連が示唆されている．

1 観察のポイント

- 逆向性健忘・前向性健忘の評価のためには，本人の生活史や教育歴，職歴，発症後のエピソード等の情報を家族や診療録から収集しておく必要がある．日常のエピソードについて，内容（誰と，いつ，どこで，何をしたか），その一貫性，作話の有無を観察・面接を通して把握する．例えば，担当セラピストの名前や顔を覚えているか，自室やリハビリテーション室までの道順を覚えているかを確認する．逆向性健忘は，本人から生活史を聞き取り，収集した情報と照合して「発症前〇年間（〇カ月）にわたる逆向性健忘」というように記録する．
- 困りごととして，「本を読んでいても内容が残らない」「道に迷う」「知らない人に挨拶される」，などの訴えが聞かれることもある．本人からの訴えがないときには，「以前と比べて物覚えはいかがでしょうか？」と尋ねてもよい．これを端緒に病識が表出されることもある．
- 病識の有無は，代償手段が利用できるかどうかを評価するうえで重要な材料となる．日本版日常記憶チェックリスト（表17）を用いて本人や家族に生活上の支障の程度を聞き取り，得点を比較すると，家族と本人との障害認識の差が評価できる．このチェックリストは，後述するリバーミード行動記憶検査（RBMT）マニュアルに掲載されており，同検査との関連も示されている．患者よりも家族のチェックリスト得点とRBMT結果の相関が高く，患者群では病識が低下している場合がある．
- 合併する障害や損傷半球によって視覚情報と言語情報との記憶に乖離が生ずる可能性もある．失語が明らかでなくても左半球の損傷では，言語的情報の記憶がより困難となり，右半球損傷では視空間的情報の記憶がより難しい傾向がある．

2 簡易な検査

- HDS-Rの年齢・日付・場所の見当識，3単語の遅延再生や5物品の記銘の項目で記憶の能力をみることができる．
- 言語的な情報の記憶の検査としては，短い物語を読み聞かせた後で内容を答えさせる，単語の組み合わせを記憶させるといった検査がよく使われる．ここでは東大脳研式記銘力検査（三宅による1923年の原著が1977年に改訂されたもの）を示す．視覚的情報を使用し

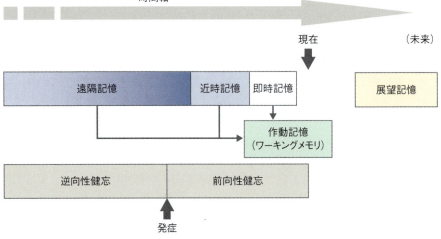

図7 記憶の分類

表16 記憶の分類

①登録から再生までの時間から(時間の長さは成書によりさまざまである)	
・即時記憶(immediate memory)	数秒～数十秒
・近時記憶(recent memory)	数十秒以上,数分,数週,数カ月
・遠隔記憶(remote memory)	年単位
②発症時点を境にした記憶の障害	
・前向性健忘(anterograde amnesia)	発症以降の新しい情報の記憶障害
・逆向性健忘(retrograde amnesia)	発症時点から過去の情報の記憶障害.どの程度さかのぼって障害されているかを,何年,何カ月といった期間で表す.発症に近い,新しい情報ほど思い出せず,遠い昔のことは覚えている傾向がある(時間的傾斜または時間的勾配)
③作動記憶(ワーキングメモリ)	課題遂行に必要な情報を,一時的に活性化状態で保持しつつ,並行して処理を進める機能.現在入ってくる情報と遠隔記憶あるいは近時記憶として保存されている情報とを一時的に合わせて保管し,意識的に情報を操作・処理する.買い物の計算では,買い物かごの品物の値段を保持しながら,長期記憶としてもつ計算方法の情報とを合わせて値段を合計し,会計するまで覚えておく,といったときの機能である
④展望記憶	未来の自己の行為に関する予定の記憶.存在の想起(何かすることがあった)と内容の想起(予定の内容)との2つの要素に分けられる.前頭葉機能の関与が想定されている
⑤記憶する情報の内容による分類	
・陳述記憶	記憶した情報を意識的に,多くは言葉として再現できる記憶
エピソード記憶	日常生活でのさまざまな出来事など,個人的な経験の記憶.出来事の起こった時間,場所など,時間的空間的情報が付随する
意味記憶	学習によって獲得した,世間一般の知識,概念,言葉などに関する体系化された記憶.記憶した場所や時間は思い出せない場合が多い
・非陳述記憶	意識することはなく行動に現れたり,記憶の促進や抑制にかかわったりする現象のこと
手続き記憶	自転車の乗り方,楽器の演奏,道具の取り扱いなど,熟練した運動技能や習慣に関する記憶
プライミング	刺激の先行提示により,後の情報処理に影響を与える現象.例えば,単語のリストを見せた後で,語頭文字を与えて最初に思いつく単語を言わせると,健忘患者でもはじめのリストの単語を言う確率が高くなる

表17　日本版日常記憶チェックリスト

最近1カ月間の生活の中で，以下の13の項目がどのくらいの頻度であったと思いますか．
右の4つ（全くない，時々ある，よくある，常にある）の中から最も近いものを選択して，
その数字を○で囲んでください．

		全くない	時々ある	よくある	常にある
1	昨日あるいは数日前に言われたことを忘れており，再度言われないと思い出せないことがありますか？	0	1	2	3
2	つい，その辺りに物を置き，置いた場所を忘れてしまったり，物を失くしたりすることがありますか？	0	1	2	3
3	物がいつもしまってある場所を忘れて，全く関係のない場所を探したりすることがありますか？	0	1	2	3
4	ある出来事が起こったのがいつだったかを忘れていることがありますか？（例：昨日だったのか，先週だったのか）	0	1	2	3
5	必要な物をもたずに出かけたり，どこかに置き忘れて帰ってきたりすることがありますか？	0	1	2	3
6	自分で「する」と言ったことを，し忘れることがありますか？	0	1	2	3
7	前日の出来事の中で，重要と思われることの内容を忘れていることがありますか？	0	1	2	3
8	以前に会ったことのある人たちの名前を忘れていることがありますか？	0	1	2	3
9	誰かが言ったことの細部を忘れたり，混乱して理解していることがありますか？	0	1	2	3
10	一度，話した話や冗談をまた言うことがありますか？	0	1	2	3
11	直前に言ったことを繰り返し話したり，「今，何を話していましたっけ」などと言うことがありますか？	0	1	2	3
12	以前，行ったことのある場所への行き方を忘れたり，よく知っている建物の中で迷うことがありますか？	0	1	2	3
13	何かしている最中に注意をそらす出来事があった後，自分が何をしていたか忘れることがありますか？	0	1	2	3
	得点				／39点

文献12より引用．

たものでは，レイの複雑図形が利用しやすい．

①東大脳研式（三宅式）記銘力検査（表18）[13)14)]

- 単語の対10組を対象者に読み聞かせた後，はじめの単語を言ってもう一方を答えてもらう検査．第1回の試行ですべて正答した場合，2回目と3回目は省く．第1回で全部正答しない場合は，正しい単語対10組を読み聞かせるところから繰り返す．単語対の最初の言葉を提示しても10秒間回答のない場合は次に移る．
- 結果は正答数で表現することがふつうで，有関係6-7-10，のように表現する．有関係対語は健常人では全部できるのがふつうであり，練習試行とみなす．記銘力はむしろ無関係対語を重視する．この検査には古い言葉が含まれているため，高次脳機能障害学会で新たな標準言語性対連合学習検査が作成された．詳しくは表22を参照．

表18 東大脳研式記銘力検査

対語リスト

有関係対語	第1回	第2回	第3回	無関係対語	第1回	第2回	第3回
煙草ーマッチ				少年ー畳			
空ー星				つぼみー虎			
命令ー服従				入浴ー財産			
汽車ー電車				うさぎー障子			
葬式ー墓				水泳ー銀行			
相撲ー行司				地球ー問題			
家ー庭				嵐ー病院			
心配ー苦労				特別ー衝突			
寿司ー弁当				ガラスー神社			
夕刊ー号外				停車場ー真綿			
正答数				正答数			
忘却数				忘却数			
誤答数				誤答数			

検者は「これから私が次のような言葉を10組言いますからよく覚えてください．ビールーコップ．男ー女．万年筆ー鉛筆．このような言葉を10組言いますからよく覚えて，次に私がビールと言ったらコップ，男と言ったら女，万年筆と言ったら鉛筆，というように答えてください」と教示する．よく確認し，対象者が理解できたら「それではこれから先ほどのような言葉を言うのでよく聞いてください」と告げて始める．単語の対と対との間は2秒程度空けて区別を明確にする．無関係対でも同様に実施するが，最初に「では今度は先ほどのように関係のある言葉ではなく全く関係のない言葉を，先ほどの要領で行いますからよく覚えてください」と教示する．
文献13より引用．

健常成人の標準値

	有関係対語			無関係対語		
	第1回	第2回	第3回	第1回	第2回	第3回
範囲	6.6-9.9	9.3-10.0	10.0-10.0	3.2-7.0	6.6-10.0	7.7-10.0
平均	8.5	9.8	10	4.5	7.6	8.5

文献14より引用．

②レイの複雑図形（Rey-Osterrieth：複雑図形検査）
- 図8に示した図形を模写してもらう．このときは後でまた描いてもらうとは告げず，別の課題や会話などの後で「先ほど描いた図形をもう一度思い出して描いてください．なるべくたくさん思い出してください」のように指示して再生させる．
- 再生までの時間は，3分または30分が多い．何を描くのかわからなくなるので，別の描画課題は入れないようにする．なお，3分後再生と30分後再生の両方を実施すると，両再生の得点に大きな変化はないとの報告もある（表19）[15]．

3 標準化された検査
- 日本版リバーミード行動記憶検査（Rivermead Behavioral Memory Test：RBMT），ウェクスラー記憶検査改訂版（Wechsler Memory Scale-Revised：WMS-R）がある（表22）．

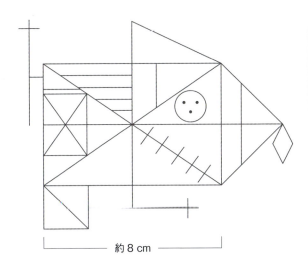

約8cm

No.	採点要素	得点
1.	大きな長方形の左上の十字	2・1・0.5・0
2.	大きな長方形	2・1・0.5・0
3.	大きな長方形内部の対角線×	2・1・0.5・0
4.	2の長方形の水平中線	2・1・0.5・0
5.	垂直中線	2・1・0.5・0
6.	2の長方形の左に小さな長方形	2・1・0.5・0
7.	6の小さな長方形の上に短い線分	2・1・0.5・0
8.	2の長方形の左上に4本の平行線	2・1・0.5・0
9.	2の長方形の右上に三角形	2・1・0.5・0
10.	2の長方形内の9の三角形の下に短い垂直線	2・1・0.5・0
11.	2の長方形の中に3点を含んだ丸型	2・1・0.5・0
12.	2の長方形の右下に3の対角線を交差する5本の垂線	2・1・0.5・0
13.	2の長方形の右に付着した横三角形	2・1・0.5・0
14.	13の三角形に付着したひし形	2・1・0.5・0
15.	2の長方形の右の縦線に平行する13の三角形内の垂直線	2・1・0.5・0
16.	13の三角形の水平線で，4の水平中線と連続する線	2・1・0.5・0
17.	2の長方形の下部で，5の垂直線に付着する十字形	2・1・0.5・0
18.	2の長方形の左下部分に付着した正方形	2・1・0.5・0
検査方法：1. 模写　2. ＿＿＿＿分後に再生　時間　分　秒		合計　／36

図8　レイの複雑図形

文献13をもとに作成．

7）前頭葉機能の障害

- 高次脳機能に密接にかかわっているのは前頭葉の中の**前頭前野**である．他の脳領域で分析された情報や過去の経験の記憶や知識，「今，何をしたいか」という内的な意図を統合して行動を計画し，実行する能力に関与している．

表19 レイの複雑図形の標準データ

	平均得点（標準偏差）					
	18～24歳 (N=24)	25～34歳 (N=24)	35～44歳 (N=24)	45～54歳 (N=24)	55～64歳 (N=24)	65～74歳 (N=24)
模写得点	35.8 (0.5)	35.8 (0.4)	35.8 (0.5)	35.8 (0.5)	35.8 (0.5)	35.7 (0.8)
3分後再生得点	25.7 (5.7)	24.6 (5.3)	23.7 (5.6)	23.3 (5.1)	21.1 (4.2)	19.0 (3.6)
30分後再生得点	24.8 (5.4)	23.4 (5.3)	22.7 (6.0)	22.1 (5.3)	19.9 (4.0)	17.9 (3.7)

文献15より引用．

	平均得点（標準偏差）	範囲
模写得点	35.7 (0.6)	34～36
3分後再生得点	18.8 (5.7)	10～31

健常人30名：平均年齢68.8歳，標準偏差6.4，年齢範囲56～79．
文献13より引用．

表20 前頭前野の機能障害と関連部位

部位	機能	障害
背外側部	情報の統合，意図的行動の制御 認知・思考形式（セット）の維持や変換	遂行機能障害
	言語や思考の流暢性	流暢性の障害
	注意の配分や持続	注意の障害
	情報の一次的保存や操作などの並列処理	ワーキングメモリの障害
眼窩部	情動の制御と意思決定	脱抑制，感情・人格の障害
	道徳的行動，共感能力	社会的行動障害
前頭前野内側面・前部帯状回	自発性	発動性低下 無気力・無関心
	反射的・自動的な反応の抑制	ステレオタイプな常同行動，保続，把握反応，被影響性症状

- 意図的な行動を実現するためには，反射的・自動的な行動を控えるような行動の抑制も必要で，この点でも前頭葉は重要な役割を果たすと考えられている．前頭前野における部位別機能は，表20のように分類できる．
- **遂行機能**は目的的行為に伴う，計画，実行，監視，調整のための機能である．単一の機能ではなく，動機づけや意図，柔軟な思考と発想（流暢性ともよばれる），必要な情報と反応の選択，実行中の行為の監視やそれに基づいた調整，自分の能力の客観的評価などを含む．知覚，記憶，言語などのより要素的な認知機能を統合・制御する，上位の認知システムと位置づけられる．
- 注意機能やワーキングメモリには前頭葉がかかわっており，評価においても同じ検査バッ

テリーが「注意機能の評価」とされたり「前頭葉機能（あるいは遂行機能）の評価」とされたりするなど，重複がある．

1 観察のポイント

- 遂行機能障害では，役割活動や仕事など，比較的複雑な活動における行動を評価する．料理の手順や銀行での手続きなどが正しく答えられるか，実際に可能かを観察する．準備や作業の段取りが悪く，作業の効率が低下する，同時並行で作業が進められない，複数の条件を満たす思考や行為が苦手などの特徴がある．
- あいまいな状況で適切な判断ができずに会話がちぐはぐになる，相手を不快にさせるような言動に頓着しない，1つのことに固執すると修正できないといった行動もみられる．
- 病識に関しては，困りごとを尋ね，対象者が自分の障害の範囲とタイプを客観的に自覚し，言語化できるかどうかをみる．「特に困っていることがない」という場合も，具体的に障害を指摘したときにそれを理解し受け入れようとするか，障害を自覚している場合も，「今のような状況は，今後仕事に復帰するのに影響しそうですか？」などと聞き，生活活動への影響を認識しているかどうかを確認する．
- 自発性や意欲の低下を示す対象者は，不活発でやる気のないようにみえ，他者から促されなければ，必要最低限の内的・外的刺激による行動（トイレに行く・出された食事を食べる）しか自発的に開始できないこともある．
- すぐにイライラしたり，語気を荒らげるなど情動や欲求のコントロールが難しい場合は，情動の爆発が起こったときの状況を把握する．自分の情動の変化を感知しているか，行動の問題に本人が気づいているか，そのエピソードを覚えているかは，その後のアプローチにもかかわるので確認する必要がある．

2 簡易な検査

HDS-Rでは，数字の逆唱，流暢性の項目と前頭葉機能とがかかわっている．以下に前頭葉機能検査とされ，比較的簡易に実施できるものを紹介する．

①Wisconsin Card Sorting Test（WCST）

- 認知・思考形式（セット）の転換，反応の柔軟性など遂行機能の評価を目的とする，カード分類の検査．被検者に知らされることなく変換される基準を推理し，正しくカードを分類できるかをみる．慶應版WCST（KWCST）（図9）[16]は，脳卒中データバンクホームページのアーカイブより，無料でダウンロードでき，パソコン上で実施できる（2019年11月現在）[17]．また，三京房よりKWCSTのカード，マニュアル，記録用紙が出版されている[18]．

②Modified Stroop Test（修正ストループテスト）（図10）[19][20]

- ステレオタイプな反応を抑制する能力をみる検査．色名とは異なる色で印刷された漢字の印字色名を呼称する（赤で印字された青という漢字を赤と読む）課題と丸の色を読み上げる課題とで読みの速さを比較する．文字を読むという反応を抑制して色を答えることから，前頭葉機能障害では差が大きくなるといわれている．

③前頭葉簡易機能検査（Frontal Assessment Battery：FAB）（表21）

- Deboisらによって発表された前頭葉機能のスクリーニング検査で，6項目からなり，得点は0〜18点である．文献21の高木らの訳の他にも日本語訳が発表されている．20分程度で施行できる．65歳以上の高齢者では，11/12をカットオフ値とするのが妥当といわれているが，健常者でも年齢により得点が低下する可能性が指摘されている．

図9 Wisconsin Card Sorting Test（Keio Version）（KWCST）

上のような4枚の刺激カードを被検者の前に並べる．カードを分類する検査であること，「色」「形」「数」の3つの分類カテゴリー（分類の仕方）があることを説明する．検者は自分の分類カテゴリーに従って「正しい」か「誤り」のみしか言えないことを説明し，できるだけ「正しい」と言われるように考えてカードを置くように教示する．

被検者は分類カテゴリーを推測しながら反応カード48枚を1枚ずつ刺激カードの下に置いていく．検者は1枚ごとに「正しい」か「誤り」かのみを告げる．分類カテゴリーの変換順序は色→形→数→色→形→数で，1つの分類カテゴリーで6連続正反応の後には予告なしに分類カテゴリーを変換する．
　第1段階：上記のとおり実施
　第2段階：検者はある程度一定の分類カテゴリーを続け，時々変えていることを教える
正しく分類し続けられたカテゴリー数と所定の誤りのパターンを記録する．
文献16より引用．

【Part 1】

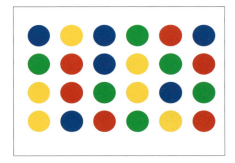

【Part 2】

各群におけるModified Stroop Testの結果

	健常群	前頭葉損傷群	他部位損傷群
症例数（人）	24	28	36
平均年齢	48.5±2.9	53.5±2.7	55.1±2.1
損傷側（左／右／両側）	―	8／7／6	9／20／3
Part 1（秒）	16.2±0.8**	26.0±2.4	27.7±2.9
Part 2（秒）	29.3±1.5*	49.4±4.4	53.3±5.2
Part 2 − Part 1（秒）	13.1±1.3*	23.3±2.9	25.7±3.3

*P<0.05，**P<0.01：前頭葉損傷群との有意差を示す．
Part2 − Part1：Part2とPart1の所要時間の差．

図10 Modified Stroop Test（修正ストループテスト）

Part1では丸の色名をできるだけ早く読み上げさせ，Part2では色名を印字した色を読み上げさせて，読み終わるまでの速度を計る．誤答はすぐに訂正させる．文献19をもとに作成．表は文献20をもとに作成．

3 標準化された検査

- 遂行機能障害症候群の行動評価法（Behavioral Assessment of Dysexecutive Syndrome：BADS）がある（表22）．

表21 前頭葉簡易機能検査（Frontal Assessment Battery：FAB）

問題1	類似性（概念化）	
	これから言う2つのものはどこが似ていますか．考えてください． 　以下に示すようなカテゴリー回答のみ正解．前頭葉障害のある患者は，2つの間の抽象的つながりが確立できず，「両方とも黄色い」，「1つは丸くてもう1つは長い」などと答えることがあるが，この場合は0点 　①バナナとみかん　　　　　　　　　（果物，食べ物） 　②テーブルと椅子　　　　　　　　　（家具） 　③チューリップ，バラ，ヒマワリ　　（花，植物） 　採点：すべて正解…3点，2つ正解…2点，1つ正解…1点，正解なし…0点	得点 ／3
問題2	語の流暢性（心の柔軟性）	
	「さ」で始まる言葉をできるだけたくさん言ってください．人の名前や地名などの固有名詞はいけません． 　最初の5秒間に回答がない場合，「例えば砂糖があります」と言う．患者が10秒間黙っていたら，「"さ"で始まる単語なら何でもいいです」と言って促す．砂糖，砂糖菓子などは1つとして数える．60秒間で終了する（反応がなくても60秒間は待つ）．答えは記録しておく． 　採点：10以上…3点，6～9…2点，3～5…1点，3未満…0点	得点 ／3
問題3	運動系列（運動プログラミング）	
	対象者の利き手を聞き，可能であれば利き手で実施してもらう．以下，対象者が右手で実施の場合を示す． 私がやることをよく見ていてください． 　検査者は対象者と対面し，左手でLuriaの系列＝グー，手刀，パーを3回繰り返す．このとき，テーブルや膝の上などで実施し，グーとパーでは手掌面を下に向ける．手刀では，パーの形で小指側（尺側）を下にする． 今度はご一緒にやってみましょう．右手でどうぞ．最初はご一緒に，後からお一人でやっていただきます． 　一緒に3回繰り返す． 今度は一人でやってみてください． 　採点：6回以上単独でできた…3点，3回以上単独でできた…2点， 　　　　一人ではできないが，検査者とともに3回できた…1点， 　　　　検査者とともに3回未満…0点	得点 ／3
問題4	葛藤指示（干渉刺激に対する敏感さ）	
	私が1回拍手したら2回拍手してください． 　拍手の難しい場合は，片手で膝やテーブルを叩くようにする．対象者が理解するまで3回1-1-1を反復する． 私が2回拍手したら1回拍手してください． 　対象者が理解するまで3回2-2-2を反復する． では今の決まり通り，拍手してください． 1-1-2-1-2-2-2-1-1-2 　採点：失敗なし…3点，1～2回失敗…2点，2回以上失敗…1点， 　　　　それ以上失敗…0点	得点 ／3
問題5	GO-NO-GO課題（抑制コントロール）	
	今度は決まりが変わります．私が1回拍手したら1回拍手してください． 　対象者が理解するまで3回1-1-1を反復する． 私が2回拍手したら拍手しないでください． 　対象者が理解するまで3回2-2-2を反復する． では今の決まり通り，拍手してください． 1-1-2-1-2-2-2-1-1-2 　採点：失敗なし…3点，1～2回失敗…2点，2回以上失敗…1点， 　　　　それ以上失敗…0点	得点 ／3
問題6	把握行動（環境に対する非影響性）	
	両方の手のひらを上にして膝の上に置いてください． 私の手を取らないでください． 　対象者に何も言わず対象者のほうを見ないで，検査者は自分の手を対象者の手に近づけて対象者の両方の手のひらに触れる．もし対象者が手を取ろうとすれば，「手を取らないでください」と伝える． 　採点：検査者の手を取らない場合…3点， 　　　　ためらったり，どうしたらよいかを聞く…2点， 　　　　ためらいなく手を取る…1点，注意しても手を取る…0点	得点 ／3
	合計得点	／18

文献21をもとに作成．

表22 高次脳機能障害の標準化された検査のまとめ

検査名	著者・発行元	概要	下位検査項目
行動性無視検査 (Behavioral Inattention Test (BIT) 日本版)	BIT日本語版作成委員会（石合純夫），新興医学出版社	1987年Wilsonらにより発表された原版を翻訳・改変して日本人のデータを収集して標準化された，半側無視を評価するための検査である．伝統的な検査7項目を集めた「通常検査」と，より日常生活上の課題を反映させた9項目からなる「行動検査」で構成されている．下位検査ごと，および通常検査・行動検査の合計点でカットオフ値が明示されている．日常生活上の半側無視の評価との関連性の検討から，BIT全下位検査が正常範囲の症例はADLで無視を示さないと予測でき，逆に1つでもカットオフ値があれば，半側無視である可能性が高いと判断できる．ただし，注意障害などでカットオフ値以下の得点となる場合もあり，半側無視の判断には，見落としの分布（左右差）の分析など，結果の質的な評価も必要である．	通常検査 　線分抹消試験 　文字抹消試験 　星印抹消試験 　模写試験 　線分二等分試験 　描画試験 行動検査 　写真課題 　電話課題 　メニュー課題 　音読課題 　時計課題 　硬貨課題 　書写課題 　地図課題 　トランプ課題
標準失語症検査 (Standard Language Test of Aphasia：SLTA)	日本高次脳機能障害学会（旧日本失語症学会）Brain Function Test委員会，新興医学出版社	日本で最もよく用いられている総合的な失語症検査で，失語症の鑑別診断，症状の継時的変化の把握，失語症リハビリテーションの手がかりを得る目的で開発された．所要時間は60～90分で，聴く，話す，読む，書く，計算の5種の検査領域合わせて26の下位検査からなる．対象者の負担を考慮して下位検査の中止基準があり，下位検査で区切れば複数回に分けて実施できる．多くの下位検査は6段階で評価されて反応特徴を詳細に把握できる．結果は各下位検査の正答率を表示するプロフィールとして示される．失語症のタイプ分類の指標はなく，検査結果から検者が判断することとなる．	Ⅰ．聴く： 　1 単語の理解 　2 短文の理解 　3 口頭命令に従う 　4 仮名の理解 Ⅱ．話す： 　5 呼称 　6 単語の復唱 　7 動作説明 　8 まんがの説明 　9 文の復唱 　10 語の列挙 　11 漢字・単語の音読 　12 仮名一文字の音読 　13 仮名・単語の音読 　14 短文の音読 Ⅲ．読む： 　15 漢字・単語の理解 　16 仮名・単語の理解 　17 短文の理解 　18 書字命令に従う Ⅳ．書く： 　19 漢字・単語の書字 　20 仮名・単語の書字 　21 まんがの説明 　22 仮名一文字の書取 　23 漢字単語の書取 　24 仮名・単語の書取 　25 短文の書取 Ⅴ．計算： 　26 計算

（次ページへつづく）

(前ページからのつづき)

検査名	著者・発行元	概要	下位検査項目
標準高次動作性検査 (Standard Performance Test for Apraxia：SPTA)	日本高次脳機能障害学会 Brain Function Test 委員会, 新興医学出版社	失行を総合的に検査する評価法で, 表5 で解説した構成障害（失行）や着衣障害（失行）も含まれている. 検査の実施には1時間半程度はかかるため, 2週間以内に検査を終了することとされている. 検者, 被検者ともに負担は少なくない. 下位検査項目を実施し, 麻痺や失語の影響を除きながら誤りを点数化し, プロフィールを作成する. 検査結果の数値を入力するとプロフィールにグラフが自動表示されるソフトが日本高次脳機能障害学会ホームページより無料でダウンロードできる.	①顔面動作, ②物品を使う顔面動作, ③上肢（片手）習慣的動作, ④上肢（片手）手指構成模倣, ⑤上肢（両手）客体のない動作, ⑥上肢（片手）連続的動作, ⑦上肢・着衣動作, ⑧上肢・物品を使う動作, ⑨上肢・系列的動作, ⑩下肢・物品を使う動作, ⑪上肢・描画（自発）, ⑫上肢・描画（模倣）, ⑬積木テスト
標準高次視知覚検査 (Visual Perception Test for Agnosia：VPTA)	日本高次脳機能障害学会 Brain Function Test 委員会, 新興医学出版社	1997年, 当時の日本失語症学会から公表・出版された. 視覚認知と視空間認知障害に対する包括的検査である. すべての施行には1時間半以上かかるので, 2週間以内に完遂する. 網羅的な検査のため, 検者, 対象者ともに負担は大きい. 検査結果はプロフィールに表し, 障害構造を総合的に判断する. 検査結果の数値を入力するとプロフィールを自動表示できるソフトが日本高次脳機能障害学会ホームページより無料でダウンロードできる. 下位検査は44項目あり, それが右の大項目7つに分類される.	①視知覚の基本機能 ②物体・画像認知 ③相貌認知 ④色彩認知 ⑤シンボル認知 ⑥視空間の認知と操作 ⑦地誌的見当識
Trail Making Test 日本版（TMT-J）	日本高次脳機能障害学会 Brain Function Test 委員会, 新興医学出版社	Part A では1〜25の数字を, また Part B では1〜13の数字と「あ」から「し」のひらがなを交互に線で結んでもらい, 所要時間を測定する. 従来使用されていたTMTの文字の分布やTrail長, 結ぶ順序などを見直し, 年代ごとに20歳代から80歳代までの健常者の平均所要時間と標準偏差が示されている. 平行検査としてセット1とセット2がある.	Part A および Part B
標準注意検査法 (Clinical Assessment for Attention：CAT)	日本高次脳機能障害学会 Brain Function Test 委員会, 新興医学出版社	これまで注意機能の検査として個別に行われていた課題を統合して標準化したもの. 覚度・注意の容量・選択性・分配性・ワーキングメモリなど注意の特性に沿った下位検査項目からなる. すべて実施すると100分程度かかる. 検者にも被検者にも負担のかかる検査である. 必要に応じ, 下位検査を選択して実施してもよい.	①Span：数唱, 視覚性スパン ②Cancellation and Detection Test（抹消・検出課題）：視覚性抹消課題, 聴覚性検出課題 ③Symbol Digit Modalities Test（SDMT） ④Memory Updating Test（記憶更新検査） ⑤Paced Auditory Serial Addition Test（PASAT） ⑥Position Stroop Test（上中下検査） ⑦Continuous Performance Test（CPT）
標準言語性対連合学習検査 (Standard Verbal Paired-associate Learning Test (S-PA))	日本高次脳機能障害学会 Brain Function Test 委員会, 新記憶検査作成小委員会, 新興医学出版社	2014年に日本高次脳機能障害学会で開発, 出版した有関係対語試験と無関係対語試験から構成される言語性記憶の検査. 東大脳研式記銘力検査（三宅式記銘力検査）にみられた単語の問題（古さ, 単語の出現頻度や親密度などの統制）, 検査セットが1種類しかない課題を踏まえて新たに作成された. 検査に使用する単語が吟味され, ABCの平行する3セットがあり, 16〜84歳では年齢群ごとの標準値が示されている.	有関係対語10対と無関係対語10対

(次ページへつづく)

(前ページからのつづき)

検査名	著者・発行元	概要	下位検査項目
日本版リバーミード行動記憶検査 (Rivermead Behavioral Memory Test：RBMT)	日本語版著者：綿森淑子ら， 千葉テストセンター	Wilsonらによって開発された原版の日本語版で，机上の検査で特定しにくい日常生活上の記憶の問題を把握するための検査である．繰り返し施行による練習効果を排除するため，同等性の検討のなされた4つの並行検査が用意されている．検査の素点から標準プロフィール得点，スクリーニング得点に換算すると，それぞれ年齢群（39歳以下，40歳〜59歳，60歳以上）別カットオフ値が示されている．下位検査項目は右のとおりである．	①姓名：顔写真から姓名を記憶し，後で再生 ②持ち物：対象者の持ち物を隠し，検査終了時に返却を要求する ③約束：20分後にセットしたタイマーが鳴ったら決められた質問をする ④絵：絵カード10枚の物品名を呼称させ，遅延後に再認（ダミーも含めた20枚から選択） ⑤物語：短い物語を聞かせ，直後再生と遅延再生 ⑥顔写真：未知の顔写真5枚を見せて性別と年齢についての判断をさせ，遅延後に再認（ダミーも含めた10枚から選択） ⑦道順：部屋の中に一定の道順を設定し，検者がたどるのを覚え，直後と遅延後に被検者に再生 ⑧用件：⑦で道順をたどる途中にある用件を同時実行 ⑨見当識と日付：日付などの見当識を尋ねる
ウェクスラー記憶検査改訂版 (Wechsler Memory Scale-Revised：WMS-R)	杉下守弘, 日本文化科学社	13の下位検査からなる，総合的記憶検査で，記憶の基盤となる注意・集中力も含めた，記憶のさまざまな側面を測定する．日本版は16〜74歳の間を年齢群に分けたうえで，「言語性記憶」「視覚性記憶」「一般的記憶」「注意/集中力」「遅延再生」の5つの指標（平均100，標準偏差15）が算出される．課題の難易度は高く，施行に60分程度はかかる複雑な検査であるので，軽度の記憶障害患者で職業復帰をめざす場合などに有用である．	①情報と見当識　⑩論理的記憶Ⅱ ②精神統制　　　⑪視覚性対連合Ⅱ ③図形の記憶　　⑫言語性対連合Ⅱ ④論理的記憶Ⅰ　⑬視覚性再生Ⅱ ⑤視覚性対連合Ⅰ ⑥言語性対連合Ⅰ ⑦視覚性再生Ⅰ ⑧数唱 ⑨視覚性記憶範囲
遂行機能障害症候群の行動評価法 (Behavioral Assessment of Dysexecutive Syndrome：BADS)	Barbara Wilson （監訳：鹿島晴雄）， 新興医学出版社	1996年にWilsonらによって開発された検査の日本版．遂行機能障害を呈する対象者にとって困難と思われる日常生活上の活動に類似した課題を集め，検査室で遂行機能障害を検出する目的で作成された．所要時間は30〜40分程度，下位検査ごとに0〜4点のプロフィール得点を得，総プロフィール得点0〜24点は年齢群別（40歳以下，41〜64歳，65〜87歳）の標準化点（平均100，標準偏差15）が得られる．標準化得点は結果の解釈の手がかりとはなるが，下位検査ごとにばらつきのある場合もあり，検査実施中の対象者の反応を質的に評価して遂行機能障害の内容を理解するように努めるべきである．得点化には関与しないが，BADSには「遂行機能障害の質問表（DEX）」があり，被検者本人および近親者から日常での問題について聴取できるようになっている．この結果は，BADS検査結果と比較したり，被検者と近親者のDEX結果を比較して，病識を把握するのに利用できる．下位検査項目は右のとおりである．	①規則変換カード検査：トランプを用いて規則に従って反応する．途中で変換された規則に従って正しく反応できるかをみる ②行動計画検査：提供された道具を使用して目的を達成するための方法を考える ③鍵探し検査：野原に見立てた10 cm四方の正方形を用い，落とした鍵を探す経路を計画する ④時間判断検査：日常の出来事の時間を判断する ⑤動物園地図検査：提示される規則に従って，動物園の地図上で見学の経路を計画する ⑥修正6要素検査：制限時間内に3種類の課題2組ずつ（計6課題）のすべてに手を付けるように実行する

文献

1) 山鳥 重：高次脳機能とは．「高次脳機能障害マエストロシリーズ①基礎知識のエッセンス」（山鳥 重，他/著），pp12-26，2007
2) 加藤伸司，他：改訂長谷川式簡易知能評価スケール（HDS-R）の作成．老年精神医学，2：1339-1347，1991
3) 加藤伸司：老年精神医学関連領域で用いられる測度 質問式による認知機能障害の評価測度（3）．老年精神医学，7：1235-1246，1996
4) 二木淑子：急性期の患者の高次脳機能の評価．「早期リハビリテーションマニュアル 手の外科から呼吸・循環リハまで」（聖マリアンナ医科大学リハビリテーション部/編），pp18-29，三輪書店，1995
5) 「臨床高次脳機能評価マニュアル2000」（今村陽子/著），新興医学出版社，2001
6) 長山洋史，他：日常生活上での半側無視評価法 Catherine Bergego Scaleの信頼性，妥当性の検討．総合リハ，39：373-380，2011
7) 「高次脳機能障害学」（石合純夫/著），pp51-80，医歯薬出版，2006
8) 鈴木匡子：失認の評価法．「Clinical Rehabilitation 別冊 高次脳機能障害のリハビリテーション Ver.2」（江藤文夫，他/編），pp193-197，医歯薬出版，2004
9) 先崎 章，他：臨床的注意評価スケールの信頼性と妥当性の検討．総合リハ，25：567-573，1997
10) 髙木繁治：高次脳機能検査．Modern Physician，21：1367-1369，2001
11) 吉本貴宜，他：人間ドックにおける認知症早期スクリーニング検査の試み－かなひろいテストとCT計測値の有効性の検討－．人間ドック，27：591-596，2012
12) 数井裕光，他：日本版日常記憶チェックリストの有用性の検討．脳神経，55：317-325，2003
13) 「高次脳機能障害学 第2版」（石合純夫/著），医歯薬出版，2012
14) 大達清美，太田喜久夫：三宅式記銘力検査．J Clin Rehabil，18：541-545，2009
15) 山下 光：本邦成人におけるRey-Osterrieth複雑図形の基準データ．精神医学，49：155-159，2007
16) 鹿島晴雄，加藤元一朗：Wisconsin Card Sorting Test (Keio Version) (KWCST)．脳と精神の医学，6：209-216，1995
17) 「ウィスコンシンカードソーティングテスト Ver.2.0」（慶應版WCST）(http://strokedatabank.ncvc.go.jp/archive/)，日本脳卒中データバンク
18) 「慶應版ウィスコンシンカード分類検査」（Grant DA, Berg EA/原案，鹿島晴雄，加藤元一郎/編著），三京房，2013
19) 田渕 肇，他：遂行機能障害の評価法．「Clinical Rehabilitation 別冊 高次脳機能障害のリハビリテーション Ver.2」（江藤文夫，他/編），pp176-181，医歯薬出版，2004
20) 齊藤寿昭，他：前頭葉損傷とWord Fluency－特に抑制障害との関連について．失語症研究，12：223-231，1992
21) 髙木理恵子，他：前頭葉簡易機能検査（FAB）－パーキンソン病患者における検討．脳神経，54：897-902，2002

第3章 脳機能・精神関連の評価

4 気分（うつ・不安）・思考の評価

> **学習のポイント**
> - 気分（うつ・不安）を観察・評価する方法を学ぶ
> - 思考の障害を観察・評価する方法を学ぶ

1 気分（うつ・不安）・思考を評価するにあたって

- 精神障害領域や身体障害領域，発達期領域や老年期領域など，いずれの領域であっても，セラピストがうつ状態，不安，思考障害のある対象者にかかわる機会は多い．
- 例えば，身体障害領域では脳血管障害に伴って，しばしば情動障害やうつ状態が観察される．また，老年期領域では老年期うつが課題となることは多い．
- 統合失調症を中心とした精神障害領域で活躍する理学療法士も近年増加している．この場合，理学療法士であっても，思考障害などの精神症状の基本的な部分は評価できることが必要になる．
- 本項では，気分（うつ・不安）・思考を評価する際の基本的な評価法を紹介する．
- それによって，どの領域のセラピストであっても，気分（うつ・不安）・思考の基本的な評価であれば実施可能になることを，または，基本的な評価結果であればその意味がわかるようになることを目標とする．

2 気分（うつ・不安）[1]

1）気分，うつ，不安とは

- **気分**とは感情状態を表す言葉の1つである．動きが少なく持続的な感情状態を指す．
- 類似した言葉として**情動**があるが，これは，一次的で激しい感情の動きを指す．
- 「気分」には，楽しさや愉快さや爽快さといった快の感情状態と，うつや不安や悲しさといった不快な感情状態の両方が含まれる．
- 本項では，特にうつ・不安という不快な気分の評価について説明する．
- ただし，楽しさや愉快さや爽快さといった快の感情状態であっても，亢進し過剰な場合は，

躁状態となり，本人の行動や生活に悪影響を及ぼすことがある．
- **うつ**とは憂うつで悲観的な気分である．しばしば不安も伴う．
- **不安**とは特定の対象がない漠然とした恐れの感情である．特定の対象がある恐れの感情は，**恐怖**という．

2) うつを観察するポイント

- うつは感情状態の1つであるが，その影響は感情面にとどまらない．表1で示すように，さまざまな側面でその影響が観察されうる．
- うつは，一日の中で症状が変化することが多い（日内変動）．症状は朝に強く出て，夕方に弱まる傾向をとりがちである．
- 感情面の症状として，抑うつ気分や悲哀感よりも不安が強く出るうつもある（後述表2を参照）．
- また，感情面や意欲面の症状は目立たず，身体面の症状のみが目立つタイプのうつもある．

表1 うつを観察するポイント

	症状	観察される言動の例
感情面	・抑うつ気分	⇒「気分が晴れない」「いつも憂うつ」，憂うつな表情
	・悲哀感	⇒「理由もなく悲しくなる」，理由もなく涙を流す
	・感情鈍麻	⇒「以前は楽しかったことを楽しく感じない」
意欲面	・意欲低下	⇒「何もかも面倒」「頭ではわかっているが身体が動かない」，外出しなくなる，他人との接触を避ける
思考面	・思考の制止，抑制	⇒「考えることができない」「頭に考えが浮かばない」，質問への応答の遅さ，応答内容の薄さ
	・妄想	⇒ 罪業妄想，貧困妄想，心気妄想
身体面	・睡眠障害	⇒「寝付けない（入眠困難）」「明け方に目が覚める（早朝覚醒）」「熟睡感がない（睡眠の質の低下）」
	・疲労感	⇒「疲れが抜けない」「以前に比べてひどく疲れやすい」，臥床傾向
	・食欲低下	⇒「何を食べてもおいしくない」，悪心・嘔吐，体重低下
	・自律神経症状	⇒ 口渇，発汗，便秘
	・感覚異常	⇒ 身体のさまざまな場所の疼痛やしびれ
行動面	・希死念慮，自殺企図	⇒「死にたい」「生きていても仕方ない」「生きていると家族に迷惑をかける」，自殺しようとする

3) 不安を観察するポイント

- 不安も感情状態の1つであるが，その影響は感情面にとどまらない．表2で示すように，特に身体面でさまざまな症状が観察されうる．

表2 不安を観察するポイント

	症状	観察される言動の例
感情面	・不安感	⇒ 「いつも漠然とした不安を感じている」「絶えずいらいらしている」「気持ちがそわそわして落ち着かない」「くつろげない」
身体面	・自律神経症状	⇒ 動悸，頻脈，血圧上昇，胸の苦しさ，過呼吸，口渇，冷や汗・発汗，頻尿
	・その他の身体症状	⇒ 手指の振戦，全身の震え，めまい，頭痛，筋緊張亢進

4）うつ・不安の検査法

- うつや不安の検査法としてさまざまなものが開発されている．
- うつの評価尺度の代表的な例としては，まず，**うつ性自己評価尺度**（Self-rating Depression Scale：**SDS**）があげられる（表3）．
- SDSは自記式で実施が簡便であるため，臨床でよく用いられる．
- なお現在，わが国では複数のSDS日本語版が出回っているが，本書では福田・小林版[2]を紹介する（図1）．
- また，**ハミルトンうつ病評価尺度**（Hamilton Rating Scale for Depression）[3]も，うつの評価尺度として広く用いられている（表4，5）．
- 脳卒中後のうつ・情動障害の評価に特化した検査法として，**日本脳卒中学会・脳卒中感情障害（うつ・情動障害）スケール**がある（表6）[4]．
- 日本脳卒中学会・脳卒中感情障害（うつ・情動障害）スケールには，「日本脳卒中学会・脳卒中うつスケール（JSS-D）」「日本脳卒中学会・脳卒中情動障害スケール（JSS-E）」「日本脳卒中学会・脳卒中感情障害（うつ・情動障害）スケール同時評価表（JSS-DE）」の3種類がある．
- 本書では，うつ・情動障害を1つの書式で検査できるJSS-DEを紹介する（図2）．

表3 うつ性自己評価尺度（SDS）

構成	・20項目からなる（図1）
評価方法	・対象者が自分で回答する ・各項目を「ないかたまに」「ときどき」「かなりのあいだ」「ほとんどいつも」の4段階で回答 ・回答に応じて各項目1〜4点の4段階で採点
評価結果	・最低点20点，最高点80点で，点数が高いほど，うつの程度が高い ・合計点40点未満：うつなし，50点以上：うつ
掲載文献	文献2

各項目をよく読んで現在のあなたの状態に当てはまると思う欄に丸を書きなさい．	ないかたまに	ときどき	かなりのあいだ	ほとんどいつも
1. 気が沈んで憂うつだ				
2. 朝がたは一番気分がよい				
3. 泣いたり，泣きたくなる				
4. 夜よく眠れない				
5. 食欲はふつうだ				
6. まだ性欲がある（独身者の場合）異性に対する関心がある				
7. やせてきたことに気がつく				
8. 便秘している				
9. ふだんよりも動悸がする				
10. 何となく疲れる				
11. 気持ちはいつもさっぱりしている				
12. いつもと変わりなく仕事をやれる				
13. 落ち着かず，じっとしていられない				
14. 将来に希望がある				
15. いつもよりいらいらする				
16. たやすく決断できる				
17. 役に立つ，働ける人間だと思う				
18. 生活はかなり充実している				
19. 自分が死んだほうがほかの者は楽に暮らせると思う				
20. 日頃していることに満足している				

【配点】
No.1,3,4,7,8,9,10,13,15,19：ないかたまに＝1点，ときどき＝2点，かなりのあいだ＝3点，ほとんどいつも＝4点
No.2,5,6,11,12,14,16,17,18,20：ないかたまに＝4点，ときどき＝3点，かなりのあいだ＝2点，ほとんどいつも＝1点

図1 SDS質問項目と配点
文献2をもとに作成．

表4　ハミルトンうつ病評価尺度

構成	・17項目版と21項目版がある（表5参照）
評価方法	・聞き取りと観察 ・最近1週間の状態を評価 ・各項目を0〜2点の3段階，または0〜4点の5段階で評価
評価結果	・点数が高いほど，うつが重い ・17項目版で16〜17点以上が「中等度以上のうつ」 ・21項目版の追加4項目は重症度を示すものではない
掲載文献	文献3

表5　ハミルトンうつ病評価尺度：評価項目一覧

1. 抑うつ気分	2. 罪業感	3. 自殺
4. 入眠障害	5. 熟眠障害	6. 早朝睡眠障害
7. 仕事と興味	8. 精神運動抑制	9. 激越
10. 精神的不安	11. 身体についての不安	12. 消化器系の身体症状
13. 一般的な身体症状	14. 性欲減退	15. 心気症
16. 体重減少	17. 病識（※17項目版はここまで）	18. 日内変動
19. 離人症	20. 妄想症状	21. 強迫症状

表6　日本脳卒中学会・脳卒中感情障害（うつ・情動障害）スケール同時評価表

構成	・うつスケールとして7つの質問項目，情動障害スケールとして8つの質問項目からなる ・うち4項目は両方のスケールに共通しており，全体は11の質問項目で構成されている
評価方法	・被検者からの聞き取りと観察 ・チェックの入った項目のスコアをすべて加算し，さらに，うつスケール・情動障害スケールそれぞれに既定の定数を足すと，うつと情動障害それぞれの重症度スコアが算出される
評価結果	・スコアの得点が高いほど，うつの重症度が高い，情動障害の重症度が高い，といえる ・再検査によって個人内比較が可能である
掲載文献	文献4

[1] 気分
　A. 気分爽快やうつ気分はなく，普通にみえる
　B. 気分がふさいでいる様子がある
　C. 気分が沈む，寂しい，悲しいという明らかな訴えや素ぶりがある

	うつ	情動障害
□	A=−0.98	A=−0.93
□	B=−0.54	B=−0.68
□	C= 1.52	C= 1.61

[2] 罪責感，絶望感，悲観的考え，自殺念慮
　A. 特に自分を責める気持ちはなく，将来に希望がある
　B. 自分は価値がない人間だと思い，将来に希望をなくしている
　C. 明らかな罪責感をもつ（過去に過ちをした，罪深い行為をしたなどと考える）ないしは死にたいという気持ちをもつ

	うつ	情動障害
□	A=−2.32	
□	B=−0.88	
□	C= 3.19	

[3] 日常活動（仕事，趣味，娯楽）への興味，楽しみ
　A. 仕事ないしは趣味・娯楽に対して，生き生きと取り組める
　B. 仕事ないしは趣味・娯楽に対して，気乗りがしない
　C. 仕事ないしは趣味・娯楽に対して完全に興味を喪失し，活動に取り組まない

	うつ	情動障害
□	A=−1.17	
□	B=−0.94	
□	C= 2.11	

[4] 精神運動抑制または思考制止
　A. 十分な活気があり自発的な会話や活動が普通にできる
　B. やや生気や意欲に欠け，集中力も鈍い
　C. 全く無気力で，ぼんやりしている

	うつ	情動障害
□	A=−0.84	
□	B=−0.53	
□	C= 1.37	

[5] 不安・焦燥
　A. 不安感やいらいら感はない
　B. 不安感やいらいら感が認められる
　C. いらいら感をコントロールできず，落ち着かない動作・行動がしばしばみられる

	うつ	情動障害
□	A=−1.11	A=−2.04
□	B=−0.64	B=−0.44
□	C= 1.75	C= 2.47

[6] 睡眠障害
　A. よく眠れる
　B. よく眠れない（入眠障害，熟眠障害ないしは早朝覚醒）
　C. 夜間の不穏（せん妄を含む）がある
　※付加情報：Bを選択した場合，以下のうち認められるものに○をする．複数選択可．
　　入眠障害（　　　）　途中覚醒・熟眠障害（　　　）　早朝覚醒（　　　）

	うつ	情動障害
□	A=−1.83	A=−1.72
□	B=−0.64	B=−0.98
□	C= 2.47	C= 2.70

[7] 表情
　A. 表情は豊かで，明るい
　B. 表情が乏しく，暗い
　C. 不適切な感情表現（情動失禁など）がある

	うつ	情動障害
□	A=−0.52	A=−0.80
□	B=−0.79	B=−0.45
□	C= 1.31	C= 1.25

[8] 日常生活動作・行動（入浴・着替え・洗面・娯楽など）に関する自発性と意欲の低下
　A. 自発的に活動し，通常の意欲がある
　B. 日常生活動作に働きかけが必要で，意欲に欠ける
　C. 働きかけても活動せず，全く無気力である

	うつ	情動障害
□		A=−1.05
□		B=−0.67
□		C= 1.72

[9] 脱抑制行動（易怒性，性的逸脱行動）
　A. 感情や異常な行動を抑制できる
　B. 悪態や乱暴な言葉，または軽い性的な言動がみられる（エロチックな発言や体にさわるなど）
　C. 異常で明らかな怒りや逸脱行為がみられる（物を投げる，つねる，叩く，ひっかく，蹴る，噛みつく，つばを吐く，叫ぶ，服を勝手に脱ぐなどの行動）

	うつ	情動障害
□		A=−5.53
□		B=−0.78
□		C= 6.31

[10] 病態・治療に対する対応
　A. 自分の身体の状態を認識し，その治療に前向きである
　B. 自分の身体の状態を認識しているが，治療への積極性がない
　C. 自分の身体の状態を認識していない

	うつ	情動障害
□		A=−1.18
□		B=−0.29
□		C= 1.47

[11] 対人関係
　A. 家族やスタッフとの交流は良好である
　B. 家族やスタッフとのかかわりに消極的で，関心が薄い
　C. 周囲との交流はほとんどなく，人との接触に拒否的である

	うつ	情動障害
□		A=−1.30
□		B=−0.58
□		C= 1.89

脳卒中うつスケール	
Total	
Constant	+9.50
Total score	

脳卒中情動障害スケール	
Total	
Constant	+14.00
Total score	

図2　日本脳卒中学会・脳卒中感情障害（うつ・情動障害）スケール同時評価表（JSS-DE）
文献4のpp212-213の表5より引用．

3 思考

1) 思考および思考の障害とは[1) 5)]

- **思考**とは，頭の中に思い浮かべた観念を整理・統合し，課題の分析や解決を行う，一連の心の働き，である．
- 「思考機能」の主要な側面として，ICF（国際生活機能分類）では4つをあげている（図3）．
- 思考の障害はこれらの4つの側面で発生する可能性がある．
- 統合失調症，うつ，認知症，脳血管障害など中枢神経系が関与するさまざまな状態で，思考の障害は観察される可能性がある．

図3　思考機能の4つの側面
文献5を参考に筆者が作成．

2) 思考の障害を観察するポイント

- 思考の障害は，図3で示した思考機能の4つの側面に従って観察することができる．
- 思考の障害がある対象者で観察される言動の具体例を表7に示す．

表7　思考の障害を観察するポイント

思考の障害	観察される言動の例
思考の速度の障害	⇒会話での返答がとても遅い ⇒行動がとても遅い
思考の形式の障害	⇒まとまらない発言をする ⇒話がとても回りくどい ⇒会話がかみ合わない ⇒行動のつじつまが合わない
思考の内容の障害	⇒妄想を訴える ⇒妄想に従った行動をする
思考の統制の障害	⇒同じ考えが強迫的に繰り返し頭に浮かぶ ⇒自分で考えている実感がない ⇒他人の考えを頭に吹き込まれている感じがする

3）思考の障害の検査法

- 現在広く使われている検査法で，思考の障害に特化したものはない．
- 統合失調症の症状全体についての検査法の中に，思考の障害に関する評価項目が含まれている．
- 統合失調症の症状を包括的に捉える検査法としては，**陽性症状・陰性症状評価尺度**（Positive and Negative Syndrome Scale：**PANSS**）が現在最も頻繁に用いられている（表8)[6]．

表8 陽性症状・陰性症状評価尺度（PANSS）

構成	・陽性症状尺度7項目，陰性症状尺度7項目，全般的精神症状尺度16項目の計30項目から構成されている（表9）
評価方法	・最近1週間の状態について評価面接を実施 ・対象者の家族や関係する職員から事前に収集した情報と合わせて評価する
評価結果	・各項目を「症状なし：1点」～「最重度：7点」の7段階で判定する ・症状の有無，その症状が対象者の行動や社会生活に与えている影響を合わせて評点を決める
掲載文献	文献7

表9 PANSSの下位尺度と評価項目

陽性症状尺度(P)	P1 妄想	P2 概念の統合障害	P3 幻覚による行動	P4 興奮
	P5 誇大性	P6 猜疑心/迫害感	P7 敵意	
陰性症状尺度(N)	N1 感情の平板化	N2 情緒的ひきこもり	N3 疎通性/ラポールの貧困さ	N4 受動性/意欲低下による社会的ひきこもり
	N5 抽象思考の困難さ	N6 会話の自発性と流暢さの欠如	N7 常同的思考	
全般的精神症状尺度(G)	G1 身体についての懸念	G2 不安	G3 罪責感	G4 緊張
	G5 反復・常同的な動作と姿勢	G6 抑うつ	G7 運動減退	G8 非協調性
	G9 異常な思考内容	G10 失見当識	G11 注意の障害	G12 判断力と病識の欠如
	G13 意志の障害	G14 衝動制御の障害	G15 没入性	G16 自主的な社会回避

文献6のp399表37-1を参考に筆者が作成．

4 精神障害における全般的機能の評価尺度

- 気分（うつ・不安）や思考の状態も含む，全般的な精神機能を評価する尺度としては，**全般的機能評価**（Global Assessment of Functioning：**GAF**）（表10）がよく用いられている[6]．
- GAFは精神疾患・精神障害のある対象者全般に用いられる評価尺度である．
- その時点での対象者の全般的な状態を，1（最も重症）～100（最も健康）の範囲で評価する．

表10 全般的機能評価（GAF）

精神的健康と病気という1つの仮想的な連続体に沿って，心理的，社会的，職業的機能を考慮せよ．身体的（または環境的）制約による機能の障害を含めないこと．

コード（注：例えば，45，68，72のように，それが適切ならば，中間の値のコードを用いること）

100-91	広範囲の行動にわたって最高に機能しており，生活上の問題で手に負えないものは何もなく，その人の多数の長所があるために他の人々から求められている．症状は何もない．
90-81	症状がまったくないか，ほんの少しだけ（例：試験前の軽い不安），すべての面でよい機能で，広範囲の活動に興味をもち参加し，社交的にはそつがなく，生活に大体満足し，日々のありふれた問題や心配以上のものはない（例：たまに，家族と口論する）．
80-71	症状があったとしても，心理的社会的ストレスに対する一過性で予期される反応である（例：家族と口論した後の集中困難），社会的，職業的または学校の機能にごくわずかな障害以上のものはない（例：学業で一時遅れをとる）．
70-61	いくつかの軽い症状がある（例：抑うつ気分と軽い不眠），**または**，社会的，職業的または学校の機能に，いくらかの困難はある（例：時にずる休みをしたり，家の金を盗んだりする）が，全般的には，機能はかなり良好であって，有意義な対人関係もかなりある．
60-51	中等度の症状（例：感情が平板的で，会話がまわりくどい，時に，恐慌発作がある），**または**，社会的，職業的，または学校の機能における中等度の障害（例：友達が少ない，仲間や仕事の同僚との葛藤）．
50-41	重大な症状（例：自殺の考え，強迫的儀式がひどい，しょっちゅう万引する），**または**，社会的，職業的または学校の機能において何か重大な障害（例：友達がいない，仕事が続かない）．
40-31	現実検討か意思伝達にいくらかの欠陥（例：会話は時々，非論理的，あいまい，または関係性がなくなる），**または**，仕事や学校，家族関係，判断，思考または気分，など多くの面での粗大な欠陥（例：抑うつ的な男が友人を避け家族を無視し，仕事ができない．子どもが年下の子どもを殴り，家で反抗的で，学校では勉強ができない）．
30-21	行動は妄想や幻覚に相当影響されている．**または**意思伝達か判断に粗大な欠陥がある（例：時々，滅裂，ひどく不適切にふるまう，自殺の考えにとらわれている），**または**，ほとんどすべての面で機能することができない（例：一日中床についている，仕事も家庭も友達もない）．
20-11	自己または他者を傷つける危険がかなりあるか（例：死をはっきり予期することなしに自殺企図，しばしば暴力的，躁病性興奮），**または**，時には最低限の身辺の清潔維持ができない（例：大便を塗りたくる），**または**，意思伝達に粗大な欠陥（例：ひどい滅裂か無言症）．
10-1	自己または他者をひどく傷つける危険が続いている（例：何度も暴力を振るう），**または**最低限の身辺の清潔維持が持続的に不可能，**または**，死をはっきり予測した重大な自殺行為．
0	情報不十分

文献6のp444表41-1より引用．

文献

1）「精神医学 第2版（標準理学療法学・作業療法学 専門基礎分野）」（上野武治/編），医学書院，2004
2）「SDSうつ性自己評価尺度」（福田一彦，小林重雄/著），サクセスベル
3）「現代臨床精神医学 改訂第11版」（大熊輝雄/著），金原出版，2008
4）日本脳卒中学会Stroke Scale委員会（感情障害スケール作成委員会）：日本脳卒中学会・脳卒中感情障害（うつ・情動障害）スケール．脳卒中，25：206-214，2003
5）「国際生活機能分類（ICF）―国際障害分類改定版―」（障害者福祉研究会/編），中央法規，2002
6）「統合失調症」（日本統合失調症学会/監），医学書院，2013
7）「陽性・陰性症状評価尺度（PANSS）マニュアル」（山田 寛，他/訳），星和書店，1991

第3章 脳機能・精神関連の評価

5 意欲・自己効力感の評価

学習のポイント
- 意欲の評価方法を学ぶ
- 自己効力感の評価方法を学ぶ

1 意欲の評価

1) 意欲の障害とは

- **意欲**とは，自ら何かをしようとする心の働きである．
- リハビリテーション臨床では，意欲の障害は，**アパシー**（apathy）として捉えることが多い．
- アパシーは興味や意欲の欠如と定義され，無関心や感情の平板化も含む概念である[1]．診断基準を表1に示す．
- アパシーはうつとの区別がしばしば問題となる．情動反応の平坦化，興味の減弱，無関心，発動性の低下などはアパシーにより特徴的な症状であり，自己否定，悲哀感，絶望感，罪業感情，無力感などはうつに特有の症状（3章-4参照）である[1]．
- 発動性の障害と意欲の障害とは必ずしも同義ではない．**意欲障害**は原則として心理的側面を捉えようとしているのに対し，**発動性障害**というのは身体的側面をも含む心身生命過程における駆動力の障害という意味合いを有する．両者の中間的な捉え方として，**自発性障害**という表現が使用されている場合がある[2]．

2) 観察の視点

- 主たる観察の視点を下記にあげる．また，次項で示す標準意欲評価法の評価項目を覚えておき，観察の参考にするとよい．
  - 表情や視線が状況に合っているか
  - 自ら発話するか．話しかけられたときの応答は十分か
  - 自ら日常生活活動（食事や排泄や入浴など）を行おうとするか
  - 発症前に好んでいた趣味的な活動などを行おうとするか
  - 周囲の状況に関心があるか
  - 社会的な出来事に関心があるか

表1 アパシーの診断基準

アパシーの診断にはA，B，C，Dのすべての基準を満たす必要がある

A. 患者の以前の機能レベルと比較して，年齢や環境を考慮しても，明らかに自発性の喪失あるいは低下が存在し，その変化は患者自身あるいは他者の観察から確認されること

B. 次の3つの領域のうち少なくとも2つの領域で，少なくとも1つの症候が存在し，それが少なくとも4週間にわたり大部分の時間持続すること

　領域B1-行動：
　　以下の少なくとも1つの症候で示されるような目的指向的行動の喪失または減弱：
　　　自発的症候：自発的行動の喪失（例えば，会話の開始，日常生活の基本的活動，社会的活動の探求）
　　　反応的症候：環境誘発的行動の喪失（例えば，会話への応答，社会的活動への参加）

　領域B2-認知：
　　以下の少なくとも1つの症候で示されるような目的指向的認知活動の喪失または減弱：
　　　自発的症候：日常的または新たな出来事への自発的思考や興味の喪失（例えば，挑戦的な仕事，社会的活動）
　　　反応的症候：日常的または新たな出来事への環境誘発的考えや興味の喪失（例えば，自宅，近所，地域社会での出来事）

　領域B3-情動：
　　以下の少なくとも1つの症候で示されるような情動の喪失または減弱：
　　　自発的症候：情動の喪失または減弱の観察あるいは自己報告（例えば，感情が減弱あるいは喪失したという自覚．他者による感情の平坦化の観察）
　　　反応的症候：好ましいあるいは否定的な刺激や出来事に対する感情的反応の喪失または減弱（例えば，興奮するような出来事，個人的な喪失，重篤な疾病，あるいは感情を揺さぶるニュースなどに対して感情変化がないあるいは情動反応が乏しいという観察者の報告）

C. 基準AおよびBの症候が，個人生活面，社会生活面，職業面あるいは他の重要な活動面で，著しい障害をもたらす

D. 基準AおよびBの症候が，次のいずれの項目によっても完全に説明ができない：身体的障害（例えば，視覚や聴覚の障害），運動障害，意識レベルの低下，あるいは物質（例えば薬物中毒や服薬）の身体的影響

文献1より引用．

3）標準意欲評価法 (Clinical Assessment for Spontaneity : CAS)[3] (表2～5)

- 2006年に日本高次脳機能障害学会によって作成され，信頼性の検討もされている．
- 対象は，脳損傷患者である．
- 他覚的，自覚的，行動観察的な視点からの評価を統合して，意欲の低下や自発性欠乏のレベルの評価を，可能な限り定量的に行うことを試みている．
- 以下の5つから構成される．
  ①面接評価
  ②質問紙法
  ③日常生活行動評価
  ④自由時間の日常行動観察
  ⑤臨床的総合評価
- ①面接評価では，半構造化面接に近い形の面接をしながら，意欲15項目，注意2項目の計17項目を，おのおの5段階で評価する（表2）．

表2　面接による意欲評価スケール

項目	5段階評価	評価点	備考
1. 表情	0. 状況にみあった表情変化がみられる 1. 状況にみあった表情変化がたいがいみられる 2. 状況にみあった表情変化が半分程度しかみられない 3. 状況にみあった表情変化がほとんどみられない 4. 状況にみあった表情の変化がまったくみられない		
2. 視線（アイコンタクト）	0. 視線があう 1. だいたい視線があう 2. 視線があうのは半分程度 3. ほとんど視線があわない 4. 視線がまったくあわない		
3. 仕草	0. 自発的な動きは自然である 1. 自発的な動きはだいたい自然である 2. 状況にみあった自然な動きは半分程度 3. 状況にみあった自然な動きがほとんどない 4. 状況にみあった自然な動きがまったくみられない		
4. 身だしなみ	0. 整っている 1. 部分的に少し乱れている 2. 部分的にかなり乱れている 3. 全体にかなり乱れている 4. 全体にひどく乱れている		
5. 会話の声量	0. ふつうの声の大きさである 1. 声が小さくときどき聞き取れないことがある 2. 声が小さく半分程度聞き取れない 3. 声が小さくたまに聞き取れるのみ 4. 声が小さくまったく聞き取れない		
6. 声の抑揚	0. 自然な抑揚がみられる 1. だいたい自然な抑揚がみられる 2. 抑揚のある部分が半分程度 3. ほとんど自然な抑揚がみられない 4. まったく抑揚がみられない		
7. 応答の量的側面	0. 質問に対して自然な答えが得られる 1. 質問に対してだいたい自然な答えが得られる 2. 質問に対して半分程度しか答えない 3. 質問に対してほとんど答えない 4. 質問に対してまったく答えない		
8. 応答の内容的側面	0. 答える内容は状況にみあった適切なものである 1. 答える内容はだいたい状況にみあったものである 2. 答える内容は漠然として半分程度しか理解できない 3. 答える内容はほとんど理解できない 4. 答える内容は不明瞭でまったく理解できない		
9. 話題に対する関心	0. 話題に対する関心がある 1. 話題に対する関心がほぼふつうにある 2. 話題に対する関心がふつうの半分程度 3. 話題に対する関心がほとんどみられない 4. 話題に対する関心がまったくない		
10. 反応が得られるまでの潜時	0. 質問に対してすぐ返事をする 1. 質問に対してだいたいすぐに返事をする 2. 質問に対する返事が遅れがちである 3. 質問に対する返事がなかなか得られない 4. 質問に対する返事がまったく得られない		

(次ページへつづく)

(前ページからのつづき)

項目	5段階評価	評価点	備考
11. 反応の仕方	0. 自分からふつうに話す 1. 尋ねると答えるが，自分から話すことは少ない 2. 自分からは話さないが，尋ねると答える 3. 自分からは話さず，尋ねてもたまにしか答えない 4. 自分からまったく話さず，尋ねても答えない		
12. 気力	0. ふつうに気力がある 1. 少し気力がないようにみえる 2. ふつうの半分程度しか気力がないようにみえる 3. かなり気力がないようにみえる 4. まったく無気力にみえる		
13. 自らの状況についての理解	0. 自分のおかれた状況についてよく理解している 1. 自分のおかれた状況についてだいたい理解している 2. 自分のおかれた状況を半分程度しか理解していない 3. 自分のおかれた状況をほとんど理解していない 4. 自分のおかれた状況をまったく理解していない		
14. 周囲のできごとに対する関心	0. 身のまわりで生起していることに関心をもっている 1. 身のまわりで生起していることにおおむね関心がある 2. 身のまわりで生起していることに半分程度しか関心がない 3. 身のまわりで生起していることにほとんど関心がない 4. 身のまわりで生起していることにまったく関心がない		
15. 将来に対する希望・欲求	0. 将来に対して希望・欲求がある 1. 将来に対しておおむねふつうの希望・欲求がある 2. 将来に対してふつうの半分程度しか希望・欲求がみられない 3. 将来に対してほとんど希望・欲求がみられない 4. 将来に対して希望・欲求がまったくみとめられない		
16. 注意の持続性	0. 注意を持続できる 1. 注意をだいたい持続できる 2. 半分程度しか注意を持続できない 3. ほとんど注意を持続できない 4. まったく注意を持続できない		
17. 注意の転導性 （注意が絶えず散乱する）	0. 注意が散乱することはない 1. ときに注意が散乱する 2. 中等度に注意が散乱する 3. しばしば注意が散乱する 4. たえず注意が散乱している		
意欲チェック項目（1〜15）評価点合計	／60点（　　　　％）		

＊項目16，17は注意障害の評価のための参照項目である．
文献3より引用．

- ②質問紙法では，対象者に質問紙を読んでもらい，過去数週間ないしは数日間の自分の考え，気持ち，行動に照らして最もよく当てはまると思われる4段階評価の該当箇所を，33の質問項目ごとに選択してもらう（表3）．
- ③日常生活行動評価では，16の項目ごとに，できるだけ7日間くらい観察してその平均の状態を，5段階で評価する（表4）．
- ④自由時間の日常行動観察では，対象者の日常行動を少し離れたところから観察する．評価期間は，最低5日間，できれば2週間であることが望ましい．行為する場所，行為内容，行為の質の評価，談話の質の評価，備考を評価用紙に記載する（表5）．

表3　質問紙法による意欲評価スケール

4段階評価
0：よくある　　1：少しある　　2：あまりない　　3：ない

　　　　　　　　　　　　　　　　　　　　　　　　　　　　　　　　　　　は逆転項目

項目	変換前評価点	変換後評価点
1. いろいろなことに興味がある	0　1　2　3	
2. やるべきことをその日のうちにやってしまう	0　1　2　3	
3. 自分で物事を始める	0　1　2　3	
4. 新しい経験をすることに興味がある	0　1　2　3	
5. 何かに努力する	0　1　2　3	
6. 生活に積極的に取り組む	0　1　2　3	
7. 興味あることに時間を費やす	0　1　2　3	
8. 他人に言われないと何もしない	0　1　2　3	
9. 自分の健康状態に関心がある	0　1　2　3	
10. 友人と一緒にいる	0　1　2　3	
11. 何か良いことがあるとうきうきする	0　1　2　3	
12. 自分の問題点について理解がある	0　1　2　3	
13. 将来の計画あるいは目標がある	0　1　2　3	
14. 何かしたいと思う	0　1　2　3	
15. はりきって過ごす	0　1　2　3	
16. 物事にかかわりをもちたくないと思う	0　1　2　3	
17. 腹が立つ	0　1　2　3	
18. やる気がない	0　1　2　3	
19. 集中して何かをする	0　1　2　3	
20. 活動的な生活を送る	0　1　2　3	
21. 何かするのに余計に時間がかかる	0　1　2　3	
22. 自分の身だしなみをかまわない	0　1　2　3	
23. すべてがうまくいっていると感じる	0　1　2　3	
24. 家事や仕事にとりかかるのに時間がかかる	0　1　2　3	
25. 周りの人々とうまくつきあう	0　1　2　3	
26. 自分のしていることに生きがいを感じる	0　1　2　3	
27. 容易に物事をきめられる	0　1　2　3	
28. 何かしようとしても手がつかない	0　1　2　3	
29. 日常生活を楽しく送る	0　1　2　3	
30. 問題があったときに積極的に解決しようとする	0　1　2　3	
31. 仕事や作業に打ち込む	0　1　2　3	
32. 相手から話しかけてこない限り，知らないふりをする	0　1　2　3	
33. 自分の興味あることについて，調べたいと思う	0　1　2　3	
変換後評価点合計	／99点（　　　％）	

文献3より引用.

第3章　脳機能・精神関連の評価

第3章-5　意欲・自己効力感の評価

表4 日常生活行動の意欲評価スケール

5段階評価
0：ほぼいつも自発的に行動できる．
1：いつも自発的とは限らず，ときに何らかの促しや手助けが必要で，促されれば行動できる．
2：ほぼいつも何らかの促しや手助けが必要で，促されれば行動できる．
3：促しや手助けがあってもいつも行動できるわけではなく，行動しないこともある．
4：多くの場合，促しや手助けがあっても行動しない．
　＊注1：「促しや手助け」とは，言語的な指示・助言，身体的介助などをいう．
　＊注2：項目16の「問題解決可能」とは，金銭管理，退院計画，他者からの相談事にのる，行事などの計画を立てるというようなことができる程度をいい，いずれか1つ可能なら「問題解決可能」とする．
　＊注3：行動の意欲評価に影響を及ぼすほどの特殊な状態がある場合は，備考欄に記入する．複数ある場合は複数記入する．
　　　略語：Aph (aphasia), Apr (apraxia), Ag (agnosia), At (attention), Mm (memory), In (intelligence), D (dependence), E (emotional), C (character), N (neglect), O (others)

項目	5段階評価					評価の可否	備考
1. 食事をする	0	1	2	3	4	P ・ I	
2. 排泄の一連の動作を行う	0	1	2	3	4	P ・ I	
3. 洗面・歯磨きをする	0	1	2	3	4	P ・ I	
4. 衣服の着脱をする	0	1	2	3	4	P ・ I	
5. 入浴を行う	0	1	2	3	4	P ・ I	
6. 訓練を行う	0	1	2	3	4	P ・ I	
7. 服薬をする	0	1	2	3	4	P ・ I	
8. テレビを見る	0	1	2	3	4	P ・ I	
9. 新聞または雑誌を読む	0	1	2	3	4	P ・ I	
10. 他者と挨拶をする	0	1	2	3	4	P ・ I	
11. 他者と話をする	0	1	2	3	4	P ・ I	
12. 電話をする	0	1	2	3	4	P ・ I	
13. 手紙を書く	0	1	2	3	4	P ・ I	
14. 行事に参加する	0	1	2	3	4	P ・ I	
15. 趣味を行う	0	1	2	3	4	P ・ I	
16. 問題解決可能	0	1	2	3	4	P ・ I	

評価点合計　すべて評価可能（P）である場合
　　　　　　　　　　　　　（　　　　）／P項目の数（ 16 ）×4＝　64　点（　　　％）
　　　　　　評価不能（I）がある場合
　　　　　　　　　　　　　（　　　　）／P項目の数（　　）×4＝（　　）点（　　　％）

文献3より引用．

- ⑤臨床的総合評価では，臨床場面での総合的な印象に基づき，下記の評価基準に則り，5段階の評価を行う．
    - ・段階0：通常の意欲がある
    - ・段階1：軽度の意欲低下
    - ・段階2：中等度の意欲低下
    - ・段階3：著しい意欲低下
    - ・段階4：ほとんど意欲がない

表5　自由時間の日常行動観察

観察期間　　　　年　　　月　　　日～　　　年　　　月　　　日

おもな観察記録者＿＿＿＿＿＿＿＿＿＿＿　　　評価担当者＿＿＿＿＿＿＿＿＿＿＿

行為する場所の分類
　S：社会生活　　H：家庭生活　　I：施設・病院内　　W：病棟内　　R：病室内　　B：ベッド上

行為の質：4段階評価
　0：意欲的・能動的・生産的行為，自発的問題解決行為
　1：自発的行為，習慣的行為
　　　　A：より受動的な行為
　　　　B：やや能動的な行為
　2：依存的生活
　　　　A：個人的な強い働きかけや身体援助でやっと行為する場合
　　　　B：言語的な指示だけで他の人と一緒に行為する場合
　3：無動

談話の質：5段階評価
　0：Remark　1：Talk　2：Chime　3：Yes-No（寡黙）　4：Mute（無言）
　意欲に影響を及ぼしていると考えられる様態があれば備考に記入する

自由時間の日常行動観察の実記録

月日 時刻	場所	自由時間の日常行動観察の記録	行為評価	談話評価	備考 （観察記録者）

文献3より引用．

第3章　脳機能・精神関連の評価

4) Vitality Index[4] (表6)

- 高度の意欲低下や認知症者でも評価可能な行動観察による評価法である．
- 評価項目は，「起床」「意志疎通」「食事」「排泄」「リハビリテーション，活動」の5項目で，おのおの3段階で評価する．

表6 意欲の指標 Vitality Index

1) 起床（Wake up）
 いつも定時に起床している …………………… 2
 起こさないと起床しないことがある ………… 1
 自分から起床することがない ………………… 0

2) 意志疎通（Communication）
 自分から挨拶する，話し掛ける ……………… 2
 挨拶，呼び掛けに対し返答や笑顔がみられる … 1
 反応がない ……………………………………… 0

3) 食事（Feeding）
 自分で進んで食べようとする ………………… 2
 促されると食べようとする …………………… 1
 食事に関心がない，全く食べようとしない …… 0

4) 排泄（On and Off Toilet）
 いつも自ら便意尿意を伝える，
  あるいは，自分で排尿，排便を行う ………… 2
 時々尿意，便意を伝える ……………………… 1
 排泄に全く関心がない ………………………… 0

5) リハビリテーション，活動（Rehabilitation, Activity）
 自らリハビリテーションに向かう，活動を求める
  ……………………………………………………… 2
 促されて向かう ………………………………… 1
 拒否，無関心 …………………………………… 0

除外規定；意識障害，高度の臓器障害，急性疾患（肺炎などの発熱）

判定上の注意
1) 薬剤の影響（睡眠薬など）を除外．起座できない場合，開眼し覚醒していれば2点
2) 失語の合併がある場合，言語以外の表現でよい
3) 器質的消化器疾患を除外．麻痺で食事の介助が必要な場合，介助により摂取意欲があれば2点（口まで運んでやった場合も積極的に食べようとすれば2点）
4) 失禁の有無は問わない．尿意不明の場合，失禁後にいつも不快を伝えれば2点
5) リハビリテーションでなくとも散歩やレクリエーション，テレビなどでもよい．寝たきりの場合，受動的理学運動に対する反応で判定する

文献4より引用．

5) やる気スコア (表7)

- Apathy Scale[5] を，岡田ら[6] が日本語訳し，意欲低下の評価法に用いた．
- 評価項目は14項目で，検者が各項目を質問し，対象者はおのおの4段階で回答する．

表7 やる気スコア

1) 新しいことを学びたいと思いますか？
2) 何か興味をもっていることがありますか？
3) 健康状態に関心がありますか？
4) 物事に打ち込めますか？
5) いつも何かしたいと思っていますか？
6) 将来のことについての計画や目標をもっていますか？
7) 何かをやろうとする意欲はありますか？
8) 毎日張り切って過ごしていますか？

（評価：全くない3　少し2　かなり1　おおいに0）

9) 毎日何をしたらいいか誰かに言ってもらわなければなりませんか？
10) 何事にも無関心ですか？
11) 関心を惹かれるものなど何もないですか？
12) 誰かに言われないと何もしませんか？
13) 楽しくもなく，悲しくもなく，その中間位の気持ちですか？
14) 自分自身にやる気がないと思いますか？

（評価：全く違う0　少し1　かなり2　まさに3）

Cutoff score 16 points. 文献6より引用.

2　自己効力感の評価

1) 自己効力感とは

- **自己効力感**は，バンデュラ（Bandura）によって提唱された社会的学習理論[7]の中核をなす概念の1つであり，1977年に報告された[8].
- 社会的学習理論では，ある結果を生み出すために必要な行動をどの程度うまく行うことができるかという個人の確信を「**セルフ・エフィカシー（Self-Efficacy：自己効力感）**」とよんでいる[9].
- 自己効力感は，個人の行動の変容を予測し，情動反応を抑制する要因となっている[10].
- 臨床的には，視線恐怖[11]，関節リウマチ[12]，1型糖尿病[13]などの疾患の症状と自己効力感との関連性が検討されている．

2) 観察の視点

- リハビリテーション臨床の対象者が，疾病や障害への対処あるいは日々の活動（例えば，平行棒内を歩くこと，1人でトイレに行き排泄をすること，家で料理をすること，趣味的な活動をすること）などについて，自分はどの程度うまくできると考えているか，感じているかを知ろうとする．
- そのうえで，対処時や活動時の積極性，不安感，自信の有無，努力の継続性などについて観察する．

3）一般性セルフ・エフィカシー（自己効力感）尺度(General Self-Efficacy Scale：GSES)（表8）

- 1986年に坂野らによって測定尺度が作成され[10]，信頼性，妥当性の検討もされている[14]．
- 通常のリハビリテーション臨床において，この尺度をそのまま使用することはあまりない．しかし，この尺度の質問内容，あるいは疾患ごとに工夫されている質問内容〔例えば関節リウマチ[12]（表9）〕を覚えておいて，それに似た内容をリハビリテーション臨床場面でさりげなく聞いてみたり観察してみたりすると，その対象者が自分の行動や能力についてどのように考えているか，感じているかを知ることができる．

表8　一般性セルフ・エフィカシー（自己効力感）尺度

以下に16個の項目があります．各項目を読んで，今のあなたにあてはまるかどうかを判断してください．そして右の応答欄の中から，あてはまる場合には『Yes』，あてはまらない場合には『No』を○で囲んでください．Yes, Noどちらにもあてはまらないと思われる場合でも，より自分に近いと思う方に必ず○をつけてください．どちらが正しい答えということはありませんから，あまり深く考えずにありのままの姿を答えてください．

1	何か仕事をするときは，自信をもってやるほうである．	Yes	No
2	過去に犯した失敗や嫌な経験を思い出して，暗い気持ちになることがよくある．	Yes	No
3	友人よりすぐれた能力がある．	Yes	No
4	仕事を終えた後，失敗したと感じることのほうが多い．	Yes	No
5	人と比べて心配性なほうである．	Yes	No
6	何かを決めるとき，迷わずに決定するほうである．	Yes	No
7	何かをするとき，うまくいかないのではないかと不安になることが多い．	Yes	No
8	引っ込み思案なほうだと思う．	Yes	No
9	人より記憶力がよいほうである．	Yes	No
10	結果の見通しがつかない仕事でも，積極的に取り組んでいくほうだと思う．	Yes	No
11	どうやったらよいか決心がつかずに仕事にとりかかれないことがよくある．	Yes	No
12	友人よりも特にすぐれた知識をもっている分野がある．	Yes	No
13	どんなことでも積極的にこなすほうである．	Yes	No
14	小さな失敗でも人よりずっと気にするほうである．	Yes	No
15	積極的に活動するのは，苦手なほうである．	Yes	No
16	世の中に貢献できる力があると思う．	Yes	No

文献9より引用．

表9 関節リウマチを対象とした自己効力感尺度の質問項目

	質問項目
Q 1	自分の痛みをうまくコントロールすることができる
Q 2	運動などを計画的に続けることができる
Q 3	自分の病気についてくよくよしないでいることができる
Q 4	治療に頼りきりになるのではなく，自分で健康を保つ努力ができる
Q 5	朝から活動的に行動することができる
Q 6	自分の体調について，積極的に医師から情報を得ることができる
Q 7	病気に関することで自分ができることを積極的に生活の中に取り入れることができる
Q 8	意欲的に自分の役割を果たすことができる
Q 9	自分は病気に負けないで前向きに生活することができる
Q10	自分の病気はこれ以上悪くならないと信じることができる
Q11	激しい痛みがあるときも，痛みを緩和することができる
Q12	痛みとうまく付き合っていくことができる
Q13	自分の病気をすべて受け止めることができる
Q14	自分の精神力で痛みに耐えることができる
Q15	いつも自分らしくすることができる
Q16	痛みがあっても，自分で動くよう努力ができる
Q17	ある程度の痛みは，何かで紛らわすことができる
Q18	自分の痛みや自分自身を客観的にみつめることができる
Q19	体調がよくなくても落ち込まずにいることができる
Q20	痛みがでないような（行動・環境・その他）工夫をすることができる

文献12より引用．

文献

1) 山口修平：脳血管障害とアパシー．老年精神医学雑誌，22：1047-1053, 2011
2) 大東祥孝：発動性障害の病理を探る．高次脳機能研究，24：184-189, 2004
3) 日本高次脳機能障害学会：標準注意検査法・標準意欲評価法．新興医学出版社，2008
4) 鳥羽研二：高度の意欲低下でも測定可能なアパシー（意欲障害）の評価－Vitality Index．「脳疾患によるアパシー（意欲障害）の臨床」（小林祥泰/編），pp19-25, 新興医学出版会，2008
5) Starkstein SE, et al：Apathy following cerebrovascular lesions. Stroke, 24：1625-1630, 1993
6) 岡田和悟，他：やる気スコアを用いた脳卒中後の意欲低下の評価．脳卒中，20：318-323, 1998
7) 「社会的学習理論―人間理解と教育の基礎」（Bandura A/著，原野広太郎/訳），金子書房，1979
8) Bandura A：Self-efficacy：toward a unifying theory of behavioral change. Psychol Rev, 84：191-215, 1977
9) 東條光彦，他：セルフ・エフィカシー尺度．「心理アセスメントハンドブック第2版」（上里一郎/監），p425, 西村書店，2001
10) 坂野雄二，他：一般性セルフ・エフィカシー尺度作成の試み．行動療法研究，12：73-82, 1986
11) 前田基成，他：系統的脱感作法による視線恐怖反応の消去に及ぼすSelf-efficacyの役割．行動療法研究，12：158-170, 1987
12) 笹野京子，他：慢性関節リウマチ患者の自己効力感尺度作成の試み．富山医科薬科大学看護学会誌，4：31-40, 2001
13) 関口真有，他：児童青年期の1型糖尿病患者の自己管理行動に関連する心理学的要因の検討―セルフエフィカシーに焦点をあてて―．心身医学，53：857-864, 2013
14) 坂野雄二：一般性セルフ・エフィカシー尺度の妥当性の検討．早稲田大学人間科学研究，2：91-98, 1989

第4章 全身機能の評価

1 栄養状態の評価

> **学習のポイント**
> - 栄養状態評価の意義・評価指標について学ぶ
> - 栄養不足の際の栄養補給の方法について学ぶ

1 栄養状態評価の意義

- 高齢者や感染リスクの高い術後患者では，病状の回復や低体力により，身体活動（運動量）に利用される消費エネルギーが食物などから得られる摂取エネルギーを上回ることで，栄養不良となるケースが多い．セラピストは適切な運動負荷量を設定するためにも客観的かつ継続的な栄養状態の評価と理解を実施すべきである．
- リハビリテーションにおいては，安静時のみならず運動時を想定し必要な栄養状態を評価（アセスメント）することが重要である．5章-10や7章-3で述べられているように，運動に必要なエネルギー量はMETsに代表される指標で把握できる．

2 栄養補給

- **栄養補給**の要否については，対象者の栄養状態が不足に陥っていないかを初期評価することによって判断する．しかし，消化管が機能していることが前提となる（図1）[1]．なぜならば，栄養状態と消化管機能により，栄養を管理する手段（経腸栄養もしくは静脈栄養）が大きく異なるからである．
- **経腸栄養**は，栄養素を口から補給する「経口法」と，チューブを用いて投与する「経管栄養法」に区分され，使用する栄養剤の選択にあたっては，腸管の機能，特に栄養素の消化・吸収能と腸管の安静度について十分に留意する必要がある．
- **静脈栄養**は，腕などの末梢静脈から投与する「末梢静脈栄養」と，中心静脈から投与する「中心静脈栄養」に区分され，糖質，アミノ酸や脂肪などの投与によりタンパク質の消耗を抑制する栄養管理が簡便になる．しかし，静脈栄養は，投与できるエネルギー量が1,000 kcal程度と上限があり，リハビリテーションを実施するにあたり補給するエネルギー量が十分ではないことも多い．

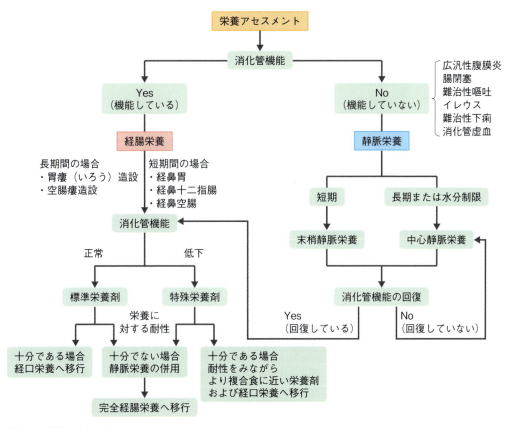

図1 栄養アセスメント
文献1より引用.

3 運動時の栄養

- 運動時の栄養管理は，**活動係数**（身体活動度に応じる内容）と**ストレス係数**（重症度に応じる内容）を考慮する．表1，2を参考にして，安静度に加えて活動やストレス係数から総エネルギー量を算出する[2]．

表1 活動係数（Activity Factor：AF）：活動度に応じて1.0〜1.8

安静	1.0
歩行可能	1.2
労働	1.4〜1.8

軽度：1.4，中等度：1.6，重度：1.8．

表2 ストレス係数（Stress Factor：SF）：重症度に応じて1.0〜2.0

術後3日間	軽度	1.2→胆嚢・総胆管切除，乳房切除
	中等度	1.4→胃亜全摘，大腸手術
	高度	1.6→胃全摘，胆管切除
	超高度	1.8→膵頭十二指腸切除，肝切除，食道切除
熱傷		熱傷範囲10％ごとに0.2ずつUP（MAXは2.0）
臓器障害		1.2＋1臓器につき0.2ずつUP（4臓器以上は2.0）
体温		1.0℃上昇→0.2ずつUP（37℃：1.2，38℃：1.4，39℃：1.6，40℃：1.8）

4 栄養状態の評価

1）身体計測

❶ 体重変化率

- 食事などの摂取量（エネルギー摂取量）が減少し基礎代謝量や運動量（エネルギー消費量）を下回ると，体重変化率は増加する（体重が減少するという変化のスピードが増える）．そのため，定期的に体重変化率を確認し，栄養管理を実施する（表3）[2]．
  - ▶体重変化率(％)＝〔通常時体重(kg)－現体重(kg)〕／通常時体重(kg)×100

❷ 身体構成成分

- 身体構成成分と関連する栄養不良の評価指標を示す（図2）[3]．また，栄養不良を判定する重症度の判定基準を表4[4]に，上腕周囲長などの測り方を図3[2]に示す．

表3 体重変化率の判定基準

期間	体重変化率
1週間	2％以上
1カ月	5％以上
3カ月	7.5％以上
6カ月	10％以上

表中の値以上に体重変化率が増加すると，有意な体重減少とされ，積極的な栄養療法の適応となる．

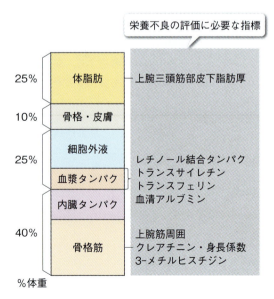

図2 身体構成成分
文献3をもとに作成．

表4 栄養不良指標

	軽度栄養不良	中等度栄養不良	高度栄養不良
％上腕周囲	80〜90	60〜79	＜60
％上腕三頭筋部皮下脂肪厚	80〜90	60〜79	＜60
％上腕筋周囲	80〜90	60〜79	＜60
血清アルブミン値（g/dL）	3.1〜3.5	2.5〜3.0	＜2.5
レチノール結合タンパク（mg/dL）	2.8〜3.5	2.1〜2.7	＜2.1
トランスサイレチン（mg/dL）	11〜15	5〜10	＜5
トランスフェリン（mg/dL）	151〜200	100〜150	＜100
総リンパ球数（/mL）	1,200〜2,000	800〜1,199	＜800

％上腕周囲，％上腕三頭筋部皮下脂肪厚，％上腕筋周囲は，「それぞれの日本人の新身体計測基準値（JARD2001）」を100％とした時の割合．

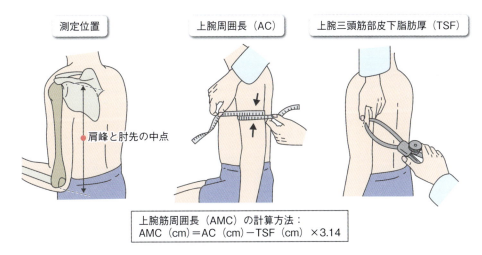

図3　上腕周囲長，上腕三頭筋部皮下脂肪厚の測定と上腕筋周囲長

❸ 身体活動

- 握力，歩行能力などの評価からも栄養不足に伴う身体活動量の低下の有無を確認する．具体的な評価項目と説明は4章-2，5章-10などを参照する．

2）血液生化学的検査

- 栄養状態を把握するために必要な血液生化学的検査では，静的指標となる血清アルブミン（Alb）と動的指標となる急性相タンパク（RTP）を確認する[5]．
- 血清アルブミンは総タンパク質量の60％程度を占め，浸透圧の維持と栄養・代謝物質の運搬作用をもつ．そのため，栄養管理の代表的な指標とされる．しかし，血清アルブミンは血中半減期が14〜21日と長いため，長期間の栄養状態（およそ3週間前）を反映する．
- 急性相タンパクは，レチノール結合タンパク，トランスサイレチン，トランスフェリンなどであり，血中半減期が0.5日〜7日と短く，リアルタイムの栄養状態を反映する（表4）．

■ 文献

1) ASPEN Board of Directors and the Clinical Guidelines Task Force：Guidelines for the use of parenteral and enteral nutrition in adult and pediatric patients. JPEN J Parenter Enteral Nutr, 26：1SA-138SA, 2002
2)「日本静脈経腸栄養学会 静脈経腸栄養ハンドブック」(日本静脈経腸栄養学会/編), 南江堂, 2011
3) Blackburn GL：Nutritional assessment and support during infection. Am J Clin Nutr, 30：1493-1497, 1977
4)「NSTで使える栄養アセスメント＆ケア」(足立香代子, 小山広人/編), 学研メディカル秀潤社, 2007
5) 青木芳和：血漿蛋白による栄養アセスメント. 臨床病理レビュー, 127：12-16, 2003

第4章 全身機能の評価

2 フレイルの評価

学習のポイント
- フレイルの概念について学ぶ
- フレイルの判定基準について学ぶ

- フレイル（Frail）とは，特に国外の老年医学の分野で用いられている「**Frailty**」（フレイルティ）という用語に対する日本語訳で，「虚弱」や「老衰」，「脆弱」を意味する．
- 高齢者に起こりやすい「Frailty」は**可逆的である**（適切な介入や支援を行えば，再び健常な状態に戻る）という意味をもつとしている．
- フレイルは，「加齢とともに心身の活力（運動機能や認知機能など）が低下し，複数の慢性疾患の併存などの影響もあり，生活機能が障害され，心身の脆弱性が出現した状態であるが，一方で適切な介入・支援により，生活機能の維持向上が可能な状態像」とされている[1]．
- 健康な状態と日常生活で支援が必要な介護状態の中間を意味し，一般に，高齢者で発症しやすく，フレイルを経て要介護状態へ進むと考えられている（図）．

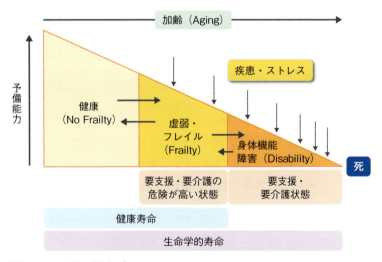

図　フレイルの概念[1]

1 フレイルになるメカニズム

- 身体活動量の低下によって総エネルギー代謝が減少し，食欲減退から低栄養状態に陥る．その状態が筋量減少を招き，筋力や有酸素能力の低下から歩行能力が低下し，さらに活動を制限させる結果となる．また筋量の減少は基礎代謝量を低下させ，総エネルギー代謝の減少に影響を及ぼす．この一連の悪循環が高齢者にフレイルをもたらす．

2 フレイルの判定基準

- フレイルの基準として，Friedが提唱したものが採用されることが多い．Friedの基準には5項目あり，3項目以上該当すると**フレイル**，1または2項目だけの場合にはフレイルの前段階である**プレフレイル**，いずれにも該当しない場合を**ロバスト（健常）**と判断する[2]．
  ①体重減少：意図しない年間4.5 kgまたは5％以上の体重減少
  ②疲れやすい：何をするのも面倒だと週に3〜4日以上感じる
  ③歩行速度の低下
  ④握力の低下
  ⑤身体活動量の低下
- わが国では，日本語版CHS（Cardiovascular Health Study）基準（表）が提唱され[3]，その妥当性も示されている[4,5]．
- なお，フレイルには，体重減少や筋力低下などの身体的な変化だけでなく，気力の低下などの精神的な変化や社会的なものも含まれる．**フレイルエルダリー**（frail elderly）とは，通常，多くの慢性疾患とともに，精神・心理的な問題を抱えたり，社会的な問題を併せもつ状態を意味する．

表　日本語版CHS（Cardiovascular Health Study）

項目	評価基準
体重減少	6カ月で，2〜3 kg以上の体重減少
筋力低下	握力：男性＜26 kg，女性＜18 kg
疲労感	（ここ2週間）わけもなく疲れたような感じがする
歩行速度	通常歩行速度＜1.0 m/秒
身体活動	①軽い運動・体操をしていますか？ ②定期的な運動・スポーツをしていますか？ 上記の2つのいずれにも「1週間に1度もしていない」と回答

あてはまる項目数によって判断する．0項目：健常，1〜2項目：プレフレイル，3項目以上：フレイル．文献3と4をもとに作成．

■ 文献

1) 長寿医療研究センター病院レター 第49号「虚弱（フレイル）の評価を診療の中に」(https://www.ncgg.go.jp/hospital/iryokankei/documents/hospitalletter49.pdf)
2) Pedone C, et al：Are Performance Measures Necessary to Predict Loss of Independence in Elderly People? J Gerontol A Biol Sci Med Sci, 71：84-89, 2016
3) 佐竹昭介：基本チェックリストとフレイル．日老医誌，55：319-328, 2018
4) Satake S, et al：Prevalence of frailty among community-dwellers and outpatients in Japan as defined by the Japanese version of the Cardiovascular Health Study criteria. Geriatr Gerontol Int, 17：2629-2634, 2017
5) Makizako H, et al：Impact of physical frailty on disability in community-dwelling older adults: a prospective cohort study. BMJ Open, 5：e008462, 2015

第5章 身体部位別の検査

1 姿勢評価・形態測定

> **学習のポイント**
> - ヒトの抗重力姿勢の特徴や姿勢評価の意義・手順・観察のポイントについて学ぶ
> - 形態測定の意義・目的・注意事項について学ぶ
> - 四肢長の測定方法について学ぶ
> - 四肢，頭部・体幹の周径の測定方法について学ぶ

A) 姿勢評価

1 ヒトの抗重力姿勢の特徴

- **姿勢**（posture）は，運動学的概念で考えると，頭部・体幹・四肢の相対的位置関係を表す"**構え**（attitude）"と身体が重力の方向とどのような関係にあるかを表す"**体位**（position）"に大別される．
- 構えは身体各部の位置関係を関節角度によって表現することが可能であり，体位は身体が重力に抗して接地している面（**支持基底面**）と体重心との関係により表現することが可能である．

表1 立位姿勢の安定性の要因

要因	説明
重心の高さ	重心の位置が低いほど安定性はよい
支持基底面の広さ	支持基底面とは，身体を支持する面の外縁の面積を指す．立位姿勢の場合，床に接地した両足底間の外縁面積である．杖を使用すると支持基底面は広くなり，安定性は増す
支持基底面と重心線の関係	支持基底面の重心線の位置が中心に近いほど安定性はよい
質量	質量が大きいものほど外力に対する安定性はよい
摩擦	接触面（床など）の摩擦抵抗が大きいほど安定性はよい
分節性（構造物と重心性の関係）	分節構造よりも単一構造の方が安定性がよい．また各分節の重心線が一致し，構造物がまとまって並ぶほど安定性はよい
心理的要因	目隠しや高所から下を見下ろす場面では，不安感・恐怖感等の心理的要因によって立位安定性は低下する
生理学的要因	抗重力筋の筋力や姿勢反射・反応などの働きが低下すると立位は不安定となる

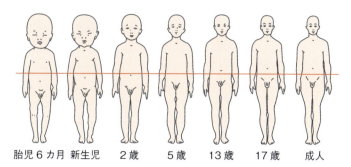

胎児6カ月　新生児　2歳　5歳　13歳　17歳　成人

図1　胎児から成人のプロポーションと体重心の変化
文献1のp310より引用.

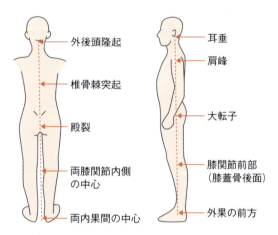

図2　ヒトの重心線
文献1のp310をもとに作成.

- ヒトが重力に抗して，最小限の筋活動で安定した立位を保持するとき，種々の要因が影響を及ぼす（表1）.
- 臨床的には「立位姿勢のアライメント*（分節性）」や「支持基底面の広さと重心位置の関係」から安定性を観察することができる．また，ヒトの抗重力姿勢は，胎児から成人までのプロポーションの変化や加齢的変化によっても経年的変化を遂げるので，年齢を加味して分析する必要がある（図1）．ヒトの一般的な重心線を図2に示す．

*アライメント（alignment）：各関節や骨・軟骨の配列のこと．

2　異常姿勢のタイプと原因

- 臨床においては，異常姿勢は多種多様であるが，一般的な異常姿勢のタイプを図3に示す．
- 異常な姿勢の原因には，**体位による要因**や**構築学的な要因**がある．前者は，長時間の立位や座位を保ち，前かがみや円背姿勢をとる人に多くみられる．そのような不良姿勢が続くと筋長や筋力のアンバランスを生じ，さらに長期間の経過や加齢等の誘因が重複すると不良姿勢が構築される．後者は先天的奇形や発達障害における変形，外傷や疾患などにより生

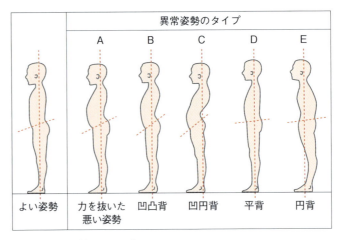

図3 異常姿勢のタイプ
文献2のp384より引用.

じ，容易に異常姿勢となりやすい．例えば脚長差や側弯症，関節拘縮・強直等を呈すると，姿勢の変化が起きる．

3 姿勢評価の意義

- 姿勢評価は，立位・座位（抗重力姿勢）や背臥位・腹臥位の静的姿勢変化を介して，不良姿勢や形態異常の有無，関節拘縮や強直などの骨関節障害の有無，筋長や抗重力筋のアンバランスの有無等とその程度を把握するのに行われる．
- 臨床では，運動機能障害の原因を推察する等のリハビリテーション評価の導入時や治療効果の判定に活用されている．

4 姿勢評価の手順

- 姿勢評価のスクリーニング検査は，①体格・姿勢タイプ→②立位姿勢（正面，側面，後面）→③立位前屈位（正面，側面，後面）→④座位姿勢（正面，側面，後面）→⑤背臥位→⑥腹臥位（可能であれば）→⑦下肢長（棘果長，転子果長）測定の手順で進める．
- 最終的に，姿勢のスクリーニング検査から考えられる問題点（運動機能障害の仮説）を列挙し，推測した運動機能障害を立証するために必要な評価項目を選択する．

1）体格・姿勢タイプ

- 最初に，体格や姿勢のタイプ（図3）を観察する．次に身長や体重を測定し，体格指数（後述，表2参照）を算出する．

2）立位姿勢（正面，側面，後面）（図4）

- 日頃のリラックスした立位姿勢をとるように指示する．
- 体表解剖学的ランドマーク（肩峰，上前腸骨棘，腸骨稜など）をもとに，正面，側面，後面から観察する．必要に応じて，ランドマークを触診しながら観察を進める．
- 左右差やよい姿勢における立位アライメントとの逸脱した部位を見極める．支持基底面と体重心位置を確認し，立位姿勢の安定性を推測する．

3）立位前屈位（正面，側面，後面）（図5）

- 立位姿勢の状態から，前屈位をとらせる．「指先で床に触れて」等の口頭指示を与えるとよい．
- この検査では脊柱分節やハムストリングスの柔軟性の所見が得られる．また側弯症の症例では，この姿勢で側弯症の所見が消失する場合，非構築性側弯症との判定ができる．

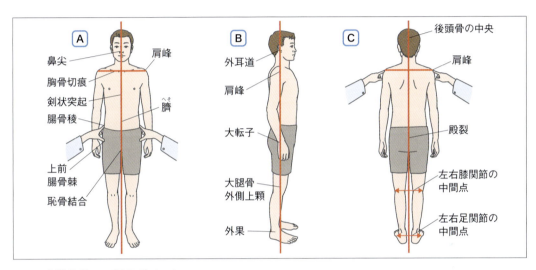

図4　立位姿勢での観察ポイント
A）正面からのアライメント観察．重心線の位置やランドマークの左右差を確認する．B）側面からの観察．側面での重心線の位置を確認する．C）前面からの観察をもとに，後面からの観察を行う．

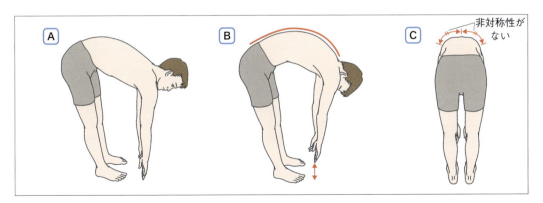

図5　立位前屈位での観察ポイント
A）ハムストリングスの柔軟性がよい場合，B）ハムストリングスの短縮により腰椎の代償にて前屈，C）後面からの観察により構築性側弯症の有無を確認する．

4）座位姿勢（正面，側面，後面）（図6）

- 立位姿勢から椅座位をとらせ，立位と同様の手順で観察を行う．下肢コンパートメント（部分）を除いた，骨盤から上側（頭側）の頭頸部・体幹分節性や両肩甲帯・上肢のアライメントの状況を把握することができる．
- 側面からの観察では，脊柱前・後弯の程度や脊柱起立筋群と腹筋群の筋活動の状況を把握する．

5）背臥位（図7A）

- リラックスした背臥位姿勢をとらせ，頭頸部・体幹・四肢のアライメントを観察する．

6）腹臥位（図7B）

- 背臥位後，可能であれば腹臥位をとらせる．この姿勢は，頭頸部や脊柱，股・膝関節の伸展の関節可動性の状況を一挙に観察できる．

7）下肢長（棘果長，転子果長）

- 最後に，下肢長（棘果長，転子果長）を計測し，左右の形態異常の有無を把握する．

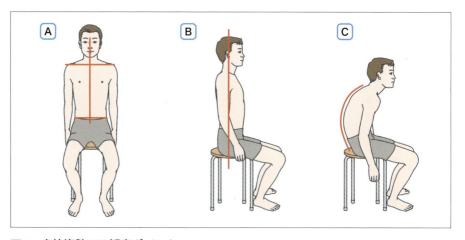

図6　座位姿勢での観察ポイント
A）正面からのアライメント観察，B）側面からのアライメント観察，C）脊柱が後弯した症例の場合．リラックスした姿勢で評価する．

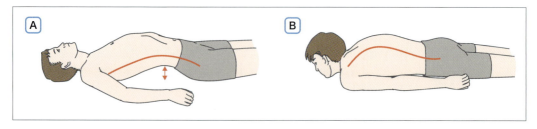

図7　背臥位・腹臥位での観察ポイント
A）背臥位での観察．腰椎前弯が強い症例の場合，腰部隙間がみられる．B）腹臥位での観察．胸椎に構築学的な後弯を有する場合．

B）形態測定

1 身長，体重の測定と体格指数

- 身長と体重は身体の構造的特徴を示す基本的な指標であり，小児では発育状況等を評価する際に，成人では低栄養状態や肥満の有無を評価する際に活用される．
- また肥満や身体発育の判定には，身長と体重から算出された**体格指数**が用いられる（表2）．

1）測定の進め方

- 身長は身長計で測定し，単位はcmで，小数点第1位までを記録する．立位が困難な場合には，背臥位で巻尺で測定する．
- 体重は体重計で測定し，単位はkgで，小数点第1位までを記録する．体重計に乗ることができないときは，車椅子に乗ったままで測定する体重計（車椅子用体重計），あるいは体重を測定できる機能が付いたベッド（デジタルスケールベッド）が用いられる．また，体重を厳密に管理している患者においては，着衣の重量も計測し，正確に体重を計測する．
- 身長，体重とも日内変動があるので，測定時間を一定にする方がよい．一般に，午前10時頃は日内変動の中央値に近いとされており，この時間帯に測定する方が望ましい．

2）体格指数と判定基準

- 体格指数は身体と体重から算出される．BMIが有名だが，種々の体格指数がある（表2）．

表2 体格指数

体格指数	算出式	判定基準		適応範囲
BMI (Body mass index)	体重（kg）/ 身長（m）^{2}	18.5未満 18.5以上〜25.0未満 25.0以上〜30.0未満 30.0以上〜35.0未満 35.0以上〜40.0未満 40.0以上	低体重（やせ） 普通体重 肥満（1度） 肥満（2度） 肥満（3度） 肥満（4度）	成人の肥満の程度を表す指数．
ローレル指数 (Rohrer index)	体重（kg）/ 身長（cm）$^3 \times 10^7$	〜101未満 101以上〜116未満 116以上〜145未満 145以上〜160未満 160以上	やせすぎ やせている 標準 太っている 太りすぎ	学童期の子どもに適用される． 児童・生徒の肥満の程度を表す指数．
カウプ指数 (Kaup index)	体重（g）/ 身長（cm）$^2 \times 10$	13未満 13以上〜15未満 15以上〜19未満 19以上〜22未満 22以上	やせすぎ やせぎみ 標準 太りぎみ 太りすぎ	生後3カ月から満5歳までの乳幼児に適用される． 乳幼児の身体発育の程度を表す指数． 月齢別の発育状態の「標準」 　乳児（3カ月以後）：16〜18 　幼児（満1歳）：15.5〜17.5 　幼児（1歳6カ月）：15〜17 　幼児（満2歳）：15〜16.5 　幼児（満3〜5歳）：14.5〜16.5

2 四肢長および周径の測定

1) 意義・目的，注意事項

- 四肢長は上肢・下肢あるいは各肢節の長さを，周径は四肢や体幹の太さをそれぞれ計測するものである．これらの計測によって，種々の身体的特徴を把握することができる（表3）．
- 測定にあたっては，表4に示したような点に留意する．

表3 四肢長・周径測定の意義・目的

四肢長測定の意義・目的	① 各肢節間の全体的バランスの把握 ② 左右の四肢長の比較 ③ 骨折による転位や偽関節の有無 ④ 骨盤の傾斜と腰椎の弯曲の有無 ⑤ 肘・股・膝関節などの関節拘縮の有無 ⑥ 四肢切断における切断長の把握 ⑦ 仮性延長や仮性短縮の判定
周径測定の意義・目的	① 身体の栄養状態（肥満度）の把握 ② 筋萎縮や筋肥大の把握 ③ 四肢の腫脹・浮腫の把握 ④ 切断肢の成熟度の把握 ⑤ 胸郭拡張差の把握

表4 測定上の留意点

測定上の留意点	① 測定部の衣服は原則として脱がせる ② 異常姿勢，代償的な姿勢を矯正し，可能な限り基本的姿勢で行う ③ 測定に影響する関節可動域制限を確認する ④ 測定部位に皮膚鉛筆でマークを付け，同一部位を測定する ⑤ 巻尺はよじれたり，たるんだりさせない

2) 測定の進め方

- 最初に，患者に測定の目的や方法などを説明し同意を得る．
- 測定場所は個室あるいはカーテンで仕切られた環境とし，測定部位は原則として脱衣させる．事前に測定点を確認し，皮膚鉛筆でマークを付けた方がよい．
- 測定は3回行い，その平均値を記載する．単位はcmで，小数点第1位まで測定する．臨床的には0.5 cm間隔で記録する場合もある．

1 四肢長の測定方法概略（詳細は後述）

①肢位の選択をする．上肢長の測定は座位または立位で，上肢を体側に下垂し，肘関節伸展，前腕回外，手関節中間位とする．座位または立位保持が不可能な場合は，背臥位で行う．下肢長では背臥位で骨盤を両下肢と直角となるように水平にし，下肢を伸展させ，股関節内・外転中間位，内・外旋中間位とする．
②測定点を確認し，巻尺を用いて測定点間の距離を測定する．

2 周径の測定方法概略（詳細は後述）

①肢位の選択をする．上肢周径の測定は座位で，上肢を体側に下垂し，肘関節伸展，肩関節は内・外旋中間位とする．大腿周径は背臥位でやや開排し，膝関節伸展位とする．下肢筋全体をリラックスさせる．下腿周径では膝関節を屈曲させ，下腿後面の膨隆部がベッドに触れないようにする．
②測定点を確認し，巻尺を用いて四肢・体幹の周径を測定する．巻尺は測定する四肢・体幹の長軸に対して直角に当て，締め付けない程度で皮膚に密着させる．

3) 四肢長の測定

● 四肢長測定時の肢位や測定点について，図8，表5に示す．

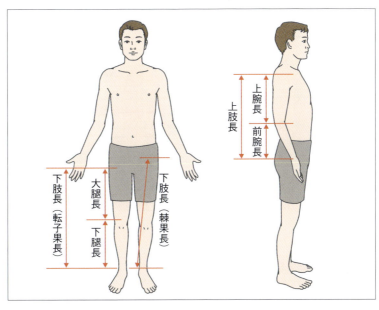

図8　四肢長の測定部位

表5　四肢長・断端長の測定方法

部位	測定部位	肢位	測定点	留意点
上肢	上肢長	座位または立位で，上肢を体側に下垂した姿勢	肩峰外側端～橈骨茎状突起，あるいは第3指先端までの最短距離	
	上腕長		肩峰外側端～上腕骨外側上顆	
	前腕長		上腕骨外側上顆～橈骨茎状突起	
	手長	座位または立位で，手指を伸展位	橈骨茎状突起と尺骨茎状突起を結ぶ線の中点～第3指先端	
下肢	下肢長（棘果長）	背臥位で骨盤を水平にして，下肢を伸展させ，股関節を内・外旋中間位	上前腸骨棘～内果までの最短距離	
	下肢長（転子果長）		大転子～外果までの最短距離	
	大腿長		大転子～大腿骨外側上顆または膝関節裂隙	
	下腿長		大腿骨外側上顆または膝関節裂隙～外果	
	足長	足関節底背屈中間位	踵後端～第2足趾または最も長い足趾	
切断端	上肢実用長	座位または立位で，上肢を体側に下垂した姿勢	健側上肢腋窩下縁～母指先端	上肢切断者の義手作製のときに用いられる数値
	上腕断端長		肩峰外側端～断端末	
	前腕断端長		上腕骨外側上顆～断端末	
	下肢実用長	平行棒等につかまった立位	坐骨結節～足底（床面）までの最短距離	下肢切断者の義足作製のときに用いられる数値
	大腿断端長		坐骨結節～断端末	
	下腿断端長		膝外側関節裂隙～断端末	

- 四肢長の測定は上肢長（図9），上腕長（図10），前腕長（図11），手長（図12），下肢長（棘果長，転子果長）（図13，14），大腿長（図15），下腿長（図16），足長（図17）がある．
- 断端長の測定に関する肢位や測定点については，表5に示す．

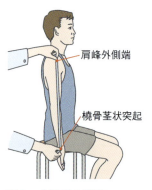
図9　上肢長の測定

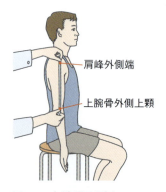
図10　上腕長の測定

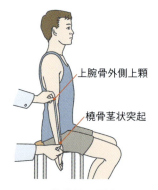
図11　前腕長の測定

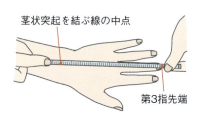
図12　手長の測定

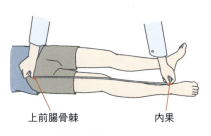
図13　下肢長（棘果長）の測定

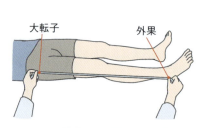
図14　下肢長（転子果長）の測定

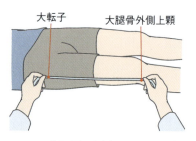
図15　大腿長の測定

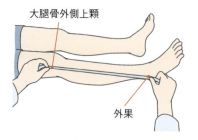
図16　下腿長の測定

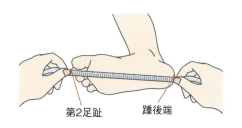
図17　足長の測定

- 切断端の測定には，上肢実用長（図18），上腕断端長（図20A），前腕断端長（図20B），下肢実用長（図19），大腿断端長（図20C），下腿断端長（図20D）がある．

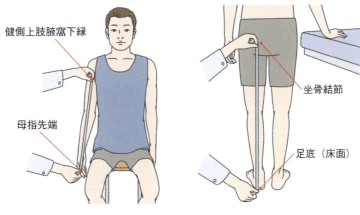

図18　上肢実用長の測定　　図19　下肢実用長の測定

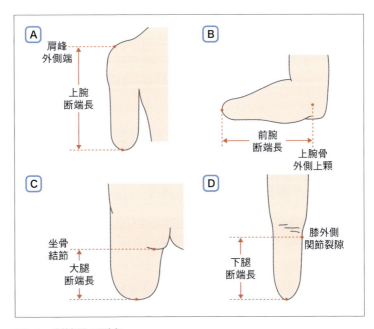

図20　断端長の測定
文献3より引用．

4）周径の測定

- 周径測定時の肢位や測定点について，図21，表6に示す．
- 四肢周径の測定は，上腕周径（肘伸展位上腕周径：図22，肘屈曲位上腕周径：図23），最大・最小前腕周径（図24，25），手囲（図26），指周径（図27），大腿周径（図28），最大・最小下腿周径（図29，30），足囲（図31）がある．頭部・体幹周径の測定は頭囲（図32），胸囲（図33），腹囲（図34）がある．
- 切断端周径の測定に関する肢位や測定点については，表6に示す．

第5章－1　姿勢評価・形態測定

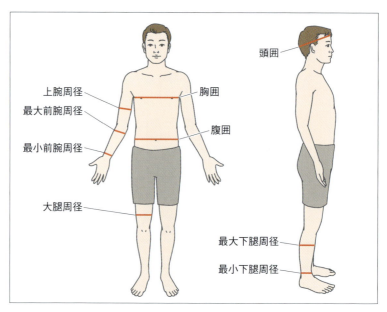

図21　四肢，頭部・体幹周径の測定部位

- 切断端周径の測定には，上腕切断端の周径（図35A），前腕切断端の周径（図35B），大腿切断端の周径（図35C），下腿切断端の周径（図35D）がある．

3 臨床における四肢長・周径測定のポイント

1）観察から脚長差が疑われる場合

- 棘果長に左右差を有し，転子果長に左右差がない場合は，股関節の異常（大腿骨頭の位置の異常），大腿骨頸部骨折，頸体角の異常（内反股，外反股）を疑う．
- また，図36に示したように股関節内転拘縮がある場合は，下肢を正中位にそろえるため骨盤が上方に位置し，あたかも患肢が短縮しているように観察される（**仮性短縮**）．逆に，外転拘縮では下方に位置するため患肢が延長しているように観察される（**仮性延長**）．
- 仮性短縮や仮性延長の場合，棘果長は左右同じである．その際には，股関節の関節可動域測定も併せて実施する．

2）筋萎縮が考えられる場合

- 全身の筋萎縮が考えられる場合，体格指数（BMI）をもとに低体重（やせ）の有無を確認する．ついで肘伸展位上腕周径と肘屈曲位上腕周径との差を確認し，差が少ない場合は筋萎縮を疑う．
- 一側肢の筋萎縮が考えられる場合，対象となる部位の周径を測定し，左右差を比較する．

3）筋肥大の効果を判定する場合

- 対象となる部位の周径を測定し，治療介入の前後（6～8週間）でその差を確認する．同

表6 四肢,頭部・体幹,断端長周径の測定方法

部位	測定部位	肢位	測定点	留意点
上肢	肘伸展位上腕周径	座位で,上肢を体側に下垂した肘伸展位	上腕中央部で上腕二頭筋の最大膨隆部	
	肘屈曲位上腕周径	肘伸展位上腕周径測定後に巻尺をやや緩めてから,肘を力強く屈曲させた肢位	肘伸展位上腕周径と同じ	・肘関節を屈曲させ上腕部に力こぶを出すように指示
	最大前腕周径	上肢を体側に下垂した肢位	前腕(近位部)の最大膨隆部	
	最小前腕周径		前腕(遠位部)の最小部	
	手囲	手関節中間位,手指は内転・伸展位	第2指から第5指までの中手指節関節を通る周囲	
	指周径	手指軽度伸展位	巻尺で指の周囲を測る方法,または指輪サイズ測定器(リングゲージ)を活用する簡易法	
下肢	大腿周径	背臥位で,股関節軽度屈曲・外転位,膝関節伸展位	膝関節裂隙または膝蓋骨上縁より5 cm,10 cm,15 cmの大腿部	
	最大下腿周径	背臥位で,下肢をやや開排位,下腿三頭筋をベッドに接触させないように膝関節屈曲位	下腿(近位部)の最大膨隆部	
	最小下腿周径		下腿(遠位部)の最小部	
	足囲	立位あるいは座位で足部に荷重	第1および第5中足骨の骨頭を通る足の横軸の周囲	
頭部・体幹	頭囲	座位または立位で,上肢を下垂させた姿勢	眉間と外後頭隆起の高さを通る水平線	
	胸囲		乳頭の直上の高さと肩甲骨下角の直下の高さを通る水平線	・楽な呼吸をさせ,安静呼吸の呼息後に測る ・乳房のよく発達した女性では乳頭よりやや高いところを測るとよい
	腹囲	立位で,上肢を下垂させた姿勢	臍部の高さの水平線,肥満などにより臍が下方に変位しているような場合は第12肋骨と腸骨稜の中間の高さを通る水平線	
切断端	上腕切断端周径	立位または座位で,切断肢を下垂させた姿勢	腋窩より2.5 cm間隔で断端末まで	
	前腕切断端周径		上腕骨外側上顆より2.5 cm間隔で断端末まで	
	大腿切断端周径	平行棒等で立位保持,切断肢を下垂させた姿勢	坐骨結節より5 cm(短断端の場合は2.5 cm)間隔で断端先端まで	
	下腿切断端周径		膝外側関節裂隙より5 cm(短断端の場合は2.5 cm)間隔で断端先端まで	

　　時に,筋力検査の結果も加味して筋肥大の有無を判定する.筋力増加の所見を有し,周径の増大も認める場合,明らかな筋肥大と判定する.
- また,全身の運動療法に伴う筋肥大の評価では,治療前後における四肢(上腕・前腕,大腿・下腿)周径と除脂肪体重*の増加の有無を確認する.

　*除脂肪体重:体重から体脂肪の重量を除いた値であり,一般的に筋肉量の指標と考えられている.除脂肪体重の算出方法は,体重−(体重×体脂肪率)=除脂肪体重である.体脂肪計があれば簡単に算出できる.

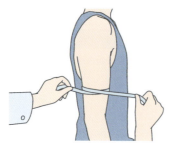

図22　肘伸展位上腕周径の測定

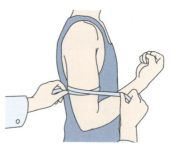

図23　肘屈曲位上腕周径の測定

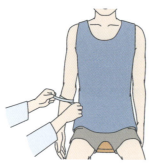

図24　最大前腕周径の測定

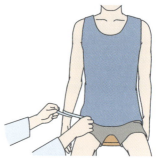

図25　最小前腕周径の測定

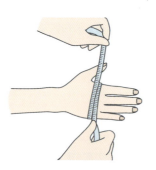

図26　手囲の測定

図27　指周径の測定

文献3をもとに作成.

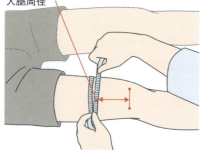

図28　大腿周径の測定

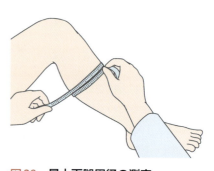

図29　最大下腿周径の測定

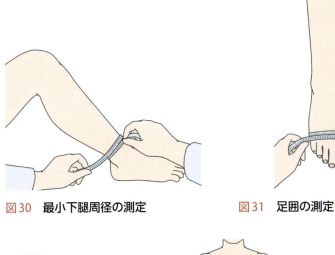

図30　最小下腿周径の測定　　　　図31　足囲の測定

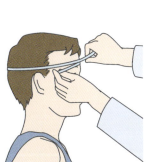

図32　頭囲の測定

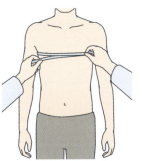

図33　胸囲の測定

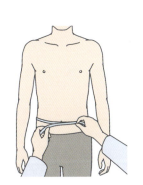

図34　腹囲の測定

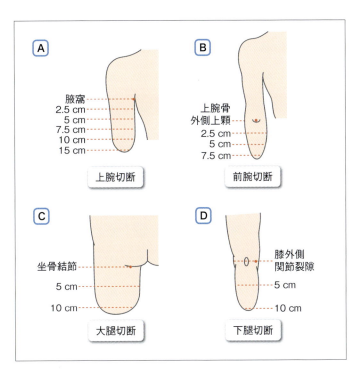

図35　各切断の切断端周径の測定

文献3より引用.

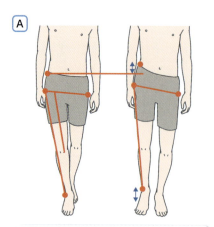
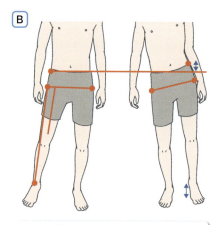

右股関節内転拘縮（右下肢の仮性短縮）　　　右股関節外転拘縮（右下肢の仮性延長）

図36　仮性短縮と仮性延長

A）左：右足底を床につけるように指示すると，右股関節内転位となる．右：日頃の姿勢は右つま先立ちにて左右の下肢の高さを合わせる．B）左：右足底を床につけるように指示すると，右股関節外転位となる．右：日頃の姿勢は左つま先立ちにて左右の下肢の高さを合わせる．※A，Bとも下肢長（転子果長）の左右差の異常はない．

文献

1）「基礎運動学 第5版」（中村隆一，他/著），医歯薬出版，2001
2）「運動器リハビリテーションの機能評価Ⅱ 原著第4版」（陶山哲夫，他/監訳），エルゼビア・ジャパン，2006
3）「理学療法評価学 第4版」（松澤 正，他/著），金原出版，2012

第5章 身体部位別の検査

2 感覚検査

> **学習のポイント**
> - 感覚障害の起こるしくみと疾患ごとの特性について学ぶ
> - 感覚障害を把握する検査の基本を学ぶ

1 感覚の概要

1）感覚とは

- **感覚**（sensation）は，対応する感覚受容器に光・音・機械的刺激などを受けたときに発せられる情報で，求心性に脳へ伝達される．**知覚**（perception）とは，感覚情報から外界対象の性質・関係や，体内の状態を感知することである．
- 「感覚」と「知覚」は同義語のように用いられることもあるが，「知覚」には過去の学習・知識・経験により感覚情報を処理し，意味づける過程（「認知」とされることもある）が含まれることもあるので，ここでは「感覚」という語を使用する．

2）感覚の分類

- 感覚の分類を表1に示す．**特殊感覚**は，身体の限局された場所（ヒトでは頭部）にある特殊な感覚器によって受容される感覚で，求心路はすべて脳神経に含まれている．**体性感覚**

表1 感覚の分類

特殊感覚			嗅覚，視覚，味覚，聴覚，平衡覚
一般感覚	体性感覚	表在感覚（皮膚感覚）	触覚，圧覚 痛覚 温度覚：温覚，冷覚
		深部感覚	関節覚（固有感覚）：位置覚，他動運動覚 振動覚 深部痛覚，深部圧覚
		複合感覚	2点識別覚，皮膚書字覚，立体覚， 2点同時刺激識別覚， その他（重量覚・素材識別など）
	内臓感覚		内臓痛覚，臓器感覚（膨満感・尿意・便意・血圧・血糖など）

や**内臓感覚**は，身体に広く分布した感覚受容器によって受容される感覚で，両者を合わせて**一般感覚**とよぶこともある．

- 大脳皮質に達する感覚情報は意識にのぼるが，一部の感覚は大脳皮質に達することなく反射的調節に働く．例えば，筋や腱の緊張や平衡感覚は意識されることなく姿勢反射に利用され，血圧や血糖の情報は自律神経と連絡する．
- 本項で扱う感覚検査は，意識にのぼる体性感覚の検査である．体性感覚は，**表在感覚（皮膚感覚）**，**深部感覚**，および**複合感覚**に分類できる．表在感覚は感覚受容器が皮膚や粘膜にあり，深部感覚の受容器は骨膜，筋肉，関節に分布する．複合感覚は，複数の感覚情報が統合されて，対象物の性質を識別するものである．
- 触覚は識別性触覚と原始触覚（非識別性触覚）に分けられ，伝導路も異なる．識別性触覚は，対象物の性質や，刺激部位の同定（局在性）が明確な触覚で，原始触覚は触れられたことは感知するが局在性に乏しい触覚である．
- 痛覚と温度覚は外傷予防に重要な役割を果たすので，防御知覚とよばれることがある．

3）体性感覚の役割

- 体性感覚には，以下のような役割がある．
  ①高温・痛みなどの侵害刺激を感知して身の危険を回避する．
  ②姿勢保持や協調運動・巧緻動作の調節のための情報を提供する．
  ③対象物の性質を把握する感覚器として働く．例えば入浴で湯の温度を感知する，ポケットやバッグから視覚を使わず目的物を取り出す．
  ④快・不快といった情動を起こす．例えばしびれや痛みは不快な感情を，入浴の温熱は心地よい感情を引き起こす．
- このように，体性感覚は日常生活における安全を保障し，安定した姿勢の保持，運動の調節や物品の把持や操作に関係している．外界の情報の認知や情動とも関連し，日常生活活動や社会生活とも密接にかかわることとなる．

2　感覚障害の基礎

1）感覚の伝導路

- 感覚の伝導路を図1に，脊髄の神経路を図2に示す．感覚神経線維はいずれも脊髄根部で運動神経線維と分かれ，後根から脊髄に入る（一次ニューロン）．その後，感覚様式によって異なる伝導路を形成する．脳幹部や脊髄の障害では，一部の伝導路のみ障害されることがあり，結果としてある種の感覚は障害されるが他の感覚は正常に保たれる（感覚解離）ことがある．
- **❶ 痛覚・温度覚（外側脊髄視床路）**：脊髄後角の手前でシナプス結合により二次ニューロンとなり，後角から反対側へ交差し，反対側の前側索となって視床まで上行する（外側脊髄視床路）．この経路には体性局在があり，内側から外側に向かって頸髄（C），胸髄（Th），腰髄（L），仙髄（S），すなわち上肢・体幹・下肢由来の神経線維が順に配列している（図2：5a）．視床では後外側腹側核（VPL核）でシナプス結合して三次ニューロン（視床皮質路）と

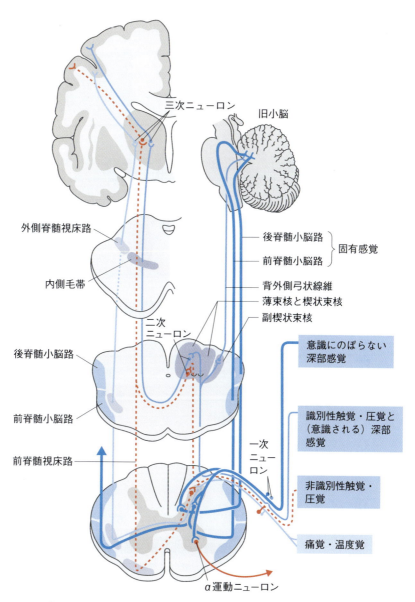

図1 感覚の伝導路
文献1のp42をもとに作成.

なり，内包後脚を通過して大脳中心後回の一次感覚野に至る．脊髄でみられた体性局在は神経路を通じて維持され，感覚野においても身体部位に対応して細胞が配列している．

❷ 非識別性触覚・圧覚（前脊髄視床路）：一次ニューロンは後索内を2〜15髄節上行または1〜2髄節下行し，さまざまな脊髄高位の後角でシナプス結合して二次ニューロンとなり，反対側へ交差して前述の外側脊髄視床路の前方で前側索（図2：5b）を上行，視床VPL核で三次ニューロンとなって一次感覚野に至る．一次ニューロンが脊髄の同側を長く上・下行しながらさまざまな髄節レベルで二次ニューロンに側枝を出して結合しているため，脊髄の損傷レベルと非識別性触覚の障害レベルは一致しないことがある．

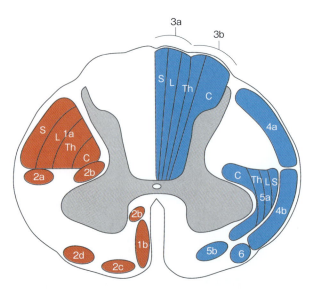

遠心性伝導路（赤）…運動の伝導路	求心性伝導路（青）…感覚の伝導路
1　錐体路	3　後索-内側毛帯路
1a　外側皮質脊髄路	3a　薄束
1b　前皮質脊髄路	3b　楔状束
2　錐体外路	4　脊髄小脳路
2a　赤核脊髄路	4a　後脊髄小脳路
2b　網様体脊髄路	4b　前脊髄小脳路
2c　前庭脊髄路	5　前側索路
2d　オリーブ脊髄路	5a　外側脊髄視床路
	5b　前脊髄視床路
	6　脊髄オリーブ路

図2　脊髄（頸髄レベル）横断面における伝導路

体性局在の略語…S：仙髄，L：腰髄，Th：胸髄，C：頸髄．文献2を翻訳・改変．

❸ **識別性触覚・圧覚と（意識される）深部感覚**：一次ニューロンは同側後索を上行し，下部延髄の薄束核，楔状束核でシナプス結合して二次ニューロンとなり，反対側へ交差して内側毛帯を形成して上行，視床VPL核で三次ニューロンとなって一次感覚野に至る．脊髄後索では，下肢からの線維は最内側にあり，頸髄の後索では内側に下肢由来の線維からなる薄束，外側に上肢由来の線維からなる楔状束の2つの部位に分けられる（図2：3a, 3b）．

❹ **意識にのぼらない深部感覚**：前・後脊髄小脳路を介して小脳虫部に至る経路で，身体のバランスや運動時における筋緊張を調整するための感覚情報を提供する．後脊髄小脳路の一部は脊髄前角にてα運動細胞とシナプスを形成し，単シナプス反射弓を形成する．

2）デルマトームと末梢神経皮膚支配

● 図3は脊髄髄節由来の神経線維が神経叢，末梢神経を形成し，皮神経として体表に分布す

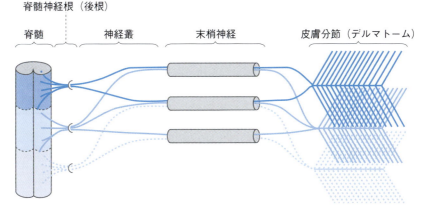

図3 脊髄神経根・神経叢・末梢神経・デルマトームの模式図
単一の末梢神経を構成する神経線維は，異なる髄節の脊髄神経根に由来する（運動神経も同様である）．さらに末梢では同じ髄節の神経線維が再度集まって特定の皮膚領域に分布するが，隣り合う神経根のデルマトームはかなりの程度重なっている．文献1のp25より引用．

る様子を模式的に示している．末梢神経は複数の脊髄神経根に由来する線維から構成されているが，その後再び同じ髄節の神経線維が集まり，隣り合う髄節の領域はかなりの程度重なり合いながらも一定の皮膚領域を支配している．

- デルマトーム（皮膚分節）とは，この皮膚に分布する皮神経の支配領域である（図4：皮膚分節）．これに対し，末梢神経の支配領域はデルマトームとは異なる様相を呈する（図4：末梢神経支配）．
- 以上より，脊髄および脊髄神経根の障害はデルマトーム，末梢神経における障害では各末梢神経の皮膚支配に対応した領域の感覚障害が観察されることとなる．

3）病変部位による感覚障害のパターン

- 上に示したような感覚経路から，病変の場所や広がりによって臨床ではさまざまな感覚障害のパターンがみられる．対象者の事前情報から大まかな障害パターンを把握したうえで検査に臨む必要がある．

① 片側半身型全感覚障害（図5A）：中脳以上の病変では，病巣の対側に全感覚障害を認める．脳血管障害の多くは片麻痺を伴ったこのパターンを示す．視床障害では，反対側の全感覚消失を示したり，運動麻痺がなくても深部感覚障害に起因する高度の運動失調を呈することもある．さらに，痛覚過敏や自発的な疼痛（中枢性疼痛，視床痛）を生じることもある．

② 同側顔面・対側半身型温痛覚障害（図5B）：延髄や橋下部の限局性病変では感覚解離を示すことがある．代表例は延髄背外側部の障害によるワレンベルグ（Wallenberg）症候群で，三叉神経脊髄路核の障害で病巣と同側の顔面の温痛覚障害が，外側脊髄視床路の障害により反対側の体幹および上下肢の温痛覚消失が生じる．小脳路や三叉神経以外に下部脳神経核にも病巣が及ぶため，同側の失調症状やホルネル（Horner）症候群，嚥下障害も合併する．

③ 脊髄障害：外傷や腫瘍，脊髄炎等が原因となり，障害部位により感覚障害の状態も異なる．

- **上肢宙吊り型温痛覚障害**（図5C）：脊髄の中心灰白質部障害を起こす代表例は脊髄空洞症や中心性頸髄損傷である．温痛覚伝導路の二次ニューロンにおける後角から反対側へ交差

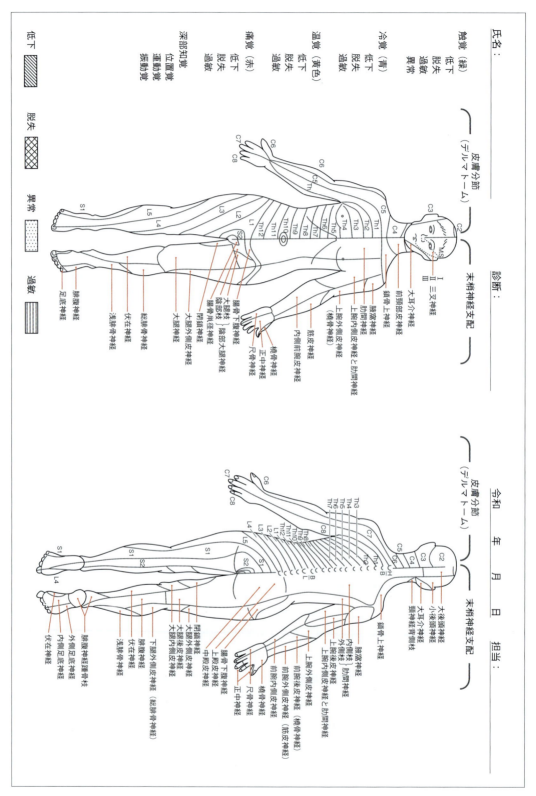

図4 感覚検査記録
皮膚の神経支配（皮膚分節―デルマトーム）．文献3，4をもとに作成．

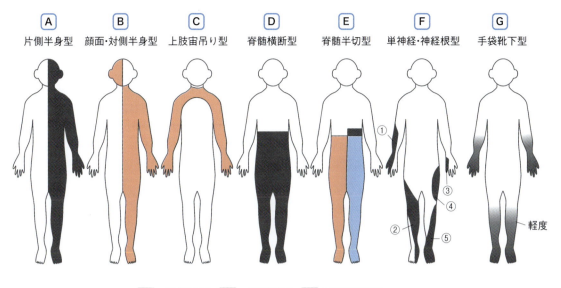

図5 感覚障害のパターン
文献5をもとに作成.

する部分の連絡が絶たれるため,障害脊髄高位に対応した温痛覚障害がみられる.

- **脊髄横断型全感覚障害**（図5D）：完全な横断性障害では,損傷脊髄高位以下に対称性の全感覚消失を認める.障害が腹側に限局していれば温痛覚,背側のみであれば深部感覚と識別性触覚の障害を認める.
- **脊髄半切型障害**（図5E）：脊髄の半分が横断性に障害された場合,病変高位で同側の全感覚消失,それ以下の同側で深部感覚および識別性触圧覚障害と運動麻痺,対側で温痛覚障害を呈する.

4 単一末梢神経・神経根障害（図5F）：特定の神経・神経根の支配領域に一致した感覚障害を起こす.

- **神経根障害**（図5F①②）：脊椎変形やヘルニアによる頸髄・腰髄圧迫でよくみられ,デルマトーム（皮膚分節）に一致した痛み（神経根痛）と感覚障害を示す.触覚のデルマトームは温痛覚のそれよりも広く重なり合っているので,神経根障害による感覚障害領域を評価する際には,触覚よりも痛覚で調べる方が検出しやすい.また,触覚の神経線維は他の線維に比して太く,厚い髄鞘を被るので侵されにくく,感覚解離を生じることもある.
- **単一末梢神経障害**（図5F③〜⑤）：代表例には手根管症候群による正中神経麻痺,肘部管症候群での尺骨神経麻痺,上腕圧迫による橈骨神経麻痺,腓骨小頭部の圧迫による腓骨神経麻痺などの絞扼性神経障害,骨折に伴う神経損傷がある.他の末梢神経との重複はデルマトームに比して小さく,特に痛覚よりも触覚の重複が小さい.このため触覚障害の範囲が最も広く,痛覚障害の範囲は最も狭くなる.

5 多発神経障害型感覚障害（図5G）：左右対称性に両下肢遠位部から近位へ,ついで両手指に及ぶ「手袋靴下型」の感覚障害を呈する.糖尿病などの代謝性疾患,ウイルス感染後,薬物性障害が原因となる.

3 感覚検査

1）感覚検査の目的

- 感覚検査の目的を以下に示す．なお，神経損傷の部位については，可能であれば診療録や画像から事前に情報を収集する．また，動作や活動と感覚障害の関連は，当然のことながら麻痺や失調症状など運動機能障害の状況や，起居動作・歩行・上肢機能検査の結果と合わせて評価結果を解釈する．
  ①神経損傷の部位，程度を把握し，診断の補助とする．
  ②動作や活動の阻害要因としての感覚機能障害の程度を把握する．
  ③機能回復の予測の判定資料とする．
  ④回復状況を把握する．

2）検査にあたっての注意点

- 感覚検査は対象者の主観的な感じ方を聞き取る検査である．したがって，対象者の状態によって結果は容易に影響されることを銘記して進める．
  ①**対象者の状況を確認する**：知的機能・意識状態・協力的かどうかを確認する．正確な答えが得られそうになくても，「感じるかどうか」簡単に聴取して大まかな状況を把握することもできる．
  ②**答えの信頼性を確認する**：時に刺激を加えないで感じるかどうかを尋ねてみる．
  ③**視覚による代償を防ぐ**：検査は閉眼か目隠しを用いて行い，視覚による代償を防ぐ．
  ④**対象者の答えをそのまま記録する**：診断名などの基本情報から感覚障害の状況を予測して検査に臨むべきだが，対象者にそれを伝えたり，答えを誘導するのは避ける．対象者の答えはそのまま記録する．

3）結果の記録

1 感覚異常の表現方法：感覚の異常は，感じ方が弱い場合を「鈍麻」あるいは「低下」，全く感じない場合を「消失」または「脱失」，正常部位よりも強く感じる場合を「過敏」と記し，感覚様式に沿って，「触覚鈍麻」「痛覚過敏」などと表現する．痛みやしびれなど，自発的に生じる異常な自覚的感覚を「異常感覚」，冷たさを痛みと感じるなど，与えられた刺激と性質の異なるものを「錯感覚」という．異常感覚のある場合は，その身体部位とともに，「びりびりする」「ジンジンする」など，対象者の表現をそのまま記入する．

2 感覚障害の程度：感覚鈍麻または過敏の部位は，正常を10として感じる割合を数字で表現してもらう方法が一般的である．また，刺激した回数を分母とし，感知できた回数を記録する方法（例えば10回の刺激中5回感知できたときを5/Xと表現）もある．この方法では，ごく弱い刺激で検査しないと軽度の感覚鈍麻を検出できないことがある．刺激のすべてを感知できた場合は，正常域と障害域との感じ方の差を聴取することも必要となる．

3 記録用紙：図4のような感覚チャートに記入するのが一般的だが，感覚障害のパターンに合わせて記録方法を選択する．

- 大脳・脳幹の障害では，顔面，上肢，下肢を左右に分け，感覚の分類に従って左右差を記録する．片側性の感覚障害では中心線に近づくにつれて障害の程度は軽くなるので，感覚障害の部位（左右の区別）や重症度の把握であれば四肢の遠位部を中心に大まかに検査すれば十分である．情報の利用方法を考え，必要に応じて詳細に検査する．
- 脊髄損傷では感覚チャートの他，米国脊髄損傷協会（ASIA）の「脊髄損傷の神経学的分類国際基準（ISNCSCI）」（巻末付録p.461）を利用すれば，髄節ごとの刺激点が定められていて便利である．
- 単一末梢神経障害，多発性神経障害，神経根障害では感覚チャートの皮膚分節（デルマトーム）や末梢神経支配の領域を参考に障害部位と程度，異常感覚などの所見を記入する．支配領域の重なりから正常と障害の境界線は必ずしも診断どおりではない．
- 末梢神経損傷に伴う手部の感覚障害があると，手の操作性や探索・識別機能への影響が大きいので，詳細な検査による障害の程度と範囲の記録が必要となる．

4）検査前の準備

1 情報収集

- 診療録から診断名，合併症，病巣などの情報を収集し，感覚障害の様態を予測する．また，記録用紙を準備する．
- 本人から大まかな感覚障害の状況について問診（医療面接）しておく．障害の部位や程度を大まかに聞き，しびれや痛みなどの異常感覚について，発生状況や頻度，程度，部位を聴取する．
- 入浴時の湯や飲み物の温度がわかるか，把持物を取り落としたりしないかなど，日常生活上のエピソードも聞き取るとよい．
- 問診を通して対象者の知的機能や協力性を評価し，検査の進め方や対象者への検査説明に活かす．例えば，臥位で傾眠となる対象者は車椅子座位で簡単に実施する，注意障害のある対象者には簡潔な教示を繰り返すなど，対象者の状態に合わせた検査方法や教示を工夫する．

2 検査実施の準備

①検査器具
- 表2に感覚と検査器具の対応を，図6に一般的な感覚検査器具を示す．

②検査の場所の確保
- 検査器具やバスタオル，アイマスク，記録用紙を用意し，背臥位をとれる場所を確保する．体幹や四肢の近位部まで露出する必要のあるときは，適度な温度が保たれ，周囲から見えない場所が望ましい．露出部を覆うバスタオルや毛布を適宜使用する．

③検査の説明
- 対象者に検査の目的・内容を十分説明し，どう答えてもらいたいかを具体的に示す．刺激を感じたときの反応方法は，開眼で見てもらいながら正常部位で十分練習し，理解を確認してから始めるようにする．
- 刺激に対してはすぐにどのような感じがどこにあったのかを答えてもらう．刺激を受けてから感じるまでの時間が延長すること，感覚はあるが刺激された部位（局在）がわからないこともある．刺激部位の予告はせず，局在がわかるかどうか確かめる．また，対象者が「感じる」と答えたことをもって正常と判断せず，痛い，冷たい，温かい，など刺激の質を

表2 感覚と検査器具の対応

表在感覚	触覚	筆，脱脂綿，ナイロンフィラメント，セメスワインスタインモノフィラメント
	痛覚	つまようじ，安全ピン，針，ピン車（ルーレット），定量型知覚ピン
	温度覚	試験管，湯（40〜45℃），水（10℃），温覚計
深部感覚	振動覚	C音叉（128 Hz）
	関節覚（位置覚・他動運動覚）	徒手にて他動的に肢位の変化や関節運動をさせる
複合感覚	2点識別覚	ノギス，コンパス，ディスククリミネーター
	立体覚	形の異なる積み木，消しゴム・硬貨・ボタン・鉛筆・安全ピン・鍵などの日用物品
	皮膚書字覚	指先・鉛筆・マッチ棒など先の鈍なもの
	重量覚	分銅，重り
	素材識別	サンドペーパー，さまざまな素材の布，ビニール，コルク

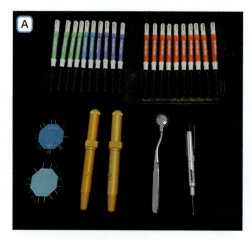
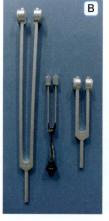
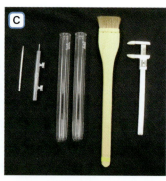

図6 一般的な感覚検査器具

A） 感覚検査器具（詳細な検査に使用するもの）．上段：セメスワインスタインモノフィラメント（Semmes-Weinstein Monofilament）（20本セット）．下段：左から，ディスククリミネーター（Disk Criminator），温覚計，ピン車，定量型知覚計．**B）** 音叉：左から，30 Hz，128 Hz，256 Hz．**C）** 感覚検査器具（簡易な検査に使用するもの）：左から，つまようじ，痛覚針，試験管，刷毛，ノギス．

答えてもらうとともに，正常な場所と比較して同じように感じるかを尋ねる．

④検査中の対応

- 閉眼で静かな環境での検査は対象者を不安にさせるので，反応に対して「はい，わかりました」「〜のように感じたのですね」などと適切に対応し，検者が記録している間は目隠しを外すなど不安の軽減に努める．

- 刺激を加えても反応がないときは，「今，触ったのですがおわかりになりましたか」と確認する．疲労や覚醒状態の低下などで反応が低下していると思われるときには，検査を後日に回す．

5) 中枢神経疾患・障害における感覚検査の実際

- ここでは脳卒中や脊髄損傷などの中枢神経疾患・障害における感覚検査の方法を述べるが，末梢神経障害であっても手部以外の部位では以下の方法で十分なことが多い．詳細に検査する必要のある場合は，次項「末梢神経損傷における手部の感覚検査の実際」を参照すること．

① 表在感覚の検査[6]

①触覚

- 筆や指先で圧迫しないように，まずは軽く，一瞬だけ触れ，それではわからないときには軽くなでるようにする．顔面からはじめ，上肢，体幹，下肢へと進める．障害の部位が大まかに把握できたら，正常部位と比較する．
- 片側障害では反対側の同部位と比較し，脊髄レベルの障害や末梢神経障害では正常と思われる部位と比較する．

②痛覚

- つまようじ（感染対策として使い捨てできる），安全ピンや針で皮膚を軽くつついて検査する．なるべく同じ力が加わるように注意する．ねじで針を固定する形の痛覚針では，ねじ止めをせずに圧迫で針が引っ込むに任せて使用すると同程度の力を加えることができる（強く刺激したいときには針を固定する）．刺激がわかったかどうかではなく，チクチクとした痛みとして感じているかどうかを確認する．
- デルマトームなどで障害部位と正常部位の境界を決める場合，痛覚鈍麻ならば障害部から正常部へ向かって，過敏であれば正常部から障害部に向かって刺激を加えて境界を判定する．このとき，ピン車を用いると連続的に一定の強さの刺激を加えられる．

③温度覚

- 試験管やフラスコに温湯（40〜45℃）と冷水（10℃くらい）を入れたものを用意し，容器を皮膚に当てて「温かい」か「冷たい」か，を答えてもらう（温覚計を用いてもよい）．刺激の際には接触面積を一定にし，3秒程度続けて当てる．正常でも刺激時間が短いと感知できない．温覚鈍麻では感知できるまでの時間が延長する場合がある．温度覚の感じ方は，皮膚の状態や皮膚温によっても異なるので，同一対称部位と比較するのがよい．

② 深部感覚の検査

①関節覚（位置覚・他動運動覚）

- 位置覚は，静止している状態で肢の空間における位置を感知する感覚であり，他動運動覚は，関節を他動的に動かされたときにその運動の方向や大きさ，速さを感知する感覚である．
- 対象者の関節を他動的に動かして止め，向きや方向を答えてもらう方法が一般的で，大まかに関節覚を把握するときには両者を厳密に区別して実施しなくてもよい．関節覚は四肢末端ほど冒されやすいといわれており，手指や足趾で障害があれば，必要に応じてより近位部の大関節へと検査を進める．
- 対象者の手を保持して他方の手で対象者の母指を側面からつまみ，他動的に屈曲，伸展させて止める（図7）．側面からつまむのは，動かすときに運動方向への皮膚への圧迫によって運動方向を感知できないようにするためである．対象者には，背面に伸展されていれば「上」，掌側に屈曲していたら「下」と答えるように教示する．まず見てもらって十分に反応方法を理解してもらい，次に閉眼で検査する．

- 位置覚をみるときは，関節を屈曲・伸展方向に数回繰り返して動かしてからある位置で止め，それが伸展位（「上」）か屈曲位（「下」）かを答えてもらう．他動運動覚を調べるときには，動かしている方向を「上」か「下」かで答えてもらう．関節を動かす速さや大きさを変え，わずかな動きでも感じとれるか，左右を比較するなどして障害程度を把握する．足趾でも同様に検査する（図7）．
- 足関節，膝関節，股関節や肘・肩関節で実施する場合は，検査対象の関節のみを他動的に動かし（肩関節の検査では肘関節は伸展位で実施する，膝関節の検査では股関節の肢位は一定にするなど），その動きの方向や静止したときの角度を口頭で答えてもらうか，他方の肢で肢位を模倣してもらうようにする．
- 上肢の位置覚に関しては，母指探し試験を実施するとよい（図8）．検査対象側の手指を握って母指のみを伸展させ（運動麻痺のある場合は検者が他動的に肢位をとらせる），検者はこの腕をあちこちに動かした後にある位置で止め，対象者に他方の手で検査側の伸展した母指を握ってもらう．開眼で練習した後，閉眼で実施する．関節覚に障害のないときには，直線的に母指を握りにいくことができるが，障害があると誤った空間で母指を探す，ぶつかった腕をたどって母指にたどりつくといった様子が観察される．片麻痺が重度の場合，非麻痺側の検査はできない．障害度は以下のように表現できる．
    1度：数cmずれるがただちに矯正して目標に到達する
    2度：数cm以上ずれ，固定肢の母指周辺を探り，運動肢が固定肢の一部に触れるとそれ

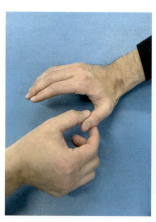
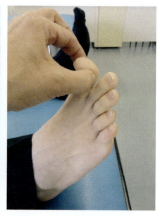

図7　関節覚の検査
手指・足趾の側面をつまみ，屈曲・伸展方向に他動的に動かす．対象者に指の向きを答えてもらう．

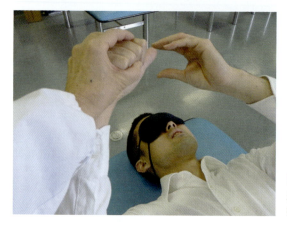

図8　母指探し試験
検者が保持した手の母指を，もう片方の手で握ってもらう．

を伝うようにして母指に達する

3度：10 cm以上ずれ，運動肢は空中を探り，容易に目的の固定肢に到達しない．運動肢が偶然に固定肢に触れなければ，対象者は断念してしまう．

②振動覚[6]

- 一般にはC128音叉（図6Bの中央）を打鍵器などで叩いて振動させ，対象者の骨の突出部に当てて振動を感じるかどうかを尋ねる（図9）．
- 検査部位は，胸骨，手指，足趾，足部の外果・内果，橈骨および尺骨茎状突起，脊椎棘突起，上前腸骨棘，膝蓋骨，脛骨中央，鎖骨などである．
- 振動覚は四肢末端部から低下しやすいので，まず胸骨に音叉を当てて，振動を感じてもらう．胸骨でわかれば，手指や足趾など末端部から検査を開始し，障害があれば近位部へと進めていく．
- 左右を比較するときには，片側で振動が感じられなくなったときに「はい」と言ってもらい，対側の同部位に当てる．振動が感じられれば前者で振動覚鈍麻であることがわかる．これが難しいときには左右を比較してどちらを強く感じるかを聞き取る．
- 振動を感じなくなるまでの時間を計測する場合は，音叉を身体に置いてからの時間でなく，音叉を叩いてからの時間を計る．振動させる刺激の強さなどによって音叉の振動の減衰時間が一定でないこともあるので，十分強い叩打で音叉を振動させること．

3 複合感覚の検査

- 上記の基本的な感覚に障害があれば，当然のことながら複合感覚も障害を受けている．したがって，表在感覚や深部感覚が低下しているときは，複合感覚も低下していると判断できる．特に必要でない場合は検査を省略してよい．

①2点識別覚

- コンパス，ノギス，ディスククリミネーター（Disk Criminator）などで皮膚の2点を同時に刺激したときに，これを2点と感じるかどうかをみる．2点の刺激は体の長軸に沿って加える．2点で触れたときには「二」，1点のときは「一」と答えてもらうよう，対象者に説明する．2点の刺激に1点の刺激を交えながら検査する．正確に答えられる場合は2点の間隔を短くして限界を探る．答えが正確でないときには逆に2点の間隔を長くして反応の変化をみる．健常人の2点識別覚の最短距離は，おおむね以下のとおりである．

指尖：3～6 mm，手掌・足底：15～20 mm，手背・足背：30 mm，脛骨面：40 mm

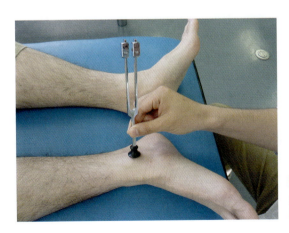

図9　振動覚の検査
音叉の共鳴部分を打鍵器などで叩き，柄の先を骨の突出部に当てる．

②皮膚書字覚
- 指先や鉛筆など先の鈍なもので，手掌，前腕，顔面，下腿前面，足背などに0～9までの数字や○×△などを書き，何を書いたかを当ててもらう．

③立体覚
- 閉眼で対象者の手の中にさまざまな物品（図10）を置いて握らせ，何か当ててもらう．木材と金属のように物品の材質が異なると，形ではなく温度でわかることがあるので，できれば同じ材質の異なる形状のものを用いるのが望ましい．複数物品で実施する場合，対象者が物品名を言えなければ，開眼して指さしてもらう方法もある．

図10 立体覚検査の物品例
大ボール以外は木材で異なる形状の物品．簡易上肢機能検査（STEF）および脳卒中上肢機能検査（MFT）の検査器具を転用した．表2に示したように，日用物品で検査してもよい．

6）末梢神経損傷における手部の感覚検査の実際

- 手部の感覚障害は，対象物の操作や探索・識別を障害し，外傷の危険の増大にもつながる．末梢神経損傷では，軸索の再生などによって機能回復が期待できることもあり，感覚障害の範囲や程度を経時的かつ詳細に評価する必要がある．回復の困難なときは二次的な外傷の予防，回復のみられるときは積極的な知覚再教育プログラムを考慮する．手以外の上肢には，手を目的のところに到達させるという役割があり，（表在感覚よりも）関節覚が重要である．
- 手部の障害の範囲や程度（閾値など），局在がわかるかどうか，神経支配密度，順応速度の異なる受容器の機能を評価する．
- 診断から末梢神経支配を確認，対象者から感覚が異常だと感じる部位を示してもらうなどして障害の範囲を予測したうえで検査へと進める．障害範囲は図示するとよい（図11）．このとき，手術痕，擦過傷，皮膚の肥厚などがあれば図に記入しておく．
- 末梢神経損傷の回復過程では，細い神経線維（Aδ・C）で伝導される痛覚と温度覚が最も早く回復するため，回復状態を把握するには最初に検査すべきである．ティネル徴候は，再生軸索の無髄部の叩打でびりびりとした蟻走感を感じるもので，回復の範囲を示唆する．感覚検査と合わせて実施することが多い．
- 閾値は刺激の強さを変えて確認する．動的触覚では音叉の振動数を，温度覚は温度を変える．触覚はセメスワインスタインモノフィラメント（Semmes-Weinstein Monofilament）を用いて感知できたフィラメントの番号で示す．

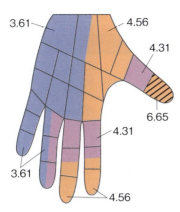

図11 正中神経障害の触覚検査の記入例

数字は感知できたセメスワインスタインモノフィラメントの番号．塗り分けは感知できた範囲．斜線は，一番太い6.65のフィラメントを用いても感知できなかったことを示す．文献7をもとに作成．

- 局在は，与えられた刺激の場所が正しく感知されているか，刺激を感じた場所を対象者に指ささせて実際の刺激部位とのずれを記録する．過誤神経支配が起こるとずれが大きくなる．神経支配を回復した受容器の密度は2点識別覚の測定で予測する．
- 触覚の遅順応型受容器（メルケル触盤やルフィニ終末）は，刺激が与えられている間中，求心性の信号を発射し，刺激が取り除かれると信号は止まる．また刺激の強度によって放電頻度が増加する．これらは対象物を把持し続けたり，把持力を調整するのに利用され，静的触覚で検査する．
- 対して，速順応型受容器（マイスネル小体やパチニ小体）は刺激への順応が速く，刺激が持続しても信号はすぐに消失し，強度による変化もない．物体表面の質感など材質を識別するのに利用され，動的触覚で検査する．
- 対象物の操作や識別の能力をみるためには，上肢機能検査や先にあげた立体覚検査を実施する．
- 静的2点識別，動的2点識別の年齢層別正常値（95パーセンタイル値）として，表3のような報告がある（右示指の遠位指腹で測定）．
- 手部の感覚検査を表4に示す．

表3　2点識別の年齢層別正常値

年齢（歳）	静的2点識別（mm）	動的2点識別（mm）
20〜39	4.0	3.5
40〜49	4.5	4.0
50〜59	5.0	4.0
60〜69	6.0	5.0
70〜79	7.0	6.0
≧80	8.5	6.5

文献8より引用．

表4 手部の感覚検査

検査	器具と手順	解釈・正常値
痛覚 文献9をもとに作成.	〈器具〉 定量型知覚計（1～10 g, 10～20 g）, 痛覚針など（定量的評価はできない） 〈手順〉 10 gの加重で静かに刺激を加える. 各検査部位に1回の刺激でよい. 過敏の場合は加重を減らし, 痛みを感じない場合は加重を増やして検査する.	正常：10 gの加重で痛みを感じる. 鈍麻：10～20 gで痛みを感じる（数値を記録）. 脱失：20 gで痛みを感じない. 過敏：8 g以下で痛みを感じる.
温度覚 文献9をもとに作成.	〈器具〉 温覚計：2本 〈手順〉 温覚計を10℃と50℃に設定する＊. 皮膚に対して垂直に約1秒間当てる. 各検査部位に1回ずつ. 感じ方を聞き, 温覚・冷覚を感じない場合は温度を0℃・60℃にして刺激する. （＊広範囲に温・冷刺激を与えるときの正常値は, 冷覚12～37℃, 温覚24～45℃とされているが, 温覚計では刺激を与える面積が狭いため, 10℃・50℃とする[9]）	正常：10℃と50℃で感じる. 鈍麻：0℃, 60℃で感じる.
静的触覚 文献9をもとに作成.	〈器具〉 セメスワインスタインモノフィラメント：詳細な検査には20本セット, スクリーニング検査には以下の5本を使用〔2.83（緑）, 3.61（青）, 4.31（紫）, 4.56（赤）, 6.65（赤）〕 〈手順〉 ・細い2.83のフィラメントで各指の指尖から近位へと進める. ・刺激部の垂直上2.5 cmに構え, 1.5秒かけてフィラメントをまっすぐにおろし, 1.5秒かけてフィラメントが直角程度までたわむまで力を加え[10], さらに1.5秒かけてもとの位置に戻す. このとき, フィラメントの先端が皮膚から離れずまっすぐになるまで持ち上げた後で皮膚から離すようにする. なお, 6.65はたわませず, 皮膚にあてるのみでよい[10]. ・2.83と3.61は同部位に3回刺激し, 1回でも応答があれば感知できたとみなす. 4.31以降では, 1回の刺激で応答がなければ感知できないとみなす. ・対象者の感じることのできた, もっとも細いフィラメントの番号に応じた色で検査用紙に図示する（6.65が感知できない場合は赤に黒斜線）. ・一種類のフィラメントで応答の得られる領域とそうでない領域の境目は, 皮膚に直接サインペンで印をつけるか, 記録用紙に記入しながら評価を進める. 図示の方法は図11参照	結果の解釈として以下の基準が使われている[9]. ・2.83（緑）：触覚正常. 触覚と圧覚は正常範囲. ・3.61（青）：触覚低下. 物体識別, 防御知覚, 2点識別良好. 知覚障害に気づかないことが多い. ・4.31（紫）：防御知覚低下. 手をあまり使わなくなる. 物体の操作困難, 2点識別7～14 mm. 知覚再教育開始. ・4.56（赤）：防御知覚脱失. ほとんど手を使用しない. 視覚の届かない範囲での物体の操作は不可能. 外傷予防の指導を行う. ・6.65が不可（赤）：測定不能. 識別性の知覚喪失. 痛覚脱失または残存. 外傷予防の指導必須. 4.31のフィラメントが感知できることは, その箇所の受容器と神経線維が温存されていること, 回復過程であれば再生軸索が受容器に到達したことが示唆される. 局在を検査し, 知覚再教育を開始する.

（次ページへつづく）

(前ページからのつづき)

検査	器具と手順	解釈・正常値
動的触覚	〈器具〉 30 Hz 音叉，256 Hz 音叉 〈手順〉 ・30 Hz の音叉を軽くはじいて振動させ，柄の部分を軽く指先に当て，振動を感じるかどうかを答えてもらう．振動を感じない場合は，二股の先端部分を軽く当てて感知できるかどうかをみる． ・256 Hz 音叉でも同様に検査する．	正常：音叉の柄で感知できる． 鈍麻：音叉の二股の先端で感知できる． 30 Hz はパチニ小体，256 Hz はマイスネル小体で感知される．
静的2点識別	〈器具〉 ディスククリミネーター，ノギス 〈手順〉 2点と1点の刺激について説明しておく．指の長軸と平行に，皮膚に蒼白部を作らない程度の力で刺激し，対象者に2点と感じるか，1点と感じるかを答えてもらう．時々1点の刺激を交える．5 mm から開始し，2点と判別できるときは間隔を小さく，できないときは間隔を広げ，2点と感じることのできる最短距離を記録する．誤答が出てきたら，同じ部位を3回刺激し，2回正答できれば可とする．	指腹において 　正常：5 mm 以下 　良：6～10 mm 　可：11～15 mm 10 mm 以内であれば，その手は実用手といわれている．
動的2点識別	〈器具〉 ディスククリミネーター 〈手順〉 2点と1点の刺激について説明しておく．指の長軸に対して交差するように2点を当て，指腹中央から指尖に向けて2秒かけて動かす．対象者に2点と感じるか，1点と感じるかを答えてもらう．時々1点の刺激を交える．5 mm から開始し，2点と判別できるときは間隔を小さく，できないときは間隔を広げ，2点と感じることのできる最短距離を記録する．誤答が出てきたら，同じ部位を3回刺激し，2回正答できれば可とする．	指腹において 45歳以上 　正常：3 mm 以下 　異常：4 mm 以上 46歳以上 　正常：4 mm 以下 　異常：5 mm 以上 6 mm 以内であれば，物体識別は良好である．

(次ページへつづく)

(前ページからのつづき)

検査	器具と手順	解釈・正常値
静的触覚の局在 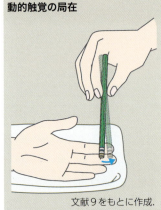 文献9をもとに作成.	〈器具〉 セメスワインスタインモノフィラメント4.31 〈手順〉 対象者の手のさまざまな部位をランダムに刺激し，刺激を感じた部位を指してもらう．一致しないときは刺激点と対象者が示した点を矢印で結んで記録する．	正常：指では3 mm以内の距離で刺激部位を定位できる．できない場合は過誤神経支配が疑われる．
動的触覚の局在	〈器具〉 先に消しゴムのついた鉛筆の消しゴム部分 〈手順〉 指腹で近位から遠位方向へ1 cm動かして刺激し，1回ごとに対象者に再現させる．刺激した線との位置や傾きのずれを図中に記録する． 文献9をもとに作成.	正常：指では刺激線に平行で3 mm以内の距離，手掌では15 mm以内で定位し45°以内の傾きで再現できる． 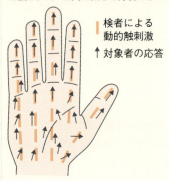 ｜ 検者による動的触刺激 ↑ 対象者の応答

■ 文献

1) 「神経局在診断　改訂第5版」(Mathias Bahr & Michael Frotscher/著，花北順哉/訳)，文光堂，2010
2) Spinal cord (http://simple.wikipedia.org/wiki/Spinal_cord)
3) 柴﨑 浩：感覚障害の診かた．「臨床神経内科学 改訂5版」(平山惠造/監)，南山堂，2006
4) 「標準理学療法学・作業療法学 専門基礎分野 解剖学 第3版」(野村 嶬/編)，pp354-389，医学書院，2010
5) 山本繊子：老年者の症状別診断ポイント 手足のしびれ．Geriatric Medicine, 37：185-187，1999
6) 「ベッドサイドの神経の見かた 改訂17版」(田崎義昭，他/著)，pp95-105，南山堂，2010
7) 白旗正幸，他：正中神経障害を来たした上腕部静脈性血管瘤の1例．東北整形災害外科学会雑誌，55：131-136，2011
8) van Nes SI, et al：Revising two-point discrimination assessment in normal aging and in patients with polyneuropathies. J Neurol Neurosurg Psychiatry, 79：832-834, 2008
9) 「知覚をみる・いかす－手の知覚再教育－」(中田眞由美，岩崎テル子/著)，協同医書出版社，2003
10) 「精密知覚機能検査 Semmes-Weinstein monofilament setによる静的触覚の評価マニュアル」(日本手外科学会/監)，日本ハンドセラピィ学会，2018
11) 「作業療法士のためのハンドセラピー入門 第2版」(鎌倉矩子，他/編，中田眞由美，大山峰生/著)，pp941-953，三輪書店，2006
12) 「末梢神経損傷診療マニュアル」(内西兼一郎/編著，堀内行雄，他/著)，pp29-40，金原出版，1991

第5章 身体部位別の検査

3 痛みの評価

> **学習のポイント**
> - 痛みの定義，分類について学ぶ
> - 運動器に関連した疼痛評価の進め方について学ぶ
> - 痛みの臨床的評価尺度について学ぶ

1 痛みとは

1) 痛みの定義

- **痛み（疼痛）** とは，国際疼痛学会によれば，「実際に何らかの組織損傷が起こったとき，または組織損傷を起こす可能性があるとき，あるいはそのような損傷の際に表現される，不快な感覚や情動体験（An unpleasant sensory and emotional experience associated with actual or potential tissue damage, or described in terms of such damage）」と定義されている．

2) 痛みの分類と病態生理，臨床症状

- 痛みは，痛みの性質や作用機序，部位などによって多くの分類がある．また臨床で広く活用されている痛みの分類もある（表1）．

2 運動器に関連した疼痛評価の進め方

- 疼痛の評価では，最初に問診・観察にて痛みの性状を把握し，疼痛を誘発している原因組織の仮説を立てる．ついで，原因組織を判別するために運動検査や触診検査を実施する．

1) 問診・観察

- リハビリテーション室に入室する際の動作の様子を観察する．問診中の表情や姿勢の様子を観察する．体格や頭部・体幹・四肢の形態，補装具の有無を観察する．
- 問診では，疼痛についての病歴（部位，発症の状況，疼痛を増強ならびに緩和する要因，性質，期間），既往歴，社会的背景（職業，スポーツ，生活環境），家族歴等について問診する．

表1 痛みの分類と病態生理・臨床症状

痛みの分類	種類	性質	病態生理・臨床症状
痛みの性質からみた分類	一次痛（First pain）または速い痛み（Fast pain）	侵害刺激が加えられている間に生じる刺すような鋭い（速い）痛み	12〜30 m/secの興奮伝導速度をもつAδ線維により中枢へ伝達される
	二次痛（Second pain）または遅い痛み（Slow pain）	侵害刺激後の数秒後に生じる疼くような鈍い（遅い）痛み	2 m/sec以下の興奮伝導速度をもつC線維により中枢へ伝達される
痛みの原因による分類	侵害受容性痛（Nociceptive pain）	組織損傷が引き起こされるか，その危険性をもつ侵害刺激が加わったために生じる痛み	侵害性機械刺激，熱刺激，化学的刺激によりAδやC線維を介して伝達される．この痛みは一次痛と二次痛に該当する
	神経因性痛（Neurogenic pain）	末梢あるいは中枢神経系そのものの機能異常による病的な痛み	侵害受容器が侵害刺激を受けていないにもかかわらず，末梢神経あるいは痛みの伝導路ニューロンの興奮が引き金となって生じる
	心因性痛（Psychogenic pain）	解剖生理・病理学的に説明のつかない痛み	明らかな器質的病変や身体的原因がなく，心理的・社会的要因に由来する痛みを指す．心因性痛と「原因不明の痛み」とは分けて考える
部位からみた分類	体性痛（Somatic pain）	表在痛と深部痛に分類される	
	・表在痛（Superficial pain）	皮膚や粘膜の痛み	侵害性機械刺激，侵害性冷刺激（15℃以下），侵害性熱刺激（43〜45℃以上），侵害性化学刺激によって生じる
	・深部痛（Deep pain）	骨膜，靱帯，関節嚢，腱，筋膜，骨格筋の痛み	侵害性機械刺激による深部痛の閾値は骨膜で最も高く，骨格筋で最も低い
	内臓痛（Visceral pain）	体性痛と比し，痛みの部位・性質も明確でない，鈍痛	内臓の傷害に起因して発生する，締めつけられるような痛み．内臓における痛覚受容器の分布密度が小さく，脊髄内での終末分布が広範囲に広がるために，局在性がはっきりしないと考えられている
臨床で活用されている分類	急性痛（Acute pain）	一般に侵害受容性痛であり，組織損傷の治癒とともに消退する痛み	急性痛は，病状の1つであり，「生体警告系」という重要な役割をもつ．疼痛出現時は，交感神経系の活動が優位となる
	慢性痛（Chronic pain）	単に急性痛の持続ではない，病態生理学的な痛み	中枢神経系に生じた可塑的変化や心理的機序による歪みが生じた神経系の異常である
	運動痛（Motion pain）	自動運動あるいは他動運動時に生じる痛み	放散痛や関連痛を伴う場合もある
	安静時痛（Rest pain）	安静時に生じる痛み	急性期の初期に起こる痛みで，強い痛み症状があるときにみられる
	夜間痛（Night pain）	安静時痛のなかでも，特に夜間時に症状が明瞭となる痛み	炎症の急性期に生じる．例えば，腱鞘炎や肩関節周囲炎の急性期等によくみられる
	圧痛（Tenderness）	圧迫刺激を加えることにより生じる痛み	強い圧痛の場合，その部位の痛みとともに放散痛や関連痛が生じることが多い
	放散痛（Radiating pain）	痛みの原発部位を始点としてその周囲に放散する痛み	例えば，末梢神経などの圧迫によって末梢神経に沿って広がる痛みのこと
	関連痛（Referred pain）	痛みの原発部位から離れた部位に生じる痛み	関連痛はしばしば，深部組織（内臓，筋肉，関節）の損傷によって起こる．関連痛の出現領域の確認は，原因部位を追究する手がかりになる

2）運動検査

- 運動検査は，運動ストレスを加えることで，どの組織が疼痛の原因となっているのかを見極めるために行う．
- この検査では，①自動運動検査→②他動運動検査→③等尺性抵抗運動検査の順に進め，関節周辺の**収縮性組織**（筋や腱，骨に付着するその他の組織など）や**非収縮性組織**（関節包，靱帯，滑液包，血管，神経，軟骨，硬膜など）にストレスを加えることで，運動痛を誘発する．

1 自動運動検査

- 随意筋の自動的な動きであり，患者の動かそうとする意志や関節可動域，筋力の状況を複合的にみることができる．
- この運動によって骨などの構造や骨に付着している構造に運動ストレスがかかる．ここでは，どの運動によって疼痛が出現するのか，観察を行う．

2 他動運動検査

- この検査では，検者が他動的に関節運動を行わせることで，運動ストレスを加える．どの運動方向に，そしてどの程度の関節可動域の範囲に疼痛が発生するかを確認し，解剖・運動学的知識をもとに損傷部位を検討する．
- 自動運動検査では運動範囲の非収縮性組織と収縮性組織に運動ストレスがかかるのに対し，他動運動検査では非収縮性組織に運動ストレスを加えている．1と2の検査によって，非収縮性組織に損傷があるかどうかを評価する．通常，非収縮性組織に損傷があれば，同じ方向で自動および他動運動に疼痛を伴う．

3 等尺性抵抗運動検査

- 1や2の検査にて疼痛を有する運動方向に対して，患者に筋を強く収縮するように指示し，検者は動きを止めるように抵抗を加える，いわゆる等尺性収縮を行わせる．その際に，疼痛が出現するかを確認する．
- 等尺性抵抗運動検査では主に収縮性組織に運動ストレスを与えることで，収縮性組織の損傷の有無を確認することができる．

3）触診検査

- 問診や運動検査を通して，推定された痛みの誘発部位を確認するための検査である．
- 急性期の症状の場合，圧痛によって病変部位を特定することができる．ただし，圧痛触診のみで病変部位を特定しようとすると，関連した症状（圧痛）が散在し，原因組織の究明に必ずしもつながらない場合があるので注意が必要である．

3 痛みの臨床的評価尺度

1) 主観的な痛み強度の評価尺度

1 Visual Analogue Scale（VAS）（図1A）

- 患者に，長さ100 mmの線を引いたスケールを見せる．左端は無痛（no pain），右端はこれまで感じた最悪の痛み（the worst pain I ever felt）と説明し，現在の疼痛の状況を鉛筆で示してもらう．
- 検者は，左端から患者が示した痛みまでの距離を測定する．仮に68 mmであれば，68％強度の痛みを感じていると解釈する．

2 Numerical Rating Scale（NRS）（図1B）

- 患者に，0は無痛で10は最大の痛みと説明したうえで，0から10の11段階尺度として，現在の痛みを口頭で答えてもらう．例えば，「7」と答えた場合は，疼痛の強さは7割程度と解釈する．

3 Faces Pain Scale（FPS）（図1C）

- VASをイラスト化したもので，顔の表情から疼痛の強度を評価するスケールである．これまで小児分野で頻用されてきたが，近年では高齢者やがん患者など広く利用されている．
- また，FPSには20段階の顔の表情から患者の気持ちの状態を表したLorish–Maisiak（ロリッシュ–マイシアク）のものや6段階で表したWong–Baker（ウォン–ベーカー）Face Scaleなどがある．近年，臨床では6段階スケールのものが頻用されている．6段階のスケールは，0：痛みなし，1：わずかに痛みあり，2：軽度の痛みあり，3：中等度の痛みあり，4：かなりの痛みあり，5：耐えられないほどの強い痛み，と解釈する．

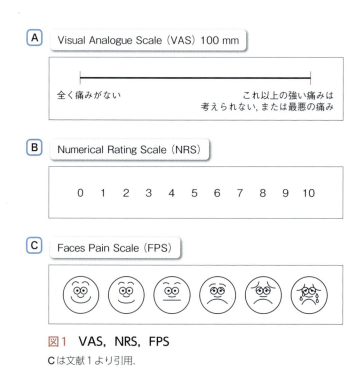

図1　VAS，NRS，FPS
Cは文献1より引用．

2）痛みの性質の評価尺度

❶ McGill Pain Questionnaire（McGill 痛みの質問票：MPQ）（図2）

- MPQ は，1975 年に McGill 大学のメルザック（Melzack）らによって開発された．

患者氏名＿＿＿＿＿＿＿＿＿＿＿＿　日付＿＿＿＿＿＿＿　時刻＿＿＿＿午前/午後

痛みの
評価指数：感覚的＿＿　感情的＿＿＿　評価的＿＿＿　その他＿＿＿　合計＿＿　現在の痛みの強度＿＿＿
　　　　　（1～10）　（11～15）　　（16）　　　（17～20）　　　　　（1～20）

1・ちらちらする ・ぶるぶる震えるような ・ずきずきする ・ずきんずきんする ・どきんどきんする ・がんがんする	11・うんざりした ・げんなりした 12・吐き気のする ・息苦しい 13・こわいような ・すさまじい ・ぞっとするような
2・びっくりする ・ぴかっとする ・ビーンと走るような	14・いためつけられるような ・苛酷な ・残酷な ・残忍な ・死ぬほどつらい
3・ちくりとする ・千枚通で押しこまれるような ・ドリルでもみこまれるような ・刃物で突き刺されるような ・槍で突き抜かれるような	
4・鋭い ・切り裂かれるような ・引き裂かれるような	15・ひどく惨めな ・わけのわからない
5・つねられたような ・圧迫されるような ・かじり続けられるような ・ひきつるような ・押しつぶされるような	16・いらいらさせる ・やっかいな ・情けない ・激しい ・耐えられないような
	17・ひろがっていく（幅） ・ひろがっていく（線） ・貫くような ・突き通すような
6・ぐいっと引っ張られるような ・引っ張られるような ・ねじ切られるような	18・きゅうくつな ・しびれたような ・引き寄せられたような ・しぼられたような ・引きちぎられるような
7・熱い ・灼けるような ・やけどしたような ・こげるような	
8・ひりひりする ・むずがゆい ・ずきっとする ・蜂に刺されたような	19・ひんやりした ・冷たい ・凍るような
9・じわっとした ・はれたような ・傷のついたような ・うずくような ・重苦しい	20・しつこい ・むかつくような ・苦しみもだえるような ・ひどく恐ろしい ・拷問にかけられているような
10・さわられると痛い ・つっぱった ・いらいらする ・割れるような	現在の痛みの強度 0 痛みなし 1 ごく軽い痛み 2 心地悪い痛み 3 気が滅入る痛み 4 ひどい痛み 5 激烈な痛み

短期的／瞬間的／一時的　　リズミック／周期的／間欠的　　持続的／一定／常時

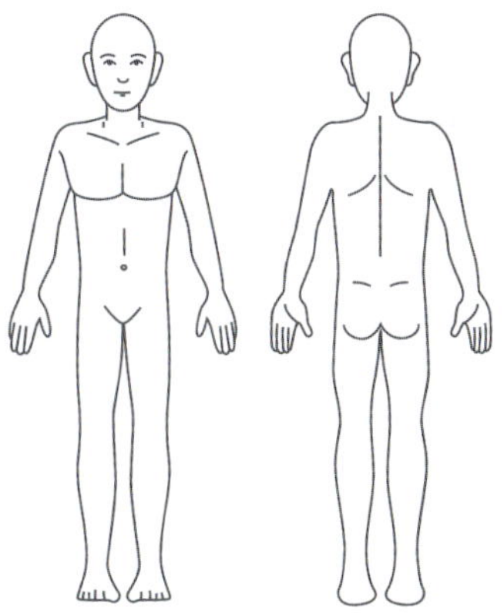

・体表
・内部

備考

図2　日本語版MPQ
文献2より引用．

- 痛みは複雑な体験であり，痛みの強さだけでは，その状態を十分に把握することが困難である．MPQ は，痛みの部位，痛みの性質の言語表現，痛みの時間的変化，現在の痛みの強さの 4 項目の質問項目からなる．痛みの性質に対する言語表現では，心理的な影響を考慮して，「痛みの感覚的表現」，「痛みによる感情的表現」，「痛みの評価的表現」の 3 測定から評価できるように作成されたものである．
- この質問票は自記式で，患者は，①人体図に痛み部位を記入する．②痛みを表す 20 グループ（78 項目）の中から，現症に最も適切な言葉を各領域（1～10 の感覚的表現，11～15 の感情的表現，16 の痛みの評価的表現，17～20 のその他の表現）から 1 つずつ選択する．③選択した痛み項目の強さを 0～5 点（0：痛みなし，1：ごく軽い痛み，2：心地悪い痛み，3：気が滅入る痛み，4：ひどい痛み，5：激烈な痛み）で評価する．④各項目の強さを点数化し，その合計点を現在の痛みの強さとして記録する．

❷ Short-Form McGill Pain Questionnaire（簡易型 McGill 痛みの質問票：SF-MPQ）（図 3）

- 前述した MPQ には，メルザック自身により改良された SF-MPQ がある．痛みを表す言葉 15 について，痛みの強さを 0～3 の 4 段階で回答するものである．
- 痛みを表す言葉のうち 1～11 は感覚的表現を，12～15 は感情的表現を表す言葉である．加えて，痛みの強さを Visual Analogue Scale（VAS）と Present Pain Intensity（PPI）による 6 段階評価で評価する．
- SF-MPQ は所要時間が 5 分程度と簡便であるうえ，MPQ との相関係数は高い．また，心因性痛患者では，痛み表現が多彩かつ極端になりやすく，感情的表現に反応しやすい傾向があり，心因性痛と器質性痛の鑑別の一助として有用である．
- MPQ ならびに SF-MPQ は日本語版が広く使用されている．

3）痛みの行動学的評価尺度

- 痛みの症状は疼痛の程度だけでなく，行動にも影響を及ぼす．特に慢性痛を有する患者では活動が制限されやすい．
- 痛みの行動学的評価尺度は多くは存在しない．代表的な評価尺度としては，腰痛患者を対象とした Roland Morris Disability Questionnaire（RDQ）や慢性痛患者を対象とした疼痛生活障害評価尺度（Pain Disability Assessment Scale：PDAS）がある．
- PDAS は，有村らによって，20 項目の質問表で慢性痛患者の身体運動，移動能力に関する活動制限を評価できるように開発された（図 4）[3]．

4）痛みの心理学的評価ならびに QOL の評価

- 痛みの症状は心理的要因とも関連が深いため，日本語版 STAI（State-Trait Anxiety Inventory）などのような不安を評価する尺度や日本語版 SDS（Self-rating Depression Scale）などのようなうつ状態に関する評価尺度も併せて行うとよい（3 章-4 参照）．
- 加えて，痛みは健康関連の QOL にも障害を及ぼすので，SF-36v2 日本語版についても評価を行う（6 章-2 参照）．

名前＿＿＿＿＿＿＿（男・女）　年齢＿＿＿歳

記入日：西暦＿＿＿＿年＿＿月＿＿日

1. 以下に痛みを表す15の表現があります．あなたの痛みの状態について，その程度を○で囲んでお答えください．
   また，自分の痛みと無関係の項目については0を○で囲んで付け落としのないようにしてください．

	全くない	いくらかある	かなりある	強くある
①ズキンズキンと脈打つ痛み	0	1	2	3
②ギクッと走るような痛み	0	1	2	3
③突きささされるような痛み	0	1	2	3
④鋭い痛み	0	1	2	3
⑤しめつけられるような痛み	0	1	2	3
⑥食い込むような痛み	0	1	2	3
⑦焼けつくような痛み	0	1	2	3
⑧うずくような痛み	0	1	2	3
⑨重苦しい痛み	0	1	2	3
⑩さわると痛い	0	1	2	3
⑪割れるような痛み	0	1	2	3
⑫心身ともにうんざりするような痛み	0	1	2	3
⑬気分が悪くなるような痛み	0	1	2	3
⑭恐ろしくなるような痛み	0	1	2	3
⑮耐え難い，身のおきどころのない痛み	0	1	2	3

2. 下の線上で自分の痛みを表す位置に斜線（／）で印をつけてください．

   痛みはない ├―――――――――――――――――――┤ これ以上の痛みはないくらい強い

3. あなたの痛みの現在の強さはどのようなものですか．以下の6つのうちでお答えください．
   0　全く痛みなし
   1　わずかな痛み
   2　わずらわしい痛み
   3　やっかいで情けない痛み
   4　激しい痛み
   5　耐え難い痛み

図3　**日本語版SF-MPQ**

文献2より引用．

この質問票は，あなたの病気（痛み）が，あなたが日常生活のいろいろな場面で行っている活動にどのような影響を及ぼしているかを調べるためのものです．以下にいろいろな動作や活動が書かれています．それぞれの項目について，最近一週間のあなたの状態を最もよく言い表している数字を○で囲んでください．それぞれの数字は次のような状態のことです．わからないことがあれば遠慮なく担当医におたずねください．

 0：この活動を行うのに全く困難（苦痛）はない．
 1：この活動を行うのに少し困難（苦痛）を感じる．
 2：この活動を行うのにかなり困難（苦痛）を感じる．
 3：この活動は苦痛が強くて，私には行えない．

1	掃除機かけ，庭仕事など家の中の雑用をする	：0 1 2 3
2	ゆっくり走る	：0 1 2 3
3	腰を曲げて床の上のものを拾う	：0 1 2 3
4	買い物に行く	：0 1 2 3
5	階段を登る，降りる	：0 1 2 3
6	友人を訪れる	：0 1 2 3
7	バスや電車に乗る	：0 1 2 3
8	レストランや喫茶店に行く	：0 1 2 3
9	重いものを持って運ぶ	：0 1 2 3
10	料理を作る，食器洗いをする	：0 1 2 3
11	腰を曲げたり，伸ばしたりする	：0 1 2 3
12	手を伸ばして棚の上から重いもの（砂糖袋など）を取る	：0 1 2 3
13	体を洗ったり，ふいたりする	：0 1 2 3
14	便座にすわる，便座から立ち上がる	：0 1 2 3
15	ベッド（床）に入る，ベッド（床）から起き上がる	：0 1 2 3
16	車のドアを開けたり閉めたりする	：0 1 2 3
17	じっと立っている	：0 1 2 3
18	平らな地面の上を歩く	：0 1 2 3
19	趣味の活動を行う	：0 1 2 3
20	洗髪する	：0 1 2 3

図4 PDAS

文献3より引用．

文献

1）「Nursing Care of Infants and Children, 3rd ed」(Whaley L, et al), St. Louis Mosby, 1987
2）平川奈緒美：痛みの評価スケール Evaluation Scale of Pain．Anesthesia, 13：2-40, 2011
3）有村達之，他：疼痛生活障害評価尺度の開発．行動療法研究，23：7-15, 1997

第5章 身体部位別の検査

4 反射検査

> **学習のポイント**
> - 反射の種類と検査・記録方法を学ぶ
> - 反射検査における意義，目的と結果の解釈を理解する

1 反射とは

反射検査は神経学的所見が得られ，局所診断や評価に欠かすことのできない重要な検査である．

1）反射の定義

反射は，感覚器官に与えられた刺激が中枢を経て，意識と無関係に規則的に特定の筋肉や腺などの活動を起こす現象である．

2）反射弓

反射による運動が起こるには，感覚などの受容器の刺激により発生した興奮が求心性神経を介して反射中枢に伝わり，遠心性神経を伝わって，筋肉等の効果器に反応を起こす必要がある．これらの経路を**反射弓**（reflex arc）という（図1）．

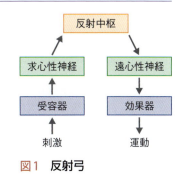

図1　反射弓

3）反射の種類

反射には，受容器が存在する場所による分類と，反射中枢の所在レベルによる分類がある．ここでは，前者の分類によって紹介する．
①深部反射（深部腱反射）
②病的反射
③表在反射

2 深部腱反射

- **深部反射**または**深部腱反射**（Deep Tendon Reflex：DTR）は，腱や骨の突出部を叩打することで筋の伸張が刺激となって同一筋の収縮を起こす．したがって，**筋伸張反射**（muscle stretch reflex）ともいう．

1）深部腱反射の経路

- 骨格筋を急速に伸ばす（骨格筋の腱を叩打する）と筋紡錘が興奮し，そこから発する求心性入力はⅠa線維（求心性神経）を伝って脊髄に伝わり，単シナプス性に同じ筋のα運動ニューロン（遠心性神経）に興奮が伝わり，筋収縮が起こる（図2）．

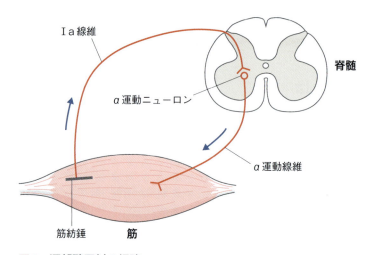

図2　深部腱反射の経路

2）深部腱反射検査の実施上の注意事項

- 反射検査は，対象者の意識障害や注意力低下，知能低下などのために協力が得られない状態であっても実施可能な点が特徴である．しかし，結果は，刺激の加え方，対象者の状態（意識，精神，心理など）により変化する．したがって，信頼性のある結果を得るには十分なオリエンテーションと注意・配慮が必要である．
- また，同じ反射で左右差があるか，上肢と下肢間などで部位的な変化があるかどうかに注意すべきである．次の諸点に注意する．
  ①寒い場所での実施や恐怖心，痛みがあるときは反応が増す可能性がある．また，対象者に脳障害がある場合は，肢位により反応が異なることも考慮する．
  ②力を抜くよう指示する．
  ③左右差，上肢と下肢間での比較では，同じ強さで刺激を与える．
  ④適度な刺激を与えること．反射が起こるには，ある程度の強さと速さが必要である．
  ⑤刺激を加える筋は，あまり緩めず伸張させないようにし，筋が適度に伸張された位置にする．
  ⑥反射が出ないときは，増強法を用いる．

3) 深部腱反射の増強法

- 反射が出ないまたは減弱している場合は，増強法を行っておく．代表的な方法を以下に記す．
  ①対象者の注意をそらす．会話などを通して，対象者の無意識に入る力みや心的緊張を除く．
  ②ジェンドラシック法（Jendrassik maneuver）を用いる．例えば，下肢の腱反射を増強したい場合には，両手を組み合わせ，左右に引き合う．これは，反射検査したい部位と離れた部位に力を入れさせるもので，筋の緊張を高める目的がある．他に，歯をかたく噛み合わせさせる方法などがある．
  ③筋萎縮のある場合は，反射での筋収縮をみるより，対象者に随意的に筋収縮を促して，その収縮を直接みるか触ってみる方法もある．

4) ハンマーの選び方

- ハンマー（打腱器）は，十分な刺激を与えうるような大きさがよい．

5) 深部腱反射の実際

- 代表的な各深部腱反射の方法と反射弓を紹介する．

1 上肢の反射

①上腕二頭筋反射
- **方法**：肩関節を軽く外転させ，肘をやや屈曲位，前腕を中間位にする．上腕二頭筋腱の上に検者の母指を当て，その上を叩く（図3）．
- **反射弓**：反射中枢は第5・6頸髄，求・遠心性神経は筋皮神経．

②上腕三頭筋反射
- **方法**：肘関節のところで軽度屈曲位をとらせる．肘頭のすぐ上の三頭筋腱を叩く（図4）．
- **反射弓**：反射中枢は第6～8頸髄，求・遠心性神経は橈骨神経．

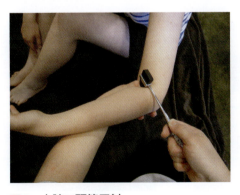

図3　上腕二頭筋反射

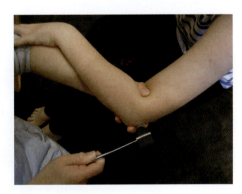

図4　上腕三頭筋反射

③腕橈骨筋反射
- **方法**：肘を曲げ，前腕は中間位か軽い回内位にし，橈骨下端を垂直に叩く（図5）．
- **反射弓**：反射中枢は第5・6頸髄，求・遠心性神経は橈骨神経．

④回内筋反射

これは，2つの方法がある．
- **方法**：橈骨回内筋反射は，橈骨下端の掌側面を，これと直角の方向に叩く（図6）．
  尺骨反射は，前腕を半回内位にして，尺骨茎状突起の背側面を，これと直角の方向に叩く（図7）．
- **反射弓**：反射中枢は第6頸髄〜第1胸髄，求・遠心性神経は正中神経．

⑤胸筋反射
- **方法**：肩を軽く外転させる．上腕骨へ大胸筋が付着するところで，その腱の上に検者の母指または示指をおき，上腕骨に向かって軽く圧迫し，検者の指の上を叩く（図8）．
- **反射弓**：反射中枢は第5頸髄〜第1胸髄，求・遠心性神経は前胸神経．

図5　腕橈骨筋反射

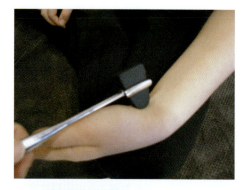

図6　橈骨回内筋反射

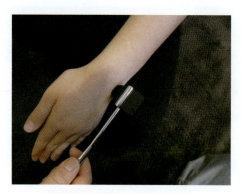

図7　尺骨反射

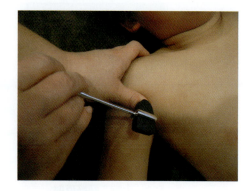

図8　胸筋反射

2 下肢の反射

①膝蓋腱反射
- **方法**：背臥位のときは，膝関節を屈曲させベッドに踵のみを軽く触れる程度にし，膝蓋骨の下の四頭筋の腱を直角に叩く（図9）．座位の場合も同様に足部が床から浮く程度にする（図10）．
- **反射弓**：反射中枢は第2〜4腰髄，求・遠心性神経は大腿神経．

②アキレス腱反射
- **方法**：背臥位では両股関節を外転させ，検者の手で軽く足関節を背屈させ，アキレス腱を叩く（図11）．
- **反射弓**：反射中枢は第5腰髄〜第1・2仙髄，求・遠心性神経は脛骨神経．

③下肢内転筋反射
- **方法**：背臥位で膝を伸ばしたまま外旋させ，大腿骨の下端内側に検者の指を当て，その上を叩く（図12）．
- **反射弓**：反射中枢は第3・4腰髄，求・遠心性神経は閉鎖神経．

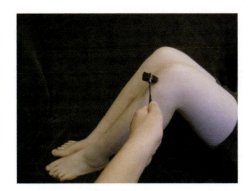

図9 膝蓋腱反射（背臥位）

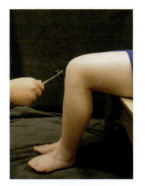

図10 膝蓋腱反射（座位）

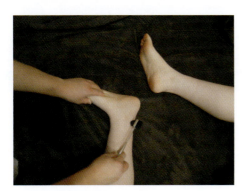

図11 アキレス腱反射

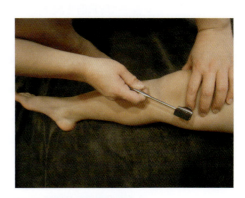

図12 下肢内転筋反射

6）判定法および記録の記載方法

- 反射の出かたの判定は，検者によって，また，筋の状態，対象者の状態によっても異なるので，絶対的なものではない．
- 検査時の現象を参考にした判定基準を表1に，記録例を図13に記す．

表1　深部腱反射の判定基準

グレード	記録	検査時の現象
消失	（－）	増強法を用いても，何の反応も出ない
減弱	（±）	ふつうでも出ないが，増強法を用いると出るもの
正常	（＋）	ふつうの状態
亢進（やや亢進）	（＋＋）	ふつうの刺激で過剰な反応が出るもの
（亢進）	（＋＋＋）	筋腹への刺激で反応が出るが，関節運動が起こるほど筋の収縮は強くなく，見てわかるか触って確認できるもの
（著明な亢進）	（＋＋＋＋）	筋腹への刺激で，関節運動が起こるほど，筋が収縮するもの

文献1をもとに作成．実際にはセラピストの検査方法，患者の状態，筋の種類によって反射の程度が変わってくるので，表中の基準が絶対的なものというわけではない．

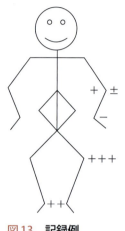

図13　記録例

7）検査結果の解釈

- 深部腱反射は反射弓の構造と経路が単純なため，冒頭で述べたとおり局所診断に便利で，反射検査の結果にて神経学的所見が得られる．随意運動や感覚検査の結果と統合することで，障害部位を予測することができる．
- 表2に解釈例を記す．

表2　深部腱反射の結果の解釈例

結果	考えられる原因
消失	反射弓のいずれかの障害 →末梢神経損傷，筋疾患などでみられる
減弱	反射弓のいずれかの障害 →末梢神経損傷，筋疾患，パーキンソン病などでみられる
正常	反射弓を含め，特に問題なし
亢進	反射弓には問題ないが，反射弓より上位の錐体路の障害（中枢神経系の障害）．対象者の心的緊張や力みが加わっている →脳障害，脊髄障害でみられる

3 病的反射

1）病的反射の意義

- **病的反射**（pathologic reflex）は，筋の伸張や皮膚表面の刺激により引き起こされる．
- これは，原則として健常者では出現しないもので，上位運動ニューロンに問題があれば出現するため，中枢神経障害の有無を評価するために意義のある検査である．

2）病的反射の実際

❶ 上肢の反射

①ホフマン反射（Hoffmann Reflex）
- **方法**：対象者の手関節を軽く背屈させる．検者の示指と中指で対象者の中指の末節をはさみ，母指で鋭く手掌側にはじく（図14）．
- **判定**：対象者の母指が内転，屈曲すれば陽性．
- **障害**：錐体路に障害がある場合によくみられ，一側のみに陽性であれば病的意義がある．

②トレムナー反射（Trömner Reflex）
- **方法**：対象者の手関節を軽く背屈，手指も軽く屈曲させる．対象者の中指の先端手掌面を強くはじく（図15）．
- **判定**：対象者の母指が内転，屈曲すれば陽性．
- **障害**：一側のみに陽性のときは，錐体路障害を考える．

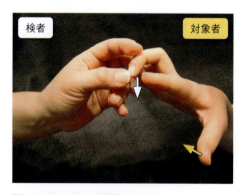

図14　ホフマン反射

図15　トレムナー反射

図16 ワルテンベルグ反射

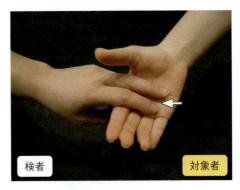
図17 把握反射

③ワルテンベルグ反射（Wartenberg Reflex）
- **方法**：対象者の手をなかば回外位にし，手指を少し曲げさせる．検者は自分の示指，中指を伸ばして，これを対象者の4本の指の末端辺りに横におき，その上をハンマーで叩く（図16）．
- **判定**：対象者の母指が内転，屈曲すれば陽性．
- **障害**：一側のみに陽性であれば錐体路障害の疑いがある．

④把握反射（Grasp Reflex）
- **方法**：対象者の手掌面を軽くこする．手指が屈曲し，これを把握しようとする運動が起こるかどうかをみる（図17）．
- **判定**：把握しようとすると陽性．
- **障害**：この反射は，前頭葉障害を意味する．前頭葉の障害のときに反対側の上下肢にみられ，乳幼児では常にみられる反射である．

2 下肢の反射

①バビンスキー反射（徴候）〔Babinski Reflex（Sign）〕
- **方法**：刺激には先のややとがった鍵やハンマーの柄などを用いる．対象者の足の裏の外側を，ゆっくりと，踵から上に向かってこすり，先端で母趾の方に曲げる．母趾の基部までこすらない方がよい（図18）．
- **判定**：母趾が伸展（図19の ➡ のように動く．母趾現象または伸展性足底反応とよぶ）すれば陽性．母趾以外の4趾が開くこともある（開扇徴候）．
- **障害**：錐体路障害の疑いがある．

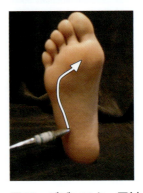
図18 バビンスキー反射

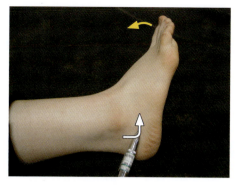

図19　チャドック反射

図20　ロッソリモ反射

②チャドック反射（Chaddock Reflex）
- **方法**：足の外果の下方を後ろから前へ，針またはハンマーの柄でこする．バビンスキー反射と同じ意味をもっており，変法にほかならない（図19）．
- **判定**：母趾が伸展すれば陽性．
- **障害**：錐体路障害の疑いがある．

③ロッソリモ反射（Rossolimo Reflex）
- **方法**：足趾の足底面あるいはつけ根をハンマーで叩く（図20）．
- **判定**：足趾が屈曲すれば陽性．第2〜5趾が屈曲する方が病的意義がある．
- **障害**：前頭葉障害が疑われる．

④クローヌス（clonus）
　クローヌス（間代ともいう）は，反射が著明に亢進したのと同じ意義がある．ここでは，クローヌスの代表的な膝クローヌスと足クローヌスを記す．

ⅰ）膝クローヌス
- **方法**：下肢を伸展させ，検者は対象者の膝蓋をつかみ，これを強く下方へ押し下げ，そのまま力を加え続ける（図21）．
- **判定**：膝蓋が上下に連続的に動くと陽性．
- **障害**：錐体路障害が疑われる．

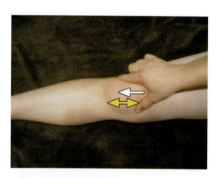

図21　膝クローヌス

ⅱ）足クローヌス
- **方法**：背臥位で膝関節，足関節を軽く屈曲させ，検者の手を対象者の足底に当て急激に足を上方へ押し上げ，そのまま力を加え続ける（図22）．
- **判定**：足部が上下に連続的に動くと陽性．
- **障害**：錐体路障害が疑われる．

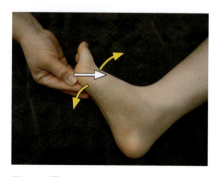

図22　足クローヌス

3）検査結果の解釈

- 病的反射が陽性であれば，錐体路障害，前頭葉障害が疑われるなど病的意義を有することが多い．各検査結果の解釈は，上記のとおりである．

4 表在反射

- **表在反射**は，皮膚・粘膜に刺激を与えて筋の収縮を引き起こすものである．反射弓は，腱反射のごとく単純ではなく，遠心路は必ずしも求心路が入ったのと同じ脊髄分節から出ていない．また，刺激は加重が可能で，何回かの刺激を与えると反応が出やすくなる．
- ここでは，皮膚反射の代表である腹壁反射を記す．

1）腹壁反射

- **方法**：対象者の両膝を軽く曲げた背臥位として，腹壁を軽く弛緩させ，腹壁を上・中・下に分けて臍に向かって，先の鈍い針などで刺激を与える（図23）．
- **判定**：健常者では，腹壁筋の収縮により，臍あるいは白線が刺激された側に迅速に動く．そのため，反射が一側で減弱あるいは消失していれば陽性．
- **障害**：錐体路障害が疑われる．

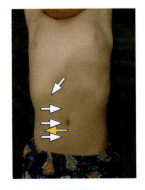

図23　腹壁反射

2）検査結果の解釈

- 表在反射消失は，反射弓のいずれかの障害か，もしくは反射弓より上位の錐体路障害または両者の障害が疑われる．つまり，前述の深部腱反射とは正反対の反応（反射が消失する）が起こることで，判定することになる．

■ 文献

1）「ベッドサイドの神経の診かた 改訂16版」（田崎義昭，斎藤佳雄/著，坂井文彦/改訂），p75，南山堂，2004

第5章 身体部位別の検査

5 筋緊張検査

> **学習のポイント**
> - 筋緊張検査の意義を理解できる
> - 筋緊張検査の方法を理解し，実施できる

1 筋緊張とは

- 人は目的に応じて，骨格筋の緊張をたえず不随意的にかつ微弱に変化させ適応している．このような筋の持続的で弱い収縮を**筋緊張**という．筋緊張は姿勢調節や効率よい運動で重要な役割を示す．

- 神経系や骨格筋アライメント障害で生じる**筋緊張異常**は，低下した場合，姿勢保持上の身体安定性欠如や四肢・体幹運動時の可動性効率の不良をもたらす．小脳損傷や末梢神経損傷，脳卒中初期等でみられる．

- 一方で，亢進は四肢・体幹の固定化につながり，運動の可動性を狭小化し，正常な共同運動を妨げ，選択性を阻害する．パーキンソン病や脳卒中で知られる．

- 筋緊張は，多面的に診ることが必要で，①安静時，②姿勢保持時，③運動時の3つの場面を診るとよい．②姿勢保持時の検査は，姿勢性筋緊張検査ともいい，さまざまな姿勢に対して自動的に適切な筋の緊張状態が発揮されているか，姿勢保持や抗重力的に四肢を空間保持させることで観察する．③運動時は四肢の運動や歩行などの動作を観察する．②③は姿勢・動作分析（5章-1, 6章-3参照）に任せるとして，ここでは①を中心に説明していく．

2 手技

- 筋緊張検査は，観察である程度対象者の状況を把握した後，リラックスした状態をつくり，非麻痺側から行うようにする．

- その後ゆっくりと麻痺側を動かすが，その際，検者の手にかかる重量感や動かしづらさを感じとり，筋緊張の低下や亢進状態をおおむね予測しておく[1]．特に，肩関節，股関節などの球関節を被動性検査でみることは難しいのでここで観察しておく（図1）．

- 次に以下のテストを選択する．
  ① **被動性の検査**（図2）：筋の他動的な伸展で抵抗感を検者が感じとる検査．伸展速度の緩急で相違をみて，筋緊張の異常の程度，質を判断する．被動性の亢進は筋緊張低下を表し，被動性の低下は筋緊張亢進を表す．
  ② **伸展性の検査**（図3）：筋をゆっくり他動的に伸展し，さらに強く伸展させたときの筋の伸張度合いをみる．伸展性の亢進は筋緊張低下の所見である．
  ③ **硬度の検査**（図4）：直接圧迫を加えたり，つまんだりして筋の張りをみる．
  ④ **懸振性（振り子）の検査**（図5）：近位部をもって，すばやく振る動作を繰り返す．大きく揺れれば，筋緊張の低下を示す．四肢以外の操作も行う．例えば立位で骨盤帯を保持して，体幹を回旋させて揺らす．上肢が大きく振れ，体幹から遠ざかれば，小脳症状を疑い，振りが小さければ，パーキンソニズムの可能性を考える．

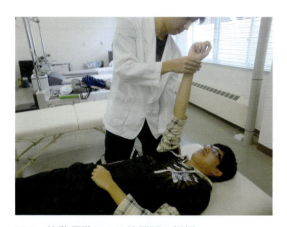

図1 他動運動による筋緊張の把握
他動的に関節運動を行い，重量感や円滑性などからある程度の筋緊張を把握しておく（肩関節など）．

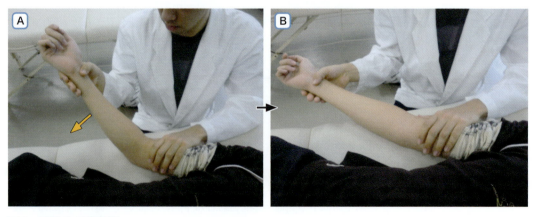

図2 被動性の検査例
右肘関節屈曲筋群の検査（A，B）．速度の緩急をつけて行う．ゆっくり行うと痙縮は確認できない．痙縮の出始めは，最終域付近で出現するため，速度を緩めず最後まで伸展させる必要がある（B）．固縮の検査は一定の速度で行う．

図3 伸展性の検査例
左手関節掌屈，手指屈筋群の伸展性検査．非麻痺側（右）と比べ，背屈や手指伸展が拡大するようなら筋緊張低下を示す．

図4 硬度の検査例
左肘屈筋群の検査．圧迫したり，つまんだりして，張りなどを確認する．亢進，低下両方判断する．この方法で，他にも肩関節周囲，体幹筋などをみる．

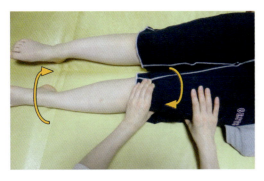

図5 懸振性（振り子）の検査例
左股関節内外旋を行い，非麻痺側に比べ，足先がどちらかに「ぶらぶら」するようなら，筋緊張低下を示す．

3 判定のしかた

- 筋緊張の異常には**低下**（hypotonus）と**亢進**（hypertonus）があり，亢進は**痙縮**（spasticity）と**固縮**（rigidity）に分類する．亢進の場合には，重症度を示す分類がある（後述の表）．

1）痙縮

- 急激な受動運動に対して抵抗感を示す．運動のはじめは抵抗が大きいが，あるところから，急に抵抗が小さくなる．これを**折りたたみナイフ現象**（clasp-knife phenomenon）という．
- また，速い動きに比例するように抵抗が大きくなる．痙縮は錐体路障害を表すものである．
  - *脳卒中で痙縮が出現している場合，屈筋か伸筋の一方が侵されて，典型的な所見がみられる．上肢の痙縮は，肩甲骨内転筋群や大胸筋，手関節屈筋群，前腕回内筋群，手指屈筋群などおおむね屈曲筋群に多い．下肢の痙縮は，股関節内転筋群，膝関節伸展筋群，足関節底屈筋，足趾屈筋群などに認められやすい．ただし肘関節に関しては，屈筋か伸筋，または両方出現する患者が存在するので注意する．
  - *回復過程早期で筋緊張がやっと出現してくる時期には，折りたたみナイフ現象がまずは伸展最終域付近に出現する（図2B）．よって，検者は怖がらず最終域までスピードを緩めず行うことが望ましい．全可動域の途中で止めると発現を確認できないこともある．
  - *足関節底屈筋は被動性検査時，痙縮を確認する前に足クローヌス（5章-4参照）が出現することが多く，亢進を示す代案として考慮に入れておく．

2）固縮（筋強剛，硬直）

- 錐体外路障害により生じる．痙縮と異なり速度に関係なく，屈伸両方向に抵抗感を感じる．
- 屈曲も伸展も始めから終わりまで同様な抵抗感を感じるものは，**鉛管様現象**（lead pipe phenomenon）という．血管性パーキンソニズムに多くみられる「カク，カク」と小刻みな抵抗感は，**歯車様現象**（cogwheel phenomenon）という．多発性脳梗塞の場合，非麻痺側によくみられる現象である．非麻痺側での歯車様現象をみるときは，痙縮をみるときよりもゆっくり，一定の力で行い複数回の出現が確認できれば固縮を疑う．

*脳卒中では固縮と痙縮の混在例もあり，強剛痙縮や固縮痙性（rigospasticity）とよぶこともある．

3）筋緊張低下

- 脳卒中の初期や小脳疾患で観察される．受動的な運動のみならず，触診や懸振性でも確認できる．
- 随意性もなく，他動抵抗が全くない場合，弛緩（flaccidity）と表現することもある．

4）その他

- リハビリテーション場面では，筋萎縮の確認は行うが線維束攣縮（れんしゅく），ミオキミー，叩打性筋緊張などのテストはあまり行わない．
- 以下に特徴ある所見を掲載する．

❶ 抵抗症（ゲーゲンハルテン：gegenhalten）

- 本来の筋緊張亢進ではないが，患者が検査に注意が向いていれば，受動運動時無意識に抵抗する力が働く現象を指す．広範な脳損傷（主として前頭葉）で出現する．トレーニング遂行で阻害因子となる．

❷ 逆説性収縮（paradoxial contraction）

- 本来，筋の起始−停止部を近づけると，筋が緩み弛緩する現象をいう．しかし，固縮が存在すると逆説的に収縮を起こし，その肢位を保ってしまう．このような現象も逆説性収縮という．このなかで，患者の足底を保持し下肢の背屈を行った際，前脛骨筋が隆起し，検者が手を離しても背屈位を保つ現象を**ウエストファル現象**（Westphal phenomenon）（図6）とよぶ．

5）痙縮の評価スケール

- 亢進の重症度は，主観的に軽度（−），中等度（＋），重度（＋＋）などと記載するが，痙縮はスケールを用いることもできる．代表的なアシュワース（Ashworth）尺度改訂版[2]（modified Ashworth scale：6段階）を紹介する（表）．

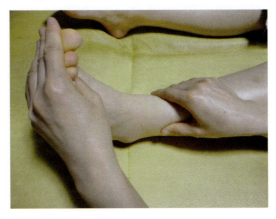

図6　ウエストファル現象
下肢の背屈を保持し，この後検者が手を離しても，そのまま背屈を保持し続ける．逆説性収縮を示す．固縮があるときに生じる．

表　Ashworth尺度改訂版（modified Ashworth scale）

段階	
0	筋緊張亢進なし
1	軽い筋緊張亢進．患側筋の他動的屈伸で一時的な軽い引っかかりや運動の最後に軽い抵抗がある
1+	軽い筋緊張亢進．他動的屈伸で引っかかりとそれ以降終わりまで軽い抵抗がある
2	明確な筋緊張亢進．他動的屈伸で全可動域にはっきりとした抵抗がある．しかし，他動的に動かすことは可能である
3	著明な筋緊張亢進．他動的運動困難
4	他動的には動かず

文献2より引用．

- また，関節可動域と筋の反応の質を測定する筋緊張の評価指標にmodified Tardieu scaleがある．測定肢位と伸張速度が規定されていて，日本語版は竹内らが紹介している[3]．

文献

1) 髙見彰淑：運動機能検査．「脳卒中理学療法の理論と技術改訂第2版」（原 寛美，吉尾雅春/編），pp208-231，メジカルビュー社，2016
2) Bohannon RW & Smith MB：Interrater reliability of a modified Ashworth scale of muscle spasticity. Phys Ther, 67：206-207, 1987
3) 竹内伸行，他：Modified Tardieu Scaleの臨床的有用性の検討．理学療法学，33：53-61, 2006

第5章 身体部位別の検査

6 関節可動域（ROM）検査

> **学習のポイント**
> - 関節可動域検査の意義，手順，結果の解釈を学ぶ
> - 各関節における関節可動域の検査方法を学ぶ

1 正常な関節可動域と異常な関節可動域

- 日常生活における諸動作を実用的に遂行するためには，正常に関節運動が起こり，十分な**関節可動域**（Range of Motion：ROM）が確保されている必要がある．関節可動域は，個々の関節が自動的，他動的に動く範囲（運動範囲，可動範囲）のことである．関節が正常に可動するためには，関節を構成する骨格，関節を動かす筋と神経，関節の動きを感受する神経，関節を栄養する血管，関節の保護や安定にかかわる皮膚，靱帯，関節包，筋が正常に機能する必要がある（図1）．

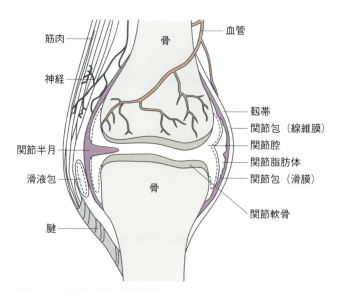

図1　滑膜性関節の基本構造
文献1より引用．

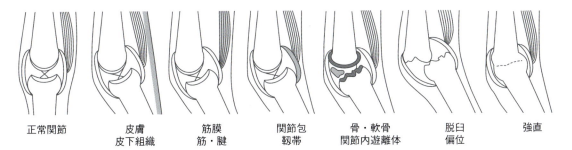

図2 関節可動域制限の原因部位の種類
文献2より引用.

- 関節可動域には，検者や機器が他動的に被検者の関節運動を行った場合（**他動的関節可動域：passive ROM**）と，被検者が介助なしで随意的に関節運動を行った場合（**自動的関節可動域：active ROM**）がある．
- 他動的関節可動域は関節を構成する諸因子（骨，軟骨，関節包，靱帯，筋，腱，神経，血管，皮膚）の器質的な影響を受けて変化するのに対して，自動的関節可動域は関節構成要素だけでなく，意思，筋力，協調性といった機能性の影響を受けて変化する（図2）．
- 正常な関節可動域であるためには，①関節構造（骨関節軟骨）に異常がない，②関節周囲の軟部組織（筋，腱，滑膜，関節包，靱帯，皮膚など）に異常がない，③関節運動に関与する拮抗筋の伸長性が十分である，④（自動的関節可動域の場合）関節運動に関与する主動筋の筋力が十分である，⑤関節運動時に痛みを生じない，という条件を満たす必要がある．
- リハビリテーション対象者の多くが**関節可動域制限**を有し，日常生活における諸動作の遂行が困難となっている．また，関節可動域制限は単関節ではなく多関節に生じている可能性が高い．リハビリテーションでは動作・活動の改善を図る際に，関節運動の異常があれば，どこにどの程度の異常があるのか，そして，その原因は何なのかを評価し，関節運動の改善を図る必要がある．
- 関節に何らかの異常が発生した場合，関節可動域は制限または過剰となり，動作・活動を制限する要因となる．特に関節可動域制限のうち，関節周囲軟部組織（関節包，靱帯，筋，腱，神経，血管，皮膚）の器質的変化による関節可動域制限を**拘縮**（contracture），関節包内の骨・軟骨の器質的変化に由来した関節可動域制限を**強直**（ankylosis）とよぶ．
- 拘縮は組織の可逆的変化があり，リハビリテーションによって改善可能なものがある．一方，強直は，多くが拘縮の進行によって発生し，組織の非可逆的変化によって他動的関節可動域が消失して，多くの場合はリハビリテーションでの改善が困難で，外科的治療が適応される．
- 関節可動域検査の主な目的は，①関節可動域異常（制限・過剰）の有無および程度の確認，②関節運動阻害因子の発見，③予後判定・治療効果判定，④学術的資料，⑤患者に対するリハビリテーションへの動機づけ，である．

2 関節可動域における最終域感

- 他動的関節可動域の最終域でそれ以上の運動に対する抵抗として検者が経験する抵抗感のことを**最終域感**（endfeel）または**運動終末感**という．
- 最終域感は関節可動域制限の原因によって異なり，関節可動域制限の原因を特定する情報として活用される（表1）．
- 最終域感は他動的関節可動域測定時に確認する．

表1　関節可動域制限の原因と最終域感

関節可動域制限の原因組織	関節可動域制限の因子	最終域感・運動終末感
骨，軟骨	骨変形，骨棘，関節内遊離体，脱臼	・骨と骨が衝突する感覚 ・弾力がなく硬く制動する感覚 ・最終域で制動される感覚が出現する
関節包，靱帯	関節包，靱帯の癒着や短縮	・硬い革を伸張するときのようにやや弾力性があり制動する感覚 ・制動感は最終域直前にて急に増加し，最終域で最大になる
筋，筋膜，腱，皮膚	筋，筋膜，腱，皮膚の癒着や短縮	・硬いバネやゴムを伸張するときのようにやや弾力性があり制動する感覚 ・制動感は，最終域以前から出現し，最終域に近づくとともに増加し，最終域で最大になる
筋	麻痺や疼痛による筋緊張増加または筋収縮	・やや弾力性があり硬く制動する感覚 ・制動感は，最終域に近づくとともに増加する場合，関節運動範囲全体で制動感が一定である場合，関節運動中に突然増加する場合，がある
皮下組織	浮腫，腫脹，肥満，腫瘍	・弾力性があり柔軟に制動する感覚 ・制動感は，最終域以前から出現し，最終域に近づくとともに増加し，最終域で最大になる

3 関節可動域検査の手順

- 一般的に関節可動域は，昭和49年に日本整形外科学会と日本リハビリテーション医学会が提唱し，平成7年に改訂された「関節可動域表示ならびに測定法」に基づいて測定される（p.237 付録表）．
- 関節可動域は，他動的関節可動域と自動的関節可動域の双方を測定することが可能である．
- 関節可動域は，基本的に自動的関節可動域よりも他動的関節可動域の方が大きい．また，対象者によっては，他動運動は可能であっても自動運動が困難な場合もある．そのため，対象者の関節の最大可動範囲を知ることと実行可能性の点から他動的関節可動域を優先して測定することが多い．

- 一方，自動的関節可動域と他動的関節可動域の差異を確認することで対象者の障害特性を検討する必要がある場合もあるため，他動的関節可動域と自動的関節可動域を目的に応じて測定し分ける．
- 関節可動域は以下の手順で測定する（図3，表2）．
- 関節可動域測定時には，信頼性の高い検査結果を得るため，またはリスク管理のために諸々の点に留意する（表3）．
- 関節可動域測定結果を記録する場合，表記方法は統一し，かつ，特記事項がある場合は実際の検査値とともに併記する（表4）．

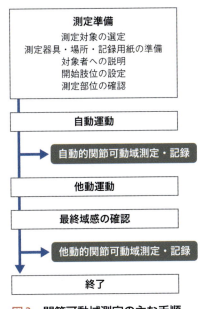

図3　関節可動域測定の主な手順

表2　関節可動域測定の手順

①関節可動域を測定する関節とその運動方向を選定し，測定順序を計画しておく
②測定器具〔角度計（ゴニオメーター）〕，記録用紙を準備し，対象者へ検査の概要を説明する
③被検者が開始肢位（関節可動域0°の位置）をとり，測定部位を最大限露出させる
④測定部位の疼痛，炎症症状，変形，脱臼，アライメントなどについて，問診，視診，触診で確認する
⑤骨指標を確認するとともに，測定しようとする移動軸，基本軸を想定する
⑥自動的関節可動域の測定：被検者が自ら自動運動（関節の近位を固定し，遠位を動かす）にて関節を最大限動かし，最終域にて肢位を保持する
⑦角度計をあてて関節可動域の数値を読み取る
⑧結果を記録する
⑨他動的関節可動域の測定：検者が他動運動（関節の近位を固定し，遠位を動かす）にて関節を最大限動かし，最終域感を確認するとともに，最終域にて肢位を保持する
⑩角度計をあてて関節可動域の数値を読み取る
⑪結果を記録する
⑫反対側の関節可動域測定へ進む

表3　関節可動域測定の留意点

信頼性の高い検査結果を得るために

- 角度計は原則として基本軸を固定し，移動軸を動かして用いる
- 基本軸と移動軸の交点を角度計の中心に合わせる
- 関節の運動に応じて角度計の中心を移動させてもよい．必要に応じて移動軸を平行移動させてもよい
- 原則として毎回同一の肢位で測定する．ある関節可動域の経過を辿る場合，異なる肢位で測定した結果は同一の関節であっても単純に比較できない場合がある
- 代償運動が発生しないように関節近位を十分に固定する
- 最大の範囲を測定する．そのためにも最終域感を十分に確認する
- 被検者をできるだけリラックスさせる．精神的な過緊張を避ける
- 多関節筋が関与する場合，原則としてその影響を除いた肢位で測定する
- 筋や腱の短縮を評価する目的で多関節筋を緊張させた肢位で関節可動域を測定する場合は，測定方法がわかるように明記すれば多関節筋を緊張させた肢位を用いてよい

リスク管理のために

- 疼痛や他の異常所見について事前にできるだけ確認する．関節に炎症がある場合は，炎症所見を併せて確認する．関節の手術後は術部・術創悪化，脱臼をさせないように留意する
- 患者の安楽性を考慮して測定肢位を選択する
- 健側と患側がある場合は，健側から測定を開始する
- 測定時（特に最終域感の確認時）は慎重に，丁寧に動かし，不必要な疼痛を起こさない
- 初めて触れる被検者では，はじめは必ず「ゆっくり」動かす．他動的関節可動域測定時は，動かしながら疼痛や不快感を随時確認する
- 意識障害，感覚障害，高次脳機能障害がある対象者では，正確な訴えを確認することが困難になりやすいため，問診と併せて表情を確認する

表4　関節可動域測定結果の記録上の留意点

- 角度計を用いて検査する場合，原則として5°刻みで測定結果を記載する
- 関節可動域の測定値は基本肢位を0°として表示する．本来の関節可動域が0°である関節運動（肘伸展，膝伸展）では，制限がある場合は－（マイナス）を表記する．例えば，膝関節の関節可動域が屈曲10°から120°であるならば「膝関節屈曲120°，膝関節伸展－10°」となる
- 異なる測定方法を用いる場合や，その他の関節可動域に影響を与える特記すべき事項がある場合は，測定値とともにその旨を併記する
- 自動的関節可動域は数値が自動的関節可動域であることがわかるように「自動」または「active」などと明記するか，他動的関節可動域の測定値の隣に（　）で囲んで自動的関節可動域の測定値を併記する
- 原則と異なる特別な肢位を用いて測定した場合は「背臥位」「座位」などと肢位を明記する
- 疼痛などが測定値に影響を与える場合は「痛み」「pain」などと併記する
- 他動的関節可動域制限がある場合は最終域感を明記する
- 多関節筋を緊張させた肢位を用いて測定する場合は，その測定値を（　）で囲んで表示するか，または「膝屈曲位」などと具体的に明記する

4 関節可動域検査（頸部）

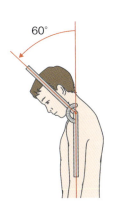

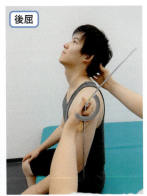

測定対象	頸部の屈曲（前屈），伸展（後屈）
姿勢・肢位	座位
基本軸	肩峰を通る床への垂線
移動軸	外耳孔と頭頂を結ぶ線
参考可動域	屈曲：60° 伸展：50°
留意点	頭部の屈曲・伸展，頸部の屈曲・伸展のそれぞれを観察する． 胸椎以下の体幹の屈曲・伸展を中間位に固定する．

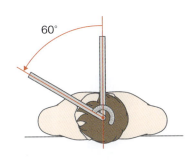

測定対象	頸部の回旋（左右）
姿勢・肢位	座位
基本軸	両側肩峰を結ぶ線への垂線
移動軸	鼻梁と後頭結節を結ぶ線
参考可動域	左回旋：60° 右回旋：60°
留意点	頸部の屈曲・伸展を中間位，体幹の回旋を中間位に固定する． 舌圧子をくわえさせ，移動軸の目安にしてもよい．

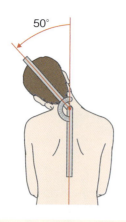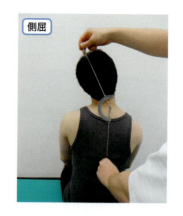

測定対象	頸部の側屈（左右）
姿勢・肢位	座位
基本軸	第7頸椎棘突起と第1仙椎棘突起を結ぶ線
移動軸	頭頂と第7頸椎棘突起を結ぶ線
参考可動域	左側屈：50°　右側屈：50°
留意点	肩甲帯の挙上，体幹の側屈が起きないように固定する．

5 関節可動域検査（胸腰部）

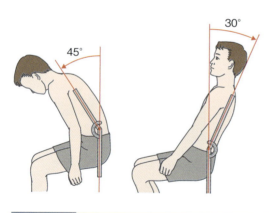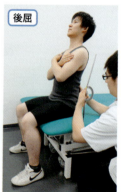

測定対象	胸腰部の屈曲（前屈），伸展（後屈）
姿勢・肢位	立位または座位
基本軸	仙骨後面
移動軸	第1胸椎棘突起と第5腰椎棘突起を結ぶ線
参考可動域	屈曲：45°　伸展：30°
留意点	骨盤の前後傾，股関節の屈曲・伸展が起きないようにできるだけ固定する．骨盤および股関節が動いた場合，軸を平行移動して測定する．

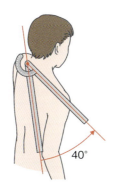

測定対象	胸腰部の回旋（左右）
姿勢・肢位	座位
基本軸	両側上後腸骨棘を結ぶ線
移動軸	両側肩峰を結ぶ線
参考可動域	左回旋：40°　右回旋：40°
留意点	肩甲帯の屈曲・伸展，骨盤の回旋が起きないように固定する． 胸腰部の右回旋では，右肩甲帯の伸展，左肩甲帯の屈曲が起きやすい．

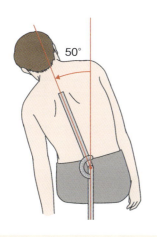

測定対象	胸腰部の側屈（左右）
姿勢・肢位	座位
基本軸	ヤコビー（Jacoby）線の中点に立てた垂線
移動軸	第1胸椎棘突起と第5腰椎棘突起を結ぶ線
参考可動域	左側屈：50°　右側屈：50°
留意点	胸腰部の屈曲が起きないように固定する． 右側屈時には左坐骨結節に荷重するように誘導する．

6 関節可動域検査（肩甲帯）

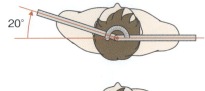
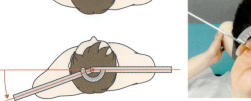

測定対象	肩甲帯の屈曲・伸展
姿勢・肢位	座位
基本軸	両側肩峰を結ぶ線
移動軸	頭頂と肩峰を結ぶ線
参考可動域	屈曲：20°　伸展：20°
留意点	頸椎および胸腰部の屈曲・伸展・回旋を中間位に固定する．

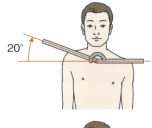
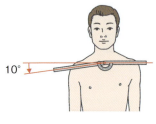
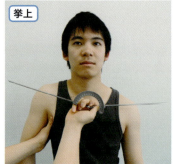
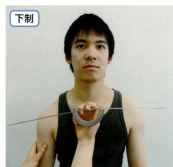

測定対象	肩甲帯の挙上・下制
姿勢・肢位	座位
基本軸	両側肩峰を結ぶ線
移動軸	肩峰と胸骨上縁を結ぶ線
参考可動域	挙上：20°　下制：10°
留意点	頸椎および胸腰部の側屈を中間位に固定する． 基本的に背面から測定する．ただし，移動軸となる胸骨上縁をより正確に確認しながら測定する方法として，前面から測定することを考慮する．

7 関節可動域検査（肩）

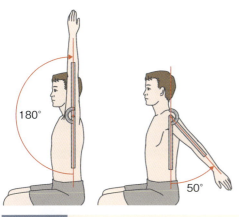

測定対象	肩の屈曲（前方挙上）・伸展（後方挙上）
姿勢・肢位	座位，立位，臥位
基本軸	肩峰を通る床への垂線
移動軸	上腕骨
参考可動域	屈曲：180°　伸展：50°
留意点	肩甲上腕リズムを考慮する． 体幹の屈曲伸展が起こらないように固定する． 臥位で測定すると体幹の代償を抑制しやすい．

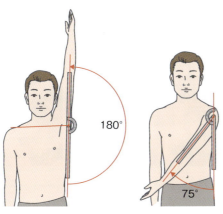

測定対象	肩の外転（側方挙上）・内転
姿勢・肢位	座位，立位，臥位
基本軸	肩峰を通る床への垂線
移動軸	上腕骨
参考可動域	外転：180°　内転：0°（別法では75°）
留意点	肩甲上腕リズムを考慮する． 外転90°以上は前腕を回外させる． 体幹の側屈が起こらないように固定する． 臥位で測定すると体幹の代償を抑制しやすい． 肩関節の内転の別法による検査では，立位で，かつ，肩関節を20°または45°屈曲位にて測定する．

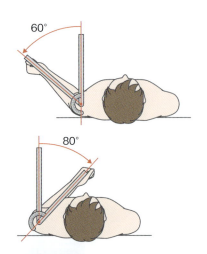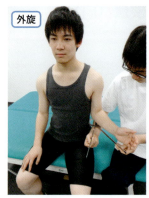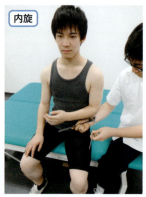

測定対象	肩の外旋・内旋
姿勢・肢位	座位，立位，臥位（肘90°屈曲・前腕中間位）
基本軸	肘を通る前額面への垂線
移動軸	尺骨
参考可動域	外旋：60°　内旋：80°
留意点	体幹の回旋が起こらないように固定する． 臥位で測定すると体幹の代償を抑制しやすい．

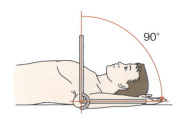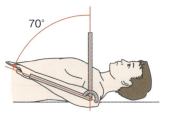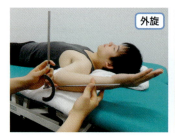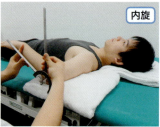

測定対象	肩の外旋・内旋
姿勢・肢位	座位，立位，臥位（肘90°屈曲・前腕中間位，肩90°外転）
基本軸	肘を通る前額面への垂線
移動軸	尺骨
参考可動域	外旋：90°　内旋：70°
留意点	体幹の屈曲・伸展が起こらないように固定する．

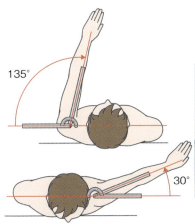

測定対象	肩の水平屈曲・水平伸展
姿勢・肢位	座位，臥位（肩90°外転）
基本軸	肩峰を通る矢状面への垂線
移動軸	上腕骨
参考可動域	水平屈曲：135°　水平伸展：30°
留意点	体幹の回旋が起こらないように固定する． 臥位で測定すると体幹の代償を抑制しやすい．

8 関節可動域検査（肘・前腕）

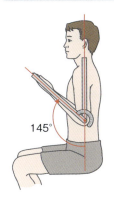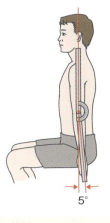

測定対象	肘の屈曲・伸展
姿勢・肢位	座位，背臥位
基本軸	上腕骨
移動軸	橈骨
参考可動域	屈曲：145°　伸展：0〜5°
留意点	肘の伸展制限時と肘の過伸展時では角度計を逆にあてる．

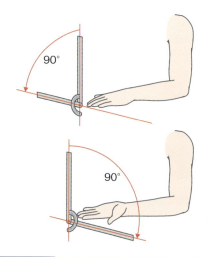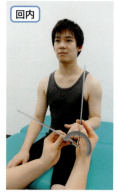

測定対象	前腕の回内・回外
姿勢・肢位	座位，背臥位
基本軸	上腕骨
移動軸	手指伸展位手掌
参考可動域	回内：90°　回外：90°
留意点	体幹の回旋が起こらないように固定する． 肘の伸展では肩回旋の代償が生じやすいので，肘屈曲位で測定する．

9 関節可動域検査（手）

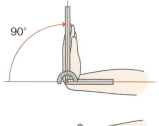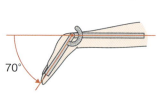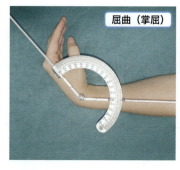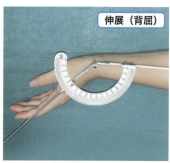

測定対象	手の屈曲（掌屈）・伸展（背屈）
姿勢・肢位	座位，背臥位
基本軸	橈骨
移動軸	第2中手骨
参考可動域	屈曲：90°　伸展：70°
留意点	前腕の回内・回外，手の橈屈・尺屈が起きないように固定する． 手の屈曲は指伸展位，手の伸展は指屈曲位をとると代償が起きにくい．

測定対象	手の橈屈・尺屈
姿勢・肢位	座位，背臥位
基本軸	前腕中央線
移動軸	第3中手骨
参考可動域	橈屈：25°　尺屈：55°
留意点	前腕の回内・回外，手の屈曲・伸展が起きないように固定する．

10 関節可動域検査（手指）

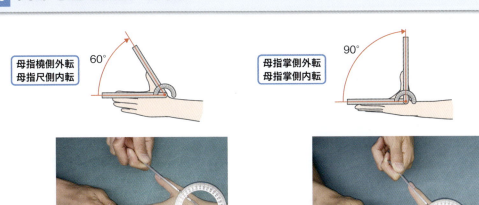

測定対象	母指の橈側外転/尺側内転・掌側外転/掌側内転
姿勢・肢位	座位，背臥位
基本軸	示指
移動軸	母指
参考可動域	橈側外転：60°　尺側内転：0°　掌側外転：90°　掌側内転：0°
留意点	IP関節伸展位で測定する． 手の関節を固定して測定する．

※IP関節：指節間関節

母指MP屈曲・伸展

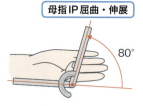
母指IP屈曲・伸展

MP屈曲

MP伸展

IP屈曲

IP伸展

測定対象	母指のMP関節屈曲・伸展，IP関節屈曲・伸展
姿勢・肢位	座位，背臥位
基本軸	MP：第1中手骨　IP：第1基節骨
移動軸	MP：第1基節骨　IP：第1末節骨
参考可動域	MP屈曲：60°　MP伸展：10°　IP屈曲：80°　IP伸展：10°
留意点	手の関節を固定して測定する．

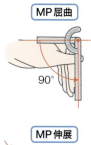
MP屈曲

PIP屈曲・伸展

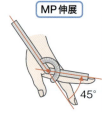
MP伸展

DIP屈曲・伸展

測定対象	手指のMP関節屈曲・伸展，PIP関節屈曲・伸展，DIP関節屈曲・伸展
姿勢・肢位	座位，背臥位
基本軸	MP：第2〜5中手骨　PIP：第2〜5基節骨　DIP：第2〜5中節骨
移動軸	MP：第2〜5基節骨　PIP：第2〜5中節骨　DIP：第2〜5末節骨
参考可動域	MP屈曲：90°　MP伸展：45°　PIP屈曲：100°　PIP伸展：0°　DIP屈曲：80°　DIP伸展：0°
留意点	手の関節を固定して測定する．

※MP関節：中手指節関節，PIP関節：近位指節間関節，DIP関節：遠位指節間関節

11 関節可動域検査（股）

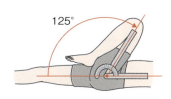

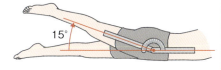

※基本軸と移動軸の見やすさを優先して撮影したため，検者が被検者の左下肢内側に位置している．実際の測定では検者は被検者の左下肢外側に位置し，角度計の目盛りを正面から確認して測定する．

測定対象	股関節の屈曲・伸展
姿勢・肢位	背臥位，腹臥位
基本軸	体幹の平行線
移動軸	大腿骨
参考可動域	屈曲：125°　伸展：15°
留意点	骨盤前傾後傾の代償を起こさないように固定する． 骨盤の傾斜が起こる直前が最終可動域である． 股外転中間位，股外旋・内旋中間位で測定する． 股関節の屈曲は膝屈曲位，股関節の伸展は膝伸展位で測定する． 股関節の屈曲を膝伸展位で，股関節の伸展を膝屈曲位で測定した場合はその旨を明記する．

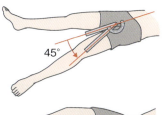
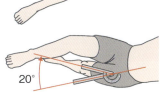

測定対象	股関節の外転・内転
姿勢・肢位	背臥位
基本軸	両側上前腸骨棘を結ぶ線への垂線
移動軸	大腿中央線（上前腸骨棘と膝蓋骨中心を結ぶ線）
参考可動域	外転：45°　内転：20°
留意点	骨盤側方傾斜の代償を起こさないように固定する． 骨盤の傾斜が起こる直前が最終可動域である． 股関節の屈曲・伸展中間位，股関節の外旋・内旋中間位で測定する． 内転の場合は，反対側の下肢を屈曲挙上して，その下を通す．

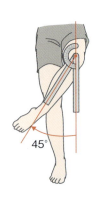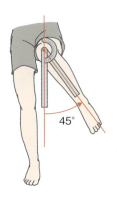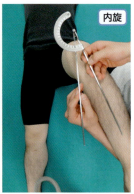

測定対象	股関節の外旋・内旋
姿勢・肢位	背臥位（股90°屈曲位，膝90°屈曲位）
基本軸	膝蓋骨から下ろした垂線
移動軸	下腿中央線（膝蓋骨中心と足関節内果外果中央を結ぶ線）
参考可動域	外旋：45°　内旋：45°
留意点	骨盤側方傾斜の代償を起こさないように固定する． 骨盤の傾斜が起こる直前が最終可動域である． 股関節の屈曲・伸展中間位，股関節の外転・内転中間位で測定する．

12　関節可動域検査（膝）

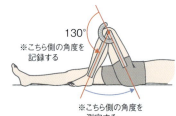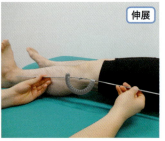

測定対象	膝の屈曲・伸展
姿勢・肢位	背臥位，腹臥位
基本軸	大腿骨
移動軸	腓骨
参考可動域	屈曲：130°　伸展：0°
留意点	膝関節の屈曲は股屈曲位で測定する．膝関節の屈曲角度は，180°から青矢印の角度を引いた値を記録する．膝関節の伸展は股伸展位で測定する．

13 関節可動域検査（足）

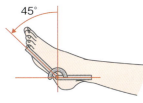
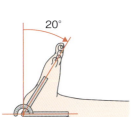
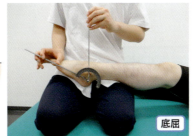

※基本軸と移動軸の見やすさを優先して撮影したため，検者が被検者の左下肢内側に位置している．実際の測定では検者は被検者の左下肢外側に位置し，角度計の目盛りを正面から確認して測定する．

測定対象	足関節の底屈・背屈
姿勢・肢位	背臥位，座位
基本軸	矢状面における腓骨長軸への垂直線
移動軸	足底面
参考可動域	底屈：45°　背屈：20°
留意点	膝屈曲位で測定する． 腓腹筋の伸長性を個別評価する場合は，膝屈曲位と膝伸展位で足関節の背屈を測定し，両者を比較する．

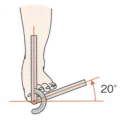
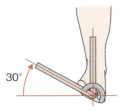
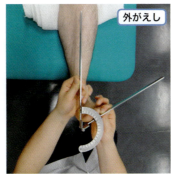

測定対象	足部の外がえし・内がえし
姿勢・肢位	背臥位，座位
基本軸	全額面における下腿軸への垂直線
移動軸	足底面
参考可動域	外がえし：20°　内がえし：30°
留意点	膝関節を屈曲位，足関節を0°で行う

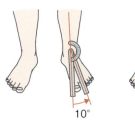
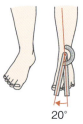
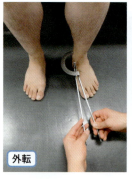
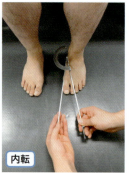

測定対象	足部の外転・内転
姿勢・肢位	背臥位,座位
基本軸	第2中足骨長軸
移動軸	第2中足骨長軸
参考可動域	外転:10°　内転:20°
留意点	膝関節を屈曲位,足関節を0°で行う.股関節の内旋・外旋を起こさないように,下腿を固定して測定する.

14 関節可動域検査の結果の解釈

- 関節可動域測定を終了した後は結果を十分に吟味する.特に,以下の3点を中心に検討する.
  ① 関節可動域異常（制限）の有無と程度の確認（どこにどの程度異常があるか）
  ② 関節可動域異常（制限）の原因の考察（なぜ異常があるのか）
  ③ 関節可動域異常（制限）の意義の考察（動作への影響,改善の可能性）
- 実際に数値を比較する際には,A）対象者個人の中での比較と,B）参考値との比較を行う.
- A）対象者個人の中で関節可動域の比較を行う際の要点として,以下の事項があげられる.
  - 自動的関節可動域と他動的関節可動域の比較
  - 左右（特に健側および患側）の関節可動域の比較
  - 過去の関節可動域と現在の関節可動域の比較
  - 最終域感の解釈
  - X線などの画像所見との整合の分析
- B）参考値との比較を行う際の要点として,以下の事項があげられる.
  - 改訂された「関節可動域表示ならびに測定法」で提唱されている参考可動域との比較（次ページ付録表参照）
  - 種々の日常生活動作に必要となる関節可動域の参考値との比較
  - 関節の手術後に医師が確認した最大関節可動域との比較
- 関節可動域は年齢,性,肢位,個体による変動が大きい.すでに報告されている参考可動域と比較することで関節可動域異常を検討する場合は,年齢,性,測定肢位,測定方法,疾患特性などを十分考慮する必要がある.また,参考値は有用な情報ではあるが,あくまで目安として活用する.

付録表　関節可動域表示ならびに測定法

I．上肢測定

部位名	運動方向	参考可動域角度	基本軸	移動軸	測定肢位および注意点	参考図
肩甲帯 shoulder girdle	屈曲 flexion	20°	両側の肩峰を結ぶ線	頭頂と肩峰を結ぶ線		
	伸展 extension	20°				
	挙上 elevation	20°	両側の肩峰を結ぶ線	肩峰と胸骨上縁を結ぶ線	背面から測定する．	
	引き下げ（下制） depression	10°				
肩 shoulder（肩甲帯の動きを含む）	屈曲（前方挙上） forward flexion	180°	肩峰を通る床への垂直線（立位または座位）	上腕骨	前腕は中間位とする．体幹が動かないように固定する．脊柱が前後屈しないように注意する．	
	伸展（後方挙上） backward extension	50°				
	外転（側方挙上） abduction	180°	肩峰を通る床への垂直線（立位または座位）	上腕骨	体幹の側屈が起こらないように90°以上になったら前腕を回外することを原則とする．→［V．その他の検査法］参照	
	内転 adduction	0°				
	外旋 external rotation	60°	肘を通る前額面への垂直線	尺骨	上腕を体幹に接して，肘関節を前方90°に屈曲した肢位で行う．前腕は中間位とする．→［V．その他の検査法］参照	
	内旋 internal rotation	80°				
	水平屈曲 horizontal flexion (horizontal adduction)	135°	肩峰を通る矢状面への垂直線	上腕骨	肩関節を90°外転位とする．	
	水平伸展 horizontal extension (horizontal abduction)	30°				
肘 elbow	屈曲 flexion	145°	上腕骨	橈骨	前腕は回外位とする．	
	伸展 extension	5°				
前腕 forearm	回内 pronation	90°	上腕骨	手指を伸展した手掌面	肩の回旋が入らないように肘を90°に屈曲する．	
	回外 supination	90°				
手 wrist	屈曲（掌屈） flexion (palmar flexion)	90°	橈骨	第2中手骨	前腕は中間位とする．	
	伸展（背屈） extension (dorsiflexion)	70°				
	橈屈 radial deviation	25°	前腕の中央線	第3中手骨	前腕を回内位で行う．	
	尺屈 ulnar deviation	55°				

第5章－6　関節可動域（ROM）検査

Ⅱ．手指測定

部位名	運動方向	参考可動域角度	基本軸	移動軸	測定肢位および注意点	参考図
母指 thumb	橈側外転 radial abduction	60°	示指（橈骨の延長上）	母指	運動は手掌面とする．以下の手指の運動は，原則として手指の背側に角度計をあてる．	
	尺側内転 ulnar adduction	0°				
	掌側外転 palmar abduction	90°			運動は手掌面に直角な面とする．	
	掌側内転 palmar adduction	0°				
	屈曲（MCP）flexion	60°	第1中手骨	第1基節骨		
	伸展（MCP）extension	10°				
	屈曲（IP）flexion	80°	第1基節骨	第1末節骨		
	伸展（IP）extension	10°				
指 fingers	屈曲（MCP）flexion	90°	第2〜5中手骨	第2〜5基節骨	→［Ⅴ．その他の検査法］参照	
	伸展（MCP）extension	45°				
	屈曲（PIP）flexion	100°	第2〜5基節骨	第2〜5中節骨		
	伸展（PIP）extension	0°				
	屈曲（DIP）flexion	80°	第2〜5中節骨	第2〜5末節骨	DIPは10°の過伸展をとりうる．	
	伸展（DIP）extension	0°				
	外転 abduction		第3中手骨延長線	第2, 4, 5指軸	中指の運動は橈側外転，尺側外転とする．→［Ⅴ．その他の検査法］参照	
	内転 adduction					

Ⅲ．下肢測定

部位名	運動方向	参考可動域角度	基本軸	移動軸	測定肢位および注意点
股 hip	屈曲 flexion	125°	体幹と平行な線	大腿骨（大転子と大腿骨外顆の中心を結ぶ線）	骨盤と脊柱を十分に固定する．屈曲は背臥位，膝屈曲位で行う．伸展は腹臥位，膝伸展位で行う．
	伸展 extension	15°			
	外転 abduction	45°	両側の上前腸骨棘を結ぶ線への垂直線	大腿中央線（上前腸骨棘より膝蓋骨中心を結ぶ線）	背臥位で骨盤を固定する．下肢は外旋しないようにする．内転の場合は，反対側の下肢を屈曲挙上してその下を通して内転させる．
	内転 adduction	20°			
	外旋 external rotation	45°	膝蓋骨より下ろした垂直線	下腿中央線（膝蓋骨中心より足関節内外果中央を結ぶ線）	背臥位で，股関節と膝関節を90°屈曲位にして行う．骨盤の代償を少なくする．
	内旋 internal rotation	45°			
膝 knee	屈曲 flexion	130°	大腿骨	腓骨（腓骨頭と外果を結ぶ線）	屈曲は股関節を屈曲位で行う．
	伸展 extension	0°			
足関節・足部 foot and ankle	外転 abduction	10°	第2中足骨長軸	第2中足骨長軸	膝関節を屈曲位，足関節を0°で行う．
	内転 adduction	20°			
	背屈 dorsiflexion	20°	矢状面における腓骨長軸への垂直線	足底面	膝関節を屈曲位で行う．
	底屈 plantarflexion	45°			
	内がえし inversion	30°	前額面における下腿軸への垂直線	足底面	膝関節を屈曲位，足関節を0°で行う．
	外がえし eversion	20°			
第1趾，母趾 great toe, big toe	屈曲（MTP）flexion	35°	第1中足骨	第1基節骨	以下の第1趾，母趾，趾の運動は，原則として趾の背側に角度計をあてる．
	伸展（MTP）extension	60°			
	屈曲（IP）flexion	60°	第1基節骨	第1末節骨	
	伸展（IP）extension	0°			
趾 toe, lesser toe	屈曲（MTP）flexion	35°	第2～5中足骨	第2～5基節骨	
	伸展（MTP）extension	40°			
	屈曲（PIP）flexion	35°	第2～5基節骨	第2～5中節骨	
	伸展（PIP）extension	0°			
	屈曲（DIP）flexion	50°	第2～5中節骨	第2～5末節骨	
	伸展（DIP）extension	0°			

※内がえし・外がえしの基準線が「前額面における下腿軸への垂直線」になるなど，2022年4月から一部の用語解釈が変更・整理されているので注意されたい．

IV. 体幹測定

部位名	運動方向		参考可動域角度	基本軸	移動軸	測定肢位および注意点
頸部 cervical spines	屈曲（前屈） flexion		60°	肩峰を通る床への垂直線	外耳孔と頭頂を結ぶ線	頭部体幹の側面で行う. 原則として腰かけ座位とする.
	伸展（後屈） extension		50°			
	回旋 rotation	左回旋	60°	両側の肩峰を結ぶ線への垂直線	鼻梁と後頭結節を結ぶ線	腰かけ座位で行う.
		右回旋	60°			
	側屈 lateral bending	左側屈	50°	第7頸椎棘突起と第1仙椎の棘突起を結ぶ線	頭頂と第7頸椎棘突起を結ぶ線	体幹の背面で行う. 腰かけ座位とする.
		右側屈	50°			
胸腰部 thoracic and lumbar spines	屈曲（前屈） flexion		45°	仙骨後面	第1胸椎棘突起と第5腰椎棘突起を結ぶ線	体幹側面より行う. 立位, 腰かけ座位または側臥位で行う. 股関節の運動が入らないように行う. → ［V. その他の検査法］参照
	伸展（後屈） extension		30°			
	回旋 rotation	左回旋	40°	両側の後上腸骨棘を結ぶ線	両側の肩峰を結ぶ線	座位で骨盤を固定して行う.
		右回旋	40°			
	側屈 lateral bending	左側屈	50°	ヤコビー（Jacoby）線の中点に立てた垂直線	第1胸椎棘突起と第5腰椎棘突起を結ぶ線	体幹の背面で行う. 腰かけ座位または立位で行う.
		右側屈	50°			

V. その他の検査法

部位名	運動方向	参考可動域角度	基本軸	移動軸	測定肢位および注意点
肩 shoulder（肩甲帯の動きを含む）	外旋 external rotation	90°	肘を通る前額面への垂直線	尺骨	前腕は中間位とする. 肩関節は90°外転し, かつ肘関節は90°屈曲した肢位で行う.
	内旋 internal rotation	70°			
	内転 adduction	75°	肩峰を通る床への垂直線	上腕骨	20°または45°肩関節屈曲位で行う. 立位で行う.
母指 thumb	対立 opposition				母指先端と小指基部（または先端）との距離（cm）で表示する.
指 fingers	外転 abduction		第3中手骨延長線	第2, 4, 5指軸	中指先端と第2, 4, 5指先端との距離（cm）で表示する.
	内転 adduction				
	屈曲 flexion				指尖と近位手掌皮線（proximal palmar crease）または遠位手掌皮線（distal palmar crease）との距離（cm）で表示する.
胸腰部 thoracic and lumbar spines	屈曲 flexion				最大屈曲は, 指先と床との間の距離（cm）で表示する.

VI. 顎関節計測

顎関節 temporomandibular joint	開口位で上顎の正中線で上歯と下歯の先端との間の距離（cm）で表示する. 左右偏位（lateral deviation）は上顎の正中線を軸として下歯列の動きの距離を左右ともcmで表示する. 参考値は上下第1切歯列対向縁線間の距離5.0 cm, 左右偏位は1.0 cmである.

文献3より引用.

文献

1) 「標準理学療法学 専門分野 運動療法学 総論」(吉尾雅春/編), pp20-39, 医学書院, 2001
2) 「関節可動域制限―病態の理解と治療の考え方」(沖田実/編), 三輪書店, 2008
3) 「関節可動域表示ならびに測定法改訂について(2022年4月改訂)」, 日本リハビリテーション医学会, 日本整形外科学会, 日本足の外科学会

第5章 身体部位別の検査

7 徒手筋力検査（MMT）

> **学習のポイント**
> - 徒手筋力検査（MMT）の意義・目的・判定基準・方法について学ぶ
> - 代償運動を防止して，正確な筋力評価を行う
> - 障害を把握するため，起始・停止と神経支配の高位を知る

1 徒手筋力検査（Manual Muscle Testing：MMT）とは

1）はじめに

- 筋力は多くの機能障害の原因であるばかりでなく予後にも重要な影響を及ぼすため，筋力検査は理学療法士や作業療法士などによる身体機能評価として欠かせない評価法の1つとなる[1)2)]．
- 従来，わが国でのテキストはDaniels and Worthinghamの「新・徒手筋力検査法」[3)]（以下，DanielsのMMT）やKendallの「筋：機能とテスト」[4)]（以下，KendallのMMT）が主に使用され，DanielsのMMTは第10版（英語版）まで出版されて広く普及している．しかし，DanielsのMMTは検者の抵抗に抗する段階4や5の測定では，主観的な要素の影響が大きく，客観性に乏しいといわれており[5)]，米国ではむしろKendallのMMTの方が一般的との見解もあり，姿勢の評価などに関しては，わが国でも多くの成書で引用されている．
- 徒手筋力検査（**MMT**）は，対象者が重力や抵抗に抗して各関節の筋（筋群）の発揮しうる筋力を，検者の徒手により量的に測定する非連続変数を用いた格付け評価法である．徒手的検査であるがゆえに簡便で汎用性に富むが，その反面前述した問題点や欠点もあるため，限界や応用範囲を踏まえて活用する必要がある．以降は日本語版の出ているDanielsのMMTの第9版に基づき記載する．

2）MMTの意義

①関節ごとの筋，筋群を量的に測定する．
②末梢性の弛緩性麻痺，軽度の痙性麻痺，廃用性筋萎縮などの筋の状態を評価する．

3）MMTの目的

1 診断の補助
- 被検筋の支配神経や髄節をもとに，末梢神経損傷や脊髄損傷などの損傷部位を決定する．

2 運動機能の判定
- 関節や筋，神経系の障害による筋のバランスや関節の変形を予想する．

3 治療効果の判定
- 手術（前）後の状況の判定はもちろん，定期的評価による治療経過の把握や治療効果の判定をする．

4 治療の一手段
- 検者であるセラピストなどの徒手により，抵抗量の加減，代償動作のコントロールが可能であるため，テスト自体が筋力増強トレーニングや筋再教育の一手段にもなる．

2 判定基準

- 表現法はいくつかあるが，わが国で一般的に用いられるのはDanielsの6段階評価法である．
- 筋力「**良**」（Fair：F：3）を基準として，重力・徒手抵抗に抗して関節運動が可能な場合を「**正常**」（Normal：N：5：強い抵抗と重力に抗して完全に運動できる），「**優**」（Good：G：4：弱い抵抗と重力に抗して完全に運動できる）として評価する．逆に重力に抗して関節運動が不可能な場合，「**可**」（Poor：P：2：重力を除けば完全に運動できる），「**不可**」（Trace：T：1：筋のわずかな収縮はみられるが関節は動かない），「**ゼロ**」（Zero：Z：0：筋の収縮が全く認められない）に分けて評価する（表）．
- また，原則としてプラス（＋）やマイナス（－）の段階づけは望ましくないとされる[3]．例外として，3（F）＋，2（P）＋，2（P）－の段階づけは認められている．従来，MMTの

表 MMTの判定基準

数的スコア		測定肢位	抵抗	参考可動域
5	Normal（N）	抗重力位	最大抵抗	全域可動可
4	Good（G）		中等度	
3+	Fair（F）		軽度	
3			重力のみ	
2+	Poor（P）	免荷位	ごく軽度	一部可動可
2			なし	全域可動可
2-				一部可動可
1	Trace（T）		筋収縮のみを感じ，可動は生じない	
0	Zero（0）		筋収縮も関節の可動も生じない	

段階づけは主観性と客観性，さらに対象者のモチベーションまで含まれ，熟練が必要とされてきた[3]．これまでの報告では，4（G）の段階が広すぎて検者間の相関は低いとされる．特に3（F）以下の段階づけでは，その評価の信頼性は著しく低下することが報告されている[6]〜[8]．このような中で，より評価の信頼性を向上させるために3（F）＋，2（P）＋，2（P）－の段階づけが認められている．

- ▶ 3（F）＋：重力に抗して全運動範囲を完全に動かすことが可能で，最終的に規定された位置で，軽い抵抗に抗して保持可能な筋力をいう．この評価により，4（G）の段階の範囲を補完することが可能となる．
- ▶ 2（P）＋：この評価は，基本的には足関節底屈筋力の評価に際して用いる．すなわち，基本的立位での評価で踵を持ち上げることは可能であるがつま先動作はできない場合と，腹臥位での別法で最大抵抗に抗して完全な足関節底屈保持が可能な場合，2（P）＋となる．
- ▶ 2（P）－：重力除去位で，2（P）の全運動範囲のうち一部の運動ができる場合を2（P）－とする．段階2（P）と段階1（T）の間の範囲を補完することが可能となる．

● しかし，現在の6段階のみでは筋力強弱の判別感度が低く，対象者の筋力増加や弱化が表面化しても異なる段階へと移行することが困難ともいわれている．また，MMTの3＋以上では，検者の性別，体格，年齢などにより与える徒手抵抗の強さが影響を受け，さらに被検者の性別，体格，年齢などを考慮して測定尺度が判定されるために，主観的な要素を含んで曖昧ともされる．MMTを臨床で使用するためには，より細分化して判別感度を高くし，さらに客観的な測定尺度や器機を用いての客観的測定による評価が求められている．

● いずれにしても，MMTは格付けをするための順序尺度であり，大小による尺度間の間隔は等しくないことを念頭に置く必要がある．各部位におけるMMTの実際を付録図（p.255参照）として示した．

3 テスト手技

● DanielsのMMTでは，以前は全可動域の自動・抵抗運動評価（full ark test，make test，以下makeテスト）であった検査が，第6版以降からは等尺性収縮による抑止テスト（break test，以下breakテスト）に変更された．これにより，これまで求心性収縮で行われてきた評価に比べて，より最大筋力の評価を行いやすくなった．

● しかし反面，等尺性収縮で測定した筋力と日常生活活動（Activities of Daily Living：ADL）との乖離や，さらに疼痛を有する対象者の評価時には疼痛出現角度の影響を受けるため，臨床的に疼痛のある被検者の評価に際してはmakeテストを併用しての確認も必要である．

4 信頼性

1）検者内信頼性（Intra-Rater Reliability）

● Duchenne型筋ジストロフィー者を対象としたMMTを用いた報告では，評価の再現性は$\kappa = 0.65 \sim 0.93$で，検者内信頼性も$\kappa = 0.80 \sim 0.99$と高い相関を示している[6]．同様に

骨関節疾患患者と神経筋疾患患者を対象とした再現性の検討でも，相関係数 r = 0.63 ～ 0.98 で高い再現性を示している[8]．

2) 検者間信頼性（Inter-Rater Reliability）

- 一般に検者間信頼性は，特に4以上の筋力を有する場合では検者内信頼性に比べて低いとされている．
- 評価の再現性を向上させるためには，代償運動をできる限り防止することがきわめて重要となる[9]．

5 代償運動

- **代償運動**（trick motion）とは，筋力低下や麻痺があるときに，残存している筋・筋群の活動によって運動を補い，見かけ上の類似運動をする現象のことである．MMTの実施において，一般的には対象者は一生懸命に筋力を発揮しようとする．したがって，代償運動の出現は評価の再現性を低下させる．代償運動を防止するためには，検査肢位，固定と抵抗の部位や大きさが重要となる[2]．
- 例として，上腕二頭筋による肩関節屈曲，棘上筋のみによる肩関節外転，手関節屈曲による肘屈曲，縫工筋による股関節屈曲，股関節屈筋群による膝関節屈曲，長母趾伸筋，長趾伸筋による足関節背屈と回外，足趾屈筋群による足部回外などが代償しやすい運動であるが，ほとんどの関節運動で体幹や回旋を加えることで代償運動が可能である．代表的な例を図1～18に示した．
- 測定にあたっては，常に代償の出現に注意を払って代償運動を防止する必要がある．

正常

体幹伸展による代償

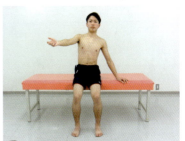
上腕二頭筋による代償

図1　肩関節屈曲の代償運動

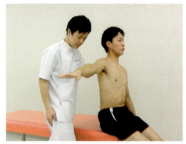 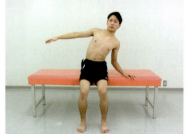 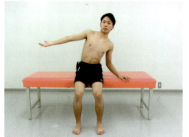

正常　　　　　　　　　　　体幹側屈による代償　　　　　体幹側屈＋上腕二頭筋による代償

図2　肩関節外転の代償運動

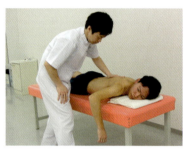 

正常　　　　　　　　　　　体幹回旋による代償

図3　肩甲骨内転の代償運動

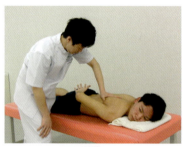 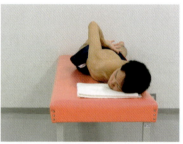

正常　　　　　　　　　　　体幹回旋による代償

図4　肩甲骨内転と下方回旋の代償運動

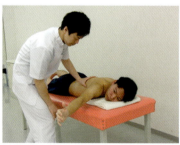 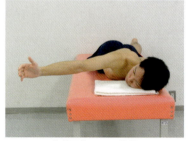

正常　　　　　　　　　　　体幹回旋による代償

図5　肩甲骨の下制と内転の代償運動

 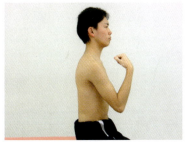

正常　　　　　　　　　　　　手関節屈筋群による代償

図6　肘関節屈曲の代償運動

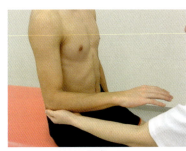 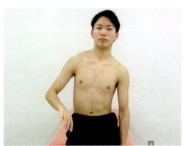

正常　　　　　　　　　　　　肩関節外転・体幹側屈による代償

図7　前腕回内の代償運動

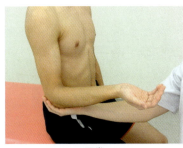 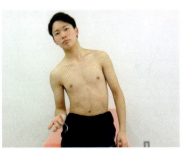

正常　　　　　　　　　　　　肩関節内転・体幹側屈による代償

図8　前腕回外の代償運動

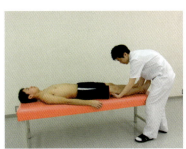 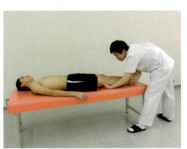

正常　　　　　　　　　　　　体幹側屈による代償

図9　骨盤挙上の代償運動

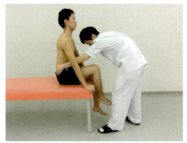 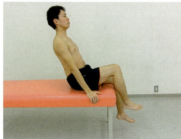 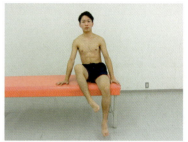

　　　正常　　　　　　　　　体幹伸展による代償　　　　　　　縫工筋による代償

図10　股関節屈曲の代償運動

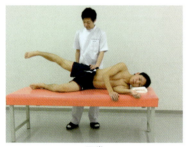 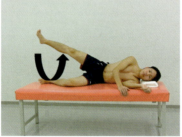 

　　　正常　　　　　　　　　大腿筋膜張筋による代償　　　　　股関節外旋による代償

図11　股関節外転の代償運動

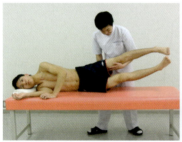  

　　　正常　　　　　　　　　股関節屈筋による代償　　　　　　ハムストリングスによる代償

図12　股関節内転の代償運動

  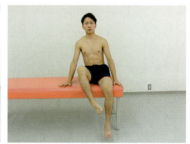

　　　正常　　　　　　　　　縫工筋による代償　　　　　　　　体幹側屈による代償

図13　股関節外旋の代償運動

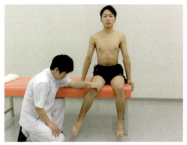
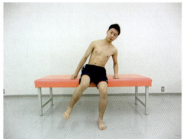

正常　　　　　　　　　　　体幹側屈による代償

図14　股関節内旋の代償運動

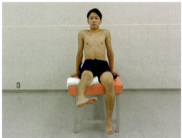
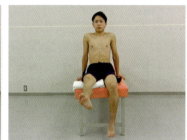

正常　　　　　　　　大腿筋膜張筋による代償　　　　股関節内転筋群による代償

図15　膝関節伸展の代償運動

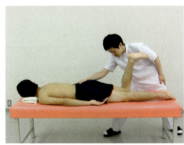
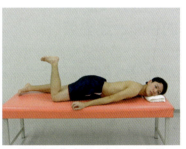

正常　　　　　　　　　　　股関節屈曲（尻上り）による代償

図16　膝関節屈曲の代償運動

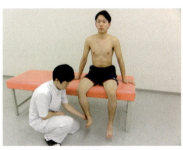
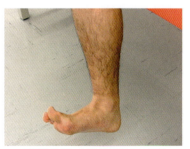

正常　　　　　　　　　　　長母趾伸筋，長趾伸筋による代償

図17　足関節背屈と回外の代償運動

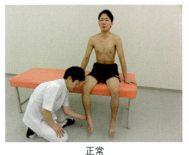
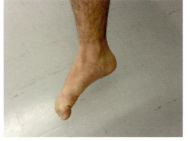

正常　　　　　　　　足趾屈筋群による代償　　図18　足部回外の代償運動

6 固定と抵抗

- **固定**は，代償運動防止のためにも必要不可欠となる．
- 特に体幹，骨盤，下肢の代償運動は被検者の上肢だけでは簡単に固定できない場合が多いため，被検者の下肢や体重を利用して固定することが必要な場合もある．
- **抵抗**に関しては，4（G）の範囲と5（N）の評価を各被検者がしっかり規定し，その基準を遵守することが再現性向上につながる．
- ただし，小児，成人，高齢者では最大抵抗量が異なることが示されており，障害側や疼痛側が片側の場合には左右差なども参考にする．

7 具体的手順と注意点

①**患者の協力とオリエンテーション**：テストの方法を十分説明し，正しい運動ができるようにする．
②**対象者の肢位**：対象者の体位変換は，最小限度にして疲労させない．このため，同一肢位でできるテストは同一肢位で行い，その後次の肢位に移る．また，指定の肢位がとれないときは変法での肢位を記載する．
③**衣服の着脱**：テスト部位は，必要なら露出させて代償運動や筋収縮を見やすくする．
④**両側肢の検査**：テストはできる限り両側で行う．
⑤**固定の重要性**：テスト部位の関節よりも中枢側の関節は固定することが大切．これが不十分だと代償運動が起こり正確性を欠くことになる．
⑥**抵抗を加える部位と与え方**：抵抗は検査筋や筋群の運動方向と正反対で，関節の遠位端に加える．
⑦抵抗の加え方は関節運動に従い徐々に加え，全運動範囲にわたって行う．骨折などで遠位端に抵抗を加えられないときは近位端に加えることもある．
⑧基本原則はbreakテストで行うが，疼痛を有する対象者や理解力の乏しい対象者の評価の際にはmakeテストも併せて確認する．
⑨代償運動を防止する．
⑩小児では，直接手を触れず動作を観察して筋力を推定する方法も使用される．

- なお，検査に際し痛みを訴える場合は，painの頭文字をとってP，痛みが著明な場合はPP，拘縮がある場合はcontractureの頭文字をとってC，痙性がある場合はspasticityの頭文字をとってS，痙性が著明な場合はSS，などを測定値に加える場合もある．

8 その他の客観的筋力評価法

1）等速性筋力測定機器

- 1960年代にニューヨーク大学のローマン（Lowman）により開発され，その客観性や有用性が示されたため筋力測定に関して世界的に一世を風靡した．わが国でも1970年代以降，多くの医療機関でいくつかの種類の機器が数多く導入された．
- 本機器は，関節運動速度を規定した一定速度に保つことができ，①測定時の関節運動に危険が少ないこと，②等張性収縮はもちろん求心性収縮や遠心性収縮などの収縮様式ごとでの評価が可能であること，③しっかりとした固定により代償運動が起こりにくいため測定の再現性が高いこと，④筋力強化トレーニングにも使用できること，などの利点を有している．
- しかし，①機器がきわめて高価であること，②測定が煩雑であり，ある程度の測定時間を必要とすること，③機種が異なると測定値を共有できないこと，④日本人の標準値がないことなどの問題もあり，現在では更新されている機械であっても新しい測定というよりも，その施設でルーチンに行われている測定の継続や左右差の比較が実施されている．

2）徒手筋力計（Hand Held Dynamometer：HHD）

- HHDは1970年代に開発され[10]，その後多くの報告で安価で客観性や携帯性に優れ，客観的測定が可能とされている[5)11)12)]．しかし，固定や抵抗の方法によって測定の再現性が大きく影響を受けることを念頭に測定を実施する必要がある．
- 測定は，直接センサー部を検者の手掌部と抵抗部位の間に入れてMMTを実施する**圧迫法**と，付属のベルトを用いて実施する**牽引法**の2種類がある．圧迫法での測定では，測定値が30 kgを超える場合には測定の再現性が低下することから，付属のベルトによる固定での牽引法を用いての測定が推奨されている（図19）．
- また，HHDのみならず等速性筋力測定機器でも膝関節や体幹の屈曲・伸展筋力の測定は従来のMMTの肢位ではなく座位が用いられてきた．この理由は，機器での測定の限界によるものであったが，特に体幹に関しては，MMTでの背臥位や腹臥位をとれない者や背臥位や腹臥位から体幹を持ち上げられない者が少なくない．対象者が重症化および高齢化している現状では，むしろ診察室でも簡便に測定可能な座位での測定も求められている．座位での体幹筋力の測定に関しては，測定時に足底を離床すべきか否かについて議論されたこともあった．しかし現在では，ベッド上などの活動を除いて日常生活において足底離床のまま体幹筋力を発揮することが少ないことから，下肢の影響を受けることを念頭に座位での体幹筋力測定は足底離床せずに実施されている．
- その他のHHDを用いた筋力測定は，ほとんどのMMTでの測定時に同時に実施可能である（図20～23）．
- 現在，酒井医療株式会社から公表されている日本人標準値作成プロジェクトにおける膝関節屈曲・伸展の測定値を図24として示す．

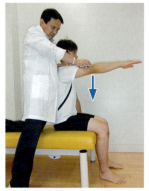
肩関節屈曲（圧迫法）

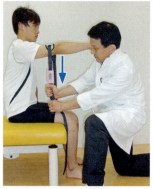
肩関節屈曲（牽引法）

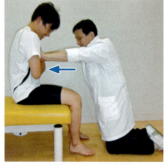
体幹屈曲（座位：圧迫法）

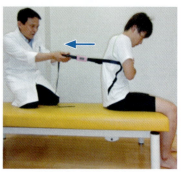
体幹屈曲（座位：牽引法）

図19 圧迫法と牽引法の例

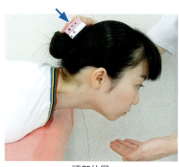
頭部伸展

頸部複合屈曲

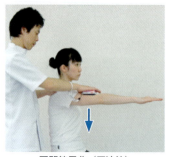
肩関節屈曲（圧迫法）

肩関節屈曲（牽引法）
※肩関節屈曲の測定は，牽引法の方が測定の再現性が高い．

図20 HHDでの筋力測定例①

肩関節外転
※肩関節外転の測定は，牽引法の方が測定の再現性が高い．

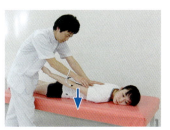
肩関節伸展

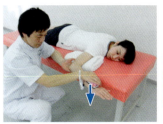
肩関節外旋

肩関節内旋

図21 HHDでの筋力測定例②

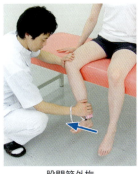
股関節外旋

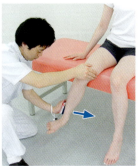
股関節内旋

図22 HHDでの筋力測定例③

膝関節伸展
※膝関節伸展の測定は，牽引法の方が測定の再現性が高い．

膝関節屈曲
※膝関節屈曲の測定は，牽引法の方が測定の再現性が高い．

図23 HHDでの筋力測定例④

A 膝屈曲筋力

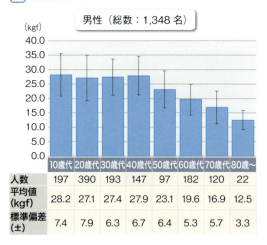
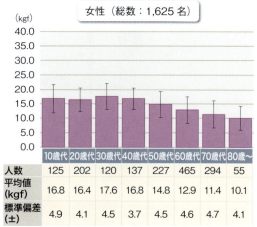

B 膝伸展筋力

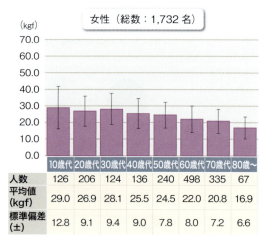

図24　HHDによる性別・年齢別，膝筋力値

A）膝屈曲筋力，B）膝伸展筋力．酒井医療株式会社mobie projectより一部変更．

9 おわりに

- MMTは，セラピストによる機能評価にとって不可欠なものである．
- 1980年代以降，各種筋力測定機器やHHDなどによる評価に関する報告も多数認められるが，機器の高価さや測定の煩雑さ，さらに対象者による適応性などの影響により，依然臨床ではその大半はMMTにより実施されている．
- したがって，評価に際しては常に測定の再現性を意識して実施する必要がある．このために，代償運動を許容することはできる限り排除すべきである．また，固定部位や抵抗部位に関してもより詳細に規定して，検者が変わっても同一被検者には常に同じ測定が実施されることが必要である．

付録図　MMTの実際

二次元バーコードを読み込むことで，各MMTの解説動画を観ることができる．必要に応じて参照されたい．

1）頭部・頸部

1 頭部屈曲

主動作筋	前頭直筋	外側頭直筋	頭長筋
神経	C1～C2 脊髄神経（前枝）	C1～C2 脊髄神経（前枝）	C1～C3 脊髄神経（前枝）

良（Fair）：3　　　　　正常（Normal）：5　　　　可（Poor）：2　　　　　不可（Trace）：1
　　　　　　　　　　　優（Good）：4　　　　　　　　　　　　　　　　　　ゼロ（Zero）：0

段階3：背臥位で，顎を引かせかつ足元がみえるように頭部を屈曲保持させる．

段階5：段階3の肢位で，両下顎へ最大抵抗を加え，抵抗に抗してその位置を保つ．
段階4：段階3の肢位で，中等度の抵抗に抗してその位置を保つ．

段階2：段階3の肢位で，頭部の屈曲の一部分が可能な場合を段階2とする（動画なし）．

段階1：段階3の肢位で，検者は頭部屈筋群の筋収縮を触知する．
段階0：筋収縮を認めない．

2 頸部屈曲

主動作筋	胸鎖乳突筋	頸長筋	前斜角筋
神経	副神経（外枝），C2～C3（C4）脊髄神経（前枝）	C2～C6 脊髄神経前枝	C4～C6 脊髄神経前枝

良（Fair）：3　　　　　正常（Normal）：5　　　　可（Poor）：2　　　　　不可（Trace）：1
　　　　　　　　　　　優（Good）：4　　　　　　　　　　　　　　　　　　ゼロ（Zero）：0

段階3：背臥位で，頭部を床から離床させ，頸部を屈曲保持させる．検者は，頭部の落下に注意する．

段階5：段階3の肢位で，前額部へ最大抵抗を加え，抵抗に抗してその位置を保つ．
段階4：段階3の肢位で，中等度の抵抗に抗してその位置を保つ．

段階2：段階3の肢位で，検者は頭部を両側へ回旋させ，わずかでも運動が起こるかを確認する．

段階1：段階3の肢位で，検者は胸鎖乳突筋の筋収縮を触知する．
段階0：筋収縮を認めない．

❸ 頭部伸展

主動作筋	大後頭直筋，小後頭直筋，上頭斜筋	頭最長筋	頭半棘筋	頭棘筋	下頭斜筋，頭板状筋	僧帽筋（上部）
神経	C1 脊髄神経（後頭下神経，後枝）	C3〜C8 脊髄神経，変異あり（後枝）	C2〜T1 脊髄神経（後枝）：大後頭神経（第2頸髄神経の後枝）	C3〜T1 脊髄神経（後枝）	C1 脊髄神経（後頭下神経，後枝）	C3〜C4 副・脊髄神経叢

良（Fair）：3　　正常（Normal）：5　　可（Poor）：2　　不可（Trace）：1
　　　　　　　　優（Good）：4　　　　　　　　　　　　　ゼロ（Zero）：0

段階3：腹臥位で，顎を上げさせ，前をみるように頭部を伸展保持させる．検者は，頭部の落下に注意する．

段階5：段階3の肢位で，後頭部へ最大抵抗を加え，抵抗に抗してその位置を保つ．
段階4：段階3の肢位で，中等度の抵抗に抗してその位置を保つ．

段階2：背臥位で，顎を上げさせ頭部を伸展させ，検者はわずかでも運動が起こるかを確認する．

段階1：段階2の肢位で，検者は頭部伸筋群の筋収縮を触知する．
段階0：筋収縮を認めない．

❹ 頸部伸展

主動作筋	頸最長筋	頸半棘筋	頸棘筋	頸腸肋筋	頸板状筋	僧帽筋（上部）
神経	C3〜T3 脊髄神経（後枝）	C2〜T5 脊髄神経（後枝）	C3〜C8 脊髄神経（後枝）	C4〜T3 脊髄神経（後枝）	C4〜C8 脊髄神経（後枝）	C3〜C4 副・脊髄神経叢

良（Fair）：3　　正常（Normal）：5　　可（Poor）：2　　不可（Trace）：1
　　　　　　　　優（Good）：4　　　　　　　　　　　　　ゼロ（Zero）：0

段階3：腹臥位で，顎を引かせて顔を持ち上げるように頸部を伸展保持させる．検者は，頭部の落下に注意する．

段階5：段階3の肢位で，頭頂後頭部へ最大抵抗を加え，抵抗に抗してその位置を保つ．
段階4：段階3の肢位で，中等度の抵抗に抗してその位置を保つ．

段階2：背臥位で，顎を引かせ，後頭部を検査台に押しつけるように頸部を伸展させる．検者は，わずかでも運動が起こるかを確認する．

段階1：段階2の肢位で，検者は頸部伸筋群の筋収縮を触知する．
段階0：筋収縮を認めない．

5 頸部複合屈曲

主動作筋	胸鎖乳突筋	頸長筋	前斜角筋	前頭直筋	外側頭直筋	頭長筋
神経	副神経（外枝），C2〜C3（C4）脊髄神経（前枝）	C2〜C6 脊髄神経（前枝）	C4〜C6 脊髄神経（前枝）	C1〜C2 脊髄神経（前枝）	C1〜C2 脊髄神経（前枝）	C1〜C3 脊髄神経（前枝）

良（Fair）：3　　　　正常（Normal）：5　　　　可（Poor）：2　　　　不可（Trace）：1
　　　　　　　　　　優（Good）：4　　　　　　　　　　　　　　　　　ゼロ（Zero）：0

段階3：背臥位で，足元をみるように頸部を屈曲保持させる．頭部の落下に注意する．

段階5：段階3の肢位で，前額部へ最大抵抗を加え，抵抗に抗してその位置を保つ．
段階4：段階3の肢位で，中等度の抵抗に抗してその位置を保つ．

段階2：頭をできるだけ上げさせ，頭部を両側回旋させる．検者は，わずかでも運動が起こるかを確認する．

段階1：頭をできるだけ上げさせ，検者は胸鎖乳突筋の筋収縮を触知する．
段階0：筋収縮を認めない．

6 一方の胸鎖乳突筋だけを分離するための複合屈曲

主動作筋	胸鎖乳突筋
神経	副神経（外枝），C2〜C3（C4）脊髄神経（前枝）

良（Fair）：3　　　　正常（Normal）：5　　　　可（Poor）：2　　　　不可（Trace）：1
　　　　　　　　　　優（Good）：4　　　　　　　　　　　　　　　　　ゼロ（Zero）：0

段階3：背臥位で，検査側を上にして頸部を屈曲保持させる．

段階5：段階3の肢位で，前額部へ最大抵抗を加え，抵抗に抗してその位置を保つ．
段階4：段階3の肢位で，中等度の抵抗に抗してその位置を保つ．

段階2：座位で，頭部を検査側へ回旋させる．検者は，わずかでも運動が起こるかを確認する．

段階1：段階2の肢位で，検者は胸鎖乳突筋の筋収縮を触知する．
段階0：筋収縮を認めない．

7 頸部複合伸展

主動作筋	頸最長筋	頸半棘筋	頸棘筋	頸腸肋筋	頭最長筋	頭半棘筋	頭棘筋	頸板状筋	頭板状筋	僧帽筋（上部）
神経	C3～T3 脊髄神経（後枝）	C2～T5 脊髄神経（後枝）	C3～C8 脊髄神経（後枝）	C4～T3 脊髄神経（後枝）	C3～C8 脊髄神経，変更あり（後枝）	C2～T1 脊髄神経（後枝），大後頭神経（第2脊髄神経の後枝）	C3～T1 脊髄神経（後枝）	C4～C8 脊髄神経（後枝）	C3～C6 脊髄神経（後枝），C1～C2 後頭下神経と大後頭下神経	C2～C4 副神経・脊髄神経

良 (Fair)：3　　正常 (Normal)：5　　可 (Poor)：2　　不可 (Trace)：1
　　　　　　　　優 (Good)：4　　　　　　　　　　　　ゼロ (Zero)：0

段階3：腹臥位で，顎を上げさせ，頭部を持ち上げるように頸部を伸展保持させる．検者は，頭部の落下に注意する．

段階5：段階3の肢位で，頭頂後頭部へ最大抵抗を加え，抵抗に抗してその位置を保つ．
段階4：段階3の肢位で，中等度の抵抗に抗してその位置を保つ．

段階2：段階3の肢位で，被検者に顎を上げさせ，頸部を伸展させる．わずかでも運動が起こるかを確認する．

段階1：段階3の肢位で，検者は頸部伸筋群の筋収縮を触知する．
段階0：筋収縮を認めない．

2）体幹

8 体幹屈曲

主動作筋	腹直筋	外腹斜筋	内腹斜筋
神経	T7～T12 肋間神経	T7～T12 肋間神経	T7～T12，L1 腸骨下腹神経枝と腸骨鼡径神経枝

良 (Fair)：3　　正常 (Normal)：5　　可 (Poor)：2　　不可 (Trace)：1
　　　　　　　　優 (Good)：4　　　　　　　　　　　　ゼロ (Zero)：0

段階3：背臥位で，顎を天井方向へ向けて首が屈曲しないようにし，両上肢を前方にして体幹を屈曲保持させる．被検者の肩甲骨下角が，検査台から離れることを確認する．被検者の骨盤屈筋が弱いときには，検者は被検者の骨盤を固定する．

段階5：段階3の肢位で，両上肢で頭部後面を把持させ，肩甲骨下角がベッドから離床するまで，体幹を屈曲保持させる．
段階4：両上肢を体幹前面で組ませ，肩甲骨下角が検査台から離床するまで，体幹を屈曲保持させる．

段階2：背臥位で，両膝を立たせて段階3の検査を行う．肩甲骨下角が検査台から離れない場合を段階2とする．被検者が頭部を持ち上げることができない場合は，第2操作で検査する．

第2操作
段階1：背臥位で，検者が被検者の頸部を屈曲位で支持し，その状態から体幹屈曲もしくは，咳をさせる．このとき，体幹屈曲運動は起こらないが，腹直筋の筋収縮を胸郭正中の白線上で触知できる．
段階0：筋収縮を認めない．

❾ 体幹回旋

主動作筋	外腹斜筋（体幹回旋対側）	内腹斜筋（体幹回旋側）
神経	T7～T12 肋間神経	T7～T12 脊髄神経（後枝），L1 脊髄神経（前枝）

良（Fair）：3

段階3：背臥位で，顎を天井方向へ向けて首が屈曲しないようにし，両肘関節伸展位で両上肢を体幹前方に位置させ，反対の肩甲骨下角が検査台から離れるまで体幹回旋を保持させる．

正常（Normal）：5
優（Good）：4

段階5：段階3の肢位で，両上肢で頭部後面を把持させ，対側の肩甲骨下角が検査台から離床するまで，体幹回旋を保持させる．

段階4：両上肢を体幹前面で組ませ，反対側の肩甲骨下角が検査台から離床するまで体幹回旋を保持させる．

可（Poor）：2

段階2：背臥位で，両肘関節伸展位で両上肢を体幹前方に位置させ，体幹回旋を行わせる．体幹回旋と反対側の肩甲骨下角が検査台から離れなければ段階2と判定する．

不可（Trace）：1
ゼロ（Zero）：0

段階1：背臥位で，検者が被検者の頸部を屈曲位で支持し，被検者に体幹回旋を行わせる．運動は起こらないが，体幹回旋と反対側の外腹斜筋および体幹回旋側の内腹斜筋の筋収縮が触知できる．
段階0：筋収縮を認めない．

❿ 体幹伸展

主動作筋	脊柱起立筋（腸肋筋）		最長筋（胸最長筋）	棘筋（胸棘筋）	腰方形筋
	腰腸肋筋	胸腸肋筋			
神経	L1～L5 脊髄神経（後枝）	T1～T12 脊髄神経（後枝）	T1～L1 脊髄神経（後枝）	T1～T2（変異あり）（後枝）	T12～L3 脊髄神経（前枝）

良（Fair）：3

【腰椎と胸椎伸展】
段階3：腹臥位で，検者は被検者の足関節上部を固定する．両上肢を体側にして，臍が検査台から離れるまで体幹を伸展保持させる．

正常（Normal）：5
優（Good）：4

【腰椎と胸椎伸展】
段階5：段階3の肢位で，両上肢を頭部後面で把持させ，臍が検査台から離れるまで体幹を伸展させる．
段階4：段階5まで体幹を伸展することはできるが，体幹の揺れや努力の兆候がみられる．

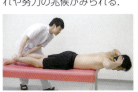

可（Poor）：2

段階2：段階3の肢位で，体幹伸展を行わせ，検査台から胸部は離れても臍が離れないか，運動の一部ができれば段階2とする．

【胸椎伸展（Sorensen test）】
段階5：腹臥位で，検査台から乳頭の位置まで外に出し，両上肢を頭部後面で把持させて水平になるまで体幹を伸展させる．
段階4：段階5まで体幹を伸展することはできないか，いくぶん努力している．

不可（Trace）：1
ゼロ（Zero）：0

段階1：腹臥位で，体幹伸展を行わせる．検者は，腰椎部と胸椎部の脊柱起立筋で筋収縮が触知できる．
段階0：筋収縮を認めない．

3）上肢

11 肩甲骨の挙上

主動作筋	僧帽筋（上部線維）	肩甲挙筋
神経	C2～C4 副神経（上および中）	C3～C4 脊髄神経（前枝），C5 肩甲背神経（下部線維へ）（前枝）

良（Fair）：3　　正常（Normal）：5／優（Good）：4　　可（Poor）：2　　不可（Trace）：1／ゼロ（Zero）：0

段階3：座位で，両肩をすくめるように肩甲骨を挙上保持させる．

段階5：段階3の肢位で，検者の最大抵抗に抗してその位置を保つことができる．
段階4：段階3の肢位で，強度から中等度の抵抗に抗してその位置を保つことができる．

段階2：腹臥位で，段階3の検査を重力を除去して実施する．検者は，上肢を支持して全可動域肩甲帯を挙上できることを確認する．通常，一側ずつ実施する．腹臥位が取れない場合は，段階2～0のテストは背臥位で行ってもよい．

段階1：段階2の肢位で，鎖骨上部および頸椎近傍で僧帽筋上部線維の収縮を触知する．
段階0：筋収縮を認めない．

12 肩甲骨の下制と内転

主動作筋	僧帽筋（中部・下部線維）
神経	C2～C4 副神経・頸神経

良（Fair）：3　　正常（Normal）：5／優（Good）：4　　可（Poor）：2　　不可（Trace）：1／ゼロ（Zero）：0

段階3：腹臥位で，上肢を約145°外転させ，上肢と胸部をベッドから離して保持させる．この際，前腕は中間位として母指を天井へ向けて指差させ，肩甲骨が内転・下制していることを確認する．

段階5：段階3の肢位で，上腕遠位部への最大抵抗に抗してその位置を保つ．
段階4：段階3の肢位で，中等度の抵抗に抗してその位置を保つ．

段階2：段階3の検査を上肢を支持して重力を除去して行う肩甲骨の内転・下制を確認する．

段階1：段階2の肢位で，検者は肩甲棘根部と下部胸椎（T7～T12）の三角形部分で，僧帽筋下部線維の筋収縮を触知する．
段階0：筋収縮を認めない．

13 肩甲骨内転

主動作筋	僧帽筋（中部線維）	大菱形筋	小菱形筋
神経	C2〜C4 副神経・頸神経	C5 肩甲背神経	C5 肩甲背神経

良（Fair）：3　　正常（Normal）：5　優（Good）：4　　可（Poor）：2　　不可（Trace）：1　ゼロ（Zero）：0

段階3：腹臥位で，上肢を90°外転，肘関節90°屈曲位から，上腕と胸部をベッドから離すように保持させる．検者は，肩甲骨が内転していることを確認する．

段階5：段階3の肢位で，検者は上腕遠位部に最大抵抗をかけ，その位置を保たせる．
段階4：段階3の肢位で，中等度の抵抗に抗してその位置を保つ．三角筋後部線維の筋力が低下している場合は，上腕骨近位で肩甲骨外側に抵抗をかける．

段階2：段階3の検査を上肢を支持して重力を除去して行う．肩甲骨の内転を確認する．

段階1：段階2の肢位で，肩甲棘部で僧帽筋中部線維の筋収縮を触知する．
段階0：筋収縮を認めない．

14 肩甲骨内転と下方回旋

主動作筋	大菱形筋	小菱形筋
神経	C5 肩甲背神経	C5 肩甲背神経

良（Fair）：3　　正常（Normal）：5　優（Good）：4　　可（Poor）：2　　不可（Trace）：1　ゼロ（Zero）：0

段階3：腹臥位で，検査側の手の平を上へ向けて腰部に置いた手を腰部から離すように持ち上げて保持させる．この際，肩甲骨が内転・下方回旋することを確認する．

段階5：段階3の肢位で，検者は肘の直上に下方かつ外側へ最大抵抗を加え，抵抗に抗してその位置を保つ．
段階4：段階3の肢位で，中等度の抵抗に抗してその位置を保つ．

段階2：座位で，段階3の検査を実施する．肩甲骨が内転・下方回旋することを確認する．

段階1：段階2の肢位で，検者は肩甲骨の内側縁で菱形筋の筋収縮を触知する．
段階0：筋収縮を認めない．

⓯ 肩甲骨の外転と上方回旋

主動作筋	前鋸筋
神経	C5〜C7 長胸神経

良（Fair）：3

正常（Normal）：5
優（Good）：4

可（Poor）：2

不可（Trace）：1
ゼロ（Zero）：0

段階3：座位で上肢を肘関節伸展位で130°前方挙上させ，上肢の延長上に突き出させる．この際，肩甲骨が外転・上方回旋していることを確認する．

段階5：段階3の肢位で，検者の最大抵抗に抗してその位置を保つ．
段階4：段階3の肢位で，最大抵抗に抗してその位置を保てず，肩甲骨の内転，下方回旋が起こる．

段階2：段階3の検査を被検者の上肢を支持し，その位置を保つように力を入れたり抜いたりして，肩甲骨の外転と上方回旋を確認する．肩甲骨が，スムーズに外転・上方回旋しない場合や肩甲骨が脊柱棘突起方向へ動く場合は段階2－（poor －）とする．

段階1：段階2の肢位で，検者は腋窩中間線上の肋骨起始部で前鋸筋の筋収縮を触知する．
段階0：筋収縮を認めない．

⓰ 肩甲骨の下制（広背筋に対する別法）

主動作筋	広背筋
神経	C6〜C8 胸背神経（前枝）

正常（Normal）：5
優（Good）：4

正常（Normal）：5

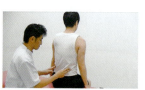

段階5：腹臥位で，前腕部への最大抵抗に抗して腕を足の方へ下制させる．
段階4：段階5の運動で，強い抵抗に抗せず，肩が開始位置を維持できない．

段階5：座位で，両手で殿部を持ち上げその位置を保たせる．

17 肩関節屈曲

主動作筋	三角筋（前部線維）	棘上筋	烏口腕筋
神経	C5〜C6 腋窩神経（前枝）	C5〜C6 肩甲上神経	C5〜C7 筋皮神経

良（Fair）：3　　　　　正常（Normal）：5　　　　可（Poor）：2　　　　不可（Trace）：1
　　　　　　　　　　　優（Good）：4　　　　　　　　　　　　　　　　　ゼロ（Zero）：0

段階3：座位で，肩関節屈曲90°を保持させる．

段階5：段階3の肢位で，検者は肘の直上に下方へ最大抵抗を加え，抵抗に抗してその位置を保つ．
段階4：段階3の肢位で，中等度の抵抗に抗してその位置を保つ．

段階2：段階3の検査を実施し，運動の一部しかできない（動画なし）．

段階1：段階2の肢位で，肩峰の内側で三角筋前部線維，肩甲骨棘上窩で棘上筋の筋収縮を触知する．
段階0：筋収縮を認めない．

18 肩関節外転

主動作筋	三角筋中部線維	棘上筋
神経	C5〜C6 腋窩神経（前枝）	C5〜C6 肩甲上神経

良（Fair）：3　　　　　正常（Normal）：5　　　　可（Poor）：2　　　　不可（Trace）：1
　　　　　　　　　　　優（Good）：4　　　　　　　　　　　　　　　　　ゼロ（Zero）：0

段階3：座位で，肩関節外転90°を保持させる．

段階5：段階3の肢位で，検者は肘の直上に下方かつ外側へ最大抵抗を加え，抵抗に抗してその位置を保つ．
段階4：段階3の肢位で，中等度の抵抗に抗してその位置を保つ．

段階2：段階3の検査を実施し，運動の一部しかできない（動画なし）．

段階1：段階3の肢位で，検者は三角筋および棘上筋の筋収縮を触知する．
段階0：筋収縮を認めない．

⑲ 肩関節伸展

主動作筋	三角筋（後部線維）	広背筋	大円筋
神経	C5〜C6 腋窩神経	C6〜C8 胸背神経（前枝）	C5〜C6（下）肩甲下神経

良（Fair）：3

正常（Normal）：5
優（Good）：4

可（Poor）：2

不可（Trace）：1
ゼロ（Zero）：0

 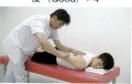 

段階3：腹臥位で，検査側の手の平を上へ向けて肘関節を伸展したまま肩関節伸展を保持させる．

段階5：段階3の肢位で，検者は肘の直上に下方へ最大抵抗を加え，抵抗に抗してその位置を保つ．
段階4：段階3の肢位で，中等度の抵抗に抗してその位置を保つ．

段階2：段階3の検査を実施し，運動の一部しかできない（動画なし）．

段階1：段階3の肢位で，検者は腋窩直上で三角筋後部線維，腋窩直下の肩甲骨外側縁で大円筋の筋収縮を触知する．
段階0：筋収縮を認めない．

⑳ 肩関節水平外転

主動作筋	三角筋後部線維
神経	C5〜C6 腋窩神経

良（Fair）：3

正常（Normal）：5
優（Good）：4

可（Poor）：2

不可（Trace）：1
ゼロ（Zero）：0

段階3：腹臥位で，肩関節外転90°，肘関節屈曲90°から，肩関節水平外転を保持させる．

段階5：腹臥位で，肩関節90°外転位，肘関節伸展位で下方へ最大抵抗を加え，抵抗に抗してその位置を保つ．
段階4：段階5の肢位で，中等度の抵抗に抗してその位置を保つ．

段階2：段階3の検査を座位で前腕を支えて重力を除去して行う．全可動域で肩関節水平外転が可能か確認する．

段階1：段階3の肢位で，検者は肩甲棘下外側で腋窩近傍の上腕骨後面で三角筋後部線維の筋収縮を触知する．
段階0：筋収縮を認めない．

21 肩関節水平内転

主動作筋	大胸筋（鎖骨部・胸肋部）
神経	C5〜T1　内側・外側胸筋神経

良（Fair）：3　　　　　　正常（Normal）：5　　　　　可（Poor）：2　　　　　不可（Trace）：1
　　　　　　　　　　　　優（Good）：4　　　　　　　　　　　　　　　　　　　ゼロ（Zero）：0

段階3：背臥位で，肩関節外転90°，肘関節屈曲90°から，肩関節水平内転を保持させる．

段階5：段階3の肢位で，検者は前腕に最大抵抗を加え，抵抗に抗してその位置を保つ．
段階4：段階3の肢位で，中等度の抵抗に抗してその位置を保つ．

段階2：段階3の検査を座位で前腕を支えて重力を除去して行う．全可動域で肩関節水平内転が可能か確認する．

段階1：段階3の肢位で，検者は上腕骨前面の結節間溝近傍で大胸筋鎖骨部の筋収縮を触知する．
段階0：筋収縮を認めない．

22 肩関節外旋

主動作筋	棘下筋	小円筋
神経	C5〜C6　肩甲上神経	C5〜C6　腋窩神経

良（Fair）：3　　　　　　正常（Normal）：5　　　　　可（Poor）：2　　　　　不可（Trace）：1
　　　　　　　　　　　　優（Good）：4　　　　　　　　　　　　　　　　　　　ゼロ（Zero）：0

段階3：腹臥位で，肩関節外転90°から肩関節外旋を保持させる．

段階5：段階3の肢位で，検者は前腕遠位端に下方へ最大抵抗を加え，抵抗に抗してその位置を保つ．
段階4：段階3の肢位で，中等度の抵抗に抗してその位置を保つ．

段階2：段階3の検査を座位で前腕を支えて重力を除去して行う．全可動域で肩関節外旋が可能か確認する．

段階1：段階3の検査で，検者は肩甲骨棘下窩近傍で棘下筋，肩甲骨外側縁の腋窩下縁で小円筋を触知する．
段階0：筋収縮を認めない．

23 肩関節内旋

主動作筋	肩甲下筋	大円筋	広背筋	大胸筋
神経	C5〜C6 肩甲下神経	C5〜C6（下）肩甲下神経	C6〜C8 胸背神経（前枝）	C5〜T1 内側・外側胸筋神経

良（Fair）：3　　　　　　正常（Normal）：5　　　　　可（Poor）：2　　　　　不可（Trace）：1
　　　　　　　　　　　　優（Good）：4　　　　　　　　　　　　　　　　　　　ゼロ（Zero）：0

段階3：腹臥位で，肩関節外転90°から肩関節内旋を保持する．

段階5：段階3の肢位で，検者は前腕遠位端に下方へ最大抵抗を加え，抵抗に抗してその位置を保つ．
段階4：段階3の肢位で，中等度の抵抗に抗してその位置を保つ．

段階2：座位で，検者は前腕を支えて重力を除去して，全可動域で肩関節内旋が可能か確認する．

段階1：段階2の検査で，上腕骨小結節部もしくは腋下深部で肩甲下筋，肩甲骨下角後面から小結節陵で大円筋を触知する．
段階0：筋収縮を認めない．

24 肘関節屈曲

主動作筋	上腕二頭筋（短頭・長頭）	上腕筋	腕橈骨筋
神経	C5〜C6 筋皮神経	C5〜C6 筋皮神経，C7 橈骨神経	C5〜C6 橈骨神経（ときどきC7の支配も受ける）

良（Fair）：3　　　　　　正常（Normal）：5　　　　　可（Poor）：2　　　　　不可（Trace）：1
　　　　　　　　　　　　優（Good）：4　　　　　　　　　　　　　　　　　　　ゼロ（Zero）：0

段階3：座位で，肘関節屈曲を保持する（前腕回外位で上腕二頭筋の分離）．

段階5：段階3の肢位で，検者は肘関節伸展へ最大抵抗を加え，抵抗に抗してその位置を保つ．
段階4：段階3の肢位で，中等度の抵抗に抗してその位置を保つ．

段階2：段階3の検査で前腕を支えて重力を除去し，全可動域で肘関節が屈曲することを確認する．

段階1：背臥位で，検者は肘関節伸展位で，肘関節の内側くぼみで上腕二頭筋（写真），上腕骨遠位部で上腕二頭筋の内側で上腕筋，前腕外側で腕橈骨筋の筋収縮を触知する．
段階0：筋収縮を認めない．

前腕中間位での腕橈骨筋の分離（動画なし）．

前腕回内位での腕橈骨筋の分離（動画なし）．

25 肘関節伸展

主動作筋	上腕三頭筋（長頭，外側頭，内側頭）
神経	C6～C8 橈骨神経（前枝）

良（Fair）：3　　正常（Normal）：5　　可（Poor）：2　　不可（Trace）：1
　　　　　　　　　優（Good）：4　　　　　　　　　　　　ゼロ（Zero）：0

段階3：腹臥位で，肩関節外転90°から肘関節伸展を保持させる．

段階5：段階3の肢位で，検者は上腕遠位端に下方へ最大抵抗を加え，抵抗に抗してその位置を保つ．
段階4：段階3の肢位で，中等度の抵抗に抗してその位置を保つ．

段階2：座位で，検者は前腕を支えて重力を除去し，全可動域で肘関節伸展が可能か確認する．

段階1：段階2の肢位で，検者は肘頭の近位で上腕三頭筋の筋収縮を触知する．
段階0：筋収縮を認めない．

26 前腕回外

主動作筋	回外筋	上腕二頭筋（短頭・長頭）
神経	C6～C7 橈骨神経（後骨間枝）	C5～C6 筋皮神経

良（Fair）：3　　正常（Normal）：5　　可（Poor）：2　　不可（Trace）：1
　　　　　　　　　優（Good）：4　　　　　　　　　　　　ゼロ（Zero）：0

段階3：座位で，肘関節屈曲90°で前腕回内位から前腕回外を保持させる．

段階5：段階3の肢位で，前腕遠位端に前腕回内へ最大抵抗を加え，抵抗に抗してその位置を保つ．
段階4：段階3の肢位で，中等度の抵抗に抗してその位置を保つ．

段階2：段階3の肢位で，肩関節屈曲45～90°，肘関節屈曲90°で前腕中間位から前腕回外が可能か確認する．

段階1：段階3の肢位で，前腕回内位で前腕回外を指示し，前腕背側の橈骨頭の遠位で回外筋の筋収縮を触知する．
段階0：筋収縮を認めない．

27 前腕回内

主動作筋	円回内筋（上腕頭・尺骨頭）	方形回内筋
神経	C6～C7 正中神経	C7～C8 正中神経（前骨間枝）

良（Fair）：3　　正常（Normal）：5　　可（Poor）：2　　不可（Trace）：1
　　　　　　　　優（Good）：4　　　　　　　　　　　　ゼロ（Zero）：0

段階3：座位で，肘関節屈曲90°で前腕回内位から前腕回内を保持する．

段階5：段階3の肢位で，前腕遠位端に前腕回外へ最大抵抗を加え，抵抗に抗してその位置を保つ．
段階4：段階3の肢位で，中等度の抵抗に抗してその位置を保つ．

段階2：段階3の肢位で，肩関節屈曲45～90°，肘関節屈曲90°で前腕中間位から前腕回内が可能か確認する．

段階1：段階3の肢位で，検者は前腕回外位で前腕回内を指示し，上腕骨内側頭から橈骨外側縁で円回内筋の筋収縮を触知する．
段階0：筋収縮を認めない．

28 手関節屈曲

主動作筋	橈側手根屈筋	尺側手根屈筋（上腕頭・尺骨頭）
神経	C6～C7 正中神経	C7～C8，T1 尺骨神経

良（Fair）：3　　正常（Normal）：5　　可（Poor）：2　　不可（Trace）：1
　　　　　　　　優（Good）：4　　　　　　　　　　　　ゼロ（Zero）：0

段階3：座位で，検者は検査台上に置いた手関節を支えて，前腕回外位で手関節中間位もしくは軽度伸展位から手関節屈曲を保持させる（手指は力を抜いておく）．

段階5：段階3の肢位で，手掌に手関節伸展へ最大抵抗を加え，抵抗に抗してその位置を保つ．
段階4：段階3の肢位で，中等度の抵抗に抗してその位置を保つ．

段階2：段階3の肢位で，尺側を下にして検査台上に置いた手関節を支えて重力を除去し，手指に力を入れずに手関節屈曲が可能か確認する．

段階1：段階3の肢位で，手関節の掌側外側面で橈側手根屈筋，掌側内側面の尺側手根屈筋の腱を触知する．
段階0：筋収縮を認めない．

29 手関節伸展

主動作筋	長橈側手根伸筋	短橈側手根伸筋	尺側手根伸筋
神経	C6〜C7 橈骨神経	C7〜C8 橈骨神経	C7〜C8 橈骨神経

良（Fair）：3　　正常（Normal）：5　　可（Poor）：2　　不可（Trace）：1
　　　　　　　　優（Good）：4　　　　　　　　　　　　　ゼロ（Zero）：0

段階3：座位で，検者は台上に置いた手関節を支えて，前腕回内位で手関節中間位もしくは軽度屈曲位から手関節伸展を保持させる（手指は力を抜いておく）．

段階5：段階3の肢位で，手背に手関節屈曲へ最大抵抗を加え，抵抗に抗してその位置を保つ．
段階4：段階3の肢位で，中等度の抵抗に抗してその位置を保つ．

段階2：段階3の肢位で，尺側を下にして台上に置いた手関節を支えて重力を除去し，手指に力を入れずに手関節伸展が可能か確認する．

段階1：段階3の肢位で，検者は手関節の手関節背側面で第2〜3中手骨近傍で長・短橈側手根伸筋，手関節背面の尺側茎状突起近傍で尺側手根伸筋の腱を触知する．
段階0：筋収縮を認めない．

4) 股関節

30 股関節屈曲

主動作筋	腸腰筋	大腰筋	腸骨筋
神経	L2〜L4 大腿神経	L2〜L4 腰神経叢（L1も支配することがある）	L2〜L3 大腿神経

良（Fair）：3　　正常（Normal）：5　　可（Poor）：2　　不可（Trace）：1
　　　　　　　　優（Good）：4　　　　　　　　　　　　　ゼロ（Zero）：0

段階3：座位で骨盤を固定し，股関節屈曲を保持させる．段階3以上は固定を強めるため，被検者に台前方を把持させる．

段階5：段階3の肢位で，大腿遠位部に最大抵抗を加え，抵抗に抗してその位置を保つ．
段階4：段階3の肢位で，中等度の抵抗に抗してその位置を保つ．

段階2：側臥位で検査側の下腿を支持して重力を除去し，股関節屈曲運動が全可動域で可能かを確認する．

段階1：背臥位で膝関節を屈曲させ，下腿近位部を把持する．縫工筋内側および鼠径靱帯下方で筋収縮を触知する．
段階0：筋収縮を認めない．

31 股関節屈曲・外転および膝関節屈曲位での外旋

主動作筋	縫工筋
神経	L2〜L3 大腿神経

良（Fair）：3　　　正常（Normal）：5　　　可（Poor）：2　　　不可（Trace）：1
　　　　　　　　　　優（Good）：4　　　　　　　　　　　　　　ゼロ（Zero）：0

段階3：座位で，検者は骨盤を固定して股関節を屈曲・外転および膝関節を屈曲位で保持させる．運動方向は，検査反対側の脛骨を検査側の踵で滑りあげるようにさせる．

段階5：段階3の肢位で，大腿遠位部と下腿の遠位内側部に最大抵抗を加え，抵抗に抗してその位置を保つ．
段階4：段階3の肢位で，中等度の抵抗に抗してその位置を保つ．

段階2：背臥位で検査側の膝関節の屈曲を支持して重力を除去し，股関節屈曲・外転・外旋運動が全可動域で可能かを確認する．

段階1：段階2の肢位で，上前腸骨棘直下で筋収縮を触知する．
段階0：筋収縮を認めない．

32 股関節伸展

主動作筋	大殿筋	半腱様筋	半膜様筋	大腿二頭筋（長頭）
神経	L5〜S2 下殿神経	L5〜S2 坐骨神経	L5〜S2 坐骨（脛骨）神経	L5〜S2 坐骨神経（脛骨神経分枝）

良（Fair）：3　　　正常（Normal）：5　　　可（Poor）：2　　　不可（Trace）：1
　　　　　　　　　　優（Good）：4　　　　　　　　　　　　　　ゼロ（Zero）：0

 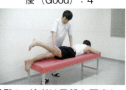  

段階3：腹臥位で，検者は骨盤を固定して被検者に股関節を伸展保持させる．

段階5：検者は骨盤を固定し，大腿遠位部に最大抵抗を加え，抵抗に抗してその位置を保つ．
段階4：段階3の肢位で，中等度の抵抗に抗してその位置を保つ．

段階2：側臥位で，検者は下腿を把持して重力を除去する．股関節伸展運動が全可動域で可能か確認する．

段階1：腹臥位で，検者はハムストリングス（半腱様筋，半膜様筋，大腿二頭筋）および大殿筋の筋収縮を触知する．
段階0：筋収縮を認めない．

33 股関節伸展（大殿筋単独の検査）

主動作筋	大殿筋
神経	L5～S2 下殿神経

良（Fair）：3　　正常（Normal）：5　　可（Poor）：2　　不可（Trace）：1
　　　　　　　　優（Good）：4　　　　　　　　　　　　ゼロ（Zero）：0

段階3：腹臥位で，検者は骨盤を固定して膝関節90°屈曲位で股関節伸展を保持させる．

段階5：段階3の肢位で，検者は大腿遠位部に最大抵抗を加え，抵抗に抗してその位置を保持させる．
段階4：段階3の肢位で，中等度の抵抗に抗してその位置を保持させる．

段階2：腹臥位で，検者は下腿を把持し重力を除去し，股関節伸展運動が全可動域で可能か確認する．

段階1：腹臥位で，検者は殿部で大殿筋の筋収縮を触知する．
段階0：筋収縮を認めない．

34 股関節伸展（立位での別法）

主動作筋	大殿筋	半腱様筋	半膜様筋	大腿二頭筋（長頭）
神経	L5～S2 下殿神経	L5～S2 坐骨神経	L5～S2 坐骨（脛骨）神経	L5～S2 坐骨神経（脛骨神経分枝）

良（Fair）：3　　正常（Normal）：5
　　　　　　　　優（Good）：4

段階3：被検者は検査台上での腹臥位とし，可能な可動域を完全に股関節を伸展して保持させる．股関節屈曲拘縮があり，股関節伸展筋力低下のある被検者では，立位での段階2以下の検査は行わない．

段階5：段階3の肢位で，検者は大腿遠位部に最大抵抗を加え，抵抗に抗してその位置を保持させる．
段階4：段階3の肢位で，検者は大腿遠位部に中等度の抵抗を加え，抵抗に抗してその位置を保持させる．

35 股関節伸展（背臥位での別法）

主動作筋	大殿筋	半腱様筋	半膜様筋	大腿二頭筋（長頭）
神経	L5～S2 下殿神経	L5～S2 坐骨神経	L5～S2 坐骨（脛骨）神経	L5～S2 坐骨神経（脛骨神経分枝）

良（Fair）：3
可（Poor）：2

正常（Normal）：5
優（Good）：4

段階3：検者は片側の下肢を65°屈曲させて両手で踵を保持する．被検者は踵を押しつけて，股関節伸展をしようとする．検者が強い抵抗を感じるか検査側の骨盤がわずかに挙上する場合を段階3とする．
段階2：段階3の肢位で，ごくわずかに抵抗を感じる場合を段階2とする．

段階5：段階3の肢位で，被検者の骨盤・背部が完全にロックされ，1ユニットのように持ち上がる場合を段階5とする．
段階4：段階3の肢位で，骨盤が完全にロックされず30°以上1ユニットとして持ち上がらない場合を段階4とする．

36 股関節外転

主動作筋	中殿筋	小殿筋
神経	L4～S1 上殿神経	L4～S1 上殿神経（上枝）

良（Fair）：3　　　正常（Normal）：5　優（Good）：4　　　可（Poor）：2　　　不可（Trace）：1　ゼロ（Zero）：0

段階3：側臥位で，検者は骨盤を固定して股関節外転を保持させる．

段階5：段階3の肢位で，検者は下腿遠位外側に最大抵抗を加え，抵抗に抗してその位置を保つ．
段階4：段階3の肢位で，中等度の抵抗に抗してその位置を保つ．

段階2：背臥位で，検者は下腿を保持して重力を除去し，股関節外転が全可動域で可能かを確認する．

段階1：背臥位で，検者は大転子の上方で筋収縮を触知する．
段階0：筋収縮を認めない．

優（Good）：4　別判定

※患者が膝の上の抵抗では保てるが，足首の抵抗で保てない場合は段階4となる．

37 股関節屈曲位での外転

主動作筋	大腿筋膜張筋
神経	L4～S1 上殿神経

良（Fair）：3　　正常（Normal）：5　　可（Poor）：2　　不可（Trace）：1
　　　　　　　　　優（Good）：4　　　　　　　　　　　　ゼロ（Zero）：0

段階3：側臥位で，検者は骨盤を固定し，股関節を45°屈曲位のまま，股関節の30°外転を保持させる．

段階5：段階3の肢位で，検者は大腿遠位外側に最大抵抗を加え，抵抗に抗してその位置を保つ．
段階4：段階3の肢位で，中等度の抵抗に抗してその位置を保つ．

段階2：股関節45°の長座位で，検者は検査側の下腿を支持して重力を除去し，股関節の30°外転運動が全可動域で可能かを確認する．

段階1：段階2の肢位で，検者は大腿近位部前外側と大腿遠位部前外側で大腿筋膜張筋の筋収縮を触知する．
段階0：筋収縮を認めない．

38 股関節内転

主動作筋	大内転筋	長内転筋，短内転筋，薄筋	恥骨筋
神経	上部と中部線維：L2～L4 閉鎖神経（後枝），下部線維：L2～L4 坐骨神経（脛骨神経分枝）	L2～L3 閉鎖神経（前枝）	L2～L3 大腿神経，L3 副閉鎖神経（存在するときには）

良（Fair）：3　　正常（Normal）：5　　可（Poor）：2　　不可（Trace）：1
　　　　　　　　　優（Good）：4　　　　　　　　　　　　ゼロ（Zero）：0

段階3：側臥位で，検者は非検査側の股関節を約25°外転位に保持し，検査側の股関節内転を保持させる．

段階5：段階3の肢位で，検者は大腿遠位内側に最大抵抗を加え，抵抗に抗してその位置を保つ．
段階4：段階3の肢位で，中等度の抵抗に抗してその位置を保つ．

段階2：背臥位で，検者は検査側の下腿を支持して重力を除去し，股関節内転が全可動域で可能かを確認する．

段階1：段階2の肢位で，検者は検査側の下腿を把持して重力を除去し，内転筋群の筋収縮を触知する．
段階0：筋収縮を認めない．

㊴ 股関節外旋

主動作筋	外閉鎖筋	内閉鎖筋，上双子筋，下双子筋	大腿方形筋	梨状筋	大殿筋
神経	L3～L4 閉鎖神経	腰仙神経叢から出るL5～S1の内閉鎖筋への神経，L5～S1 腰神経叢より大腿方形筋への神経	L5～S1 大腿神経への神経	S1～S2 脊髄神経	L5～S2 下殿神経

良（Fair）：3　　　正常（Normal）：5　　　可（Poor）：2　　　不可（Trace）：1
　　　　　　　　　　優（Good）：4　　　　　　　　　　　　　　　ゼロ（Zero）：0

段階3：座位で，検者は大腿遠位部外側を固定し，股関節外旋を保持させる．

段階5：段階3の肢位で下腿遠位部内側に最大抵抗を加え，抵抗に抗してその位置を保つ．
段階4：段階3の肢位で，中等度の抵抗に抗してその位置を保つ．

段階2：背臥位で，股関節内旋位から外旋が全可動域で可能かを確認する．股関節中間位から外旋位までは軽い抵抗を加えてもよい．

段階1：段階2の肢位で，検者は大転子の後下方で大殿筋の筋収縮を触知する．
段階0：筋収縮を認めない．

㊵ 股関節内旋

主動作筋	小殿筋	中殿筋	大腿筋膜張筋
神経	L4～S1 上殿神経	L4～S1 上殿神経	L4～S1 上殿神経

良（Fair）：3　　　正常（Normal）：5　　　可（Poor）：2　　　不可（Trace）：1
　　　　　　　　　　優（Good）：4　　　　　　　　　　　　　　　ゼロ（Zero）：0

段階3：座位で，検者は大腿遠位部内側部を固定し，被検者に股関節内旋を保持させる．

段階5：段階3の肢位で下腿遠位部外側に最大抵抗を加え，抵抗に抗してその位置を保つ．
段階4：段階3の肢位で，中等度の抵抗に抗してその位置を保つ．

段階2：背臥位で，股関節外旋位から内旋運動が全可動域で可能かを確認する．股関節中間位から内旋位までは，軽い抵抗を加えてもよい．

段階1：段階2の肢位で，検者は大転子の後上方で中殿筋を，上前腸骨棘の下外側で大腿筋膜張筋の筋収縮を触知する．
段階0：筋収縮を認めない．

5）膝関節

④1 膝関節伸展

主動作筋	大腿四頭筋	大腿直筋	中間広筋	内側広筋	外側広筋
神経	L2～L4 大腿神経	L2～L4 大腿神経	L2～L4 大腿神経	L2～L4 大腿神経	L2～L4 大腿神経

良（Fair）：3　　　　　正常（Normal）：5　　　　可（Poor）：2　　　　不可（Trace）：1
　　　　　　　　　　　優（Good）：4　　　　　　　　　　　　　　　　ゼロ（Zero）：0

段階3：座位で，検者は骨盤を後傾位で固定し，被検者に膝関節伸展を保持させる．段階3以上では，大腿部後面に検者の手やタオルなどを挿入し，大腿を水平位とする．

段階5：段階3の肢位で下腿遠位部に最大抵抗を加え，抵抗に抗してその位置を保つ．
段階4：段階3の肢位で，中等度の抵抗に抗してその位置を保つ．

段階2：側臥位で，検者は検査側の股関節伸展で膝関節を90°屈曲させ，支持して重力を除去する．膝関節伸展が全可動域で可能かを確認する．

段階1：背臥位で，検者は大腿遠位前部の大腿四頭筋腱もしくは膝蓋腱で大腿四頭筋の筋収縮を触知する．
段階0：筋収縮を認めない．

④2 膝関節屈曲

主動作筋	大腿二頭筋（長頭，短頭）	半腱様筋	半膜様筋
神経	L5～S2 脛骨神経	L5～S2 坐骨神経（脛骨神経分枝）	L5～S2 坐骨神経（脛骨神経分枝）

良（Fair）：3　　　　　正常（Normal）：5　　　　可（Poor）：2　　　　不可（Trace）：1
　　　　　　　　　　　優（Good）：4　　　　　　　　　　　　　　　　ゼロ（Zero）：0

段階3：背臥位で，検者は骨盤と大腿を固定し，膝関節を約90°屈曲保持させる（それ以上の屈曲は従重力となる）．

段階5：段階3の肢位で下腿遠位部に最大抵抗を加え，抵抗に抗してその位置を保つ．
段階4：段階3の肢位で，中等度の抵抗に抗してその位置を保つ．

段階2：側臥位で，検者は検査側の大腿を支持して重力を除去する．膝関節伸展位から膝関節屈曲が全可動域で可能かを確認する．

段階1：段階3の肢位で，検者は膝関節近位後部でハムストリングス（大腿二頭筋，半腱様筋，半膜様筋）の筋収縮を触知する．
段階0：筋収縮を認めない．

6）足関節・足部

43 足関節背屈と回外

主動作筋	前脛骨筋
神経	L4～L5（しばしばS1）深腓骨神経

良（Fair）：3　　正常（Normal）：5　　可（Poor）：2　　不可（Trace）：1
　　　　　　　　優（Good）：4　　　　　　　　　　　　ゼロ（Zero）：0

段階3：座位で，検者は下腿遠位部を固定し，足関節背屈および回外を保持させる．

段階5：段階3の肢位で足背内側部に最大抵抗を加え，抵抗に抗してその位置を保つ．
段階4：段階3の肢位で，中等度の抵抗に抗してその位置を保つ．

段階2：段階3の肢位で，運動の一部が可能な場合を段階2と判定する（動画なし）．

段階1：段階3の肢位で，検者は下腿近位外側前部で前脛骨筋の筋収縮を触知する．
段階0：筋収縮を認めない．

44 足部の回外

主動作筋	後脛骨筋
神経	L4～L5（ときにS1）脛骨神経

良（Fair）：3　　正常（Normal）：5　　可（Poor）：2　　不可（Trace）：1
　　　　　　　　優（Good）：4　　　　　　　　　　　　ゼロ（Zero）：0

段階3：座位で，検者は下腿遠位部を固定し，足部回外を保持させる．

段階5：段階3の肢位で足背中足骨頭に最大抵抗を加え，抵抗に抗してその位置を保つ．
段階4：段階3の肢位で，中等度の抵抗に抗してその位置を保つ．

段階2：段階3の肢位で，運動の一部が可能な場合を段階2と判定する（動画なし）．

段階1：段階3の肢位で，検者は内果と舟状骨の間で後脛骨筋の筋収縮を触知する．
段階0：筋収縮を認めない．

㊺ 足部の回内

	底屈を伴う回内	背屈を伴う回内
主動作筋	長/短腓骨筋	長趾伸筋，第三腓骨筋
神経	L5〜S1 浅腓骨神経	L5〜S1 深腓骨神経

良（Fair）：3　　　　正常（Normal）：5　　　　可（Poor）：2　　　　不可（Trace）：1
　　　　　　　　　　優（Good）：4　　　　　　　　　　　　　　　　　ゼロ（Zero）：0

段階3：座位で，検者は下腿遠位部を固定し，足部の回内を保持させる．

段階5：段階3の肢位で足背前外側部に最大抵抗を加え，抵抗に抗してその位置を保つ．
段階4：段階3の肢位で，中等度の抵抗に抗してその位置を保つ．

段階2：段階3の検査を実施し，運動の一部しかできない（動画なし）．

段階1：段階3の肢位で，検者は腓骨頭直下と長腓骨筋外果後方で長腓骨筋腱（上），外果と第5中足骨底の間で短腓骨筋腱，下腿遠位部で短腓骨筋（下）の筋収縮を触知する．
段階0：筋収縮を認めない．

㊻ 足関節底屈

主動作筋	腓腹筋（内側頭・外側頭），ヒラメ筋
神経	S1〜S2 脛骨神経

良（Fair）：3　　　　　　　可（Poor）：2＋　　　　可（Poor）：2と2−
正常（Normal）：5
優（Good）：4

  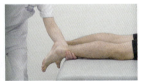

段階3：立位で，つま先立ちを1〜9回連続してできる．手指は2本支持物に触れてよい．
段階4・5：段階3の肢位で，
　段階5：25回以上できる．
　段階4：10〜24回できる．
手指は2本支持物に触れてよい．
※動画は5回のみ繰り返し．

段階2＋：腹臥位で，検者は下腿遠位部を固定し，中足骨頭レベルの足底面に最大抵抗を加える．または，つま先立ちの一部の運動が可能であれば段階2＋と判定する．

段階2・2−：腹臥位で，検者は下腿遠位部を固定し，足関節底屈運動が全可動域で可能か確認する．足関節底屈運動の一部が可能な場合を段階2−と判定する（動画なし）．

不可（Trace）：1
ゼロ（Zero）：0

段階1：検者は，腓腹筋の筋収縮を触知する．
段階0：筋収縮を認めない．

7) 骨盤

47 骨盤挙上（引き上げ）

主動作筋	腰方形筋	外腹斜筋	内腹斜筋
神経	T12〜L3 脊髄神経（前枝）	T7〜T12 脊髄神経（前枝）	T7〜T12 脊髄神経（前枝），L1 脊髄神経（前枝）

良（Fair）：3　　正常（Normal）：5
可（Poor）：2　　優（Good）：4

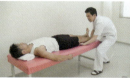 

段階3・2：背臥位または腹臥位で，被検者に検査台の縁を握らせ，被検者の足を検査台から浮かせるように支え，摩擦を減らさせる．被検者は，骨盤上縁が下位肋骨に近づくように骨盤を引き上げる．可動域全体引き上げることができる（段階3）．可動域の一部を動かすことができる（段階2）．段階1の触診は，体表からはできない．

段階5・4：背臥位または腹臥位で被検者に検査台の縁を握らせ，骨盤上縁が下位肋骨に近づくように骨盤を引き上げる．非常に強い抵抗に抗して，骨盤を引き上げることができる（段階5）．強い抵抗に抗して，骨盤を引き上げることができる（段階4）．

■ 文献

1) Ditunno JF Jr & Herbison GJ：Franklin D. Roosevelt：diagnosis, clinical course, and rehabilitation from poliomyelitis. Am J Phys Med Rehabil, 81：557-566, 2002

2)「臨床評価指標入門」（内山 靖，他/編），pp47-53，協同医書出版社，2003

3)「新・徒手筋力検査法 第9版」（Hislop HJ, et al/著，津山直一，中村耕三/訳），pp2-20，協同医書出版社，2014

4)「筋：機能とテスト−姿勢と痛み−」（Kendall FP, et al/著，柏森良二/監訳），pp3-129，西村書店，2006

5) 大道 等，他：理学療法室における運動学的接近法例．理学療法，18：1180-1185，2011

6) Florence JM, et al：Intrarater reliability of manual muscle test（Medical Research Council scale）grades in Duchenne's muscular dystrophy. Phys Ther, 72：115-122；discussion 122-126, 1992

7) Frese E, et al：Clinical reliability of manual muscle testing. Middle trapezius and gluteus medius muscles. Phys Ther, 67：1072-1076, 1987

8) Wadsworth CT, et al：Intrarater reliability of manual muscle testing and hand-held dynametric muscle testing. Phys Ther, 67：1342-1347, 1987

9) Cuthbert SC & Goodheart GJ Jr：On the reliability and validity of manual muscle testing：a literature review. Chiropr Osteopat, 15：4, 2007

10) Edwards RH & McDonnell M：Hand-held dynamometer for evaluating voluntary-muscle function. Lancet, 2：757-758, 1974

11) 杉本 諭，他：ハンドヘルドダイナモメーターを用いた足底屈筋力測定法の信頼性およびMMTとの関連について．理学療法，32：380-383，2005

12) 吉村茂和，他：徒手筋力テストにおける段階づけ．理学療法ジャーナル，37：347-349，2007

第5章 身体部位別の検査

8 姿勢バランス検査

> **学習のポイント**
> - 姿勢バランスの概要を学ぶ
> - 実際のバランス検査の方法を学ぶ

1 姿勢バランスの概要

1）姿勢バランス

- **姿勢バランス**は，日常生活の活動および参加において，機能的かつ安定的で，安全かつ安楽に姿勢保持や動作遂行を行うために重要な姿勢の安定性および姿勢の連続である動作の安定性のことである．姿勢バランスに関連する用語を表1に示す．
- 姿勢バランス（postural balance）とは，「支持基底面に対して身体質量を制御する能力」（Ghez, 1991），「重力をはじめとする環境に対する生体の情報処理機能の帰結・現象を指す．支持基底面に重心を投影するために必要な平衡にかかわる神経機構に加えて，骨のア

表1 姿勢バランスに関連する用語

用語	説明
姿勢（posture）	身体各部位の相対的な位置関係（アライメント）を意味する「構え」（例：肩関節外転位）と身体と重力方向との関係を意味する「体位」（例：立位）を組み合わせた身体状態
姿勢安定性（postural stability）	特定の空間の境界内，あるいは安定性限界内に，身体の質量中心（COM：center of body mass）の位置を維持する能力
安定性限界（stability limit）	そこを越える場合に新しい支持基底面をつくらずには姿勢バランスを保つことができず，そこを越えるにはステップするか，安定した物体につかまる必要があり，そうでなければ姿勢バランスを崩すか，リーチできないか，転倒するポイント．固定された境界ではなく，課題および技能レベルと環境によって変化する
姿勢制御（postural control）	バランスを制御するしくみ．姿勢を保持する機能
静的バランス（static balance）	ある一定の場所に重心を保って姿勢を保持する能力
動的バランス（dynamic balance）	身体位置の移動を伴う運動において姿勢を保持する能力
平衡機能	種々の運動や行動に伴う姿勢を維持・調節するために必要な神経系の機構を指す．重力を含めた外力に対する反射的・反応的・予測的な要素を含み，先験的機能とともに学習によって獲得される要素がある

- ライメント，関節機能，筋力などの要素が含まれる」（内山，1997）と定義されている．
- 姿勢バランスは，各種の姿勢（背臥位，側臥位，腹臥位，座位，四つ這い位，膝立ち位，片膝立ち位，立位）を保持しているときの**静的バランス**，各種の動作（寝返り，起き上がり，立ち上がり，歩行など）を実施しているときの**動的バランス**に大別できる．
- 姿勢バランスは，①感覚受容器（視覚，前庭迷路，体性感覚），②感覚受容器から中枢神経への上行性神経伝導路，③制御中枢である中枢神経（大脳，大脳基底核，中脳，橋，小脳，脊髄），④中枢神経から筋骨格系への下行性神経伝導路，⑤筋骨格系がそれぞれ機能して正常に保たれる．
- システム理論に基づくと，姿勢バランスは複数の機能要素から構成される（図1）．姿勢バランスを構成する機能が発揮され，姿勢バランスを維持して姿勢保持および動作遂行がなされ，種々の日常生活活動を実施することになる．システム理論に基づいた姿勢バランスの評価指標として，**Balance Evaluation Systems Test（BESTest）**が開発され，その臨床的有用性が検証されている（p.300 付録表）[1]．
- BESTestは，バランスシステムの特性に基づいた6セクション（生体力学的制約，安定性限界，姿勢変化－予測的姿勢制御，姿勢反応，感覚適応，歩行安定性），合計27項目の姿勢保持または動作課題または歩行課題を実施する．各課題の結果について0〜3点の4段階で設定された選択肢のなかから選ぶ．セクションⅠ〜Ⅵの各セクションおよび全セクションの合計点を求め，実際の得点をセクションまたは合計の満点で除した百分率を算出する．単位は％である（各セクションおよび全セクション合計それぞれ0〜100％）．例えば，セクションⅠで実際の測定結果が9点であった場合，セクションⅠの成績は「9/15点×100＝60％」となる．得点が小さいほど立位の姿勢・動作および歩行のパフォーマンスが低いことを意味し，バランスシステムの各観点での立位バランスおよび歩行バランスの低下を検討することができる．
- BESTestでは多くの動作課題を実施するため測定時間が40分以上の長時間を要することから，短縮版である**Mini-BESTest**[2] や要約版である**Brief-BESTest**[3] が開発されている（表2，

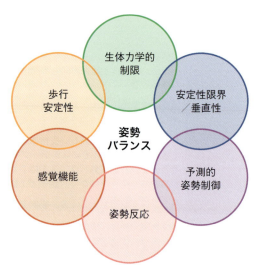

図1　システム理論に基づいた姿勢バランスの概念図と姿勢バランスを構成する機能要素の例
文献1をもとに作成．

p.304, p.306 付録表).Mini-BESTest は BESTest の6セクションのうち4セクション(姿勢変化-予測的姿勢制御,姿勢反応,感覚適応,歩行安定性),合計14項目の姿勢保持または動作課題または歩行課題を実施する.各課題の結果について0～2点の3段階で設定された選択肢の中から得点化され,各セクションおよび全セクションの合計点を求める(合計28点満点).また,Brief-BESTest は BESTest の6セクション(生体力学的制約,安定性限界,姿勢変化-予測的姿勢制御,姿勢反応,感覚適応,歩行安定性)の構成に準じて抽出された合計8項目の姿勢保持または動作課題または歩行課題を実施する.各課題の結果について0～3点の4段階で設定された選択肢のなかから得点化され,全セクションの合計点を求める(合計24点満点).Mini-BESTest および Brief-BESTest の双方とも得点が小さいほど立位の姿勢・動作および歩行のパフォーマンスが低いことを意味する.

- 姿勢バランスは,支持基底面上の安定性限界の中に身体質量中心,重心,または重心線が維持されているときに安定すると考えられる.また,力学的な観点では,①支持基底面が広い,②重心位置が低い,③重心線が支持基底面の中心に近い位置を通過する,④質量(重量)が大きいという条件が満たされるほど,姿勢バランスにおける安定性は高くなる.
- 支持基底面と重心の関係から姿勢保持または動作遂行における姿勢バランスは,以下の4つの因子に分類される(図2).

①静的姿勢保持

▶ 支持基底面の中で安定した位置に圧中心(重心)を保持するために姿勢を保持する機能である.

▶ 開脚立位,閉脚立位,継ぎ足立位,片脚立位,つま先立ち・踵立ちなどが該当する.

②外乱負荷応答

▶ 外乱刺激によって生じた外乱に対して,立ち直って支持基底面の安定した位置に圧中心(重心)を保持する,または新たに変更した支持基底面の中で安定した位置に圧中心(重心)を保持するために姿勢を調節する機能である.

▶ 骨盤帯または肩甲帯への徒手による外乱または支持基底面の予期しない動きによる外乱に対する立ち直りや平衡反応が該当する.

③支持基底面内での随意的重心移動

▶ 固定された支持基底面内で圧中心(重心)を随意的に移動するために姿勢を調節する機能である.

▶ 前方・後方・左右への重心移動,リーチ動作などが該当する.

④支持基底面内外での随意的重心移動

▶ 支持基底面を変更し,新しい支持基底面の適切な位置へ圧中心(重心)を随意的に移動するために姿勢を調節する機能である.

▶ ステップ動作,継ぎ足歩行,横歩き,後ろ歩き,障害物歩行,方向転換,歩行停止などが該当する.

表2 BESTest, Mini-BESTest, Brief-BESTestの項目

項目		BESTest	Mini-BESTest	Brief-BESTest
セクションⅠ．生体力学的制約				
1. 支持基底面		○		
2. COM アライメント		○		
3. 足関節の筋力と可動域		○		
4. 股関節/体幹側屈力		○		○
5. 床への座りと立ち上がり		○		
セクションⅡ．安定性限界				
6. 座位での垂直性と側屈	側屈〈左〉	○		
	側屈〈右〉	○		
	垂直性〈左〉	○		
	垂直性〈右〉	○		
7. 前方ファンクショナルリーチ		○		○
8. 側方ファンクショナルリーチ	〈左〉	○		
	〈右〉	○		
セクションⅢ．姿勢変化―予測的姿勢制御				
9. 座位から立位		○	○	
10. つま先立ち		○	○	
11. 片足立ち	〈左〉	○	○	○
	〈右〉	○		○
12. 交互の段差ステップ		○		
13. 立位での上肢挙上		○		
セクションⅣ．姿勢反応				
14. 姿勢保持反応―前方		○		
15. 姿勢保持反応―後方		○		
16. 代償的な修正ステップ―前方		○	○	
17. 代償的な修正ステップ―後方		○	○	
18. 代償的な修正ステップ―側方	〈左〉	○	○	○
	〈右〉	○		○
セクションⅤ．感覚適応				
19. バランスのための感覚統合	開眼，硬い地面	○	○	
	閉眼，硬い地面	○		
	開眼，フォーム	○		
	閉眼，フォーム	○	○	○
20. 斜面台―閉眼		○	○	
セクションⅥ．歩行安定性				
21. 平地歩行		○		
22. 歩行速度の変化		○	○	
23. 頭部水平回旋を伴う歩行		○	○	
24. 歩行時ピボットターン		○	○	
25. 障害物またぎ		○	○	
26. Timed "Get Up & Go" Test		○	○	○
27. 二重課題付き Timed "Get Up & Go" Test		○		

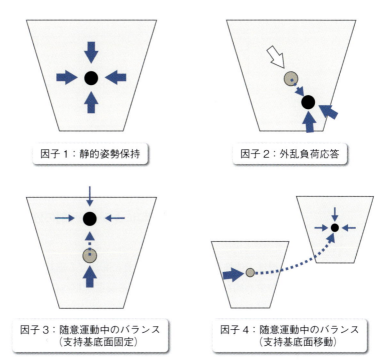

図2 支持基底面と重心からみた姿勢バランスの分類
台形は支持基底面，○は重心位置，紺矢印は運動方向，白矢印は外乱．文献4より引用．

- 姿勢バランスの難易度は，以下のような各種の条件下で容易に変わる．
    - 支持基底面が広いか，狭いか
    - 重心の位置が低いか，高いか
    - 重心の移動方向が一方向か，多方向か
    - 重心の移動範囲が小さいか，大きいか
    - 開眼しているか，閉眼しているか
    - 支持基底面が整地か，不整地か
    - 水の入ったコップや重量物などの物をもちながら立位を保持するような，姿勢バランスを保持しつつ何か別の動作を行う二重課題があるか，ないか
    - 二重課題が簡単か，複雑か

2）姿勢反射

- 反射階層理論に基づくと，姿勢バランスは刺激に対するさまざまな反射・反応の統合された状態であり，その統合は脳の階層性に依存し，中枢神経系によって各種の姿勢反射が各レベルで統合されている．
- **姿勢反射**とは，姿勢の移動や運動時など身体の位置の移動（重心移動）に際し，重力に抗して姿勢保持に反射的に働く筋肉の収縮反応である．姿勢反射は身体運動の応答様式から**局在性平衡反応**，**体節性平衡反応**，**汎在性平衡反応**に分類される（図3）．
- 姿勢反射の反射弓は以下の要因と経路で構成され，身体の相対的な位置関係，姿勢，運動における平衡を保つ．

```
┌─────────────────────────────────────────────────┐
│  局在性平衡反応                                    │
│  身体の一部に現れる限局性の反応（例：陽性支持反応）       │
│  体節性平衡反応                                    │
│  体節全体，両側に現れる反応（例：交叉性伸展反射）         │
│  汎在性平衡反応                                    │
│  多くの体節に現れる反応（例：非対称性緊張性頸反射）       │
└─────────────────────────────────────────────────┘
```

図3　応答様式の違いによる姿勢反射の分類

①前庭覚・視覚・体性感覚といった位置覚に関連する感覚の受容器が姿勢変化の刺激を受容
②その情報が求心的に中枢神経に存在する反射中枢へ伝達・統合
③遠心的に姿勢保持に働く筋へ興奮が伝播
④効果器である姿勢保持に関連する筋が適度に収縮・緊張

- 姿勢反射は脊髄，延髄，橋，中脳，大脳皮質といった中枢神経系によって統合・調節され，統合されるレベルによっても分類される（図4）．これらの姿勢反射は，ヒトの運動発達過程で出現してから消失するものと，運動発達過程で出現してから生涯続くものがある．

[脊髄レベルの姿勢反射]
　①**陽性支持反応**：一側の足底が地面に触れると，足底皮膚への触圧覚刺激や足間筋群の伸張刺激によって，同側の下肢伸筋群が反射的かつ同時的に収縮し，下肢全体が持続的に伸展する反応である．
　②**交叉性伸展反射**：伸展位にあった一側下肢を屈曲すると，屈曲位にあった対側下肢が伸展する反応である．

[橋・延髄レベルの姿勢反射]
　①**非対称性緊張性頸反射**：背臥位にて頭部を一側に回旋すると，回旋した側（顔を向けられた側）の上下肢は伸展し，反対側（後頭側）の上下肢は屈曲する（図5）．
　②**対称性緊張性頸反射**：四つ這い位または座位にて，頸部を伸展させると両上肢が伸展し，頸部を屈曲させると両上肢が屈曲する（図6）．
　③**緊張性迷路反射**：空間での頭部の位置変化で起こる反射であり，背臥位をとることで伸筋群の筋緊張が優位に高くなり，腹臥位をとることで屈筋群の筋緊張が優位に高くなる反応である（図7）．

[中脳レベルの姿勢反射]
- 中脳レベルでは主に立ち直り反応が統合されている．**立ち直り反応**は，ある抗重力姿勢を保持しているときにゆっくりとした軽微な外乱が加わる，または抗重力姿勢を連続して動作する際に，できるだけ左右対称の位置関係を一直線上に保つような正中位へ，姿勢を立ち直らせる一連の反応である．
- 座位で立ち直り反応が起こると，両眼を結ぶ線，両側の口裂を結ぶ線，両側の肩峰を結ぶ線が水平に位置し，頭部の長軸（頭頂・鼻・顎を結ぶ線）が重力方向と一致する．

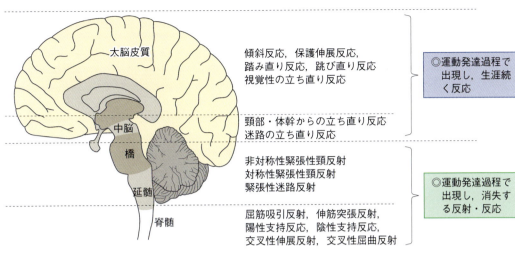

図4　反射の統合レベルの違いによる姿勢反射の分類

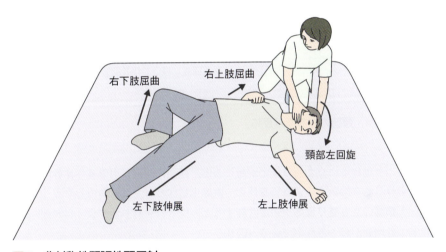

図5　非対称性緊張性頸反射

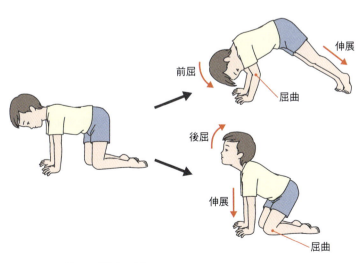

図6　対称性緊張性頸反射

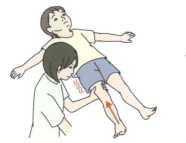
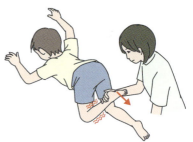

図7　緊張性迷路反射

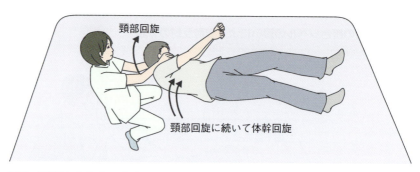

図8　頸部の立ち直り反応

- 寝返り動作中に立ち直り反応が起こると，頭頸部回旋に引き続き体幹回旋が起こり，身体の捻じれを解消するように身体を一直線上に保つように立ち直ろうとする．
  ①頸部の立ち直り反応：頸部回旋すると，捻じれを打ち消すように頸部回旋に引き続き体幹回旋が起こる反応である（図8）．
  ②体幹の立ち直り反応：骨盤帯回旋すると，捻じれを打ち消すように骨盤帯回旋に引き続き体幹回旋が起こる反応である（図9）．
  ③迷路の立ち直り反応：視覚を遮断した状況でも，傾いた頭部や体幹を正中位に立ち直らせる反応である．

[大脳皮質レベルの姿勢反射]

- 大脳皮質レベルでは視覚性の立ち直り反応と平衡反応が統合されている．**視覚性の立ち直り反応**は，開眼にて傾いた頭部や体幹を正中位に立ち直らせる反応である．**平衡反応**は，ある抗重力姿勢を保持しているとき，または抗重力姿勢を連続して動作するときにすばやく急激な外乱が加わった際に，姿勢の平衡状態をできるだけ保持するために体幹・四肢に起こる一連の反応である．

- 座位で右方への外乱が加わったときに平衡反応が起こると，左上下肢の伸展・外転，頭頸部・体幹の左側屈が起こり，身体を左方へ戻し，支持基底面内に重心を維持しようとする．その反応が間に合わない，または不十分である場合，右肩関節外転・右肘関節伸展をして右方へ手掌をついて新たな支持基底面をつくり直し，その支持基底面内で重心を保持・安定させようとする（図10）．

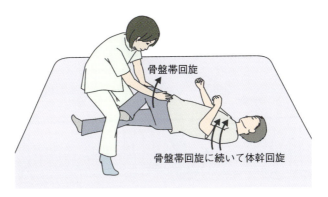

図9　体幹の立ち直り反応

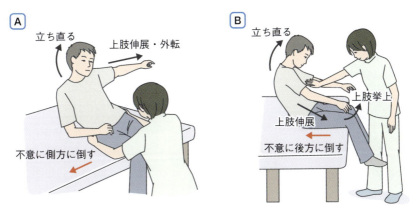

図10　平衡反応（座位）

- 立位で後方への外乱が加わったときに平衡反応が起こると，両側上肢の肩関節屈曲・肘関節伸展，両側下肢の股関節屈曲・膝関節伸展・足関節背屈，頭頸部・体幹の屈曲が起こり，身体を前方へ戻し，支持基底面内に重心を維持しようとする．その反応が間に合わない，または不十分である場合，一側下肢を後方へ一歩踏み出して新たな支持基底面をつくり直し，その支持基底面内で重心を保持・安定させようとする（図11）．
  ① **保護伸展反応**：座位で外乱が過度に加わったときに，外乱が加わった側と反対の上肢の肘関節伸展をして手掌をつく反応である（図12，13）．
  ② **踏み直り反応**：立位で外乱が過度に加わったときに，重心の移動した側と反対の下肢を一歩踏み出して立位をとり直す反応である（図14）．
  ③ **跳び直り反応**：立位で外乱が過度に加わったときに，重心の移動した側の支持足で飛び跳ねて立位をとり直す反応である．（図15）．
- 姿勢反射は姿勢調節にかかわる重要な機能であるが，システム理論においては姿勢反射も姿勢バランスを構成する1つの機能要素と考えられる．
- 対象者に外乱負荷を与え，姿勢反射を誘発し，姿勢反射が生じるかどうかのみを検査するだけでは，姿勢バランスを包括的に評価することは難しい．
- 臨床的には，静的姿勢保持，外乱負荷応答，支持基底面内の随意運動，支持基底面内外の随意運動のいずれかの姿勢バランスの検査を，座位または立位を中心に実施することが多い．

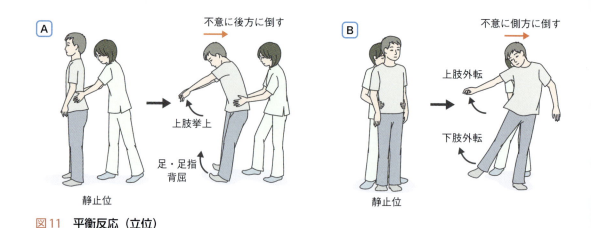

図11　平衡反応（立位）

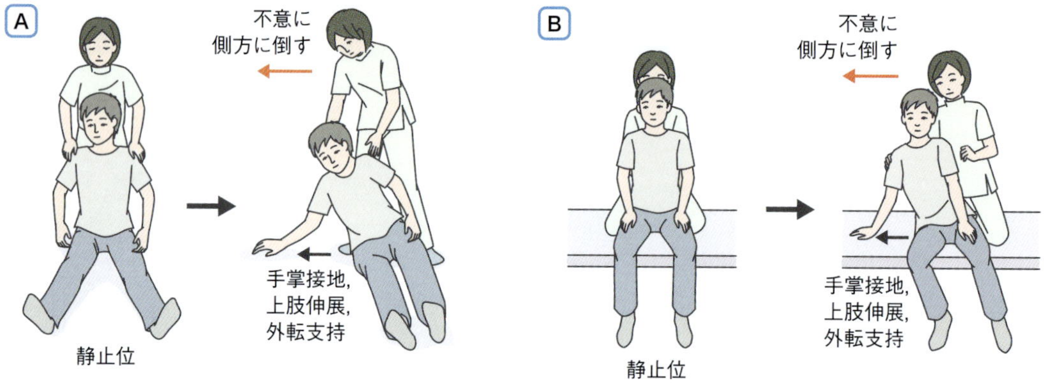

図12　側方保護伸展反応

2 座位バランス検査

- 座位バランス検査は，静的姿勢保持（座位保持），外乱負荷応答（立ち直り反応，平衡反応），支持基底面内の随意運動（座位での重心移動，座位リーチ動作），支持基底面内外の随意運動（起立動作，座位足踏み動作）に区分できる（表3）．
- 外乱負荷応答で確認する立ち直り反応はゆっくりとした軽微な外乱，平衡反応はすばやい急激な外乱によって引き起こされるため，検査では確認したい反応を誘発するのに適した外乱を加える．外乱負荷は肩関節周辺または骨盤帯周辺に加える．
- これまでに提唱されている座位バランスの評価指標に，**座位能力スケール**（表4）や**TIS**（trunk impairment scale）（5章-12表2参照）がある．TISは，体幹機能を反映する座位バランスの評価指標として開発された検査である．静的座位バランス，動的座位バランス，協調性の観点に基づく合計17項目の検査課題を実施し，得点化する（0～23点満点）．

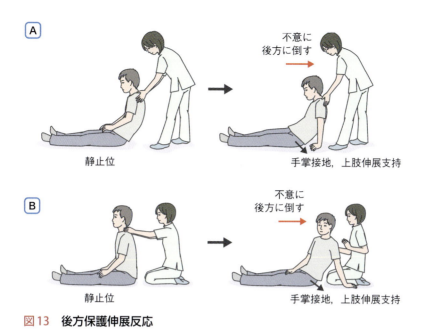

図13　後方保護伸展反応

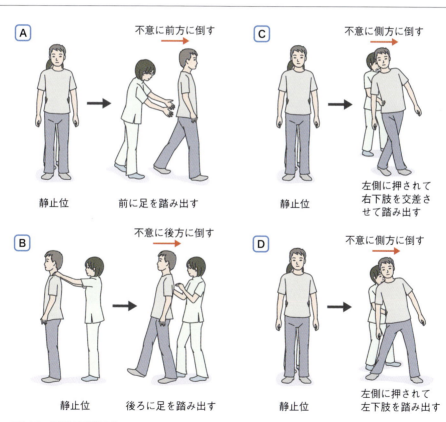

図14　踏み直り反応

第5章－8　姿勢バランス検査

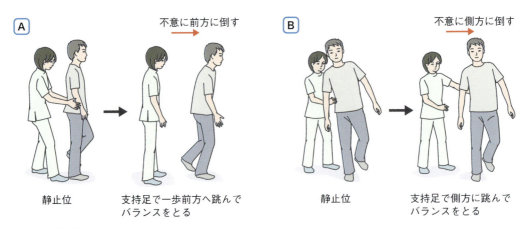

図15 跳び直り反応

表3 座位バランスの評価

評価課題	評価着眼点	評価指標の例
座位保持	・安定して座位を保持できるか ・支持基底面の中の一定の場所に重心を留め続けられるか	・身体重心の安定性 ・身体(重心)動揺の速さと大きさ ・アライメント ・体幹長軸と鉛直線の一致 ・左右対称性 ・脊柱の弯曲 ・体幹の前後左右の傾斜
座位での外乱負荷応答	・外乱に抗って座位の安定性限界を保てるか ・外乱に抗いきれなかった際に,新たな支持基底面をつくり,新たな座位を安定して保持できるか	・身体(重心)動揺の速さと大きさ ・立ち直り反応,平衡反応の出現 ・外乱に対する抵抗
座位での身体重心移動 座位でのリーチ動作	・支持基底面を変えずに座位を保持したまま,安定して自らリーチ動作ができるか	・身体(重心)移動の安定性 ・身体(重心)動揺の速さと大きさ ・前後左右への身体重心移動距離 ・前後左右への上肢リーチ距離
座位からの立ち上がり 座位での足踏み	・自ら支持基底面を変えながら,安定して座位を保ち続けられるか ・自ら支持基底面を変えながら,新たな支持基底面をつくり,新たな座位を安定して保持できるか	・身体(重心)移動の安定性 ・身体(重心)動揺の速さと大きさ ・支持基底面の変化と身体(重心)移動のタイミング ・体幹と下肢の協調運動 ・股関節屈曲から伸展へのタイミング ・膝関節伸展のタイミング ・立ち上がり時間,足踏み時間

上記の評価課題については,必要に応じて,上肢による支持(一側上肢・両側上肢,上肢屈曲・上肢伸展,手把持・手開排)の有無・方法,足底接地の有無によって異なる条件で確認する.

表4 座位能力スケール

I. レベルの評価（quantity）	
レベル1	座位姿勢をとれない
レベル2	介助すれば座位姿勢をとれるが，両手で支えても1人では保持できない
レベル3	両手で支えて座位を保てるが，座位を保つだけがやっと
レベル4	両手で支えて前方へは動けるが，手を離して側方に伸ばせない
レベル5	両手を離して1人で座れて，側方に手を伸ばせる
レベル6	椅子（座面）から立つことはできるが，もとのように座れない
レベル7	椅子から立ち，座ることができる
II. 座位姿勢の評価（quality）	
○・×	体幹は左右対称か
○・×	頭部は正中位か
○・×	上肢は体幹の横に位置しているか
○・×	膝は正中位か
○・×	両足はきちんと床についているか
○・×	体重が左右均等にかかっているか
×の数：	／6

レベルの評価：レベル1～7のうち，該当するレベルを確認する．
座位姿勢の評価：全6項目のうち障害されている項目とその数を確認する．文献5より引用．

3 立位バランス検査

- **立位バランス検査**は，静的姿勢保持（立位保持），外乱負荷応答（立ち直り反応，平衡反応，股関節・足関節・踏み出し戦略），支持基底面内の随意運動（立位での重心移動，立位リーチ動作），支持基底面内外の随意運動（ステップ動作，立位足踏み動作）に区分できる（表5）．
- 立位保持における立位バランスにおいて，これまでに提唱されている評価指標には，**閉脚立位検査，継ぎ足立位検査，片脚立位検査**がある（表6，5章-9図2，3も参照）．
- 座位バランスにおける外乱負荷応答と同様に，外乱負荷応答で確認する立ち直り反応はゆっくりとした軽微な外乱，平衡反応はすばやい急激な外乱によって引き起こされるため，検査では確認したい反応を誘発するのに適した外乱を加える．外乱負荷は肩関節周辺または骨盤帯周辺に加えるが，外乱を加える部位によって股関節と足関節による反応が異なる．
- 立位の外乱負荷応答では，外乱刺激に足関節運動によって応答する**足関節戦略**，股関節運動によって応答する**股関節戦略**，片脚を一歩踏み出す運動によって応答する**踏み出し戦略**の3つがみられる（図16）．

表5　立位バランスの評価

評価課題	評価着眼点	評価指標の例
立位保持	・安定して立位を保持できるか ・支持基底面の中の一定の場所に重心を留め続けられるか	・身体重心の安定性 ・身体(重心)動揺の速さと大きさ ・アライメント ・身体長軸と鉛直線の一致 ・左右対称性 ・ロンベルグ徴候 ・身体の前後左右の傾斜
立位での外乱負荷応答	・外乱に抗って立位の安定性限界を保てるか ・外乱に抗いきれなかった際に,新たな支持基底面をつくり,新たな立位を安定して保持できるか	・身体(重心)動揺の速さと大きさ ・立ち直り反応,平衡反応の出現 ・外乱に対する抵抗
立位での身体重心移動 立位でのリーチ動作	・支持基底面を変えずに立位を保持したまま,安定して自らリーチ動作ができるか	・身体(重心)移動の安定性 ・身体(重心)動揺の速さと大きさ ・前後左右への身体重心移動距離・範囲 ・前後左右への上肢リーチ距離
立位での足踏み 立位からの一歩踏み出し (歩行開始)	・自ら支持基底面を変えながら,安定して立位を保ち続けられるか ・自ら支持基底面を変えながら,新たな支持基底面をつくり,新たな立位を安定して保持できるか	・身体(重心)移動の安定性 ・身体(重心)動揺の速さと大きさ(歩行の安定性) ・支持基底面の変化と身体(重心)移動のタイミング ・踏み出した足への荷重時の身体動揺 ・両脚立位から片脚立位への動作の円滑性 ・一歩の距離 ・足踏み時間

上記の評価課題について,上肢による支持(一側上肢・両側上肢,上肢屈曲・上肢伸展,手把持・手開排)の有無や方法で確認する.

表6　各種の立位保持検査

検査名	方法	判定
閉脚立位検査 (ロンベルグ試験)	・前方を見ながら,30秒間,閉脚立位を保持する.開眼,閉眼時の身体動揺の有無・程度・方向,または転倒の有無・方向をみる ・連続保持時間(秒)を計測する	・開眼・閉眼で動揺,転倒を認めたものを異常とする.閉眼時に動揺が増強するものをロンベルグ陽性とする
継ぎ足立位検査 (マン試験)	・前方を見ながら,60秒間,両足を一直線上で踵とつま先を接した立位を保持する.開眼・閉眼時または左右の足が前後した際の身体動揺の有無・程度・方向,または転倒の有無・方向をみる ・連続保持時間(秒)を計測する	・開眼・閉眼ともに30秒以内に転倒(保持不可)するものを異常とする
片脚立位検査	・前方を見ながら,30秒間,片脚立位を保持する.開眼・閉眼時または左右の足で実施した際の身体動揺の有無・程度・方向,または転倒の有無・方向をみる ・連続保持時間(秒)を計測する	・開眼30秒以下,閉眼10秒以下を異常とする ・高齢者では保持時間が5秒未満である場合,転倒の危険が高い

開始肢位	足関節戦略（背屈）	足関節戦略（底屈）	股関節戦略（股関節屈曲）＋足関節戦略（背屈）

戦略	誘発される外乱	反応
足関節戦略	立位で重心または支持基底面を小さくかつ軽く前後に動かしたとき，足部の幅より狭い支持基底面上で外乱が加えられたときに起こる．	足関節の底屈・背屈によって，外乱が加わった方向と反対方向へ重心を移動させるように身体を動かし，支持基底面内に重心を保持する．股関節および膝関節の運動はあまりみられない．
股関節戦略	立位で重心または支持基底面を大きくかつ急激に前後に動かしたとき，足部の幅より狭い支持基底面上で外乱が加えられたときに起こる．	股関節の屈曲・伸展によって，外乱が加わった方向と反対方向へ重心を移動させるように身体を動かし，支持基底面内に重心を保持しようとする．膝関節の運動はあまりみられないが，足関節戦略による反応を伴う場合もある．
踏み出し戦略	足関節戦略および股関節戦略，または他の平衡反応で姿勢バランスを保持できない場合に起こる．	一側下肢を一歩踏み出して新たな支持基底面をつくり直し，その支持基底面内で重心を保持・安定させようとする．

図16 立位での前後方向の外乱負荷に対する応答における戦略の違い

4 パフォーマンステスト

- 実際にセラピストが臨床的に姿勢バランス検査を実施する場合，対象者や評価者にとって実施しやすく，検査に必要な場所，物品，時間ともに特別な準備を必要とせず，信頼性と妥当性が検証されている簡便で有用な検査を用いることが望まれる．これまでに姿勢保持または動作遂行の観点から数々のパフォーマンステストによる姿勢バランス検査が開発されてきた．

1）外乱負荷応答の姿勢バランス検査

■ manual perturbation test[6]

- 重錘と滑車を用いた後方外乱負荷に対する反応様式を調べる postural stress test を臨床的に簡便に実施するために開発された姿勢バランス検査である．
- 対象者の両肩に後方から予告なしに軽い後方外乱刺激を徒手にて加える．
- 外乱負荷に対する反応様式を，刺激に対して転倒する反応（0点：postural stress test の 0〜2 点に相当），ステッピング反応が起きて立位保持可能（1点：postural stress test の 3〜6 点に相当），その場で立位保持可能（2点：postural stress test の 7〜9 点に相当），の3段階で得点化する（2点満点）．

2) 支持基底面内での随意運動の姿勢バランス検査

1 modified functional reach test（図17）[7]

- 座位での上肢前方リーチ動作を用いた姿勢バランス検査である．
- 対象者は，股関節および膝関節90°屈曲位，足関節底背屈中間位の座位をとり，一側上肢を肘伸展位にて90°前方挙上し，できるだけ遠方（前方）へ移動させる．この際，殿部が椅子の座面から離れないようにする．
- 最大リーチ到達位までの移動距離（cm）を計測する．

2 functional reach test（図18）[8]

- 立位での上肢前方リーチ動作を用いた姿勢バランス検査である．
- 対象者は，開脚立位にて一側上肢を肘伸展位にて90°前方挙上し，足部の位置を変えずにできるだけ遠方（前方）へ移動させる．
- 最大リーチ到達位までの移動距離（cm）を計測する．
- 体幹の前傾と回旋が計測値に影響を及ぼすため，開始肢位は両側肩関節を結ぶ線が矢状面に対して垂直になるような体幹屈曲伸展中間位とする．
- 支持基底面が異なるといずれの安定性限界における重心移動能力を反映するのかが異なるため，踵は浮かす（足関節底屈する）かどうかの条件を統制して実施する．
- 15 cm未満の高齢者は「転倒の危険がある」とされている．

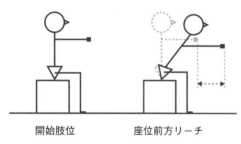

図17　modified functional reach test
文献7をもとに作成．

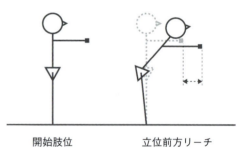

図18　functional reach test
文献8をもとに作成．

3) 支持基底面内外での随意運動の姿勢バランス検査

1 step test（図19）[9]

- 立位ステップ動作による姿勢バランス検査である．
- 対象者は，高さ7.5 cmのブロックまたは台の5 cm手前で開脚立位をとり，15秒間に前方の台へ片脚をできるだけ速く上げ下ろしできる最大の回数を計測する．

2 get up and go test（GUG）（図20）[10]

- 姿勢バランス検査であり，歩行機能検査である．
- 「肘掛け付きの椅子上での椅子座位から起立，3 m直線歩行，180°方向転換，再度3 m歩行，着座」の一連の連続的な課題を遂行する際の姿勢バランスや安定性の定性的な検査である．

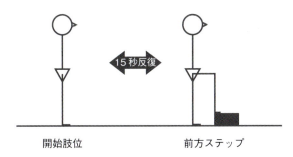

図19 step test
文献9をもとに作成.

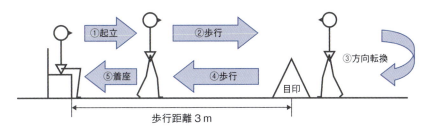

grade		内容	
1	normal	異常なし	課題実施中に転倒の危険なし
2	very slightly abnormal	わずかな異常あり	課題実施中の転倒の可能性*がわずかにある
3	mildly abnormal	軽度の異常あり	課題実施中の転倒の可能性*が軽度ある
4	moderately abnormal	中等度の異常あり	課題実施中の転倒の可能性*が中等度ある
5	severely abnormal	重度の異常あり	課題実施中に転倒の危険あり

図20 timed up and go test（get up and go test）
*不整な環境における転倒の可能性を示唆する次の現象（時間がかかる，上肢・体幹に異常運動がある，尻込み・ふらつき・つまずきがある）が課題遂行中に認められる場合，その程度で判断する[10].

- 対象者は一連の課題動作を実施し，その際の安定性と転倒の危険の程度を5段階のgradeで評価する．
- grade3以上の高齢者は「転倒の危険がある」とされている．

❸ timed up and go test（TUG）（図20）[11]

- get up and go testの判定基準の曖昧さを克服するために開発された姿勢バランス検査であり，歩行機能検査である．
- 椅子座位から起立し3mを往復歩行した後に椅子へ着座するまでの所要時間をストップウォッチにて計測する．歩行速度は，通常歩く楽な速さ（通常速度），または，できるだけ速い速さ（最大速度）で計測する．
- 通常速度で計測した場合，20秒以下で「屋内日常生活活動自立，1人で屋外外出可能」，30秒以上で「日常生活活動に介助が必要」を判定する目安の1つとなる．
- 最大速度で計測した場合，13.5秒以上で「転倒の危険がある」とされている．

4) 総合的な姿勢バランス検査

❶ functional balance grades（表7）[12]

- 各種の姿勢保持および動作遂行において，静的姿勢保持，外乱負荷応答，支持基底面内の随意運動の観点から姿勢バランスを評価することができる検査である．
- 座位保持，立ち上がり，立位保持，歩行などの姿勢・動作のうち，調べたい姿勢バランスの姿勢保持または動作課題を実施した際の安定性について5段階で評価する．
- その際に，姿勢保持の最長保持時間または動作課題遂行の最小所要時間をストップウォッチにて計測すると，姿勢バランスが反映された動作パフォーマンスの出来高を評価することもできる．

❷ functional balance scale（FBS）（表8）[13]

- 各種の姿勢保持および動作遂行において，静的姿勢保持，支持基底面内の随意運動の観点から姿勢バランスを総合的に評価することができる検査である．
- 開発者Katherine Bergの名前からBerg balance scaleともよばれる．
- 座位保持，立ち上がり，立位保持，方向転換，歩行，ステップなどで構成される合計14項目の姿勢保持または動作課題を実施し，それぞれ0～4点で得点化し，14項目の合計点を算出する（0～56点満点）．
- 45点以下の高齢者は「転倒の危険がある」とされている．
- 対象者の姿勢バランス障害を評価する際，合計点の解釈だけでなく，いずれの項目（いずれの姿勢バランス）がどの程度の障害をきたしているのかを吟味することが重要である．

❸ performance oriented mobility assessment（POMA）（表9）[14]

- 各種の姿勢保持および動作遂行において，静的姿勢保持，支持基底面内の随意運動の観点から姿勢バランスを総合的に評価することができる検査である．
- バランステスト9項目（16点），歩行テスト7項目（12点）から構成され，各種の姿勢保持または動作課題を実施し，得点化する（0～28点満点）．
- 「19～24点で中等度の転倒の危険，19点未満で高い転倒の危険がある」とされている．

表7 functional balance gradesと各gradeに対応する姿勢バランス

	functional balance grades		各姿勢バランスの程度		
Grade	定義		静的姿勢保持	外乱負荷応答	支持基底面内の随意運動
Normal	介助なしでバランスを保持可能，すべての方向に能動的に体重移動が可能，バランスを失うことなくすべての方向からの外乱に対応可能		○	○	○
Good	介助なしでバランスを保持可能，すべての方向に能動的に体重移動が可能，ときにはバランスを失うことはあるがすべての方向からの外乱に対応可能		○	△	○
Fair	介助なしでバランスを保持可能，体重移動の際のバランス保持不可，外乱への対応不可		○	×	×
Poor	バランス保持のために介助が必要		△	×	×
Zero	バランス保持のために全体的な支援が必要		×	×	×

文献12より引用．

表8 functional balance scale (FBS)

①椅子座位から立ち上がり
- 4：立ち上がり可能．手を使用せず安定して可能
- 3：手を使用して1人で立ち上がり可能
- 2：数回の施行後，手を使用して立ち上がり可能
- 1：立ち上がり，または安定のために最小の介助が必要
- 0：立ち上がりに中等度，ないし高度な介助が必要

②立位保持　　　　　　　　秒
- 4：安全に2分間の立位保持が可能
- 3：監視下で2分間の立位保持が可能
- 2：30秒間の立位保持可能
- 1：数回の試行にて30秒間の立位保持可能
- 0：介助なしには30秒間立位保持不能

③座位保持（両足を床につけ，もたれずに座る）
- 4：安全に2分間の座位保持が可能
- 3：監視下で2分間の座位保持が可能
- 2：30秒間の座位保持可能
- 1：10秒間の座位保持可能
- 0：介助なしには10秒間座位保持不能

④着座
- 4：ほとんど手を用いずに安全に座れる
- 3：手を用いてしゃがみ込みを制御する
- 2：下腿後面を椅子に押しつけてしゃがみ込みを制御する
- 1：1人で座れるがしゃがみ込みを制御できない
- 0：座るのに介助が必要

⑤移乗
- 4：ほとんど手を用いずに安全に移乗が可能
- 3：手を用いれば安全に移乗が可能
- 2：言語指示，あるいは監視下にて移乗が可能
- 1：移乗に介助者1名が必要
- 0：安全確保のために2名の介助者が必要

⑥閉眼立位保持　　　　　　　　秒
- 4：安全に10秒間の閉眼立位保持可能
- 3：監視下にて10秒間の閉眼立位保持可能
- 2：3秒間の閉眼立位保持可能
- 1：3秒間の閉眼立位保持はできないが安定している
- 0：転倒を防ぐための介助が必要

⑦閉脚立位保持　　　　　　　　秒
- 4：自分で閉脚立位ができ，1分間安全に立位保持可能
- 3：自分で閉脚立位ができ監視下にて1分間立位保持可能
- 2：自分で閉脚立位ができるが，30秒間立位保持不能
- 1：閉脚立位をとるのに介助が必要だが，15秒間保持可能
- 0：閉脚立位をとるのに介助が必要で，15秒間保持不能

⑧上肢前方到達　　右　　　cm　左　　　cm
- 4：25 cm以上前方到達可能
- 3：12.5 cm以上前方到達可能
- 2：5 cm以上前方到達可能
- 1：手を伸ばせるが，監視が必要
- 0：転倒を防ぐための介助が必要

⑨床から物を拾う
- 4：安全かつ簡単に靴を拾うことが可能
- 3：監視下にて靴を拾うことが可能
- 2：拾えないが靴まで2.5から5 cm位の所まで手を伸ばす
- 1：拾うことができず，監視が必要
- 0：転倒を防ぐための介助が必要

⑩左右の肩越しに後ろを振り向く
- 4：両側から後ろを振り向け，体重移動が良好である
- 3：片側のみ振り向けるが，他方は体重移動が少ない
- 2：側方までしか振り向けないが安定している
- 1：振り向くときに監視が必要
- 0：転倒を防ぐための介助が必要

⑪360°回転　　右　　　秒　左　　　秒
- 4：それぞれの方向に4秒以内で安全に360°回転が可能
- 3：一側のみ4秒以内で安全に360°回転が可能
- 2：360°回転が可能だが，両側とも4秒以上かかる
- 1：近位監視，または言語指示が必要
- 0：回転中介助が必要

⑫段差踏み換え　　　　　　　　秒
- 4：支持なしで安全かつ20秒以内に8回踏み換えが可能
- 3：支持なしで8回踏み換えが可能だが，20秒以上かかる
- 2：監視下で補助具を使用せず4回の踏み換えが可能
- 1：最小限の介助で2回以上の踏み換えが可能
- 0：転倒を防ぐための介助が必要，または施行困難

⑬片足を前に出して立位保持　　　　　　　　秒
- 4：自分で継ぎ足位をとり，30秒間保持可能
- 3：自分で足を他方の足の前に位置し，30秒間保持可能
- 2：自分で足をわずかにずらし，30秒間保持可能
- 1：足を出すのに介助を要するが，15秒間保持可能
- 0：足を出すとき，または立位時にバランスを崩す

⑭片足立ち保持　　右　　　秒　左　　　秒
- 4：自分で片足を上げ，10秒以上保持可能
- 3：自分で片足を上げ，5〜10秒保持可能
- 2：自分で片足を上げ，3秒以上保持可能
- 1：片足を上げ3秒間保持不能であるが，立位を保てる
- 0：検査施行困難，または転倒を防ぐための介助が必要

得点　　　／56点

文献13より引用．

表9 performance oriented mobility assessment (POMA)

1) バランステスト 9項目
※被検者は固い肘掛けのない椅子に座っている状態から検査を始める（両足は床につく）．

①座位バランス
　0：背もたれが必要か倒れてしまう
　1：安定している

②（椅子からの）立ち上がり
　0：介助がないと立ち上がれない
　1：上肢を使えば立ち上がれる
　2：上肢を使わないで立ち上がれる

③（椅子からの）立ち上がりの試行数
　0：介助がないと立ち上がれない
　1：立ち上がれるが，1回では立ち上がれない
　2：1回で立ち上がる

④立ち上がり直後のバランス（最初の5秒間）
　0：不安定（よろける，足が動く，体幹が揺れる）
　1：歩行器などの補助があれば安定している
　2：歩行器などの補助がなくても安定している

⑤立位バランス
　0：不安定
　1：開脚（10 cmより広い）または杖などがあれば安定
　2：閉脚でも安定

⑥軽く押す（被検者はなるべく閉脚位で立位を保つ．検者は被検者の胸骨を手掌で軽く3回押す）
　0：転倒する
　1：よろける，ステップを踏むが倒れない
　2：安定している

⑦閉眼立位
　0：不安定
　1：安定している

⑧その場で360°回転
　0：不安定（よろける，つかまるものが必要）
　1：不連続なステップ，ぎこちない動作
　2：なめらかに安定してできる

⑨着席（椅子に座る）
　0：不安定（椅子に倒れ込む，座る位置をコントロールできない）
　1：上肢を使う，動作が円滑にできない
　2：安定してスムーズに座る

　　　　　　　　　　　　　バランス得点　　　／16点

2) 歩行テスト 7項目
※被検者は検者の横に立ち，廊下や室内をまず普通の速さで，帰りは安定して歩ける範囲で速く歩く（通常使用している歩行補助具は使用してよい）．

⑩歩行の開始（歩き出しの指示があった直後）
　0：すくみや歩行開始に躊躇がみられる
　1：すくみはない

⑪（遊脚相の）歩幅と床からの高さ
　＜右遊脚期＞
　0：左の立脚期の足部より前に右足が出ない
　1：左足より前に出る
　0：右足が完全に床から離れない（すってしまう）
　1：右足は完全に床から離れる
　＜左遊脚期＞
　0：右の立脚期の足部より前に左足が出ない
　1：右足より前に出る
　0：左足が完全に床から離れない（すってしまう）
　1：左足は完全に床から離れる

⑫ステップの対称性
　0：左右のステップは等しくない
　1：左右のステップはおおよそ等しい

⑬ステップの連続性（円滑性）
　0：ステップが止まったり，不連続になる
　1：ステップはおおよそ連続的（なめらか）

⑭歩行の軌跡（床のタイルや板などを目安に，10 m程度の歩行を観察する）
　0：大きな偏りがある
　1：少し偏る，または歩行補助具を使用する
　2：補助具なしにまっすぐ歩ける

⑮体幹
　0：体幹の大きな揺れ，または歩行補助具を使用する
　1：体幹の揺れはないが，歩行中に膝が曲がる，腰痛，上肢が広がる（外転する）
　2：歩行補助具なしでも体幹の揺れ，膝の曲がり，上肢の外転がない

⑯立脚期（歩行を後方から観察する）
　0：足部が開いている
　1：足部はほぼ閉じている

　　　　　　　　　　　　　歩行得点　　　　　／12点
　　　　　　　　　合計（バランス・歩行）得点　／28点

文献14より引用．

- 対象者の姿勢バランス障害を評価する際，合計点の解釈だけでなく，いずれの項目（いずれの姿勢バランス）がどの程度の障害をきたしているのかを吟味することが重要である．

5 姿勢バランス検査の留意点

- 姿勢バランスは多様な機能要素によって形成され，かつ高度な特異性を有するため，姿勢バランスのすべての側面を反映する単一の評価指標は存在しない．姿勢バランス検査を選択して実施する際には，いずれの側面の姿勢バランスを評価するのか，その目的を明確にすることが必要である．
- 姿勢バランス検査は，より不安定な姿勢・動作の課題を試験的に行うため，検査時には転倒のリスクを十分に考慮する必要がある．**対象者の姿勢が不安定になった場合，すぐに介助できる位置で評価者が見守って実施し，検査中の転倒を阻止する**．検査を実施する際に補助となる物（椅子，手すり，壁など）の位置などを確認しておく．
- 姿勢バランス検査では，対象者の転倒のリスクを考慮するあまり，対象者が最大のパフォーマンスを発揮できていないうちに評価を終了してしまう場合がある．**対象者の安全管理をしつつ，しかし，対象者ができるだけ最大限発揮した姿勢バランスを評価する**．
- 姿勢バランス検査では，騒音や話し声などが聞こえると，その音が外乱負荷となる場合があるため，その特性を考慮して検査を実施する環境を選択し，検査結果を解釈する．
- 対象者によっては口頭による説明だけでは検査課題を十分に理解できず，最大限の姿勢バランスを発揮できない場合がある．評価者は，検査前に対象者へ検査課題を口頭で述べるだけでなく，必要に応じて実際に検査課題を実演して説明するとよい．
- 姿勢バランス検査によっては，実施する課題の指示内容が異なることで計測値が異なる場合があるため，課題の指示方法はあらかじめ同一のものに統制する．
- 対象者によっては姿勢バランス検査の課題を実施する開始時においてすでに姿勢バランスが不良な場合がある．検査開始時の姿勢が不安定である場合，正確な検査の実施が困難になるため，検査の開始肢位をできるだけ安定させた状態から検査を実施する．
- 姿勢バランスの障害に左右差があると予想される場合は，一側のみでなく，反対側も同様に評価し，左右差を確認する．
- 姿勢バランス検査で各種の刺激や外乱を加えて反応を評価する場合，刺激や外乱の加え方によって姿勢バランスの制御における難易度が異なる．対象者の障害特性に合わせて，刺激や外乱の種類，速さ，部位，強さ，方向，範囲を考慮する．
- 姿勢バランス検査の中には転倒リスクや動作・活動の自立度を判定するための参考値が提唱されているものがある．参考値は有用な目安として活用できるが，実際には参考値に達しても他の機能低下の影響で目標とする動作・活動が実現されない場合がある．**提唱されている参考値はあくまで目安であり，実際には各対象者における機能や活動の特性と個人を取り巻く生活環境を包括的に評価・解釈することが重要である**．

付録表

1) Balance Evaluation Systems Test（BESTest）

被検者は平らな靴か、または靴と靴下を脱いで実施する。各項目で補助具を使用する場合は1つ減点とする。また、何らかの身体介助を要する場合はその項目の成績は「0」となる。

Ⅰ．生体力学的制約　　　　セクションⅠ：＿＿＿／15点

1. 支持基底面
概要：裸足で立位保持した際の、支持基底面、および両足の変形と疼痛の有無を確認する。
教示：裸足で立ってください。
(3) 正常：両足とも通常の支持基底面で変形も疼痛もない
(2) 片足に、変形かつ／または痛みがある
(1) 両足とも、変形または疼痛がある
(0) 両足とも、変形と疼痛がある

2. COMアライメント
概要：立位保持した際の、前後・内外側のCOM（体重心）アライメントの異常の有無を確認する。
教示：リラックスしてまっすぐ前を見て立ってください。
(3) 通常の前後・内外側のCOMアライメントと正常の姿勢アライメント
(2) 前後または内外側のCOMアライメントあるいは姿勢アライメントのいずれかに異常あり
(1) 前後または内外側のCOMアライメントに異常があり、さらに姿勢アライメント異常もある
(0) 前後および内外側のCOMアライメントに異常がある

3. 足関節の筋力と可動域
概要：立位で3秒間のつま先立ちおよび踵立ちを実施する。両足関節の背屈・底屈障害の有無を確認する。
教示：立って私の手に軽く指先を置き、両足で3秒間つま先立ちしてください。次につま先を上げて3秒間踵立ちをしてください。
(3) 正常：最大の高さでつま先立ちが可能で、さらに前足部を持ち上げて踵立ちができる
(2) どちらの足一方に足背屈か足底屈の障害がある（すなわち、最大限の高さが不可）
(1) 2つの機能障害がある（例：両足の足背屈障害、一足における足底背屈障害）
(0) 両足関節の底屈障害（すなわち、最大の高さが不可）

4. 股関節／体幹側屈力　　　右＿＿＿秒　左＿＿＿秒
概要：立位で片側ずつ下肢を外転挙上して10秒間保持する。体幹の垂直保持の可否、股関節外転位保持の可否を確認する。
教示：立って私の手に軽く指先を置き、やめてくださいと言うまで、体をまっすぐにしたまま足を横に広げてください（10秒カウントする）。
(3) 正常：左右両方の股関節について、体幹を垂直に保ちながら外転し、足を床から持ち上げて10秒間保持することができる
(2) 軽度：左右両方の股関節について、外転し、足を床から持ち上げて10秒間保持できるが、体幹を垂直に保てない
(1) 中等度：左右どちらか一方ならば、体幹を垂直に保ちながら床から足が離れるまで股関節を外転し10秒間保持できる
(0) 重度：体幹が垂直かどうかにかかわらず、左右両方とも、股関節を外転し、足を床から持ち上げて10秒間保持することができない

5. 床への座りと立ち上がり　　　時間＿＿＿秒
概要：立位から床への着座と立位への立ち上がりを実施する。起立および着座の可否、椅子などの支持物の要否を確認する。
教示：立った姿勢から、2分以内に、床に座り、そして立ち上がってください。点数に影響しますが、必要であれば椅子などを使用しても結構です。
(3) 正常：床への立ち座りを自力でできる
(2) 軽度：床への座りか立ち上がりのどちらかで椅子を使用する
(1) 中等度：床への立ち座りのどちらにも椅子を使用する
(0) 重度：椅子を使用しても立ち座りのどちらかができないか、拒否の場合

Ⅱ．安定性限界　　　　セクションⅡ：＿＿＿／21点

6. 座位での垂直性と側屈
概要：座位から閉眼で左右に最大側屈し、また開始姿勢に戻る。側屈の可否、肩が正中線を越えるかどうか、垂直にも戻ることができるかどうか、を確認する。左右の傾斜と垂直性で合計4項目を各3点満点で評価する。
教示：両腕を胸の前で組み、肩幅に足を開いて座ってください。目を閉じて背骨をまっすぐに保ったまま、できる限り遠くへ体を横へ傾けてください。最大限に体を傾けたら、目を閉じたまま、また開始姿勢に戻ってください。腰や足が浮いても結構です。

側屈〈左〉
(3) 最大側屈、肩が身体の正中線を越えて傾けられ、とても安定している
(2) 中等度側屈、肩が身体の正中線に近づくように傾けられるか、またはやや不安定
(1) わずかな側屈しかできない、または明らかに不安定
(0) 側屈不可あるいは倒れ込む（限界を超える）

側屈〈右〉
(3) 最大側屈、肩が身体の正中線を越えて傾けられ、とても安定している
(2) 中等度側屈、肩が身体の正中線に近づくように傾けられるか、またはやや不安定
(1) わずかな傾斜しかできない、または明らかに不安定
(0) 傾斜不可あるいは倒れ込む（限界を超える）

垂直性〈左〉
(3) 正中線を全く越えることなく、もしくはあってもわずかで垂直に戻る
(2) 明らかに正中線を越えるか、または届かないが、最終的に垂直に戻る
(1) 垂直に戻れない
(0) 目を閉じたまま倒れる

垂直性〈右〉
(3) 正中線を全く越えることなく、もしくはあってもわずかで垂直に戻る
(2) 明らかに正中線を越えるか、または届かないが、最終的に垂直に戻る
(1) 垂直に戻れない
(0) 目を閉じたまま倒れる

（次ページへつづく）

(前ページからのつづき)

7. 前方ファンクショナルリーチ　　　到達距離：____cm

概要：立位前方リーチ動作を行い，到達距離を計測する．2回実施し，よい方の結果を記録する．

教示：立って両腕を肩の高さまで上げてください．指を伸ばして，できる限り前へ手を伸ばしてください．踵を床から離したり，体を捩ったり，壁に触れたりしないでください．

(3) 最大：＞32 cm
(2) 中等度：16.5〜32 cm
(1) 低下：＜16.5 cm
(0) 測定不能，または支持が必要

8. 側方ファンクショナルリーチ
　　　　到達距離：左____cm　　右____cm

概要：左右の立位側方リーチ動作を行って到達距離を計測し，各3点満点で評価する．左右とも2回ずつ実施しそれぞれよい方の結果を記録する．

教示：肩幅に足を開いて立ってください．片方の腕を肩の高さまで横に上げてください．指を伸ばして，できる限り横へ手を伸ばしてください．つま先を床から離したり，壁に触れたりしてはいけません．

〈左〉
(3) 最大：＞25.5 cm
(2) 中等度：10〜25.5 cm
(1) 低下：＜10 cm
(0) 測定不能，または支持が必要

〈右〉
(3) 最大：＞25.5 cm
(2) 中等度：10〜25.5 cm
(1) 低下：＜10 cm
(0) 測定不能，または支持が必要

Ⅲ．姿勢変化−予測的姿勢制御　セクションⅢ：____/18点

9. 座位から立位

概要：座位からできるだけ手を使わずに起立する．起立の可否，上肢支持や介助の要否を確認する．

教示：両腕を胸の前で組んで座った姿勢から，できる限り手を使わず立ってください．足を椅子に寄り掛けてはいけません．

(3) 正常：自力で手を使わずに立ち上がり，立位を安定させる
(2) 手を使って1回で立ち上がる
(1) 数回の試みの後に立ち上がる，または立って姿勢を安定させるのに軽介助を要する，または足の後面を触れているか，椅子が必要である
(0) 立つのに中等度か最大の介助を要する

10. つま先立ち

概要：3秒間つま先立ちを実施し，その可否と全可動域の踵挙上の有無を確認する．2回実施し，よい方の結果を記録する．

教示：肩幅に足を開き，手は腰の横につけて立ってください．私が3秒数えますので，その間，前を見たままできるだけ高くつま先立ちをしてください．

(3) 正常：3秒間十分な高さで安定している
(2) 踵を上げるが，全可動域ではない（手を保持していてバランスをとる必要がないときよりも小さい），またはやや不安定ながら3秒間保持できる
(1) 3秒間保持できない
(0) 不可能

11. 片足立ち　　　　左____秒　右____秒

概要：30秒以上を上限とした左右の片脚立位保持時間を計測し，各3点満点で評価する．左右とも30秒を上限に2回ずつ実施しそれぞれよい方の結果を記録する．

教示：手を腰の横につけて立ち，正面を見たまま，片方の足を後方に曲げて上げてください．上げた足を反対の足につけないでください．

〈左〉
(3) 正常：安定＞20秒
(2) 体幹の動きあり，または10〜20秒
(1) 2〜10秒以下
(0) 不能

〈右〉
(3) 正常：安定＞20秒
(2) 体幹の動きあり，または10〜20秒
(1) 2〜10秒以下
(0) 不能

12. 交互の段差ステップ
　　　　成功ステップ数：____　時間：____秒

概要：立位でできるだけ速く足を交互に15 cm高の段上へ合計8回ステップする．

教示：手をお尻の横につけて立ってください．足を交互に段（15 cm高）の上へ合計8回上げてください．どれだけ速くできるか時間を計ります．

(3) 正常：自力で安全に立ち，10秒未満で8ステップを終える
(2) 10秒未満で8ステップ可能だが，ステップの位置が一定しない，過度な体幹の動き，ためらい，リズムの乱れなどの不安定さを認める
(1) 介助（補助）なしで8回未満のステップが可能，または8ステップに＞10秒かかる
(0) 補助具を使用しても10秒で8回未満のステップ

13. 立位での上肢挙上

概要：立位でできるだけ速く重り（2.5 kg）を両手で肩の高さまで上げ，3秒間保持し，その際の立位安定性を確認する．2.5 kg未満の重りの場合，または上肢挙上75°未満の場合は1カテゴリー（1点）減点する．

教示：立った姿勢で，できる限り速くこの重り（2.5 kg）を両手で肩の高さまで上げてください．肘はまっすぐ伸ばしてください．上げたら3秒数える間，保持してください．

(3) 正常：安定を保っている
(2) 目に見えて動揺する
(1) 平衡を保つために足を踏み出す/すばやく動くとバランスを崩す
(0) 不能，または安定のための介助が必要

(次ページへつづく)

(前ページからのつづき)

Ⅳ．姿勢反応　　　　セクションⅣ：＿＿＿/18点

14．姿勢保持反応—前方
概要：立位で，検者は対象者の前方に立ち，対象者の足背屈筋が収縮するまで（つま先が伸びはじめるまで）前方から後方へ両肩を軽く押し続け，突然に手を離した際にバランスを保つように教示し，その反応を確認する．

教示：肩幅に足を開き，両手は横に垂らして自然に立ってください．バランス反応を検査するため，私はあなたを前から後ろへ押します．押した私の手を押し返してはいけません．私があなたを押している手を離したら，一歩も踏み出さずにバランスを保ってください．

(3) 足関節で安定を回復する，腕や股関節の動きの付加なし
(2) 腕や股関節の動きを使って安定を回復する
(1) 安定を回復するために足を踏み出す
(0) 支えないと倒れるか，介助を要するか，試みようとしない

15．姿勢保持反応—後方
概要：立位で，検者は対象者の後方に立って両肩甲骨に手を置き，対象者の踵が床から離れるまで体幹が動かないよう対象者の後方への押し込みに対して等尺性に抗い，突然に手を離した際にバランスを保つように教示し，その反応を確認する．

教示：肩幅に足を開き，両手は横に垂らして自然に立ってください．私の手があなたを前方へ押しやらないようにしてください．私が手を離したら，一歩も踏み出さずにバランスを保ってください．

(3) 足関節で安定を回復する，腕や股関節の動きは伴わない
(2) 腕や股関節の動きを伴って安定を回復する
(1) 安定を回復するために足を踏み出す
(0) 支えないと倒れるか，介助を要するか，試みようとしない

16．代償的な修正ステップ—前方
概要：立位で，検者は対象者の前側方に立ち，対象者が肩関節と股関節をつま先の前方まで傾けるよう両肩を後方へ押し続け，突然に手を離してステップを誘発させ，その反応を確認する．検者はいつでも対象者を支持する準備をする．

教示：肩幅に足を開き，両手は横に垂らして自然に立ってください．私が押した手に対抗して，できる限り前へ傾いてください．私が手を離したら，転ばないように，足を踏み出すなど必要なことを何でもしてください．

(3) 1歩の大きなステップで，自力で回復する（2歩目のアライメント調整のステップはあってもよい）
(2) 平衡を回復するために2歩以上のステップが必要だが自力で安定性を回復する，または1歩で平衡を回復するが不安定
(1) 平衡を回復するために3歩以上のステップをする，または転倒を防止するために最小介助を要する
(0) ステップが出ないか，支えないと転ぶか，自然に転ぶ

17．代償的な修正ステップ—後方
概要：立位で，検者は対象者の後側方に立ち，対象者が肩関節と股関節を踵の後方まで傾けるよう両肩甲骨を前方へ押し続け，突然に手を離してステップを誘発させ，その反応を確認する．検者はいつでも対象者を支持する準備をする．

教示：肩幅に足を開き，両手は横に垂らして自然に立ってください．私が押した手に対抗して，できる限り後ろへ傾いてください．私が手を離したら，転ばないように，足を踏み出すなど必要なことを何でもしてください．

(3) 1歩の大きなステップで，自力で回復する
(2) 2歩以上のステップが必要だが，安定しており自力で回復する，または1歩で平衡を回復するが不安定
(1) 平衡を回復するために3歩以上のステップをする，または最小介助を要する
(0) ステップが出ないか，支えないと転ぶか，自然に転ぶ

18．代償的な修正ステップ—側方
概要：立位で，検者は対象者の後方に立ち，対象者の骨盤の正中線が足部を越えるよう左右いずれか一側の骨盤を側方へ押し続け，突然に手を離してステップを誘発させ，その反応を確認する．検者はいつでも対象者を支持する準備をする．

教示：足を閉じて立ち，両手は横に垂らして自然に立ってください．私が押した手に対抗して，できる限り横へ傾いてください．私が手を離したら，転ばないように，足を踏み出してください．

〈左〉
(3) 通常の長さ/幅の1歩で自力で回復する（交差，側方ステップ可）
(2) 何歩か必要だが，自力で回復する
(1) ステップするが，転倒を防ぐために介助を要する
(0) 転倒するか，またはステップできない

〈右〉
(3) 通常の長さ/幅の1歩で自力で回復する（交差，側方ステップ可）
(2) 何歩か必要だが，自力で回復する
(1) ステップするが，転倒を防ぐために介助を要する
(0) 転倒するか，またはステップできない

Ⅴ．感覚適応　　　　セクションⅤ：＿＿＿/15点

19．バランスのための感覚統合（修正版CTSIB）
概要：開眼・閉眼，固い地面（床）・フォーム（中密度10 cm厚，60×60 cm）を組み合わせた各4条件で閉脚立位保持を実施し，安定した30秒保持の可否を確認する．

教示：目を開けたり閉じたりした状態で，床やこのフォームの上に立ちます．手を腰の横につけて立ってください．両足を閉じて立ち，正面を向いてください．私が"やめ"というまでできる限り安定した状態を保ってください．

A—開眼，硬い地面
1回目＿＿＿秒　2回目＿＿＿秒
(3) 30秒安定
(2) 30秒不安定
(1) <30秒
(0) 不可能

B—閉眼，硬い地面
1回目＿＿＿秒　2回目＿＿＿秒
(3) 30秒安定
(2) 30秒不安定
(1) <30秒
(0) 不可能

C—開眼，フォーム
1回目＿＿＿秒　2回目＿＿＿秒
(3) 30秒安定
(2) 30秒不安定
(1) <30秒
(0) 不可能

D—閉眼，フォーム
1回目＿＿＿秒　2回目＿＿＿秒
(3) 30秒安定
(2) 30秒不安定
(1) <30秒
(0) 不可能

20．斜面台—閉眼
概要：傾斜台（傾斜10°，60×60 cm以上）の上で足関節背屈位での閉眼開脚立位保持を計測する．

教示：この傾斜台の上に足関節背屈位で立って，肩幅に両足を開き，手を腰の横につけてください．目を閉じたら時間を計ります．

(3) 自力で立ち，過度に揺れることなく安定し，重力に対して垂直に30秒間保てる
(2) 自力で30秒間立てるが，19Bの検査よりも動揺する，または斜面に対し垂直になる
(1) 触る程度の介助が必要か，または介助なしで10〜20秒は立てる
(0) >10秒立てない，または自力で試みることをしない

(次ページへつづく)

(前ページからのつづき)

Ⅵ．歩行安定性　　　　　セクションⅥ：＿＿＿／21点
杖：　無・有（補助具名：　　　　　　　　　　）
装具：無・有（装具名：　　　　　　　　　　　）

21．平地歩行　　　　　　　　　　　　　時間＿＿＿秒
概要：6mの直線歩行路での通常速度歩行の所要時間を計測する．
教示：通常の速さで，ここから目印を過ぎるまで歩いてください．
(3) 正常：6mを十分な速度（≦5.5秒）で歩き，不安定な要素がない
(2) 軽度：6mを遅い速度（＞5.5秒）で歩き，不安定な要素がない
(1) 中等度：6mを歩けるが，不安定な要素がある（広い歩隔，体幹側方動揺，歩幅が一定しない）―速度は問わない
(0) 重度：介助なしに6m歩けない，または著明な逸脱あるいは重度の不安定性を呈する

22．歩行速度の変化
概要：通常速度の歩行2～3ステップ→速い速度の歩行2～3ステップ→遅い速度の歩行2～3ステップの反応を確認する．
教示：通常の速さで歩いてください．私が"速く"と言ったらできるだけ速く歩いてください．"遅く"と言ったら，とてもゆっくり歩いてください．
(3) 正常：バランスを崩さずにはっきりと歩行速度を変えられる
(2) 軽度：バランスは崩さないが，歩行速度を変えることができない
(1) 中等度：歩行速度は変えるが，不安定な徴候がある
(0) 重度：はっきりと速度を変えられず，不安定な徴候もある

23．頭部水平回旋を伴う歩行
概要：通常速度歩行→頭部右回旋した通常速度歩行2～3ステップ→頭部左回旋した通常速度歩行2～3ステップの反応を確認する．
教示：通常の速さで歩いてください．私が"右"と言ったら頭を右に回して右方向を見てください．"左"と言ったら頭を左に回して左方向を見てください．
(3) 正常：歩行速度を変えず，良好なバランスを保ちながら頭部を回旋する
(2) 軽度：歩行速度は低下するが，スムーズに頭部を回旋する
(1) 中等度：バランスを崩しながら頭部を回旋する
(0) 重度：速度が低下し，バランスを崩しながら頭部を回旋する，かつ/または，歩きながら頭部を回旋できない

24．歩行時ピボットターン
概要：通常速度歩行を実施し，合図とともにできるだけ速くピボットターンして静止立位をとる際の反応を確認する．
教示：いつもの速さで歩いてください．私が"ターンして止まって"と言ったら，できるだけ速く方向を逆に変えて，両足を揃えて止まってください．
(3) 正常：バランスよく，すばやく（≦3ステップ）足を揃えながらターンする
(2) 軽度：バランスよく，ゆっくり（≧4ステップ）足を揃えながらターンする
(1) 中等度：速度にかかわらず，ややバランスを崩しながら足を揃えながらターンする
(0) 重度：速度にかかわらず，著明にバランスを崩し，足を揃えながらのターンができない

25．障害物またぎ　　　　　　　　　　　時間＿＿＿秒
概要：歩行開始地点から3m前方に2つ重ねた箱（22.9cm高）を設置し，歩行開始地点から合計6mの通常速度歩行を実施した際の所要時間を計測する．
教示：いつもの速さで歩いてください．障害物まで来たら，それをまたいで歩き続けてください．
(3) 正常：速度を変えず，良好なバランスを保ちながら2つ重ねた靴箱を越えられる
(2) 軽度：速度は低下するが，良好なバランスを保ちながら2つ重ねた靴箱を越える
(1) 中等度：バランスを崩しながら靴箱を越えるか，靴箱に触れる
(0) 重度：靴箱を越えられずバランスを崩して速度が低下するか，または，介助してもできない

26．Timed "Get Up & Go" Test　　　時間＿＿＿秒
概要：Timed "Up & Go" Testを実施する．
教示：「始め」と言ったら，椅子から立ち上がり，普通の速度で床のテープのところまで歩いて，向きを変え，戻ってきて椅子に座ってください．
(3) 正常：速く（＜11秒），バランス良好
(2) 軽度：遅く（＞11秒），バランス良好
(1) 中等度：速く（＜11秒），不安定
(0) 重度：遅く（＞11秒）かつ不安定

27．二重課題付きTimed "Get Up & Go" Test
　　　　　　　　　　　　　　　　　　　時間＿＿＿秒
概要：数字逆唱課題をしながらTUGを実施する．
教示：＿＿＿から始めて3ずつ引いていってください．「始め」と言ったら椅子から立ち上がり，普通の速度で床のテープまで歩いて，向きを変え，戻って来て椅子に座ってください．その間ずっと数字を逆に数え続けてください．
(3) 正常：数字逆唱の速度や正確さについて座位と立位に明らかな変化がなく，歩行速度も変わらない
(2) 軽度：数字逆唱が明らかに遅くなるか，言いよどむ，間違える，または，二重課題において歩行速度が低下（10%以上）する
(1) 中等度：二重課題において，認知課題と歩行速度（10%以上低下）の両方に影響が出る
(0) 重度：歩きながら数字逆唱ができない，あるいは数字逆唱すると歩行が止まる

※1．対象者は90から100までの数字を3ずつ引きながら口に出して数え，検者は対象者がこの認知課題を実行できるかどうか確認する．
※2．対象者は100または別の数から3ずつ引きながら口に出して数え，対象者が数回数えた後にTUGを開始する．
※3．対象者は数え続けながらTUGを実施し，検者はTUGの時間を計測する．

■成績サマリー：パーセントスコアの計算

セクションⅠ：＿＿＿／15×100＝＿＿＿%　生体力学的制約
セクションⅡ：＿＿＿／21×100＝＿＿＿%　安定性限界/垂直性
セクションⅢ：＿＿＿／18×100＝＿＿＿%　姿勢変化/予測的姿勢制御
セクションⅣ：＿＿＿／18×100＝＿＿＿%　反応
セクションⅤ：＿＿＿／15×100＝＿＿＿%　感覚
セクションⅥ：＿＿＿／21×100＝＿＿＿%　歩行安定性
総計　　　　：＿＿＿／108×100＝＿＿＿%　パーセント総計

文献15，16をもとに作成．

2) Mini-Balance Evaluation Systems Test（Mini-BESTest）

被検者は平らな靴か，または靴と靴下を脱いで実施する．各項目で補助具を使用する場合は1つ減点とする．また，身体介助を要する場合はその項目の成績は「0」となる．

予測的姿勢制御　　　　　　　　　　　　小計：_____/6点

1. 座位から立位
概要：座位からできるだけ手を使わずに起立する．起立の可否，上肢支持や介助の要否を確認する．
教示：胸の前で腕を組んでください．なるべく手を使わないようにしてください．立つときに足の後面で椅子に寄りかからないようにしてください．では，立ち上がってください．
(2) 正常：自力で手を使わずに立ち上がり，立位を安定させる
(1) 中等度：手を使って1回で立ち上がる
(0) 重度：介助なしに立ち上がることができない，または手を使って数回試みる

2. つま先立ち
概要：3秒間つま先立ちを実施し，その可否と全可動域の踵挙上の有無を確認する．2回実施し，よい方の結果を記録する．
教示：足を肩幅に開いてください．手は腰に置いてください．できるだけ高く踵を上げてつま先立ちをしてください．これから3秒数えます．この格好を少なくとも3秒保ってください．まっすぐ前を向いてください．では，踵を上げてください．
(2) 正常：3秒間最大の高さで安定している
(1) 中等度：踵を上げるが，全可動域ではない（手を保持しているときよりも小さい），または3秒の間，明らかな不安定さがある
(0) 重度：＜3秒

3. 片足立ち　　　　　　　　　　　左＿＿＿秒　右＿＿＿秒
概要：30秒以上を上限とした左右の片脚立位保持時間を計測し，各3点満点で評価する．左右とも30秒を上限に2回ずつ実施し，それぞれよい方の結果を記録する．小計得点と総得点を算出するには，得点の低い方（悪い方）の側（左または右）を用いる．
教示：まっすぐ前を向いて，手は腰に置いてください．片足を後ろに折り曲げてください．上げた方の足をもう一方の足に触れさせてはいけません．できるだけ長く片足で立っていてください．まっすぐ前を向いてください．では，片足を上げてください．
〈左〉1回目＿＿＿秒　2回目＿＿＿秒
(2) 正常：20秒　(1) 中等度：＜20秒　(0) 重度：不能
〈右〉1回目＿＿＿秒　2回目＿＿＿秒
(2) 正常：20秒　(1) 中等度：＜20秒　(0) 重度：不能

姿勢反応　　　　　　　　　　　　　　小計：_____/6点

4. 代償的な修正ステップ-前方
概要：立位で，検者は対象者の前側方に立ち，対象者が肩関節と股関節をつま先の前方まで傾けるよう両肩を後方へ押し続け，突然に手を離してステップを誘発させ，その反応を確認する．検者はいつでも対象者を支持する準備をする．
教示：足を肩幅に開いて立ち，手は身体の脇に置いてください．前方の限界を超えて，私の手に寄りかかって体を傾けてください．私が手を離したら，転ばないように，足を踏み出すなど必要なことを何でもしてください．
(2) 正常：1歩の大きなステップで，自力で回復する（2歩目のアライメント調整のステップはあってもよい）
(1) 中等度：平衡を回復するために1歩より多くステップする
(0) 重度：ステップが出ないか，支えないと転ぶか，自然に転ぶ

5. 代償的な修正ステップ-後方
概要：立位で，検者は対象者の後側方に立ち，対象者が肩関節と股関節を踵の後方まで傾けるよう両肩甲骨を前方へ押し続け，突然に手を離してステップを誘発させ，その反応を確認する．検者はいつでも対象者を支持する準備をする．
教示：足を肩幅に開いて立ち，手は脇に下ろしてください．後方の限界を超えて，私の手に寄りかかって体を傾けてください．私が手を離したら，転ばないように，足を踏み出すなど必要なことを何でもしてください．
(2) 正常：1歩の大きなステップで，自力で回復する（2歩目のアライメント調整のステップはあってもよい）
(1) 中等度：平衡を回復するために1歩より多くステップする
(0) 重度：ステップが出ないか，支えないと転ぶか，自然に転ぶ

6. 代償的な修正ステップ-側方
概要：立位で，検者は対象者の後側方に立ち，対象者の骨盤の正中線が足部を越えるよう左右いずれか一側の骨盤を側方へ押し続け，突然に手を離してステップを誘発させ，その反応を確認する．検者はいつでも対象者を支持する準備をする．得点を付けるには，左右のうち悪い方を用いる．
教示：足を閉じて立ち，手は脇に下ろしてください．側方の限界を超えて，私の手に寄りかかってください．私が手を離したら，転ばないように，足を踏み出してください．
〈左〉
(2) 正常：1歩で自力で回復する（交差，側方ステップ可）
(1) 中等度：何歩か必要だが，自力で回復する
(0) 重度：転倒するか，またはステップできない
〈右〉
(2) 正常：1歩で自力で回復する（交差，側方ステップ可）
(1) 中等度：何歩か必要だが，自力で回復する
(0) 重度：転倒するか，またはステップできない

（次ページへつづく）

(前ページからのつづき)

感覚適応　　　　　　　　　　　　小計：＿＿＿／6点

7. 静止立位（足を揃えて）：開眼，固い地面
概要：通常の地面上での開眼閉脚立位保持を実施し，安定した30秒保持の可否を確認する．
教示：手は腰に置いておいてください．両足は触れそうなくらいに揃え，まっすぐ前を見てください．私がやめと言うまでできるだけ安定した状態でいてください．
時間＿＿＿＿秒
（2）正常：30秒　（1）中等度：＜30秒　（0）重度：不能

8. 静止立位（足を揃えて）：閉眼，フォーム
概要：フォーム上での閉眼閉脚立位保持を実施し，安定した30秒保持の可否を確認する．
教示：フォームの上に乗ってください．手は腰に置いておいてください．両足は触れそうなくらいに揃え，まっすぐ前を見てください．私がやめと言うまでできるだけ安定した状態でいてください．目を閉じてからの時間を計ります．
時間＿＿＿＿秒
（2）正常：30秒　（1）中等度：＜30秒　（0）重度：不能

9. 斜面台—閉眼
概要：傾斜台の上で足関節背屈位での閉眼開脚立位保持を計測する．
教示：斜面台に立ち，つま先を上に向けてください．足は肩幅に開き，手は身体の脇に下ろしてください．目を閉じてからの時間を計ります．
時間＿＿＿＿秒
（2）正常：30秒自力で立ち，重力に対して垂直に保てる
（1）中等度：自力で立つが30秒未満である，または斜面に対し垂直になる
（0）重度：不能

動的歩行　　　　　　　　　　　　小計：＿＿＿／10点

10. 歩行速度の変化
概要：通常速度の歩行3〜5ステップ→速い速度の歩行3〜5ステップ→遅い速度の歩行3〜5ステップの反応を確認する．
教示：普通の速度で歩きはじめて，私が「速く」と言ったらできるだけ速く歩いてください．私が「ゆっくり」と言ったら，とてもゆっくり歩いてください．
（2）正常：バランスを崩さずにはっきりと歩行速度を変えられる
（1）中等度：歩行速度を変えることができない，または不安定
（0）重度：はっきりと速度を変えられず，かつ不安定な徴候もある

11. 頭部水平回旋を伴う歩行
概要：通常速度歩行→頭部右回旋した通常速度歩行3〜5ステップ→頭部左回旋した通常速度歩行3〜5ステップの反応を確認する．
教示：普通の速度で歩きはじめて，私が「右」と言ったら，顔を右に向けて右を見てください．「左」と言ったら，顔を左に向けて左を見てください．なるべくまっすぐ歩くようにしてください．
（2）正常：歩行速度を変えず，良好なバランスを保ちながら頭部を回旋する
（1）中等度：歩行速度を落として頭部を回旋する
（0）重度：バランスを崩しながら頭部を回旋する

12. 歩行時ピボットターン
概要：通常速度歩行を実施し，合図とともにできるだけ速くピボットターンして静止立位をとる際の反応を確認する．
教示：普通の速度で歩きはじめてください．私が「ターンして止まってください」と言ったら，できるだけ速く反対方向に向きを変えて止まってください．ターン後，両足は揃えてください．
（2）正常：バランスよく，すばやく（≦3ステップ）足を揃えながらターンする
（1）中等度：バランスよく，ゆっくり（≧4ステップ）足を揃えながらターンする
（0）重度：速度にかかわらず，バランスを崩すことなしに足を揃えながらのターンができない

13. 障害物またぎ　　　　　　　時間＿＿＿＿秒
概要：歩行開始地点から3m前方に2つ重ねた箱（23cm高）を設置し，歩行開始地点から合計6mの通常速度歩行を実施した際の所要時間を計測する．
教示：普通の速度で歩きはじめてください．靴箱のところに来たら，避けずにまたぎ越えて歩き続けてください．
（2）正常：最小限の速度変化で，良好なバランスを保ちながら箱を越えられる
（1）中等度：靴箱を越えるが箱に触れる，または歩行を遅くして慎重なふるまいをみせる
（0）重度：箱を越えられない，または箱をよけて通る

14. TUG二重課題
概要：Timed "Up & Go" Testを実施する．数字逆唱課題をしながらTUGを実施する．
TUGの教示：「始め」と言ったら，椅子から立ち上がり，普通の速度で床のテープのところまで歩いて，向きを変え，戻って来て椅子に座ってください．
TUG二重課題の教示：＿＿＿から始めて3ずつ引いていってください．「始め」と言ったら椅子から立ち上がり，普通の速度で床のテープまで歩いて，向きを変え，戻ってきて椅子に座ってください．その間ずっと数字を逆に数え続けてください．
TUG＿＿＿＿秒　　TUG二重課題＿＿＿＿秒
（2）正常：二重課題なしのTUGと比較して，数字を逆唱しながらの座位，立位，歩行に明らかな変化がない
（1）中等度：二重課題なしのTUGと比較して，二重課題がカウントまたは歩行（＞10％）に影響する
（0）重度：歩いているとカウントが止まる，またはカウントしていると歩行が止まる．課題14の得点を付ける際，二重課題なしのTUGとありのTUGとで被検者の歩行速度が10％より遅くなれば，得点を1つ減点する．

※1. 対象者は二重課題なしでTUGを実施し，検者はTUGの時間を計測する．
※2. 対象者は座位で80から100までの数字を3ずつ引きながら口に出して数え，検者は10秒以内でカウントした数を追跡する．
※3. 対象者は100または別の数から3ずつ引きながら口に出して数え，対象者が数回数えた後にTUGを開始する．
※4. 対象者は数え続けながらTUGを実施し，検者はTUGの時間を計測する．

■総得点：＿＿＿＿／28点

文献2，17をもとに作成．

3) Brief-Balance Evaluation Systems Test（Brief-BESTest）

Ⅰ．生体力学的制約
1. 股関節/体幹側屈力

概要：立位で片側ずつ下肢を外転挙上して10秒間保持する．体幹の垂直保持の可否，股関節外転位保持の可否を確認する．10秒間数え，膝をまっすぐ伸ばしているか確認する．対象者が検者の手の上で指に中等度の力を入れている場合は「体幹を垂直に保てていない」と判断する．

教示：立って私の手に軽く指先を置き，やめてくださいと言うまで，体をまっすぐにしたまま足を横に広げ，10秒間保持してください．

(3) 正常：体幹を垂直に保ちながら10秒間
(2) 軽度：体幹を垂直に保てないが10秒間
(1) 中等度：左右どちらかは，体幹を垂直に保ちながら外転
(0) 重度：体幹が垂直かどうかにかかわらず，左右両方とも，10秒不可

Ⅱ．安定性限界
2. 前方ファンクショナルリーチ

概要：立位前方リーチ動作を行い，到達距離を計測する．2回実施し，よい方の結果を記録する．踵を床から離したり，体幹を回旋させたり，肩甲骨を前方突出させたりしないように注意する．開始肢位の垂直性に留意する．

教示：立って両腕を肩の高さまで上げてください．踵を床から離さずに，腕を定規と平行にして，できるだけ前方へ手を伸ばしてください．

1試行目＿＿＿cm　2試行目＿＿＿cm
(3) ＞32cm　(2) 16.5～32cm　(1) ＜16.5cm
(0) 測定不能，または支持が必要

Ⅲ．姿勢変化－予測的姿勢制御
3-4. 左右の片足立ち

概要：30秒以上を上限とした左右の片脚立位保持時間を計測し，各3点満点で評価する．左右とも30秒を上限に2回ずつ実施し，それぞれよい方の結果を記録する．

教示：手を腰の横につけて立ち，正面を見たまま，片方の足を後方に曲げて上げてください．30秒までできるだけ長く片足で立ってください．持ち上げた足を反対の足につけないでください．

左＿＿＿秒　右＿＿＿秒
〈左〉
(3) 正常：安定＞20秒
(2) 体幹の動きあり，または10～20秒
(1) 2～10秒以下
(0) 不能
〈右〉
(3) 正常：安定＞20秒
(2) 体幹の動きあり，または10～20秒
(1) 2～10秒以下
(0) 不能

Ⅳ．姿勢反応
5-6. 代償的な修正ステップ－側方（左右）

概要：立位で，検者は対象者の後方に立ち，対象者の骨盤の正中線が足部を越えるよう左右いずれか一側の骨盤を側方へ押し続け，突然に手を離してステップを誘発させ，その反応を確認する．検者はいつでも対象者を支持する準備をする．

教示：足を閉じて立ってください．私の手に寄りかかってください．私が手を離したら，バランスを保つために必要なことを何でもして，1歩踏み出してください．

〈左〉
(3) 1歩（交差，側方ステップ可）で回復する
(2) 何歩か必要だが，自力で回復する
(1) ステップするが，転倒を防ぐために介助を要する
(0) ステップできない，または転倒する
〈右〉
(3) 1歩（交差，側方ステップ可）で回復する
(2) 何歩か必要だが，自力で回復する
(1) ステップするが，転倒を防ぐために介助を要する
(0) ステップできない，または転倒する

Ⅴ．感覚適応
7. フォーム上での閉眼立位

概要：フォーム上での閉眼立位を実施し，安定した30秒保持の可否を確認する．必要に応じて2回実施する．対象者は施行間はフォームから降りる．

教示：目を閉じて，両手を腰に置いて，両足を触れないように閉じてフォームの上に立ってください．まっすぐ前方を見てください．あなたが目を閉じたら，私は時間を計り始めます．できるだけ安定した状態を保ち，ずっと目を閉じ続けてください．目標は30秒です．

1回目＿＿＿秒　2回目＿＿＿秒
(3) 30秒安定
(2) 30秒不安定
(1) ＜30秒
(0) 不可能

Ⅵ．歩行安定性
8. Timed "Get Up & Go" Test　　　時間＿＿＿秒

概要：Timed "Up & Go" Testを実施する．

教示：私が"始め"と言ったら椅子から立ち上がり，すばやくしかし安全にテープに向かって歩き，向きを変え，戻ってきて椅子に座ってください．

(3) 速く（＜11秒），バランス良好
(2) 遅く（＞11秒），バランス良好
(1) 速く（＜11秒），不安定
(0) 遅く（＞11秒），不安定

■総得点：＿＿＿＿＿/24点

文献3より改変して転載．

■ 文献

1) Horak FB, et al：The Balance Evaluation Systems Test (BESTest) to differentiate balance deficits. Phys Ther, 89：484-498, 2009
2) Franchignoni F, et al：Using psychometric techniques to improve the Balance Evaluation Systems Test: the mini-BESTest. J Rehabil Med, 42：323-331, 2010
3) Padgett PK, et al：Is the BESTest at its best? A suggested brief version based on interrater reliability, validity, internal consistency, and theoretical construct. Phys Ther, 92：1197-1207, 2012
4) 島田裕之, 他：姿勢バランス機能の因子構造：臨床的バランス機能検査による検討. 理学療法学, 33：283-288, 2006
5) Mulcahy CM, et al：Adaptive seating for the motor handicapped. problems, a solution, assessment and prescription. Physiotherapy, 74：531-536, 1988
6) 島田裕之, 他：施設利用高齢者のバランス機能と転倒との関係. 総合リハビリテーション, 28：961-966, 2000
7) Tsang YL & Mak MK：Sit-and-reach test can predict mobility of patients recovering from acute stroke. Arch Phys Med Rehabil, 85：94-98, 2004
8) Duncan PW, et al：Functional reach: a new clinical measure of balance. J Gerontol, 45：M192-M197, 1990
9) Hill K, et al：A new test of dynamic standing balance for stroke patients：reliability, validity and comparison with healthy elderly. Physiother Can, 48：257-263, 1996
10) Mathias S, et al：Balance in elderly patients：the "Get-up and Go" test. Arch Phys Med Rehabil, 67：387-389, 1986
11) Podsiadlo D & Richardson S：The timed "up & go"：A test of basic functional mobility for frail elderly persons. J Am Geriatr Soc, 39：142-148, 1991
12) Zeno MB & Leahy P：Examination and Evaluation of Motor Control.「Clinical Applications for Motor Control」(Montgomery PC, Connolly BH, eds), 175-204, SLACK, 2002
13) Berg K, et al：Measuring balance in the elderly：preliminary development of an instrument. Physiotherapy Canada, 41：304-311, 1989
14) Tinetti ME：Performance-oriented assessment of mobility problems in elderly patients. JAGS, 34：119-126, 1986
15) 大高恵莉, 他：BESTest：Balance Evaluation-Systems Test (http://www.bestest.us/files/8013/9440/9154/BESTest_Jpn.pdf)
16) 大高恵莉, 他：日本語版 Balance Evaluation Systems Test (BESTest) の妥当性の検討. リハビリテーション医学, 51：565-573, 2014
17) 大高恵莉, 他：日本語版 Mini-Balance Evaluation Systems Test (Mini-BESTest) の妥当性の検討. リハビリテーション医学, 51：673-681, 2014

第5章 身体部位別の検査

9 協調性検査

> **学習のポイント**
> - 協調運動障害の特徴について学ぶ
> - 協調性検査の実際を学ぶ

1 協調運動障害

1）協調運動とは

- **協調運動**（coordination）とは，動作に関して，運動に関与する筋や筋群が協同的に正しい順序で収縮し，効果的に起こる運動のことをいう．すなわち，運動を円滑に行うために，多くの筋が調和を保ちながら働く必要がある．

2）協調運動障害はどの機能の障害によって生じるのか

- **協調運動障害**（incoordination）は，固有感覚系や小脳系の機能の統合，錐体路や錐体外路系の機能の障害によって生じる（図1）．

3）運動失調とは

- 人が随意運動を行う場合，運動を制御するうえで，外的環境に対してあらかじめ予測した運動プログラムに基づいて運動を開始する．これを**フィードフォワード制御**という．しかし，外的環境が変化した場合，その変化を感覚機能で察知し，運動を遂行しながら随時修正を加えていく．これを**フィードバック制御**という．
- **運動失調**（ataxia）は，運動系に影響を与える感覚フィードバック系の障害であり，随意運動における空間的，時間的秩序が失われた状態をいう．つまり，運動そのものは行うことは可能であるが，運動の協調性や正確性が障害され，上肢では巧緻性障害が，下肢・体幹では平衡機能障害が認められる．

4）協調運動障害の主な症状

- 後述する各検査を行う場合，下記の協調運動障害があるか，確認しながら検査を進める．

❶ 運動失調（ataxia）

- 四肢や体幹の協働運動（運動の大きさ，範囲，速度，方向など）がうまく行われないため

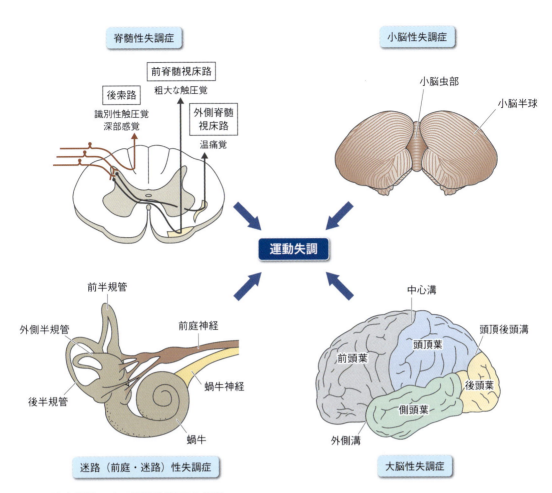

図1 障害部位による運動失調症の分類

に生じる運動の拙劣さをいう．個々の筋肉そのものには障害はなく，筋力は保たれている．

2 振戦（tremor）
- 机上のコップを把持しようとリーチ動作すると，目標物であるコップに近づくにつれより上肢の震えが著明になる．これを企図振戦という．

3 ジスメトリア（測定障害）（dysmetria）
- 随意運動を行わせたときに目標となる地点に止めることができない現象を測定障害という．目的のところまで達しないのが，測定過小（hypometria）であり，行き過ぎてしまうのが，測定過大（hypermetria）である．

4 変換運動（反復）障害または反復拮抗運動不能症（dysdiadochokinesis）
- 前腕の回内・回外運動のように主動作筋と拮抗筋を交互に収縮させる運動がスムーズに行えず，拙劣となる．

5 共同運動不能（asynergia）または共同運動障害（dyssynergia）
- 共同運動（synergia）とは，ある1つの動作を構成するいろいろな動きを同時に行う能力である．背臥位からの起き上がりや立位での後方への体幹の伸展などの動作で，各肢節が

共同して働かず，動作困難となることを共同運動不能あるいは共同運動障害とよぶ．

6 筋トーヌス低下（hypotonia）
- 小脳障害では，患側の筋トーヌス（筋緊張）低下が認められる．筋腹を触診すると柔らかく，関節の被動検査を行うと筋緊張の低下を認める．

7 運動分解（decomposition of movement）
- 物を把持するときのリーチ動作などで，直線的に目標物に手を差し伸べることができず，協調的な動作でなく，ぎこちないリーチ動作となってしまう．

8 時間的測定異常（dyschronometoria）
- 命令に対して，動作の開始や終了が遅れ，動作全体が緩慢になる状態をいう．

5）運動失調症の分類（図1）

1 脊髄性失調症
- 主に脊髄の後索の障害で生じ，位置覚，運動覚などの深部感覚の障害により生じる運動失調である．ロンベルグ試験（後述）は陽性となり，閉眼により失調症状は増悪する．運動失調は下肢に著明であり，歩行障害が特徴的である．

2 小脳性失調症
- 小脳の病変で起こる運動失調である．小脳は同側の支配であり，同側半身の障害を生じる．小脳半球の障害では四肢の運動失調が特徴であり，小脳虫部の障害では体幹失調が主体となる．片側性小脳障害では患側に転倒しやすいが，閉眼による障害の増悪はみられない．

3 迷路（前庭・迷路）性失調症
- 前庭・迷路系の障害に伴って生じる運動失調であり，立位などの姿勢保持や歩行時の平衡機能障害が特徴である．立位は歩隔が広めで，動揺がみられる．閉眼すると動揺が増大し転倒しやすい．末梢性迷路障害では患側に転倒しやすい．歩行は酩酊歩行となり千鳥足で不規則な歩調の**失調歩行**（ataxic gait）を呈する．

4 大脳性失調症
- 前頭葉，側頭葉または頭頂葉などの障害でも運動失調が起こるとされている．運動失調は小脳性の失調と似ており，前頭葉性運動失調がよく知られている．主に脳腫瘍で生じることが多く，病巣とは反対の身体に運動失調が生じる．

2 協調性検査の実際

1）運動失調検査

1 姿勢，歩行，日常生活動作の観察
- 日常生活上，食事や整容など上肢の動作に支障がないか聴取し，実際の場面を観察する．また，座位や立位において，不安定なため上肢で支持して座位を保持していたり，歩隔を広げて立っていたりしていないかを確認する．

- 立位姿勢保持や歩行に問題がある場合は，下記の検査を実施してみる．

①ロンベルグ試験（Romberg test）（図2）
- まず，開眼して両足をそろえてつま先を閉じて立たせ，体が安定して立位を保持できるか確認する．次に閉眼させると，身体の動揺が著明になり，転倒しそうになる．これをロンベルグ試験陽性という．このとき，両上肢を前方に挙上しておいてもよい．この徴候は，深部感覚の障害で生じ，陽性の場合，脊髄性失調症を疑う．小脳性失調症の場合は開眼しても立っていられない場合が多い．

②マン試験（Mann test）（図3）
- 両足を縦一直線につま先がもう一方の踵につくように起立させる．安定して立っていられれば，閉眼するよう指示する．閉眼して身体の動揺が著明になり，転倒しそうになる場合，マン試験陽性とする．

③継ぎ足歩行（tandem gait）（図4）
- 一方の足の踵と他方のつま先をつけるようにして，直線上を継ぎ足で歩かせる．歩行失調があると，左右に身体がより動揺して，転倒しそうになる．
- その他の立位や歩行時のバランス検査については，5章-8参照のこと．

図2　ロンベルグ試験
開眼時は動揺しないが，閉眼すると動揺が増加するかどうか確認する．──：開眼，──：閉眼．

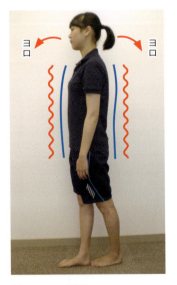

図3　マン試験
写真に示すように，直線上に足位をそろえて，閉眼すると動揺が増すか確認する．──：開眼，──：閉眼．

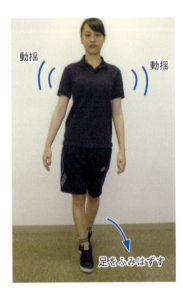

図4　継ぎ足歩行

2 四肢の一般的運動失調検査

①指指試験（図5）
- 肘を伸展したまま両上肢を外転位にしてから，左右の示指を正面でつけるように命ずる．最初は開眼したまま行わせ，次に閉眼して同様な検査を行う．

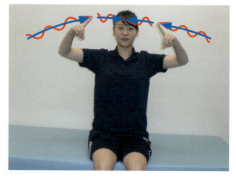

図5 指指試験
──：正常，──：異常．

②指鼻試験（図6）
- 片側の腕を伸ばして，やや外転位をとらせ，そこから示指で自分の鼻の頭に触るように命ずる．最初は開眼したまま行わせ，次に閉眼して同様な検査を行う．

図6 指鼻試験
──：正常，──：異常．

③鼻指鼻試験（図7）
- 自身の片側の示指を自分の鼻先にあてさせ，次にその指で検者の示指につけるように命ずる．自分の鼻先と検者の示指の間を交互に触るように指示する．
- 検者の示指の動きにできるだけ早く正確についていくのみの検査を指追い試験という．

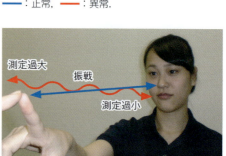

図7 鼻指鼻試験
──：正常，──：異常．

④膝打ち試験（図8）
- 患者を座位にし，自分の膝を一側ずつ，手掌および手背で交互にすばやく叩かせる．同時に行わせる方法もある．最初はゆっくりと，次第に速度を上げて，できるだけ早く行わせる．

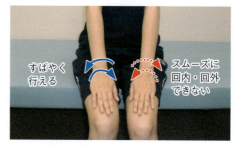

図8 膝打ち試験
──：正常，──：異常．

⑤足趾手指試験（図9）
- 患者を背臥位にして足先が見えるように枕で調整する．患者の足の母趾を検者の示指につけさせるように命ずる．検者の示指は，患者の母趾が膝を曲げて到達できるような位置にしておく．次に検者は示指をすばやく15～45 cmぐらい動かして，患者に足の母趾でこれを追うように命ずる．

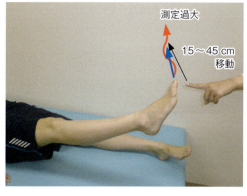

図9 足趾手指試験
―：検者の指の移動，―：正常，―：異常．

⑥膝踵試験（図10）
- 患者を背臥位にして，一方の踵を反対側の膝につけ，踵を向こう脛に沿ってまっすぐに滑らせ，足背に達したら，もとの背臥位の状態に戻る．また，踵が足背まで達したら，膝まで踵を向こう脛に沿って滑らせる動作を繰り返す方法もある．動作が理解できたら閉眼でも行わせる．

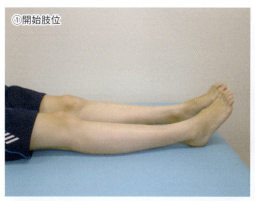
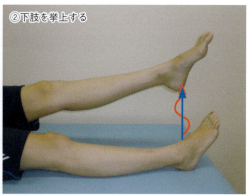
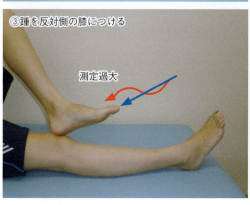
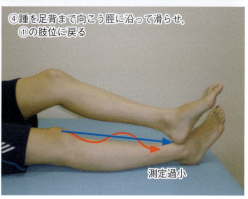

図10 膝踵試験
―：正常，―：異常．

⑦向こう脛叩打試験（図11）
- 患者を背臥位にして，一方の踵を反対側の検者が指示した向こう脛（膝から5 cm下方）の上方10 cmくらいに滞空するよう命ずる．そこから指示した向こう脛の1点に踵を繰り返し自ら叩打するように命ずる．

3 共同運動不能または共同運動障害

①背臥位からの起き上がり（図12）
- 患者を背臥位にして，スムーズに起き上がれるかどうか確認する．

②立位でのそり返り（図13）
- 患者を立位にして，体幹を後方にそり返らせるように命ずる．

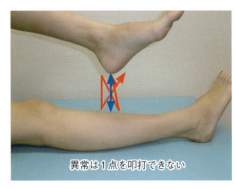

図11　向こう脛叩打試験
──：正常，──：異常．

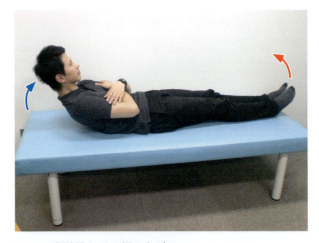

図12　背臥位からの起き上がり
異常は起き上がろうとすると下肢が挙上してしまい，起き上がれない．──：正常，──：異常．

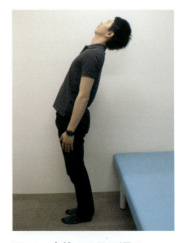

図13　立位でのそり返り
正常は写真のように骨盤が前方移動して立位バランスをとりながらそり返りできるが，異常は協調的な体の動きができず転倒してしまう．

4 ジスメトリア（測定障害）

①arm stopping test
- 患者を座位または背臥位にして，片側の上肢を外転挙上位とし，その位置から示指を同側の耳介に触れるように命ずる．

②コップつかみ運動
- 患者を座位とし，検者の把持しているコップをつかむように命ずる．

③過回内試験
- 患者を座位にし，両側の肘伸展位で両肩関節を90°屈曲位にする．そのとき手掌は上を向ける．そこから前腕の回内を命ずる．

④線引き試験（図14）
- 紙面上に10 cmの間隔で縦に2本線を引いた用紙を机上におき，患者に鉛筆を把持させ，片側の線から直角にもう片側の線に到達するように直線を描くように命ずる．

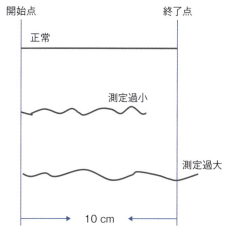

図14　線引き試験
異常は正常のように開始点から終了点にスムーズにきっちり止めることができず，終了点に到達しなかったり，越えてしまったりする．

5 変換運動（反復）障害

①手回内・回外試験（図15）
- 座位にて，肘90°屈曲位の状態で，前腕の回内・回外を命ずる．速やかに回内・回外運動ができるか確認する．はじめは一側ごと，ついで左右対称に回内・回外したり，右側は回外位から左側は回内位から非対称的に回内・回外したりしてもよい．

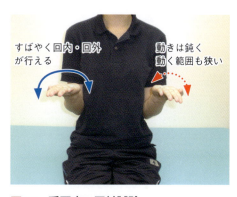

図15　手回内・回外試験
――：正常，――：異常．

②finger wiggle（図16）
- テーブル上に手をおいた座位となり，ピアニストが鍵盤を叩くような要領で，母指側から小指側にすばやく指腹で繰り返し机を叩くように命ずる．

図16　finger wiggle
正常ではすばやくピアノを弾くように指先で机を叩ける．

③foot pad（図17）
- 患者を座位とし，踵を床面についた状態で足関節を背屈位とする．その状態から繰り返し足底で床をすばやく叩く運動をするよう命ずる．

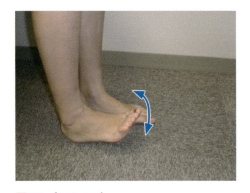

図17　foot pad
正常ではすばやく足関節の底背屈運動が行える．

④tongue wiggle（図18）
- 舌を挺舌させて，舌先を左右にすばやく動かすように命ずる．

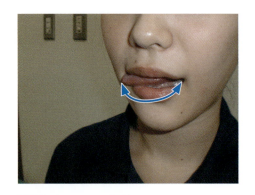

図18　tongue wiggle
正常ではすばやく舌先を左右に動かすことができる．

2）その他の検査

1 腕叩打試験（図19）

- 両上肢を肩関節90°屈曲位で前方挙上させ，閉眼してもらいその状態を維持するよう指示する．検者は患者の手関節または手掌を下方に押し付けたり，叩いたりして，手を離した後の患者の上肢の状態を観察する．小脳障害があると，健側に比べ上下に大きく動揺する．

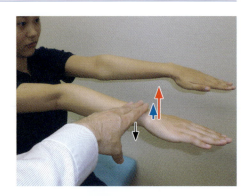

図19　腕叩打試験
検者が前腕を下方へ叩打すると，異常の場合，大きく上肢を跳ね上げてしまう．
──：検者の力，──：正常，──：異常．

2 はね返り現象

- 患者を座位にし，肘を60°ぐらい屈曲位にして前方に挙上し，検者は患者の前腕を握り，患者に肘を曲げるよう力を入れさせる．検者は前腕を引っ張るようにしてから急に力を抜く．小脳障害があると，自身の手で胸を叩いてしまう．これをはね返り現象〔**スチュワート-ホームズ（Stewart-Holmes）現象**〕**陽性**という．

3 振り子運動試験

- 患者を立位にして，検者が後方から両肩を前後に揺すると小脳障害による低緊張のため，両上肢が振り子のようにより大きく動く．

4 書字障害

- 字を書かせるとだんだんと大きな文字を書くようになる．これを**大字症**という．

3) 検査結果の記録

- 上記の検査結果を表のように記載する．定性的な評価が多いので，備考欄に詳細を記載する（表）．
- 国際的な小脳性運動失調の評価方法として，半定量的な評価スケールであるSARA（Scale for the Assessment and Rating of Ataxia）がSchmitz-Hübsch（シュミッツ-ヒュプシュ）らにより提唱された[1]．SARAは全8項目（歩行，立位，座位，言語障害，指追い試験，鼻指鼻試験，手回内・回外試験，膝踵試験）に分けて観察・検査し，無症状0点から最重症40点で評価される（巻末付録p.457参照）．

表　協調性検査記録用紙（一部抜粋）

No	検査項目	右 動作	右 振戦	右 測定異常	左 動作	左 振戦	左 測定異常	備考
1	指指試験	正常・拙劣	なし・あり	なし・あり	正常・拙劣	なし・あり	なし・あり	
2	指鼻試験	正常・拙劣	なし・あり	なし・あり	正常・拙劣	なし・あり	なし・あり	
3	鼻指鼻試験	正常・拙劣	なし・あり	なし・あり	正常・拙劣	なし・あり	なし・あり	
4	膝打ち試験	正常・拙劣	なし・あり	なし・あり	正常・拙劣	なし・あり	なし・あり	
5	足趾手指試験	正常・拙劣	なし・あり	なし・あり	正常・拙劣	なし・あり	なし・あり	
6	膝踵試験	正常・拙劣	なし・あり	なし・あり	正常・拙劣	なし・あり	なし・あり	
7	向こう脛叩打試験	正常・拙劣	なし・あり	なし・あり	正常・拙劣	なし・あり	なし・あり	
8	手回内・回外試験	正常・拙劣	なし・あり		正常・拙劣	なし・あり		
9	foot pad	正常・拙劣	なし・あり		正常・拙劣	なし・あり		
10	共同運動不能	なし・あり							
11	時間的測定異常	なし・あり							
12	ロンベルグ試験	陰性・陽性							
13	マン試験	陰性・陽性							

4）協調性検査実施上の注意

- 座位や立位での検査は転落や転倒の危険性があるので注意する．
- 検査方法が難解な場合があるので十分な説明をする．
- 詐病や転換性障害など精神的な問題が認められる場合は，日常の自然な姿勢や動作を観察する．
- 安静時に手の震えがないか観察し，企図振戦と区別するようにする．
- 眼振がある場合，めまいを訴えることがあるので注意する．

■ 文献

1) 佐藤和則，他：新しい小脳性運動失調の重症度評価スケール Scale for the Assessment and Rating of Ataxia (SARA) 日本語版の信頼性に関する検討．BRAIN and NERVE，61：591-595，2009

第5章 身体部位別の検査

10 持久力の評価

> **学習のポイント**
> - 体力，持久力，運動耐容能について理解する
> - 持久力の測定方法について学ぶ

1 体力とは

1）定義

- **体力**とは「ストレスに耐えて生命を維持していくからだの防衛力と，積極的に仕事をしていくからだの行動力である」[1]とされている．

2）構成要素（図1）

- 体力は**身体的要素**と**精神的要素**に大きく分かれる．
- 身体的要素は，生命を維持していくための**防衛体力**と仕事や生産をしていくための**行動体力**からなる．
- 一般的に行われている体力測定は，身体的要素の行動体力を測定していることになる．

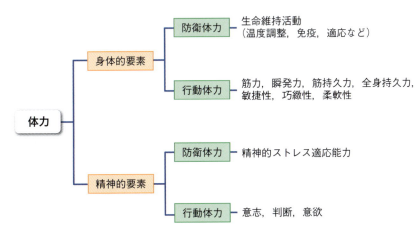

図1 体力の構成要素
文献1をもとに作成．

3）体力測定

- 体力測定は，筋力，瞬発力，筋持久力，全身持久力，敏捷性，巧緻性，柔軟性などを測定するテスト項目からなっている．
- つまり，持久力は体力の一部を構成しているに過ぎないので，人が生活していくには，体力の各要素がバランスよく維持されていることが大切である．

4）持久力とは

- **持久力**とは，疲労することなく身体活動を持続して行う能力である．
- 持久力は，身体持久力である筋持久力と全身持久力および精神持久力に機能的に分類される．本項では筋持久力と全身持久力について紹介する．

2 運動耐容能

1）運動耐容能とは

- **運動耐容能**とは，身体への運動負荷に耐えうる能力のことである．体力を構成する1つの要因であり，全身持久力の程度と同等に扱われる．図2のような呼吸・循環・筋の機能が関与する．一般的には，心肺運動負荷試験や平地歩行試験がその評価に用いられている．

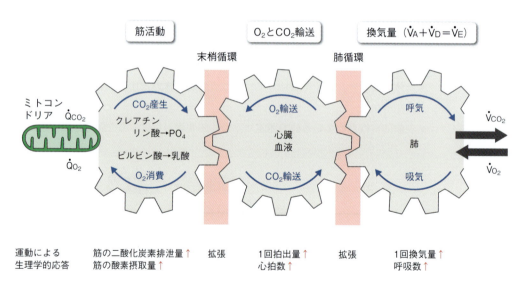

図2　運動耐容能に関与する呼吸・循環・筋の働き
文献2をもとに作成．

2）エネルギー供給機構

- 身体運動を行ううえで筋を収縮させるためにエネルギーが欠かせない．エネルギーを生成するシステムとして，筋中に貯蔵されている**アデノシン3リン酸（ATP）**がこのエネルギー

源となっている．ATPがアデノシン２リン酸（ADP）と無機リン酸（P）に分解されるときに化学的エネルギーが発生し，そのエネルギーによって筋収縮を行い，身体運動を持続することができる．

- しかし，筋中にあるATPはきわめて少なく，それだけでは運動を長時間持続するには困難となる．そのために一度分離したADPとPを再合成してATPにする機構が必要となってくる．この再合成は，細胞内およびその中にあるミトコンドリア内にて行われている．
- 再合成は，酸素を必要とする**有酸素系エネルギー供給機構**と酸素を必要としない**無酸素系エネルギー供給機構**に分類される．さらに無酸素系エネルギー供給機構は，**ATP-CP系**と**乳酸系（解糖系）**に分類される．通常，呼吸運動を行っている状態では有酸素系エネルギー供給機構が作動しているが，数秒単位の短時間で多くのエネルギーを必要とする重量挙げなどの運動では，ATP-CP系が使用され，数十秒から数分の短距離走などの運動では乳酸系である無酸素系エネルギー供給機構が関与しているとされている．一方，長時間のマラソンなどの運動では，有酸素系エネルギー供給機構でまかなわれている（図3）．

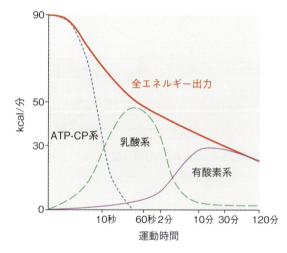

図3　エネルギー供給機構と時間因子との関係

文献3をもとに作成．

3）無酸素系エネルギー供給機構

❶ ATP-CP系

- 激しい運動時ではATPの分解と同時に筋中に含まれるもう1つの高リン酸化合物であるクレアチンリン酸（CP）も分解する．つまり，CPからリン酸が1分子分解されるときに発生するエネルギーでATPが再合成される．CPは筋中に多く存在している．

❷ 乳酸系（解糖系）

- 乳酸系とは，筋内にあるグルコースまたはグリコーゲンを解糖という酸素を必要としないで乳酸に分解するときに生じるエネルギーによってATPを再合成する機構である．
- 乳酸系では，その中間代謝産物であるピルビン酸が産生されるが（図4），酸素が十分あればミトコンドリア内のTCA回路（クレブス回路）で処理されていく．酸素が不十分であると乳酸が筋内に蓄積され筋疲労の原因となる．乳酸が分解処理される過程で，細胞内で主に重炭酸による緩衝作用により二酸化炭素（CO_2）が産生される．

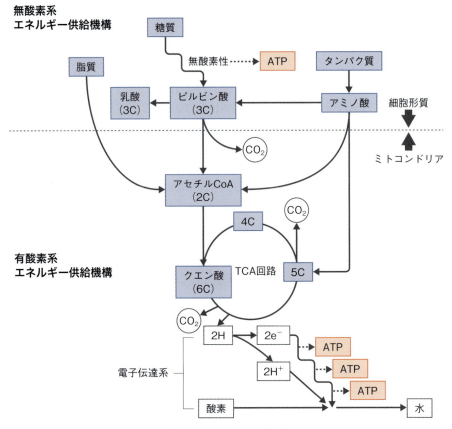

図4 乳酸（解糖）系・有酸素系によるATPの再合成
文献4をもとに作成．

4）有酸素系エネルギー供給機構

- 筋細胞内のミトコンドリアで行われるTCA回路および電子伝達系によって，酸素を使用してATPを再合成する機構である．グルコースは酸素が十分ある状態であれば乳酸にならずにTCA回路に入り，二酸化炭素と水とに分解される（図4下）．グルコース1分子から36分子の多量のATPが再合成される．
- なお，低強度の運動では糖質以外に脂質も栄養源として使用される．酸素1Lあたり約5 kcalのエネルギーを生成するとされている．

3 筋持久力の評価

1）筋持久力とは

- 日常生活活動（ADL）における筋の働きは，筋力，瞬発力，協調性，持久力などの要素からなる．**筋持久力**は，個々の筋がどの程度疲労に打ち勝ち，筋収縮を持続できるかという能力を示す．筋持久力の測定により，ADLの持続的な遂行能力を予測することができ，QOL

の向上につなげることができる．しかし，筋持久力の測定方法に確立されたものはなく，個々の対象者ごとに測定されている場合が多い．
- 筋持久力には，運動様式から，**静的筋持久力**と**動的筋持久力**の2つに分けられる．前者は等尺性収縮による筋収縮過程を，後者は等張性収縮による筋収縮過程を測定する．そのため静的筋持久力の測定では，筋の等尺性収縮により局所の筋の無酸素状態を起こしたり，血圧の上昇をきたしたりすることがあるため，呼吸・循環系のリスクにより注意する必要がある．

2) 筋持久力の測定

1 強度の設定
- 特異性の原理から低強度で高頻回できるかを調べるために，最大筋力の15～40％の負荷で，運動は疲労が現れるまで行う．

2 測定方法の一例
- 大腿四頭筋による膝の伸展運動の筋持久力を調べる場合，まず，座位にて膝伸展時の最大筋力を調べる．最大筋力の40％の重りを下腿遠位部に取り付け，疲労が起こるまで，一定のリズムで何回繰り返して膝の屈伸ができるか回数を計測する（図5）．

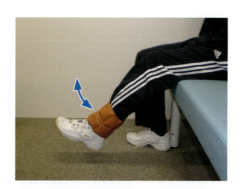

図5　筋持久力の測定例（大腿四頭筋）

4 全身持久力の評価

- 全身持久力の評価は，呼吸・循環・代謝系疾患に主に用いられる．そのため運動耐容能の評価として**心肺運動負荷試験**（cardiopulmonary exercise test：CPX）が行われることが多い（図6）．なお，対象者がCPXの検査ができない場合や測定環境がない場合は平地歩行試験を実施する．以下に，運動負荷試験と平地歩行試験について述べる．

1) 運動負荷試験の目的

①呼吸・循環系の異常・疾病の発見
②呼吸・循環系を中心とした運動能力の症候限界性の測定
③運動に対する生体諸反応の測定
④運動処方の効果判定

図6 心肺運動負荷試験
写真提供：ミナト医科学株式会社（AE310SRD）

2）運動負荷試験の指標

- 運動負荷試験では，種々の測定項目を計測するが，主に**呼気ガス分析装置**（図7）にて酸素摂取量（$\dot{V}O_2$）を測定し，運動耐容能がどの程度あるか判断する．
- 運動処方される場合，測定した$\dot{V}O_2$をもとにして，毎分どれだけの酸素を摂取したか（L/min），または，体重で補正して1 kgの酸素摂取量（mL/kg/min）で表す方法がある．相対的な示し方として，運動負荷試験の結果を最大値として最大酸素摂取量に対する割合で表示（％$\dot{V}O_2$max）する方法がある．

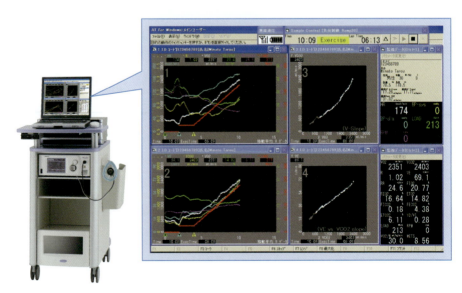

図7 呼気ガス分析装置および処理画面
写真提供：ミナト医科学株式会社（AE310SRC）

3) METsとは

- 代謝当量として **METs**（metabolic equivalents）が使用される．METsは40歳70 kgの白人男性が安楽椅子に腰かけて何もしないでいるとき（安静時）の酸素摂取量（代謝量）を1 METとして，活動時の酸素摂取量がその何倍であるかを示し，活動の指標として用いる単位である．
- 1 METは3.5 mL/kg/minとし，運動負荷試験で計測した$\dot{V}O_2$を3.5で除してMETs数を算出する．また，運動処方やADLの指導をするときにMETsにて指示が出される．

4) 運動負荷試験の種類

- 測定対象者のコンディショニングにより以下の方法に分けられ，運動負荷量は被検者の予想される最大運動能力よりもかなり低いレベルから始める．

1 最大負荷試験：負荷量を増してもそれ以上は酸素摂取量や心拍数が上昇しないレベルまで負荷量を上げるか，あるいは，自覚的に疲労困憊で運動継続が不可能（オールアウト：all out）に達するまで行う方法．最大酸素摂取量（$\dot{V}O_2max$）の測定に用いられる．

2 症候性最大負荷試験：疾患を有し，何らかの症状を呈する被検者では，症状の発現をもって測定を中止し，その時点の測定値を最大とする方法（Symptom limited）（表1）．中止直前に得られた酸素摂取量を最高酸素摂取量（peak $\dot{V}O_2$）とよぶ．

3 最大下負荷試験：あらかじめ設定した最大下の生体反応まで負荷する方法．例として予測最大心拍数（220－年齢）のx％をターゲットにする（Heart rate limited）．あるいは，下記のカルボーネン（Karvonen）の式を用いて，目標心拍数に達したら試験を終了する．

表1 運動負荷試験の中止基準

1.	患者が止めてほしいと要求した場合
2.	心電図モニターシステムの故障
3.	負荷とともに増強する胸痛
4.	2 mm以上の水平または下降型ST低下
5.	持続する上室性頻拍
6.	心室性頻拍
7.	運動誘発性脚ブロック
8.	収縮期血圧10 mmHg以上の低下ないし負荷量を増加しても血圧上昇がみられない場合
9.	ふらつき・ろうばい・運動失調・蒼白・チアノーゼ・嘔気・その他の末梢循環不全症状
10.	血圧の過度の上昇（収縮期血圧250 mmHgまたは拡張期血圧120 mmHg以上）
11.	R on T型心室性期外収縮
12.	異常な徐脈－年齢で補正した正常心拍数より2標準偏差以上低い場合
13.	2度ないし3度房室ブロックの始まり
14.	多源性心室性期外収縮
15.	心室性期外収縮の増加

文献5より引用．

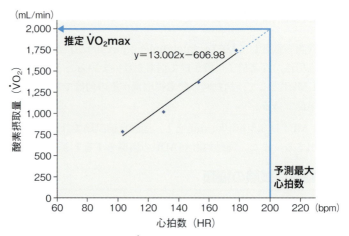

図8　外挿法による推定$\dot{V}O_2$maxの計測例

被検者：20歳男性，体重65 kg．60 wattsから30 wattsずつ負荷量を増加し4段階まで計測し，HRと$\dot{V}O_2$の関係式（$\dot{V}O_2 = 13.002$HR$- 606.98$）から，予測最大心拍数（220－年齢）を代入し，推定$\dot{V}O_2$maxを算出する．結果として推定最大酸素摂取量は1993.4 mL/minであった．

▶ 目標心拍数＝{(220－年齢)－安静時心拍数}×50～80％；至適運動強度＋安静時心拍数
▶ 最大酸素摂取量を求めたい場合は，$\dot{V}O_2$-HR関係式に予測最大心拍数を代入する「外挿法」によって推定$\dot{V}O_2$maxを計算して求めることができる（図8）．

5）運動負荷試験に使用する機器

● 運動負荷試験には，トレッドミル（図9）や自転車エルゴメーター（図10）などの定量的に負荷量が調節できる機器を用いる．トレッドミルは，歩行または走行スピード（km/min）と傾斜（％）を変化させて運動負荷をかける．自転車エルゴメーターは，ペダルをこぐ重さ（watts）を変化させて運動負荷をかける．

図9　トレッドミル

図10　自転車エルゴメーター

6）運動負荷モード

- 負荷量は各段階で各種測定を行った後に漸増する．健常人では2 METs以上の増加，疾患を有する者では1/2 METs程度に増加させる．

① 多段階負荷試験（incremental multistage法）

- 階段状に負荷を増加させる（図11A）．多段階負荷試験には種々のプロトコールがあるが，トレッドミルを使用したブルース（Bruce）のプロトコール（表2）が有名である．

② ランプ負荷試験（ramp負荷法）

- 負荷を直線的に漸増する（図11B）．特徴は，負荷がコンスタントに連続的に増加するため，仕事量の増加幅が少なく，負荷増加に対する対象者の精神的影響を排除することができる．CPXの測定における最大酸素摂取量，嫌気性代謝閾値（後述）の測定に最も適した方法といわれている．一般的には，主に自転車エルゴメーターを使用し，10分間ぐらいの負荷時間で心疾患患者・高齢者は10 watts/min，中年者は20 watts/min，運動習慣のある人は30 watts/minで増加していく設定にする．

③ 一段階負荷試験（step負荷法）

- 一定の負荷量をかける方法である（図11C）．

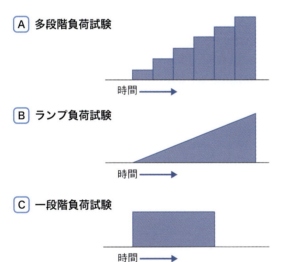

表2　ブルースのプロトコール

ステージ(3分)	速度(mph)	傾斜(%)	METs
1	1.7	10	4.8
2	2.5	12	6.8
3	3.4	14	9.6
4	4.2	16	13.2
5	5.0	18	—
6	5.5	20	—
7	6.0	22	—

mph：マイル/時．文献6より引用．

図11　運動負荷モードの種類

7）運動負荷試験の手順

① 運動負荷試験の安全対策

- 運動負荷試験は，事前に作成したガイドラインにより取り決めた運動負荷試験禁忌条項（表3）を確認し，メディカルチェックにて運動負荷試験可能と判断されたものに対して行う．
- 緊急時に対応するために救急カート（救急器材，救急蘇生，マニュアル）を用意しておく．リスクが高い場合は，医師の立会いの下で行うことが望ましい．また，最低限心電図は判読できることが必要であり，心肺蘇生法の講習を受けておく．

表3 運動負荷試験の禁忌

絶対的禁忌
1. 心筋梗塞症またはほかの急性心臓障害を疑わせる安静時心電図の有意所見
2. 亜急性心筋梗塞症
3. 不安定狭心症
4. 未治療の心室性不整脈
5. 心機能を弱める未治療の心房性不整脈
6. ペースメーカーのない第Ⅲ度房室ブロック
7. 急性うっ血性心不全
8. 重症大動脈弁狭窄症
9. 解離性動脈瘤あるいはその疑い
10. 活動性心筋炎あるいは心膜炎あるいはそれらの疑い
11. 血栓性静脈炎あるいは心内血栓
12. 最近の多臓器塞栓あるいは肺塞栓
13. 急性感染症
14. 問題のある情動障害（精神疾患）

相対的禁忌
1. 安静時拡張期血圧 115 mmHg 以上，あるいは安静時収縮期血圧 200 mmHg 以上
2. 中等度の心臓弁膜疾患
3. 電解質異常（低カリウム血症，低マグネシウム血症）
4. 心拍一定のペースメーカー（まれに使われる）
5. 頻発性あるいは複合性異所性心室調律
6. 心室瘤
7. 未治療の代謝性疾患（例：糖尿病，甲状腺中毒症，あるいは粘液水腫）
8. 慢性感染症（例：単核球症，肝炎，エイズ）
9. 運動で悪化する神経筋性，筋骨格性あるいはリウマチ性障害
10. 妊娠末期あるいは妊娠合併症

文献7より引用．

2 運動負荷試験の測定項目

- 運動負荷試験中は，心電図，血圧計および呼気ガス分析装置等で計測される測定項目（表4）を確認しながら，心拍数，血圧，患者の様子や自覚的運動強度および症状に目を離さずに，注意深く実施する．運動終了後，少なくとも10分以上は患者の状態をチェックする．
- **自覚的運動強度**（ratings of perceived exertion：RPE）は表5に示すようにボルグ（Borg）スケールが使用される．修正ボルグスケールは数値的な目安がわかりやすいため，高齢者や呼吸器疾患患者の息切れの評価として使用されることが多い．

3 運動負荷試験の中止基準

- 運動負荷試験中に表1の状況に至ったらすぐさま試験を中止し，医師に診察を依頼する．事前に用意した救急カートにて対処する．

表4　運動負荷中の測定項目

1）心電図	①心拍数（heart rate：HR） ②最大心拍数（maximal heart rate：HRmax）
2）血圧	①血圧（blood pressure：BP） ②ダブルプロダクト（double products：DP） 二重積＝収縮期血圧×心拍数：心筋酸素摂取量と正の相関がある
3）呼気ガス分析装置	①酸素摂取量（oxygen uptake：$\dot{V}O_2$） ②二酸化炭素排泄量（carbon dioxide output：$\dot{V}CO_2$） ③酸素脈（O_2-pulse）　$\dot{V}O_2$/HR ④嫌気性代謝閾値（anaerobic threshold：AT）　VAT ⑤呼吸商（respiratory quontient：R）：CO_2排泄量/O_2摂取量 ⑥一回換気量（Vt），呼吸数（respiratory rate：RR） ⑦分時換気量（VE），および最高分時換気量（peakVE） ⑧換気当量（METs） ⑨終末呼気二酸化炭素分圧，終末呼気酸素分圧 ⑩酸素負債 ⑪時間因子
4）オキシメータ	酸素飽和度SpO_2
5）自覚的運動強度	①ボルグスケール ②修正ボルグスケール

表5　自覚的運動強度

ボルグスケール			修正ボルグスケール		
6			0	Nothing at all	（感じない）
7	Very, very light	（非常に楽である）	0.5	Very, very weak	（非常に弱い）
8					
9	Very light	（かなり楽である）	1.0	Very weak	（やや弱い）
10					
11	Fairy light	（楽である）	2.0	Weak	（弱い）
12			3.0		
13	Somewhat hard	（ややきつい）	4.0	Somewhat strong	（多少強い）
14			5.0	Strong	（強い）
15	Hard	（きつい）	6.0		
16			7.0	Very strong	（とても強い）
17	Very hard	（かなりきつい）	8.0		
18			9.0		
19	Very, very hard	（非常にきつい）	10.0	Very, very strong	（非常に強い）
20					

8）嫌気性代謝閾値とは

- **嫌気性代謝閾値**（anaerobic threshold：AT）とは無酸素性作業閾値ともいわれ，増加する運動強度において，有気的エネルギーに無気的代謝によるエネルギー産生が加わる直前の運動強度を示す．

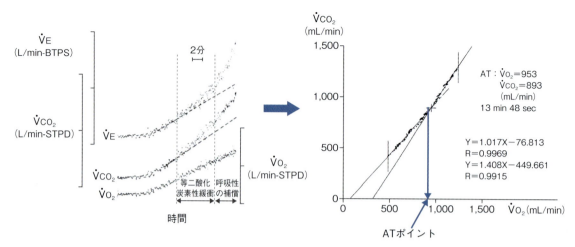

図12 嫌気性代謝閾値の抽出方法
文献2より引用.

- 図12左は，ランプ負荷における酸素摂取量（$\dot{V}O_2$）と二酸化炭素排泄量（$\dot{V}CO_2$）および分時換気量の変化を時間的経過の中でみたものである．図12右は横軸に$\dot{V}O_2$と縦軸に$\dot{V}CO_2$の値を散布したグラフである．
- 運動強度が低い段階では有酸素系エネルギー供給機構のみでまかなえていたものが，負荷強度を徐々に増加していくと，無酸素系エネルギー供給機構が加わり，乳酸が産生される．その乳酸を分解する過程でCO_2の排泄が増加していく．図12左のある点から$\dot{V}O_2$の増加する割合より$\dot{V}CO_2$の増加する割合が増え，傾斜が増加する点が生じる．その時点の$\dot{V}O_2$をATポイント（AT値）という．AT値は有酸素運動の運動処方のために有用な指標として用いられる．AT値の算出は，呼気ガス分析装置のコンピューターにてV-Slop法として簡便に算出できる．これらの換気量から算出したAT値をVAT（ventilatory anaerobic threshold）という．

9) 平地歩行試験

❶ 6分間歩行テスト

- 6分間歩行テスト（six-minute walk test：6MWT）とは，単純で簡便に用いられているテストである．その内容は6分間できるだけ長い距離を歩いてもらい，その距離を測定することである．
- 具体的には，2時間前から強い運動は避け，ウォームアップすることなく平坦な30mの直線コース（図13）をできるだけ速く歩いて往復してもらう．声掛けは1分間ごとに決められた言葉をかけるようにする（ATS：米国胸部学会ステートメント[8)9)]参照）．試験途中に患者が歩行を中断したり，休息が必要となった場合許可し，継続できるかを判断する．
- 測定項目は，歩行距離となるが，自覚症状（歩行中の息切れ具合，呼吸困難の変化）を聴取し，測定前後の脈拍数，血圧，酸素飽和度などを計測する．

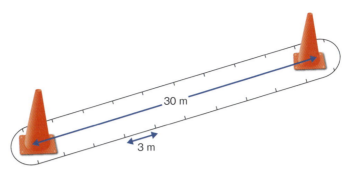

図13　6分間歩行テストの歩行路

2 シャトル・ウォーキングテスト

- シャトル・ウォーキングテストは正式には漸増負荷シャトル・ウォーキングテスト（incremental shuttle walking test：ISWT）といわれ，10 mの平地コースで1分ごとに速度を増加させる漸増負荷法をとっている．10 mの距離の両端から50 cm内側にそれぞれコーンを置き，コーン間を往復してもらう．1分ごとの速度の増加は，表6に示すように1.8 km/hのstage1（1往復半）から8.53 km/hのstage12（7往復）まで漸増し，stage12を歩ききると1,020 m歩くことになる．対象者はスピーカーから聞こえてくる発信音に歩行速度を合わせて歩く．6分間歩行テストと同様に自覚症状（歩行中の息切れ具合，呼吸困難の変化）を聴取し，測定前後の脈拍数，血圧，酸素飽和度などを計測する．試験の中止基準は運動負荷試験に準ずる．

表6　シャトル・ウォーキングテストのプロトコール

stage	速度			1シャトルあたりの所要時間（秒）	シャトル数		距離
	m/s	km/h	mile/h		各レベルのシャトル数	シャトル合計	m
1	0.50	1.80	1.12	20.00	3	3	30
2	0.67	2.41	1.50	15.00	4	7	70
3	0.84	3.03	1.88	12.00	5	12	120
4	1.01	3.63	2.26	10.00	6	18	180
5	1.18	4.25	2.64	8.57	7	25	250
6	1.35	4.86	3.02	7.50	8	33	330
7	1.52	5.47	3.40	6.67	9	42	420
8	1.69	6.08	3.78	6.00	10	52	520
9	1.86	6.69	4.16	5.46	11	63	630
10	2.03	7.31	4.54	5.00	12	75	750
11	2.20	7.92	4.92	4.62	13	88	880
12	2.37	8.53	5.30	4.29	14	102	1,020

文献

1)「理学療法士のための運動処方マニュアル」(奈良 勲/編), 文光堂, 2002
2)「運動負荷テストとその評価法」(谷口興一, 吉田敬義/訳), 南江堂, 1989
3) 田口貞善: エネルギー代謝とトレーニング.「体力トレーニング」(宮村実晴, 他/編), p129, 真興交易, 1987
4)「基礎運動学 第5版」(中村隆一, 齋藤 宏/著), p42, 医歯薬出版, 2000
5)「心臓病と運動負荷試験 第2版」(斎藤宗靖/著), p53, 中外医学社, 1993
6) Bruce RA, et al: Maximal oxygen intake and nomographic assessment of functional aerobic impairment in cardiovascular disease. Am Heart J, 85: 546-562, 1973
7)「運動処方の指針 運動負荷試験と運動プログラム 原書第8版」(アメリカスポーツ医学会・日本体力医学会体力科学編集委員会/監訳), 南江堂, 2011
8) American Thoracic Society: ATS Statement: Guidelines for the Six-Minute Walk Test. Am J Respir Crit Care Med, 166: 111-117, 2002
9)「呼吸リハビリテーションマニュアル –運動療法– 第2版」(日本呼吸ケア・リハビリテーション学会, 他/編), 照林社, 2012

第5章 身体部位別の検査

11 上肢機能検査

学習のポイント
- 上肢機能における観察の視点を学ぶ
- 上肢機能の各種の検査方法を学ぶ

1 上肢機能における観察の視点

1) 上肢機能とは

- 上肢とは，肩甲骨，鎖骨からなる肩関節周囲である上肢帯，上腕，前腕および手を指す．
- 上肢は下肢に比べ，動く範囲が大きく，また細かい動きが可能である．
- 上肢の基本的機能は，**リーチ（対象物への到達），対象物の把握と離し，対象物の操作**である．
- それ以外には，移動や日常生活における支持・姿勢制御やコミュニケーション（身振り・手振り）の役割もある．

2) 観察の視点

- 疾患ごとに異なる上肢機能障害の特徴を理解する．例えば，脳卒中，頸髄損傷，関節リウマチ，腕神経叢麻痺，手の外傷などで，おのおの上肢機能障害の特徴は異なる．
- 痛みや感覚障害の有無・程度を患者に聞いたり，観察したりして理解する．
- 患者が上肢機能障害をどのように認識しているか，生活の場面で上肢をどのように扱っているかを観察する．明確な神経心理学的障害を有していない患者でも，上肢機能障害をはっきりと認識できない場合がある．
- 生活場面で上肢をどのように使用しているかを観察する．そのときの，課題遂行度およびリーチ，対象物の把握と離し，対象物の操作における運動範囲や動きの滑らかさを観察する．
- 上肢使用時の体幹の傾きや筋緊張の変化を観察する（図1）．
- 片手動作時と両手動作時の差異を観察する．
- 手においては，第2指～第4指の**MP関節を屈曲，IP関節を伸展**しながら使用できているかと**母指対立の動き**に着目して観察する（図1）．

図1 脳卒中患者の上肢
リーチ機能の不十分さを体幹側屈や肩の挙上で代償している．またIP関節伸展および母指対立が不十分である．

2 上肢機能検査

1）簡易上肢機能検査（Simple Test for Evaluating Hand Function：STEF）（図2, 3）

- 1985年，作業療法士である金子ら[1]により開発・標準化された．
- 対象疾患を特定しない検査である．しかし物品を操作できない上肢機能障害の評価には使用できない．
- 課題は，大きさ，形，素材などの異なる10種類の物品（大球からピンまで）を移動することであり，そのおのおのの**所要時間**を測定する．全検査は，20〜30分程度で完了する．
- 物品の移動は平面上のみであり，リーチの高さを考慮した評価はできない．
- 健常児・者から得たデータをもとに算出された年齢階級別得点により，健常者の年齢別の正常域得点が示されている．
- 脳卒中患者の非麻痺側上肢機能の評価が可能で，**利き手交換の指標**ともなりうる．

図2 STEFの検査器具

2）Box and Block Test（図4）

- 1985年に米国の作業療法士であるMathiowetzら[2]により開発された．
- 課題は，高さ15.2 cmの板で2つに区切られた長方形の箱（横53.7 cm×縦25.4 cm×高さ8.5 cm）の，一方の区画に入っている150個の立方体（一辺2.5 cm）を，他方の区画に移動させることである．1分間で**移動させた数**が点数になる．
- 信頼性と妥当性が検証されている．

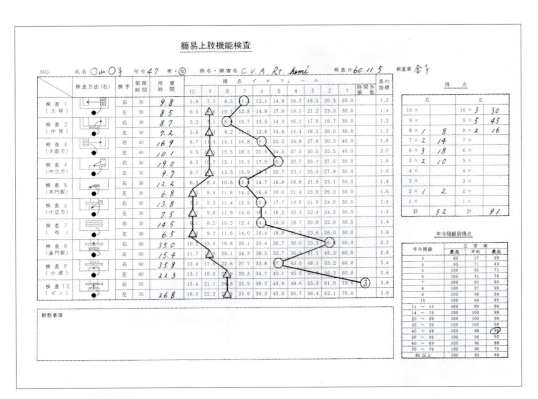

図3 STEFの記録用紙
簡易上肢機能検査（STEF）検査者の手引，酒井医療株式会社より転載．

図4 Box and Block Testの検査器具
酒井医療株式会社より転載．

3) Action Research Arm Test（ARAT）（図5）

- 1981年にスコットランドの心理士であるLyle[3]により開発され，信頼性，妥当性が検証されており，海外では広く使用されている．本邦では，大場ら[4]が，信頼性，妥当性を検証している．
- 脳卒中や頭部外傷などにより片麻痺を生じた者を対象としている．
- 課題は，grasp 6項目，grip 4項目，pinch 6項目，gross movement 3項目の計19項目である．項目ごとに，完遂度と時間に基づき0～3点の4段階で評価する．
- 物品を持ち上げる課題も設定されている．
- STEFと比較して，上肢機能障害が重度から軽度まで，幅広く評価可能である．しかし，上肢機能障害がより軽度な対象者では，STEFよりも**天井効果**が起こりやすい可能性が考えられる[4]．

第5章-11 上肢機能検査 335

得点基準

3点：可能
2点：時間がかかった，または困難さがあるが可能
1点：部分的に施行
0点：できない

課題 **得点**

1) grasp：机上の所定の場所から，37.5 cm の高さの棚へ持ち上げてのせる

① 木製 10 cm 立方体　　　　　　　　　　　　　　　（①が3点なら，以下はすべて3点）
② 木製 2.5 cm 立方体　　　　　　　　　　　　　　（①②がともに0点なら，以下はすべて0点）
③ 木製 5.0 cm 立方体　　　　　　　　　　　　　　_____
④ 木製 7.5 cm 立方体　　　　　　　　　　　　　　_____
⑤ 野球の硬球　直径 7.5 cm　　　　　　　　　　　_____
⑥ 砥石 10×25×1 cm 立方体　　　　　　　　　　 _____
　　　　　　　　　　　　　　　　　　　　　　　　　　　　　合計　　　　/18

2) grip：机上で移動させる

① コップからコップへ水を移す：　　　　　　　　　（①が3点なら，以下はすべて3点）
　水の入ったコップを持ち，回内させて他方のコップに移す
② 軽金属管　直径 2.25 cm×11.5 cm：　　　　　（①②がともに0点なら，以下はすべて0点）
　所定の位置から，30 cm 離れた位置に差しかえる
③ 軽金属管　直径 1 cm×16 cm：　　　　　　　　_____
　所定の位置から，30 cm 離れた位置に差しかえる
④ ボルトを通した直径 3.5 cm ワッシャー：　　　　_____
　所定の位置にある蓋のなかに置いたワッシャーをターゲットに移動させる
　　　　　　　　　　　　　　　　　　　　　　　　　　　　　合計　　　　/12

3) pinch：机上で所定の場所にある蓋のなかに置いたのを，37.5 cm の高さの棚上で，
　　　　　所定の場所にある他の蓋につまみ上げて入れる

① 6 mm ボールベアリング　　母指と環指でつまむ　（①が3点なら，以下はすべて3点）
② 1.5 cm ビー玉　　　　　　　母指と示指でつまむ　（①②がともに0点なら，以下はすべて0点）
③ 6 mm ボールベアリング　　母指と中指でつまむ　_____
④ 6 mm ボールベアリング　　母指と示指でつまむ　_____
⑤ 1.5 cm ビー玉　　　　　　　母指と環指でつまむ　_____
⑥ 1.5 cm ビー玉　　　　　　　母指と中指でつまむ　_____
　　　　　　　　　　　　　　　　　　　　　　　　　　　　　合計　　　　/18

4) gross movement：上肢粗大運動　膝の上に置いた手を移動させる

① 手を頭部の後方へ　　　　　　　　　　　　　　　（①で3点なら，以下はすべて3点）
② 手を頭部の上へ　　　　　　　　　　　　　　　　（①で0点なら，以下はすべて0点）
③ 手を口へ　　　　　　　　　　　　　　　　　　　_____
　　　　　　　　　　　　　　　　　　　　　　　　　　　　　合計　　　　/9

　　　　　　　　　　　　　　　　　　　　　　　　　　　　　総合計　　　/57

図5　Action Research Arm Test（ARAT）の評価マニュアル
文献4より引用.

4) パーデュー・ペグボード・テスト（Purdue Pegboard Test）（図6）

- 米国の産業心理士（Industrial Psychologist）であったJoseph Tiffinによって，生産工場労働者の上肢機能を評価するために，1940年代に開発された．その後，さまざまな障害者の評価に適応された．
- 課題は，①ペグを盤上の穴に差し込む〔右手で（30秒），左手で（30秒），両手で同時に（30秒）〕ことと，②ペグを盤上の穴に差し込み，そこにワッシャーを入れ，その上からカラーを通し，さらにその上にワッシャーを入れること（1分）である．
- 差し込んだ**ペグの数**が点数化される．

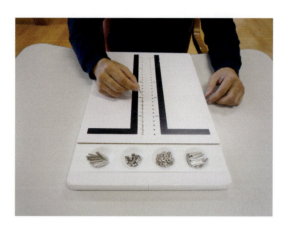

図6　パーデュー・ペグボード・テスト

5) ナインホールペグテスト（The Nine Hole Peg Test）

- 1985年に米国の作業療法士であるMathiowetzら[5]により開発された．健常者の成績が示され，信頼性の検討もされている[6]．
- 課題は，盤上にあるペグ置き場から取ったペグ（計9本）を盤上の穴に入れて立て，9本すべて立てた後，すぐにすべてのペグを1本ずつペグ置き場に戻すことであり，その**所要時間**が計測される．
- ペグの直径は0.64 cmであり，パーデュー・ペグボード・テストのペグより太い．

6) 日本語版Wolf Motor Function Test（WMFT日本語版）（表1）

- Wolf Motor Function Test（WMFT）は，米国などで**CI療法**（constraint induced movement therapy）などの効果判定尺度として広く使用されている．その日本語版であるWMFT日本語版は，高橋ら[7]により作成され，信頼性と妥当性が検証されている．
- 運動項目6項目，物品操作項目9項目の計15の評価項目からなる．各評価項目の**課題遂行時間**を計測するとともに，**動作の質**を6段階で評価する．
- STEFに比べ，重度な症例に対して，より詳細な上肢運動機能の評価が可能である[7]．

表1 日本語版 Wolf Motor Function Test（文献7より引用）

評価項目	課題遂行時間	FAS
机に対して横向き座位（机と椅子の距離，10 cm）		
1. 前腕を机へ：肩の外転を用いて前腕を机の上に乗せる．	秒	
2. 前腕を箱の上へ：肩の外転を用いて前腕を箱の上に乗せる．	秒	
3. 肘の伸展：肘を伸展させ，机の反対側へ手を伸ばす．	秒	
4. 肘の伸展・負荷あり：肘の伸展により重錘（450 g）を机の反対側へ移動させる．	秒	
机に対して前向き座位		
5. 手を机へ：机の上に麻痺手を乗せる．	秒	
6. 手を箱の上へ：箱の上に麻痺手を乗せる．	秒	
7. 前方の引き寄せ：肘や手首の屈曲を用いて，机の反対側からの重錘（450 g）を引き寄せる．	秒	
8. 缶の把持・挙上：開封していない缶（350 mL）を把持（円筒握り）し，口元まで挙上する．	秒	
9. 鉛筆の把持・挙上：鉛筆を3指つまみでつまみ上げる．	秒	
10. クリップの把持・挙上：クリップを2指つまみでつまみ上げる．	秒	
11. ブロックの積み重ね：ブロックを3つ積み上げる．	秒	
12. トランプの反転：3枚のトランプを1枚ずつ，つまみ（指尖つまみ）裏返す．	秒	
13. 鍵の操作：鍵穴にさしてある鍵をつまんで，左右に回す．	秒	
14. タオルの折りたたみ：タオルを四分の一に折りたたむ．	秒	
机に対して前向き立位，患者に高さ110 cmの台を設置		
15. 重錘の持ち上げ：机におかれた重錘（1 kg）の輪をつかんで持ち上げ，側方にある台の上に置く．	秒	
最終スコア（合計）	秒	

〔評価方法〕
・各動作を口頭で2回説明し，検査者が見本を示す（患者は練習しないこと）．
・上記の動作をなるべく速く行ってもらい，それぞれの課題遂行時間を記録する．
・動作の質は6段階（0〜5）で評価し，Functional Ability Scale（FAS）の欄に記入する．
・120秒以上かかる場合や動作が不可能な場合は，中断し120秒として記録する．

3 脳卒中を対象とした日常生活における使用状況の主観的評価

- 近年，脳科学・神経科学の進展を基礎とした新たな上肢機能練習が開発されている．それに伴い，日常生活における上肢の使用状況を評価することが重視されつつある．ここでは，脳卒中を対象とした日常生活における**上肢の使用状況**の主観的評価法を2つ紹介する．

1）日本語版 Motor Activity Log（日本語版 MAL）（表2）

- Motor Activity Log（MAL）は，CI療法の効果判定のために作成された．その日本語版であるMAL日本語版は，高橋ら[8]により作成され，信頼性と妥当性が検証されている．
- 評価する動作項目は，14項目である．**使用頻度（AOU）**と**動作の質（QOM）**をおのおの6段階で，対象者が自己評価する．

表2 日本語版 Motor Activity Log (文献8より引用)

【評価項目】

	動作評価項目	AOU	QOM
①	本／新聞／雑誌を持って読む		
②	タオルを使って顔や身体を拭く		
③	グラスを持ち上げる		
④	歯ブラシを持って歯を磨く		
⑤	髭剃り／化粧をする		
⑥	鍵を使ってドアを開ける		
⑦	手紙を書く／タイプを打つ		
⑧	安定した立位を保持する		
⑨	服の袖に手を通す		
⑩	物を手で動かす		
⑪	フォークやスプーンを把持して食事をとる		
⑫	髪をブラシや櫛でとかす		
⑬	取っ手を把持してカップを持つ		
⑭	服の前ボタンをとめる		
	合計		
	平均（合計÷該当動作項目数）		

【評価尺度】

AOU（amount of use：使用頻度）
0. 患側は全く使用していない（不使用：発症前の0％使用）
1. 場合により患側を使用するが，極めてまれである（発症前の5％使用）
2. 時折患側を使用するが，ほとんどの場合は健側のみを使用（発症前の25％使用）
3. 脳卒中発症前の使用頻度の半分程度，患側を使用（発症前の50％使用）
4. 脳卒中発症前とほぼ同様の頻度で，患側を使用（発症前の75％使用）
5. 脳卒中発症前と同様の頻度で，患側を使用（発症前と同様：100％使用）

QOM（quality of movement：動作の質）
0. 患側は全く使用していない（不使用）
1. 動作の過程で患側を動かすが，動作の助けにはなっていない（極めて不十分）
2. 動作に患側を多少使用しているが，健側による介助が必要，または動作が緩慢か困難（不十分）
3. 動作に患側を使用しているが，動きがやや緩慢または力が不十分（やや正常）
4. 動作に患側を使用しており，動きもほぼ正常だが，スピードと正確さに劣る（ほぼ正常）
5. 脳卒中発症前と同様に，動作に患側を使用（正常）

【評価方法】
1. 評価用紙と方法を患者に説明する．
2. 14の動作項目のそれぞれについて，発症前の使用状態を問う．
3. 「発症前，○○（動作項目）をするために，麻痺している手を使っていましたか？」と問い，発症前から使用していなかった動作については，除外項目としAOUとQOMの欄に「×（バツ）」を記入し，平均点を計算する際にも除外する．例えば，禿頭の人にとって，「髪をブラシや櫛でとかす」動作や，利き手を用いる動作項目（「手紙を書く」）に対して麻痺側が非利き手である場合など．

発症前に麻痺側を動作に使用していた場合は以下の設問を続ける．

4. 各動作項目について，AOU（amount of use：使用頻度）を6段階評価で問う．
「○○（動作項目）をするために，この1週間麻痺している手をどの位の頻度で使いましたか？この6つの選択肢から選んでください」と言い，6段階スケールを見せる．
患者が6段階評価の理解が難しい場合は，選択肢を朗読し，言い回しを変えて説明してもよい（例：「発症前と同じ位使っていますか？」など）．
健側のみで動作を行った場合や，動作が全介助であり患側を使用しなかった場合は，点数を「0」とする．

5. 各動作項目について，QOM（quality of movement：動作の質）を6段階評価で問う．
「○○（動作項目）をするために，麻痺している手をどの位上手に使えましたか？この6つの選択肢から選んでください」と言い，6段階スケールを見せる．
患者が6段階評価の理解が難しい場合は，選択肢を朗読し，言い回しを変えて説明してもよい（例：「少し手を添える程度ですか？」，「前と同じくらい上手に使えていますか？」など）．
健側のみで動作を行った場合や，動作が全介助であり患側を使用しなかった場合は，点数を「0」とする．

6. 患者の答えは，「～ですね」と記入前に再度確認すること．患者が肯定的に答える場合は，患側についてのみ答えるように促し，健側による作業遂行と分別すること．

7. 14の動作項目の点数を平均し，それをAOUまたはQOMの点数とする．

（注）失語や高次脳機能障害により設問の理解が困難な場合は，各動作項目をセラピストがデモンストレーションするなど視覚提示をしてもよい．また，6段階評価を問う際には「0」と「5」を説明し，その間のどの辺りかを問うなどしてもよい．

2) Jikei Assessment Scale for Motor Impairment in Daily Living（JASMID）(表3)

- JASMIDは，石川ら[9]によって作成され，信頼性と妥当性が検証されている．
- 評価する動作項目は，20項目である．**使用頻度**と**動作の質**をおのおの6段階，5段階で，対象者が自己評価する．
- 日本での生活に即した動作項目が含まれるように作成されている．例えば，箸での食事が含まれている．

表3 Jikei Assessment Scale for Motor Impairment in Daily Living（JASMID）(文献9より引用)

JASMID　　氏名：　　評価日：　　麻痺側：右・左　　利き手：右・左

この質問紙は，あなたが生活の中で麻痺側の手をどのくらい使用しているか，またどのくらい困難さを感じているかを問うものです．各動作項目において，右の表を参考にしながら，「使用頻度」と「動作の質」について数字でお答えください．
また，下の二つの項目は，各自趣味・仕事を記入し，「使用頻度」「動作の質」についてお答えください．
なお，以前から行わない動作，麻痺側の手で元々行わない動作がある場合は，使用頻度「0」と記入し，動作の質は空欄にしてください（例：元々右利きで右手にて書字を行っていたが，左片麻痺となった場合など）．

動作項目	使用頻度	動作の質
1. ペンで字を書く		
2. 箸で食事をする（おかずをつかむ）		
3. 歯ブラシで歯を磨く		
4. 手の爪を切る		
5. 傘を開き，さす		
6. 化粧／髭剃りをする		
7. 顔を洗う		
8. 髪をくしでとかす		
9. シャツのボタンをはめる		
10. 新聞・雑誌をめくって読む		
11. ペットボトルの蓋の開閉をする		
12. トイレットペーパーをちぎる		
13. 缶ジュースを開ける		
14. ベルトを締める／ブラジャーをつける		
15. 靴下をはく（両足）		
16. 雑巾・タオルを絞る		
17. ハンガーに上着をかける		
18. 財布から小銭を出す		
19. 靴紐を結ぶ		
20. ネクタイを結ぶ／ネックレスをつける		
合計		
趣味活動（　　　）を行う		
仕事／家事（　　　）を行う		

使用頻度
0：全く使わない（使う気がない）
1：全く使えない（使いたいが使えない）
2：少し使う（ごくまれにしか使わない）
3：時々使う（病前の半分くらいしか使わない）
4：しばしば使う（病前よりは使う頻度が減った）
5：いつも使う（病前と比べて変わりない）

動作の質
1：（使おうとしても）ほとんどできない
2：非常に困難さを感じる（病前よりかなり困難）
3：中等度の困難さを感じる（病前と比べ半分くらい）
4：やや困難さを感じる（病前と比べて少し困難）
5：全く困難さを感じない（病前と同じである）

※電動歯ブラシ・柄付き箸などの自助具の有無は問わない．
※動作項目1・2は，「支え手」としての動作は対象外
　動作項目3・6は，準備動作は評価対象外
　動作項目9〜14においては，「支え手」としての動作も対象

＜採点方法＞
使用頻度＝
　使用頻度の合計÷（「0」の回答以外の動作項目数×5）×100
動作の質＝
　動作の質の合計÷（回答のあった動作項目数×5）×100

■ 文献

1) 金子 翼, 他：上肢機能検査の開発と標準化に関する研究. 神戸大学医療技術短期大学部紀要, 1：37-42, 1985
2) Mathiowetz V, et al：Adult norms for the Box and Block Test of manual dexterity. Am J Occup Ther, 39：386-391, 1985
3) Lyle RC：A performance test for assessment of upper limb function in physical rehabilitation treatment and research. Int J Rehabil Res, 4：483-492, 1981
4) 大場秀樹, 他：Action Research Arm Test（ARAT）の信頼性, 妥当性, 反応性の検討. 総合リハ, 39：265-271, 2011
5) Mathiowetz V, et al：Adult Norms for the Nine Hole Peg Test of Finger Dexterity. The Occupational Therapy Journal of Research, 5：24-33, 1985
6) Kimatha Oxford Grice, et al：Adult Norms for a Commercially Available Nine Hole Peg Test for Finger Dexterity. Am J Occup Ther, 57：570-573, 2003
7) 高橋香代子, 他：新しい上肢運動機能評価法・日本語版 Wolf Motor Function Test の信頼性と妥当性の検討. 総合リハ, 36：797-803, 2008
8) 高橋香代子, 他：新しい上肢運動機能評価法・日本語版 Motor Activity Log の信頼性と妥当性の検討. 作業療法, 28：628-636, 2009
9) 石川 篤, 他：本邦の生活に即した脳卒中後上肢麻痺に対する主観的評価スケール作成の試み －日常生活における「両手動作」と「片手動作」に注目して－. 慈恵医大雑誌, 125：159-167, 2010

第5章 身体部位別の検査

12 体幹機能評価

> **学習のポイント**
> - 体幹機能の概要および評価方法について学ぶ
> - 代表的な体幹機能評価指標について学ぶ

1 体幹機能とは

- 体幹はさまざまな運動課題に対して,「上肢や下肢を空間で自由自在に動かす際の基盤(土台)としての役割」と「姿勢を安定して保持する役割」という2つの機能を果たしている.
- 体幹機能の障害は,心身機能・身体構造レベルおよび活動レベルにおけるさまざまな問題を引き起こす可能性をもっている.
- 体幹機能で特筆すべき点は,体幹筋の活動は,日常生活では意識されることはなく,自動的に起こるということである.例えば,リーチ動作は,通常,「目標物に手を伸ばすという意識的な運動」であるが,この動作中の体幹運動の制御は無意識下で行われる.

2 体幹機能の評価方法[1) 2)]

- 体幹機能に対する評価指標は,疾患特異的(主として脳卒中患者)指標として利用される.
- 体幹機能の評価に限らず,理学療法で求められる評価指標の要件として,①パフォーマンス測定を主体としたものであること,②評価項目が治療指向的であること,③特別な器具や機材を使用しないこと,④実施が簡便であり検査所要時間ができるだけ短いことなどがあげられる.
- 体幹機能を評価する場合,体幹それ自体だけではなく,四肢の運動との関係からみることが必要である.

1)体幹機能の評価

■ 体幹構成要素に対する評価

- 体幹機能には,体幹筋力,可動域,柔軟性,筋緊張,筋長,姿勢アライメントといった要素が関与しており,しかも各要素は相互に関連している.したがって,体幹機能の評価で

は，これらの要素を個々に検査する．

2 諸動作の遂行能力（パフォーマンス）に対する評価

- 体幹は単一の機能ではなく，複数の要素的機能から構成されることから，包括的な評価指標が必要となる．現実的には，実生活における諸活動の制限ということが問題となるため，標準的な課題に対する遂行能力を通じて，体幹機能を評価することが可能である．
- 例えば，脳卒中片麻痺患者が歩行を獲得するためには，動作に先行した麻痺側体幹の安定性と麻痺側腹斜筋群や腰背筋群による骨盤の制御，すなわち，予測的姿勢制御の獲得が必要となる．この際，動作に先行して起こる予測的な筋活動や姿勢変化に伴う筋活動の変化といったものを直接，視覚的にあるいは評価指標を用いて捉えることはできない．これらを観察・記録するには，本来，当該筋の筋電図を測定する必要があるものの，臨床場面では，セラピストの「関連する諸動作の肉眼による観察」や「触察」を用いて判断している．

2）体幹機能評価の留意点

1 肉眼による観察の留意点

- 対象者が衣服を着用している場合には，しわや折り目，縫い目によって，誤った観察につながる可能性があるため，できるだけ上半身は脱衣した状態で観察することが望ましい．
- 患者を撮影した動画を観察する場合，あくまで，見落とした箇所の確認作業のために用いるようにする．また，対象者のパフォーマンスはその都度変わるものと認識すべきである．

2 姿勢変化と体幹筋活動やアライメント

- 姿勢のわずかな変化が体幹の筋活動やアライメントに影響を及ぼすことを常に念頭におく．
- 例えば，上肢を前方に挙上した場合には，体幹の伸筋の活動が起こり，一方，上肢を後方に伸展した場合には，体幹の屈筋の活動がそれぞれ，無意識的に起こる．

3 ADLを考慮したさまざまな姿勢における評価

- 体幹の調節は課題に対し特異的に行われることから，背臥位では，「ベッド上で寝返る（もとに戻る）」，「側臥位をとる（もとに戻る）」，「殿部をもち上げる（ブリッジ動作）」，「ベッドから起き上がる（もとに戻る）」といった活動を確認する必要がある．また座位では，「テーブルを拭く」，「靴下を履く（脱ぐ）」，「上衣（下衣）を着る（脱ぐ）」，「椅子に深く座り直す」などの日常的な活動を，さらに立位では，「床に落ちたものを拾う」，「棚の上の物品をとる」，「洗濯物を干す」などの活動を確認する．
- 体幹は，姿勢アライメントやバランス能力との関連が深い．すなわち，バランス評価指標は，間接的に姿勢アライメントや体幹機能を反映しているものと考えられる．つまり，体幹機能が低ければ，種々のバランスパフォーマンスに影響を及ぼすことになる．したがって，バランス能力の改善には体幹機能の改善が必要となる[3]．
- 例えば，脳卒中片麻痺患者の下衣操作（下衣を上げる動作）に対して体幹機能が自立の可否に影響を与え，下衣操作能力の改善のためには体幹機能の評価およびトレーニングを行う必要がある．

3 代表的な体幹機能評価指標

- 以下に説明する評価指標は脳卒中患者を対象とした疾患特異的なパフォーマンス評価であるが，他の疾患にも適用可能と思われる．

1）体幹制御検査（Trunk Control Test：TCT）[3]

- TCTは，1990年にCollinらによって考案されたもので，次の4項目からなる．
  ①背臥位から麻痺側への寝返り
  ②非麻痺側への寝返り
  ③背臥位からの起き上がり
  ④30秒間のベッド上端座位保持（足底が床に接地しない状態）
- ①～④の課題は「0：介助があっても遂行できない」「12：通常ではない方法ではあるが遂行できる」「25：正常に動作を完了できる」のように，それぞれ3段階で採点される．得点範囲は0～100点である．
- TCTは，脳卒中患者の回復の変化に敏感であり，FIMとの相関が高い．

2）臨床的体幹機能検査（Functional Assessment for Control of Trunk：FACT）[4]

- FACTは，課題の一部に上下肢の運動を含む体幹機能にかかわるパフォーマンスを中心とした評価法で，10項目の検査項目からなり，その可否について点数0～3点（合計20点）で判定する．項目によって点数配分が異なるので注意が必要である（表1）．
- この評価指標を用いることで問題点が明確になり具体的な治療の手がかりとなるという点で，治療指向的な検査法としての特徴をもつ．
- また，採用されている課題が理学療法の評価および治療場面から選定されているという点からも治療指向的である．
- 以下にFACTの特徴を示す．
  ①結果が点数化されている
  ②対象者の変化を捉えやすい
  ③客観性があり，治療の効果判定が可能
  ④特別な器具を使用せずに5分以内で測定可能
  ⑤体位交換を必要とせず，検者・被検者ともに負担がかからない
- FACTの検者間信頼性はICC（2,1）＝0.96，項目ごとの一致率は87～100％，κ係数は0.62～1で臨床導入可能なレベルであり，クロンバックα係数は0.81で，内的整合性を有することが示されている．

3）体幹機能障害尺度（Trunk Impairment Scale：TIS）[5]

- TISは2004年にVerheydenらによって開発されたもので，脳卒中後の体幹の運動機能障害を評価する．
- 評価項目は，静的座位バランス（10項目：7点満点），動的座位バランス（10項目：10点満点）および体幹協調性（4項目：6点満点）から構成され，合計23点満点である（表2）．
- この評価指標の特徴は，バランスを主体とした体幹の動きの質を評価し，治療の指針とし

表1 臨床的体幹機能検査（Functional Assessment for Control of Trunk：FACT）[4]

目的（構成要素）	テスト方法（判断基準）	口頭指示・注意事項	点数配分
①静的端座位保持能力（上肢支持利用）	上肢で手すりや座面などを支持すれば10秒以上端座位保持できる.	「手をついたり手すりを使って，座っていられますか」	可能：1点 不能：0点
②静的端座位保持能力（上肢支持不使用）	上肢で支持せずに10秒以上端座位保持できる.	「手を離して座っていられますか」	可能：1点 不能：0点
③動的端座位保持能力，下側方への重心移動・リーチ，軽度の体幹回旋，それに伴う体幹の従重力・抗重力活動	左右どちらか片側の手で反対側の足首を握り，戻ることができる.	「右（左）手で反対の左（右）の足首を握れますか」「手をつかずに体を戻せますか」 股関節内外転内外旋しない．踵を床から離さない．肘や上肢などを大腿部で支持しない．戻るときも手を膝などで支持しない．	可能：1点 不能：0点
④動的端座位保持能力，前方への重心移動，それに伴う下肢・体幹の立ち直り，さらに軽度骨盤・体幹の選択的な動きを伴いながらの左右への重心移動	両側殿部を持ち上げながら，左右どちらにも10 cm以上移動することができる.	「お尻を持ち上げて，右（左）に移動できますか」	可能：2点 不能：0点
⑤動的端座位保持能力，広範囲の側方への重心移動，それに伴う立ち直り	片側の殿部を3秒以上座面から離すことができる（両側）.	「右（左）側のお尻を持ち上げて，保つことができますか」「反対側の左（右）側のお尻も同じように持ち上げて，保つことができますか」 視覚的に殿部が離れたかどうかの判定が困難なときは，坐骨と座面の間に検者の指が通るかで判定．その状態で3秒以上保持可能かを判定．	両側：2点 片側：1点 不能：0点
⑥動的端座位保持能力，軽度後方への重心移動，それに伴う立ち直り，一側下肢を持ち上げたときの同側体幹の保持能力	左右どちらか片側の大腿部を持ち上げ，足底面を床面から3秒以上離すことができる（両側）.	「右（左）足を床から離してまっすぐ上に持ち上げて保つことができますか」 「反対側の左（右）足も同じように持ち上げて保つことができますか」 踵部や足尖部などをベッドに接触しない．視覚的に持ち上がっているかどうか判定が困難なときは，大腿後面遠位部，足底面下部に手が通るかで判定．その状態で3秒以上保持可能かどうか判定．	両側：2点 片側：1点 不能：0点
⑦動的端座位保持能力，広範囲の後方への重心移動，それに伴う立ち直り，両下肢を持ち上げたときの両側体幹の保持能力	左右両側の大腿部を持ち上げ，両側足底面を床面から3秒以上離すことができる.	「両方の足を一緒に床から離してまっすぐ上に持ち上げて保つことができますか」 踵部や足尖部などをベッドに接触しない．視覚的に持ち上がっているかどうか判定が困難なときは，大腿後面遠位部，足底面下部に手が通るかで判定．その状態で3秒以上保持可能かどうか判定．	可能：2点 不能：0点
⑧動的端座位保持能力，広範囲の側方への重心移動，さらに骨盤体幹の選択的な回旋	片側ずつ殿部を持ち上げ，前後どちらにもお尻歩きができる.	「片側のお尻を持ち上げ，持ち上げた方のお尻を前（後ろ）へ移動できますか，それを両側交互に行い，前（後ろ）へ移動できますか」 持ち上がった方の骨盤が移動するかどうかを確認．支持側の坐骨は移動しないことを確認．	可能：3点 不能：0点

（次ページへつづく）

ている点であるものの，やや検査項目が多いのが難点である．

- 2004年にこの評価指標が発表されて以降，順次，妥当性が検証され，また多くの論文で引用されている．

（前ページからのつづき）

目的（構成要素）	テスト方法（判断基準）	口頭指示・注意事項	点数配分
⑨動的端座位保持能力，体幹伸展位での回旋	検者は仙骨部から20 cm後方の座面に指を接触させる．それを肩越しに見て，1秒間隔で3回変わる検者の指の本数を答えることができる（手の形を真似できる）．	「体の後ろに指を置くので，肩の上から覗いて見て，何本か答えて下さい」 テストを行う前に眼前1 m程度のところで検者の指を出し何本か答えてもらうとよい．失語症などの症例では指の形を真似してもらう．検者の指は座面に接触させる．検者は1秒間隔で3回指を変え，そのたびに指の本数を答えてもらい，体幹回旋位を保持できるかどうかをみる．	可能：3点 不能：0点
⑩動的端座位保持能力，脊柱の最大伸展	左右どちらか片側上肢を最大努力で挙上（肩関節屈曲）し，肩関節内外旋・内外転中間位で，上腕骨を床面に対し垂直位まであげることができる．	「（肘を伸ばして）手をまっすぐ上まで持ち上げることができますか」「もっと上がりますか」 上がっているかどうかの判定が困難な場合は「もっと上げて」などの口頭指示を与える．もう少しで上がりそうでも，完全に垂直位でなければ不能と判定する．また，既往に五十肩などの肩関節自体の障害がある人は，体幹完全伸展位で骨盤前傾，両側肩甲骨内転の反応が出現するかで判定．	可能：3点 不能：0点

文献4より引用．　　合計　/20

表2　体幹機能障害尺度（Trunk Imspairment Scale：TIS）（17項目0〜23点満点）

No	課題	判定	得点
静的座位バランス（総得点　/7点）			
①	開始肢位のまま座位を保持する． ※本項目0点→TIS総得点0点	手の支持なしでは10秒間保持できず倒れる． 10秒間保持できる．	0 2
②	開始肢位から治療者は患者の麻痺側下肢の上に非麻痺側下肢を交差させ，麻痺側下肢を下にして足を組んだ座位を保持する．	手の支持なしでは10秒間保持できず倒れる． 10秒間保持できる．	0 2
③	開始肢位から患者自ら麻痺側下肢の上に非麻痺側下肢を交差させ，麻痺側下肢を下にして足を組んだ座位になる．	倒れる． ベッド上に置いた手の支持なしでは足を組むことができない． 足を組むことはできるが，10 cm以上後方に体幹を動かすか，足の交差を手で補助する． 体幹の移動または補助なしで足を組むことができる．	0 1 2 3
動的座位バランス（総得点　/10点）			
①	開始肢位から（麻痺側体幹の短縮と非麻痺側体幹の伸長を伴う体幹の麻痺側側屈によって）麻痺側の肘で座面に触れ，開始肢位に戻る． ※本項目0点→項目②・③は0点	倒れる．上肢の支持を必要とするか，麻痺側の肘で座面に触れられない． 介助なしで能動的に実施でき，麻痺側の肘で座面に触れられる．	0 1
②	項目①を繰り返す． ※本項目0点→項目③は0点	体幹の短縮/伸長が起きないか，または体幹の反対の短縮/伸長が生じる． 適切な体幹の短縮/伸長を伴って実施できる．	0 1
③	項目①を繰り返す．	代償が生じる（上肢を使用する，反対側の股関節外転を伴う，股関節屈曲，膝関節屈曲を伴う，足が滑る）． 代償なしで実施できる．	0 1
④	開始肢位から（非麻痺側体幹の短縮と麻痺側体幹の伸長を伴う体幹の非麻痺側側屈によって）非麻痺側の肘で座面に触れ，開始肢位に戻る． ※本項目0点→項目⑤と⑥は0点	倒れる．上肢の支持を必要とするか，非麻痺側の肘で座面に触れられない． 介助なしで能動的に実施でき，非麻痺側の肘で座面に触れられる．	0 1

（次ページへつづく）

(前ページからのつづき)

No	課題	判定	得点
⑤	項目④を繰り返す． ※本項目0点→項目⑥は0点	体幹の短縮/伸長が起きないか，または体幹の反対の短縮/伸長が生じる．	0
		適切な体幹の短縮/伸長を伴って実施できる．	1
⑥	項目④を繰り返す．	代償が生じる（上肢を使用する，反対側の股関節外転を伴う，股関節屈曲，膝関節屈曲を伴う，足が滑る）．	0
		代償なしで実施できる．	1
⑦	開始肢位から（麻痺側体幹の短縮と非麻痺側体幹の伸長を伴う体幹側屈によって），座面から麻痺側の骨盤を引き上げ，開始肢位に戻る． ※本項目0点→項目⑧は0点	体幹の短縮/伸長が起きないか，または体幹の反対の短縮/伸長が生じる．	0
		適切な体幹の短縮/伸長を伴って実施できる．	1
⑧	項目⑦を繰り返す．	代償が生じる（上肢を使用する，同側の足で蹴ってしまい踵が床との接触を失う）．	0
		代償なしで実施できる．	1
⑨	開始肢位から（非麻痺側体幹の収縮と麻痺側体幹の伸長を伴う体幹側屈によって），座面から非麻痺側の骨盤を引き上げ，開始肢位に戻る． ※本項目0点→項目⑩は0点	体幹の短縮/伸長が起きないか，または体幹の反対の短縮/伸長が生じる．	0
		適切な体幹の短縮/伸長を伴って実施できる．	1
⑩	項目⑨を繰り返す．	代償が生じる（上肢を使用する，同側の足で蹴ってしまい踵が床との接触を失う）．	0
		代償なしで実施できる．	1

協調性（総得点　　/6点）

No	課題	判定	得点
①	開始肢位から頭部を動かさずに上部体幹を6回回旋する．麻痺側からはじめ，左右3回ずつ回旋する． ※本項目0点→項目②は0点	麻痺側を3回動かすことができない．	0
		回旋が左右非対称である．	1
		左右対称に回旋できる．	2
②	6秒以内に項目①を繰り返す．	回旋が左右非対称である．	0
		左右対称に回旋できる．	1
③	開始肢位から上部体幹を動かさずに下部体幹を6回回旋する．麻痺側からはじめ，左右3回ずつ回旋する． ※本項目0点→項目④は0点	麻痺側が3回動かされない．	0
		回旋が左右非対称である．	1
		左右対称に回旋できる．	2
④	6秒以内に項目③を繰り返す．	回旋が左右非対称である．	0
		左右対称に回旋できる．	1

(1) **開始肢位**：背もたれと肘掛のないベッド・治療台での端座位．大腿部はベッドまたは治療台に十分に接し，膝関節屈曲90°，両足部は腰幅に広げ，床の上に水平に接地する．上肢は下肢の上に置く．(2) **検査手順**：1～23項目の検査を順に検査する．はじめの項目が0点の場合，以後の検査は実施せず，TISの総得点は0点とする．各検査項目は3回実施し，最も高い得点を代表値とする．各検査方法は口頭で患者に説明し，必要に応じて実演する．患者の各検査の事前練習は行わせない．文献5をもとに作成．

文献

1) 潮見泰藏：脳卒中片麻痺患者の体幹機能の理学療法評価の考え方と評価指標．理学療法，34：311-318, 2017
2) 「脳卒中のリハビリテーション―生活機能に基づくアプローチ（原著第3版）」(Glen Gillen/著, 清水 一, 他/監訳), pp166-167, 三輪書店, 2015
3) Collin C & Wade D：Assessing motor impairment after stroke: a pilot reliability study. J Neurol Neurosurg Psychiatry, 53：576-579, 1990
4) 奥田 裕, 他：臨床的体幹機能検査（FACT）の開発と信頼性．理学療法科学，21：357-362, 2006
5) Verheyden G, et al：The Trunk Impairment Scale: a new tool to measure motor impairment of the trunk after stroke. Clin Rehabil, 18：326-334, 2004

第6章 活動能力の評価

1 日常生活活動評価

学習のポイント
- 代表的なADL評価の特徴と方法を学ぶ
- 身の回り動作の観察による評価の方法を学ぶ
- 代表的なIADL評価の特徴と方法を学ぶ

1 日常生活活動（ADL）とは

- リハビリテーション医学会（1976年）は，**日常生活活動**（Activities of Daily Living：**ADL**）の概念を「一人の人間が独立して生活するために行う基本的な，しかも各人ともに共通に毎日くり返される一連の身体動作群をいう」とした[1]．具体的には，移動，食事，整容，更衣，排泄，入浴である．また，広義のADLと考えられる応用動作（交通機関の利用，家事など）は**生活関連動作**（Activities Parallel to Daily Living：**APDL**）としている．
- 作業療法関連の成書では，日常生活活動の範囲を，起居・移動・食事・更衣・排泄などの身辺処理，買い物・炊事・掃除などの家事，育児，公共機関の利用などとし，身辺処理活動を「ADL」，その他の活動を「APDL」としている．
- APDLとほぼ同じ概念を示す**手段的日常生活活動**（Instrumental ADL：**IADL**）という言葉もある．生命・清潔維持にかかわるような身辺処理活動を「基本的ADL」，それよりも高次の活動で家事，公共機関の利用，金銭管理といった活動を「手段的ADL」と分類してよぶこともある．

2 FIM（機能的自立度評価法）

1）評価項目と特徴

- FIM（Functional Independence Measure：**機能的自立度評価法**）は運動項目13項目，認知項目5項目の計18項目からなり，運動項目は4つに，認知項目は2つに大別されている（表1）.
- 採点対象は，「しているADL」（実際に行っている日常生活活動のこと）とし，全18項目を介護量に応じて7段階で評価することで介護負担がわかるようになっている（表2）.信頼性と妥当性も検証された，現在広く普及されている評価法である．

表1　FIMの評価項目

大項目	中項目	小項目
運動項目	セルフケア	食事
		整容
		清拭（入浴）
		更衣（上半身）
		更衣（下半身）
		トイレ動作
	排泄コントロール	排尿管理
		排便管理
	移乗	ベッド・椅子・車椅子
		トイレ
		浴槽・シャワー
	移動	歩行・車椅子
		階段
認知項目	コミュニケーション	理解
		表出
	社会的認知	社会的交流
		問題解決
		記憶

2）採点基準

1 運動項目

- 7点・6点は自分で行っており介助者がその場にいないことが前提となる．5点から1点はその場に介助者がいるときの得点である（表3）．

2 認知項目

- 大枠は運動項目と同じ採点方法であるが，自立であっても話しかける相手として誰かがその場にいることがある．
- 運動項目では口を出すが手を出さなければ監視の5点であるが，認知領域では，「口を出すこと自体が介助に相当する」ため，5点が10％未満の介助（90％以上本人がしている）とし，「緊張するような状況または不慣れな状況でのみ監視，指示，促しが必要」な場合としている．
- 75％以上90％未満している状態が4点となる．3点以下は運動項目と同じである（表3）．

3）採点範囲とポイント

- 基本的には，上記した採点基準（表3）に従って，各項目をしている量と介助量から採点する．
- 以下に各項目の採点範囲を述べ，採点のポイントをあげる．

表2 FIM評価用紙

レベル		介助者
	7 完全自立（時間，安全性含めて） 6 修正自立（補助具使用）	介助者なし
	部分介助 5 監視・準備 4 最小介助（患者自身で75％以上） 3 中等度介助（50％以上）	介助者あり
	完全介助 2 最大介助（25％以上） 1 全介助（25％未満）	

		入院時	退院時	フォローアップ時
セルフケア				
A．食事	箸 スプーンなど			
B．整容				
C．清拭（入浴）				
D．更衣（上半身）				
E．更衣（下半身）				
F．トイレ動作				
排泄コントロール				
G．排尿管理				
H．排便管理				
移乗				
I．ベッド・椅子・車椅子				
J．トイレ				
K．浴槽・シャワー	浴槽 シャワー			
移動				
L．歩行・車椅子	歩行 車椅子			
M．階段				
コミュニケーション				
N．理解	聴覚 視覚			
O．表出	音声 非音声			
社会的認知				
P．社会的交流				
Q．問題解決				
R．記憶				
合　計				

注意：空欄は残さないこと，リスクのために検査不能の場合はレベル1とする．

文献2，文献3のp114をもとに作成．

1 運動項目

①セルフケア（self care）

❶食事（eating）

食べ物を口に運ぶところから咀嚼し嚥下するまでで，配膳，下膳は採点しない．

<採点のポイント>

● ふつうのスプーンやフォークで自立している場合，箸を使わなくても減点はせず7点で

表3 FIMの採点基準

得点（レベル）	運動項目		認知項目	
	介助	している量	介助	している量
7点（完全自立）	不要	自立	不要	自立
6点（修正自立）		用具の使用，安全性の配慮を要す，時間がかかる*		軽度の困難，または補助具の使用
5点（監視・準備）	要	監視・準備	要（10％未満）	90％以上しているが，緊張する，不慣れな状況においてのみ監視，指示，促しが必要
4点（最小介助）		75％以上100％未満している	要	75％以上90％未満している
3点（中等度介助）		50％以上75％未満している		50％以上75％未満している
2点（最大介助）		25％以上50％未満している		25％以上50％未満している
1点（全介助）		25％未満している		25％未満している

*通常の3倍程度の時間を要す．文献4より引用．

ある．ただし，時間が通常より3倍かかれば6点である．
- 自助具や装具などに関して自分で装着して自立していれば6点，装着を手伝ってもらって自立している場合は5点である．
- エプロンを着ける，蓋を開ける，肉を切り分けるなどの食事の実動作以外をしてもらっている場合は5点である．
- 4点以下は，採点基準（表3）に従って，している量と介助量の割合で判断する．

❷整容（grooming）

口腔ケア，整髪，手洗い，洗顔，髭剃り（女性では化粧）の5要素（図1）に限定して採点する．

＜採点のポイント＞
- 介護の必要がない場合は6点以上であり，自助具の使用は自分で装着している場合は6点，時間が通常より3倍以上かかった場合も6点である．
- 歯磨き粉をつけてもらう，洗顔時タオルをもってきてもらう，髭剃りを途中で止めないよう促す等は5点である．
- 4点以下は，採点基準（表3）に従って，している量と介助量の割合で判断する．
- 5要素のそれぞれを20％ずつとし，している量を計算する．例えば2要素を自分で行っていれば2/5（40％）で2点となる．
- 3要素しかすることのない場合は，そのうち2要素を自分で行っていれば2/3（67％）で3点となる．
- 5要素のそれぞれでしている量（％）が異なる場合は，採点基準（表3）に従って，している量と介助量の割合で判断した各要素の点数（7点～1点）を加重平均してもよい．

❸清拭（入浴）（bathing）

首から下（背中は含まない）の10カ所（図2）を洗い，水分を拭き取るところまでを採点する．風呂おけ，シャワー，またはスポンジ浴，ベッド浴のいずれでもよい．

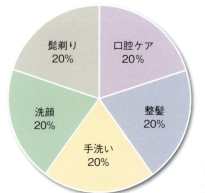

図1 整容の5要素
文献5のp93より引用．

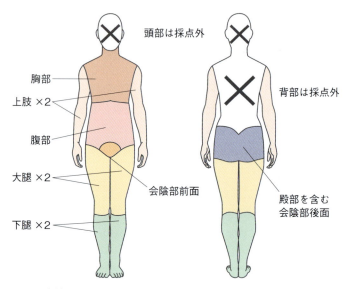

図2 清拭で評価される部位
文献5のp95より引用．

<採点のポイント>
- 自助具を使用すれば自分でできたり，通常より時間を要す場合は6点となる．
- 監視や指示が必要な場合は5点となる．
- 身体部位10カ所のそれぞれを10％と考える．例えば7カ所自分で洗っていれば7/10（70％）で3点となる．
- 4点以下は，採点基準（表3）に従って，している量と介助量の割合で判断する．
- 傷があるなどの理由で1カ所洗えない部分がある場合，残り9カ所のうち7カ所を自分で洗っていれば7/9（78％）で4点となる．
- 各部位で洗っていると割り切って考えられない場合（例えば，右上肢の1/3だけ洗っている場合）は，全体（頭部・背部を除く）で何％を自分で洗っているかで判断する．
- 各部位でそれぞれしている量（％）が違う場合は，採点基準（表3）に従って，している量と介助量の割合で判断した各部位の点数（7点～1点）を加重平均してもよい．

❹ 更衣（上半身）(dressing-upper body)

腰より上の更衣，使用している場合は義肢・装具も含み，着脱が採点動作であり，服の取り出し，服をしまうは準備動作である（図3）．

＜採点のポイント＞

- 調整された衣服（前合わせを面ファスナー止め等）の使用や自助具・補助具を自分で使って着脱可能な場合は6点である．
- 通常より3倍程度時間がかかる場合は6点である．
- 介助者が義肢・装具，自助具・補助具等の道具の装着を手伝う場合，また衣服を取り出してもらう，衣服をしまってもらうなどの準備・片付けを手伝ってもらった場合は5点となる．
- 4点以下は，採点基準（表3）に従って，している量と介助量の割合で判断する．
- 袖を通す，かぶる，反対の袖を通す，胴のところまで引き下ろすの4動作など，動作を適宜分割できるのであれば，している動作の数で採点可能である．1動作を手伝ってもらっていれば，3/4（75％）で4点とする．

図3　更衣の評価動作と準備動作
文献5のp98をもとに作成．

❺ 更衣（下半身）(dressing-lower body)

腰より下の更衣，ズボンまたはスカート，靴下，靴，着用している場合は義肢・装具も含み，着脱が採点動作である．

＜採点のポイント＞

- 更衣（上半身）の考え方と同様である．

❻ トイレ動作（toileting）

①服を下げる，②拭く，③服を上げるの3要素．会陰部の清潔およびトイレ，または差し込み便器の使用の前後で衣服を整えることが含まれる．

＜採点のポイント＞

- 手すりを使用，下肢装具を装着して安定させ自分でしている，また何も使わなくても通常の3倍以上の時間がかかる場合は6点となる．
- 介助者が横につく，トイレットペーパーの準備をしてもらう場合は5点である．
- 生理用品の操作は毎日ではないため，介助しても5点までしか下がらない．
- 温水洗浄便座は普及しているものなので，減点対象にはならない．
- 4点以下は，採点基準（表3）に従って，している量と介助量の割合で判断する．
- 3要素のうち，1要素を自分でしていれば1/3（33％）で2点，2要素を自分でしていれば2/3（67％）で3点となる．

- 3要素でしている量（％）が違う場合，各要素で採点基準（表3）に従って採点した点数（7点～1点）を加重平均してもよい．

②排泄コントロール（sphincter control）

❼排尿管理（bladder management）

排尿の完全なコントロールおよび排尿コントロールに必要な器具や薬剤の使用が含まれる．

<u>＜採点のポイント＞</u>

- 「失敗」と「介助量」（表4）の2つの側面から評価し，得点の低い方を点数とする．

❽排便管理（bowel management）

排便の完全なコントロールおよび排便コントロールに必要な器具や薬剤の使用が含まれる．

<u>＜採点のポイント＞</u>

- 排尿管理同様に「失敗」と「介助量」（表5）の2つの側面から評価し，得点の低い方を点数とする．

表4 排尿管理に関する採点基準（以下の2側面の採点で低い方を得点とする）

得点	排尿の失敗の採点	導尿など，排尿の介助の採点
	失敗の頻度	導尿など・排尿介助
7	失敗しない	なし
5	月1回未満	週1回以下
4	週1回未満	1日1回未満 毎日：自分でする回数＞してもらう回数
3	1日1回未満	毎日：自分でする回数＝してもらう回数
2	毎日	毎日：自分でする回数＜してもらう回数
1	———	毎日：してもらうのみ

文献5のp106をもとに作成．

表5 排便管理に関する採点基準（以下の2側面の採点で低い方を得点とする）

得点	排便の失敗の採点	座薬の使用の採点
	失敗の頻度	使用頻度
7	失敗しない	座薬を使っていない 自分で座薬を使用している（月2回以下）
6	———	自分で座薬を使用している（月2回より多い）
5	月1回未満	座薬を挿入してもらっている（週2回以下）
4	週1回未満	座薬を挿入してもらっている（隔日または毎日）
3	1日1回未満	———
2	毎日	———

文献5のpp106，108をもとに作成．

③移乗（transfer）

❾ベッド・椅子・車椅子（bed・chair・wheelchair）

ベッド，椅子，車椅子の間での移乗のすべての段階を含み，歩行が移動の主要な手段である場合は起立動作を含む．臥位から椅子または車椅子に移る動作全体が範囲であり，往復を採点する．

＜採点のポイント＞

- ベッドや椅子についている手すりをもつ，立ち上がるのに杖を使う，装具を履けば1人で移れる場合は6点である．
- 移乗に介助は要らないが，布団をどける，車椅子の位置を変えるなどの準備，ブレーキをかけるように助言，移乗手順の指示，安全のための監視は5点となる．
- 4点以下は介助量で判断，移乗の往復で点数が違う場合は，低い方の得点となる．
- 全介助，またはリフターの使用は1点である．
- 主動作（座位から違う座位）が4点，副動作（起き上がる・臥位になる）が3点の場合は4点となる．

❿トイレ（toilet）

便器に移ることおよび便器から離れることを含む．トイレへの乗り移りを採点範囲とする．ポータブルトイレでも構わない．

＜採点のポイント＞

- 採点基準（表3）に従って何％自分でしているかで採点し，ベッド・椅子・車椅子の移乗動作と同様に採点する．

⓫浴槽・シャワー（tub・shower）

浴槽の出入り，またはシャワー椅子への移乗が評価動作であり，浴室の入口から浴槽のそばまで近づくことは含まれない．浴槽内でしゃがんだり立ち上がる動作も含める．

＜採点のポイント＞

- 採点基準（表3）に従って何％自分でしているかで採点し，ベッド・椅子・車椅子の移乗動作と同様に採点する．

④移動（locomotion）

⓬歩行・車椅子（walk・wheelchair）

立位の状態では歩行，座位の状態では平地での車椅子の使用で評価，最も頻繁に行う手段で採点する．

＜採点のポイント＞

- 採点は50 m以上移動している場合の採点図（図4）としていない場合（家屋内）の採点図（図5）に従って行う．
- 這って移動している場合には，歩行と同様に考える．

⓭階段（stair）

屋内の12～14段の階段（1階以上まで）の昇降で評価する．

＜採点のポイント＞

- 歩行・車椅子での採点図（図4，5）の「50 m」を「12～14段」に，「15 m」を「4～6段」に置き換え，同様に採点する．

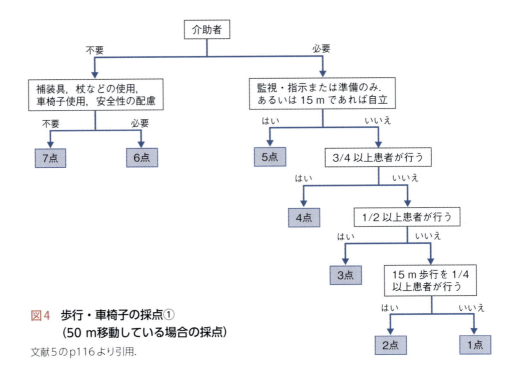

図4 歩行・車椅子の採点①
（50 m移動している場合の採点）
文献5のp116より引用.

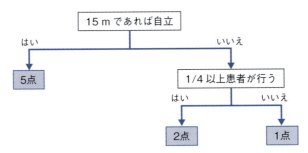

図5 歩行・車椅子の採点②
（50 m移動していない場合の採点）
文献5のp116より引用.

2 認知項目

①コミュニケーション（communication）

⑭理解（comprehension）

聴覚あるいは視覚によるコミュニケーションの理解が含まれる．相手の言ったことを耳に入れ，それを聞き取るところまでが採点範囲であり，内容の解釈・判断は含まない．

＜採点のポイント＞

- 7点・6点は，理解・表出に関する内容（表6）における複雑・抽象的な内容を，聞き取っているかどうかで採点され，全く支障なく聞き取れれば7点，理解するのに軽度の困難を伴う場合には6点となる．
- 5点以下は理解・表出に関する内容（表6）の複雑・抽象的な内容を聞き取れず，基本的欲求に関する内容についての聞き取りになる．問題なく聞き取れれば5点，言葉を選ん

で短い文が通じるなら4点，言葉を強調したり，短い句で通じたりするなら3点，一語，ジェスチャー，Yes/Noでの回答などで通じるなら2点となる．

⓯表出（expression）

はっきりとした音声，あるいは音声によらない言語表現を含む．わかりやすい話し方，書字または会話増幅装置を使った表出が含まれ，音声を使うか使わないかについてはふだん行っている方で，同等に使っている場合は両方で評価する．

＜採点のポイント＞

- 上記した理解の採点と同様に7点・6点は，理解・表出に関する内容（表6）の複雑・抽象的な内容の伝え方，5点以下は基本的欲求の内容の伝え方で採点する．

表6 理解・表出に関する内容

複雑・抽象的な内容	基本的欲求に関する内容
・集団会話　・テレビ ・新聞の話題　・ドラマの筋 ・冗談，金銭問題	・食事に関すること ・飲み物に関すること ・排泄，清潔に関すること ・睡眠に関すること

②社会的認知（social cognition）

⓰社会的交流（social interaction）

社会生活の場において他人と知り合い，他人とともに参加していく技能である．周囲と折り合っていく行為・動作，誰かと接しているときすべてが採点範囲である．社会的迷惑行為（課題遂行を拒む・かんしゃく・暴力・悪態をつく・挨拶を無視する・車椅子で暴走する・過剰な泣き笑い・過度に引きこもる）は，折り合っていくのに手助けが必要な状態と言い換えることができ，その場合，社会的交流の点数が低くなる．

＜採点のポイント＞

- 他者そして家族と適切に交流していれば7点であり，ほとんどの場面で適切に交流するがわずかな困難を伴うとき6点となる．
- 5点は緊張するような状況または不慣れな状況でのみ監視，指示，促しが必要であるが，それが10％未満の機会でしかない場合である．
- 4点以下は，採点基準（表3）に従って，している量と介助量の割合で判断する．
- 交流機会が何回あって，そのうち適切に交流している回数の割合（％）で採点してもよい．10回のうち適切な交流が7回であれば，70％で3点となる．

⓱問題解決（problem solving）

金銭的，社会的，個人的な出来事に関して，合理的かつタイミングよく決断し，行動し，継続し，自分で修正していくといった対応ができているかが採点範囲となる．解決方法として人に頼むのもよい．

＜採点のポイント＞

- 7点・6点は問題解決に関する内容（表7）の複雑な問題に対する反応，5点以下は日常の問題に対する反応で採点する．

- 複雑な問題に対し，自分で解決していれば7点であり，わずかな困難を伴うとき，決断し解決するまでに通常以上の時間がかかる場合，服薬で判断力が増している場合などは6点である．
- 5点は緊張するような状況または不慣れな状況でのみ監視，指示，促しが必要であるが，それが10％未満の機会でしかない場合である．
- 4点以下は，採点基準（表3）に従って，している量と介助量の割合で判断する．
- 日常で遭遇する問題解決場面のうち対応している回数の割合（％）で採点してもよい．10回のうち正しい判断が7回であれば，70％で3点となる．

表7 問題解決に関する内容

複雑な問題	日常の問題
・退院計画に参加 ・薬の自己管理 ・対人トラブル	・こぼしたミルクの処理を頼む ・1人で移乗すると転倒することを自覚しており，ナースコールする ・歯ブラシの使い方がわかる

⓲記憶（memory）

施設または社会の場面において日常的な活動を行うときの認知と記憶に関連した技能が含まれる．具体的には，①日常行うことを覚えている，②よく出会う人がわかる，③他人の依頼を実行する，の3要素である．要するに，覚えておく必要があることを覚えられるかである．

＜採点のポイント＞

- 3要素について全く問題なければ7点，メモを使っての記憶，何か手がかりが必要な場合などは6点となる．
- 5点は緊張するような状況または不慣れな状況でのみ監視，指示，促しが必要であるが，それが10％未満の機会でしかない場合である．
- 4点以下は，採点基準（表3）に従って，している量と介助量の割合で判断する．
- 3要素のうち1要素に問題なければ33％で2点，2要素なら67％で3点となる．

3 Barthel Index

1）特徴

- Barthel Indexは，10項目（表8）から構成され，採点対象は「できるADL」（能力的に可能な動作のこと）とし「独力でできる」「援助が必要」「できない」を判定する．
- リハビリテーション効果判定とともに潜在能力を知る有効な評価法であり，信頼性と妥当性も検証され，現在広く普及している．援助の量と時間を考慮した経験的な重みづけから各項目の得点が異なっている．

表8　Barthel Indexの評価項目

1. 食事
2. 車椅子とベッド間の移乗
3. 整容（洗顔，整髪，歯磨き，髭剃り）
4. トイレ動作（出入り，衣類着脱，拭く）
5. 入浴
6. 移動（歩行，車椅子）
7. 階段昇降
8. 更衣（靴・靴下の着脱，ボタンなどの留め具操作を含む）
9. 排便自制
10. 排尿自制

2）評価項目と尺度基準

1 食事

- 自立：10点
  手が届く位置に食べ物をおいてあげれば食事をとることが自力ででき，適度な時間内で完了できる．自助具や装具を用いてもよいが，装着も自分ででき，調味料などの使用も自分でできる．
- 部分介助：5点
  なんらかの介助が必要．食物を切ってもらうのも介助とみなす．
- 全介助：0点

2 車椅子とベッド間の移乗

- 自立：15点
  車椅子でベッドに近づく→両側のブレーキをかける→両側の足台を上げる→完全にベッドへ移動→横たわる→起き上がる→ベッドに端座位になる→乗り移れるように車椅子の位置を変える→車椅子に移る．この動作の全過程が自立．
- 最小限の介助：10点
  上記動作のどこかの過程において介助，注意喚起，安全のための監視が必要．
- 移乗の介助：5点
  座位まで起き上がることは可能だが，乗り移るのに介助を要す．
- 全介助：0点

3 整容

- 自立：5点
  両手と顔を洗う，髪をとく，歯を磨く，髭を剃ることができる．髭剃りの道具は何でもよいが，道具の操作・管理，また引き出しからの出し入れも自分でできる．女性は化粧を含むが，髪を編んだりする必要はない．
- 部分介助または全介助：0点

4 トイレ動作

- 自立：10点
  出入り，衣服の操作，ボタン・ファスナーの着脱，衣服を汚さないようにすること，トイレットペーパーの使用が自立．手すりや家具につかまってもよい．床上便器を使う場合は，便器の設置，排泄物の処理，便器の洗浄ができなければならない．
- 部分介助：5点
  バランス不良により，衣服操作やトイレットペーパーの使用に介助を要す．
- 全介助：0点

5 入浴

- 自立：5点
  入浴・シャワー・清拭のいずれでもよいが，体を洗うことが1人で可能である．
- 部分介助または全介助：0点

6 移動

- 自立：15点
  介助・監視なしで50ヤード（約46 m）以上歩くことができる．装具・義足・杖・歩行器（キャスター付きを除く）のいずれを使ってもよい．立位↔座位動作可能．装具の固定と解除，補装具の準備と片付けもできなければならない．
- 部分介助：10点
  上記の動作のいずれかに介助または監視が必要だが，50ヤード（約46 m）以上歩くことができる．
- 車椅子使用：5点
  自力で50ヤード（約46 m）以上進める．角を曲がる，方向転換，またトイレ，ベッド，テーブルに具合よく操作し，近づくことができる．
- 全介助：0点

7 階段昇降

- 自立：10点
  介助や監視なしに昇降できる．手すりを使用してもよい．杖や松葉杖を使用してもよい．
- 部分介助：5点
  上記の動作のいずれかに介助・監視を要す．
- 全介助：0点

8 更衣

- 自立：10点
  衣服・靴の着脱およびボタン・ファスナー・ひもの操作ができる．コルセットや装具の着脱も含まれる．
- 部分介助：5点
  上記の動作のいずれかに介助を要すが，半分以上は自力でできる．適度の時間内でできる．
- 全介助：0点

9 排便自制

- 自立：10点

  排便のコントロールが可能で失敗がない．必要なら座薬や浣腸器の使用も可能である．

- 部分介助：5点

  ときどき失敗がある．座薬や浣腸器の使用に介助を要す．

- 全介助：0点

10 排尿自制

- 自立：10点

  排尿のコントロールが可能で失禁がない．脊髄損傷患者は，自助具や尿パックを装着したり，洗ったりすることができる．

- 部分介助：5点

  ときどき失禁がある．トイレに行くまで，または尿器をもってきてもらうまで間に合わない．自助具の装着などに介助を要する．

- 全介助：0点

4 観察に基づく評価　～身の回り動作（食事・トイレ・更衣・入浴）

- 身の回り動作（Self-care）の観察に基づく評価は，自立度および介助量を判定するとともに，対象者の動作能力および動作を可能にする環境条件についても確認する必要がある．
- 現状把握はもちろんであるが，できていない動作の阻害因子等を把握し，動作改善に向けた治療計画の立案につながる手がかりを把握することが重要である．

1）動作能力の判定基準

- 各身の回り動作において，自立度および介助量によって以下のように判定することが多い．

  自立　：独力で可能または手すり・装具・車椅子・自助具の使用または準備など特別な環境において可能

  要監視：見守り，指示，誘導があれば可能

  要介助：なんらかの手助けが必要で，四肢の動きの援助，四肢や体幹の重みを支える援助など．最小介助レベルから最大介助レベル，そして全介助レベル

  不可　：介助を考慮しても動かすことができない

2）身の回り動作（食事・トイレ・更衣・入浴）別の観察に基づく評価内容

- 食事・トイレ・更衣・入浴の各動作工程について，観察に基づく評価内容を動作環境，動作遂行の視点から記述する．

1 食事動作

①姿勢を保持する（図6）

❶動作環境
- 食事姿勢（椅子座位・ベッド上・その他）
- 背もたれ（要・不要）

❷動作遂行
- 食事に要す時間に対する耐久力があるか．
- 嚥下に適切な頭部，頸部，体幹の位置関係・角度を保つことができるか．

②食物を把持する（図7）
a）把持具をもつ，b）一口大に分ける，c）食物をつかむ・すくう，d）器を固定する

❶動作環境
- 自助具（要・不要）
- 使用している把持具（箸・スプーン・その他）
- 使用手（右手・左手，利き手・非利き手，健手・患手）
- 固定手（右手・左手，利き手・非利き手，健手・患手）

❷動作遂行
- 切る，まぜる，はさむ，すくう，刺す等の摂食具の操作は可能であるか．
- 食物を把持するときに，食器が適当に固定されているか．

図6　食事動作時の姿勢（椅子座位）

図7　箸で一口大に分ける

③食物を口に運ぶ・取り込む（図8）
a）食物を運ぶ・取り込む，b）器を保持・移動する

❶動作環境
- 自助具（要・不要）
- 使用している把持具（箸・スプーン・その他）
- 使用手（右手・左手，利き手・非利き手，健手・患手）
- 固定手（右手・左手，利き手・非利き手，健手・患手）
- こぼしている量（多い・少ない・無）

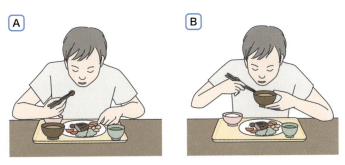

図8 食器を固定（A），または保持し（B），食物を口に運ぶ

❷動作遂行
- こぼさないように食器を固定，または保持，移動できるか．
- 口を箸や食器に近づける必要があるか．
- 取り込むときに十分に口を開き，取り込んだ後，口を閉じながらタイミングよく摂食具を引くことができるか．

④咀嚼・嚥下
a）咀嚼，b）嚥下
❶動作環境
- 食物の形態・性状（ゼリー状，とろみをつける）の工夫（要・不要）
- こぼしている量（多い・少ない・無）

❷動作遂行
- 食物の形状等にあわせて，歯で嚙み砕き，舌や頰の動きで唾液と混ぜ合わせる，またその間は口を閉じておけるか（こぼさないか）．

2 トイレ動作

①トイレの出入り（図9）
a）扉の開閉，b）出入口の出入り
❶動作環境
- 扉の形状（引き戸・開き戸・他）

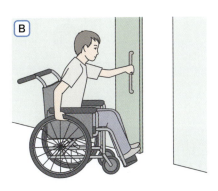

図9 トイレの扉（引き戸）を開く〔独立歩行（A）・車椅子（B）〕

- 入口の段差，幅
- 移動方法（独立歩行・つたい歩き・杖歩行・車椅子・他）

❷動作遂行
- 安全に出入りに可能な幅まで扉を開くことができるか．
- 扉のレールなどにつまずいたり，ひっかかることなく安全に出入りが可能であるか．
- 出入り後，扉をきちんと閉じ，必要に応じて鍵を閉めることが可能であるか．

②便座移乗（図10）
❶動作環境
- 移乗方法（立位・車椅子）（立ち上がりから移乗・横移動・前方移乗）
- 手すり（要・不要）

❷動作遂行
- 便座にうまく移乗できる位置をとれるか．
- 車椅子から移乗する場合は，殿部を便座から落ちないよう十分に回転または移動させることができるか．

③衣服の上げ下げ（図11）
a）下衣・下着を下ろす，b）下衣・下着を上げる

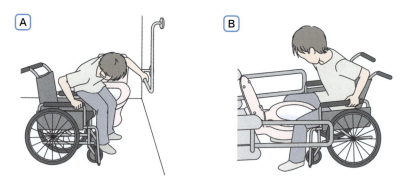

図10　車椅子からの立ち上がり移乗（A）と前方移乗（B）

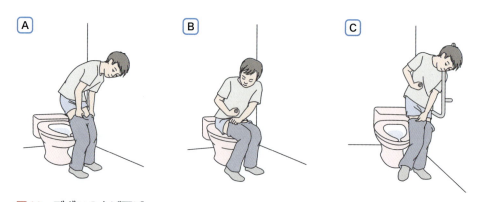

図11　ズボンの上げ下げ
A）立位で両手使用，B）便座上で片手のみ，C）手すりおよび壁にもたれかかり片手のみ．

❶動作環境
- 着脱姿勢（立位・手すりや壁にもたれる・便座上・車椅子上）
- 手すり（要・不要）
- 下肢装具（要・不要）
- 使用手（右手・左手，利き手・非利き手，健手・患手）

❷動作遂行
- バランスを崩すことなく安全に，また衣服を汚すことなく排泄可能な位置まで下衣・下着を下ろすことができるか．
- バランスを崩すことなく安全に，また衣服を汚すことなく下衣・下着を上げることができるか．
- 上衣をきちんとズボンやスカートに入れることができるか．

④後始末（図12）
a）トイレットペーパーを取る，b）殿部・陰部を拭く，c）水を流す

❶動作環境
- 拭く際の姿勢（中腰・手すりや壁にもたれて行う）
- 手すり（要・不要）
- 使用手（右手・左手，利き手・非利き手，健手・患手）

❷動作遂行
- トイレットペーパーは必要な量だけ取ることができるか．
- 拭く際の姿勢（中腰または手すりや壁にもたれる）を保持し，バランスを崩すことなく安全にできるか．
- 水を流す際は，必要に応じて身体の向きを変え，バランスを崩すことなく安全にできるか．

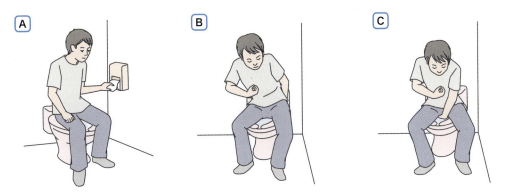

図12　トイレの後始末
A）トイレットペーパーをちぎる（片手），B）後方から殿部を拭く（片手），C）前方から殿部を拭く（片手）．

3 更衣動作

上衣（かぶり着），上衣（前開きシャツ），下衣（ズボン・スカート），靴下，ファスナー・ボタン・ひも等に分けて記載する．また，動作環境，動作遂行における観察の留意点は，最後に記載する．

第6章-1　日常生活活動評価

①上衣（かぶり着）

❶着る（図13）

a）上衣をもつ，b）上衣の袖に両上肢を通す，c）上衣の襟に頭部を通す，d）上衣の裾を体幹，腰部へ下ろし整える

❷脱ぐ（図14）

a）袖を抜く→頭部を抜く，b）襟を掴んで脱ぐ，c）裾を掴んで脱ぐ

②上衣（前開きシャツ）

❶着る（図15）

a）上衣をもつ，b）上衣の袖に一方の上肢（患側）を通す，c）上衣の襟を掴み反対側へ回す，d）上衣の袖にもう一方の上肢（健側）を通す

❷脱ぐ

a）片方ずつ脱ぐ

上衣の袖から一方の上肢（健側）を抜く→上衣の襟を掴み反対側へ回す→上衣の袖からもう一方の上肢（患側）を抜く

b）両方同時に脱ぐ

両襟を掴み肩から背中へと下ろす→両上肢を交互に袖から抜く

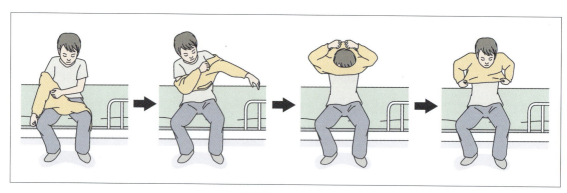

図13　ベッド上端座位でのかぶり着の着衣動作（両手）
左から，片手を通す→もう一方の手を通す→襟に頭部を通す→裾を腰部まで下ろす．

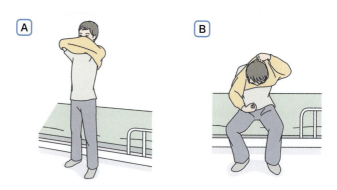

図14　かぶり着の脱衣動作
A）立位で裾を掴んで脱ぐ（両手），B）端座位で襟を掴んで脱ぐ（片手）．

図15　ベッド上端座位での前開きシャツの着衣動作（片手）
左から，衣服をもつ→片手を通す→襟を掴み反対側へ回す→もう一方の上肢を通す．

　　c）襟を掴んで脱ぐ
　　　かぶり着と同様に襟を掴んで脱ぐ
③下衣（ズボン・スカート）
　❶着る（図16，17）
　　a）足先を片方ずつ（患側から健側）通す，b）下衣を膝まで引き上げる，c）下衣を腰まで引き上げる，d）上着の裾の後始末
　❷脱ぐ
　　a）下衣を腰まで引き下げる，b）下衣を膝まで引き下げる，c）下衣から足先を片方ずつ抜く
④靴下
　❶履く（図18）
　❷脱ぐ
⑤ファスナー・ボタン・ひも等の操作
　❶ファスナー・ボタンをとめる，ひもを結ぶ（図19）
　❷ファスナー・ボタンをはずす，ひもをとく

＜動作環境＞
- 着脱姿勢（立位・椅子座位・端座位・長座位・臥位）
  ＊下衣：着衣姿勢（座位→立位・長座位→背臥位），脱衣姿勢（立位→座位・背臥位→長座位）
- 背もたれ（要・不要）
- 自助具（要・不要）
- 使用手（両手・右手・左手，利き手・非利き手，健手・患手）

＜動作遂行＞
- 裏表，左右は正しく着ているか．
- 上肢使用時のバランスを崩すことなく安全にできているか．
- 視覚遮断時（襟に頭部を通す際）にバランスを崩さずにできているか（かぶり着の襟を頭に通す，かぶり着と前開きシャツの襟をもって脱ぐとき）．

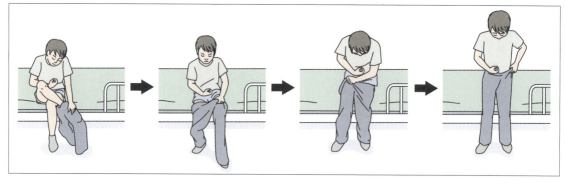

図16　ベッド上端座位から立位でのズボンの着衣動作（片手）
左から，足を患側，健側の順に通す→ズボンを膝まで引き上げる→立ち上がりズボンを腰まで引き上げる→上着の裾をズボンに入れ整える．

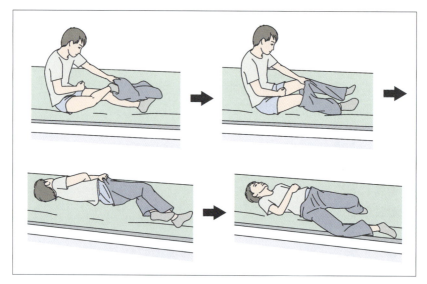

図17　ベッド上長座位から臥位でのズボンの着衣動作（片手）
左上から，足を患側，健側の順に通す→ズボンを膝まで引き上げる→横たわりズボンを腰まで引き上げる→上着の裾をズボンに入れ整える．

図18　ベッド上端座位で靴下を履く（片手）

図19　ファスナー・ボタンをとめる
A）立位でファスナーをとめる（両手），B）ベッド上端座位にてボタンをとめる（両手）．

4 入浴動作

①脱衣室・浴室の出入り

a）扉の開閉，b）出入り

❶動作環境
- 扉の形状（引き戸・開き戸・他）
- 移動方法（独立歩行・つたい歩き・杖歩行・車椅子・他）
- 手すり（要・不要）
- 入口の段差，幅

❷動作遂行
- 安全に出入りに可能な幅まで扉を開くことができるか．
- 扉のレールなどにつまずいたり，ひっかかることなく安全に出入りが可能であるか．
- 出入り後，扉をきちんと閉じ，必要に応じて鍵を閉めることが可能であるか．

②浴槽の出入り（図20, 21）

❶動作環境
- 浴槽の種類（和・洋・和洋折衷）
- 浴槽の高さ（床上　　cm，深さ　　cm）
- 出入り方法（立位でまたぐ・座位でまたぐ・座位で横または前方移動）
- バスボード（要・不要）
- 手すり（要・不要）

❷動作遂行
- 浴槽の縁をバランスを崩すことなくまたげるかどうか．
- 浴槽内に沈み込むことはないか．
- 浮力で下半身が浮かないか．
- 浴槽内につかる，出る際に足がすべらないか．

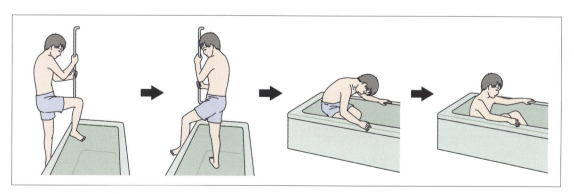

図20　立位で浴槽に入る（両手）

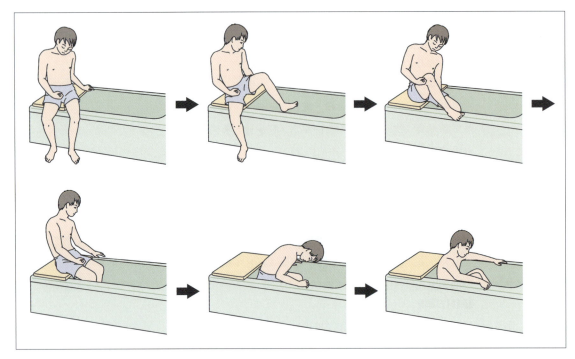

図21 座位（入浴台使用）で浴槽に入る（左片手）

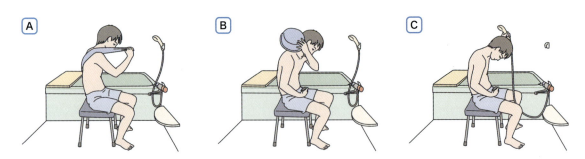

図22 背部の洗体（両手）（A），お湯をかぶる（片手）（B），シャワー（片手）（C）

③洗体・洗髪（図22）
　a）石鹸をつける・シャンプーをつける，b）洗う，c）流す
- ❶動作環境
  - 動作姿勢（立位・椅子座位・シャワーキャリー・床上）
  - 使用手（両手・右手・左手）
  - 自助具（要・不要）
  - 洗体が不可能な部位（図23）
- ❷動作遂行
  - 両上肢使用時の座位バランスは保持できるか．
  - 視覚遮断時（洗髪）の座位バランスは保持できるか．
  - 洗い残すことなくできているか．

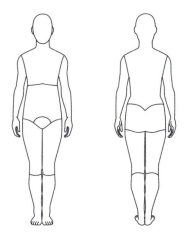

図23　洗体が不可能な部位
洗えない部位に斜線を入れる．

④身体を拭く・髪を乾かす
  ❶**動作環境**
  - 動作姿勢（立位・椅子座位・シャワーキャリー・床上）
  - 使用手（両手・右手・左手）
  - 自助具（要・不要）
  ❷**動作遂行**
  - 身体が冷えない時間内に拭くことができるか．
  - ドライヤーの使用は可能であるか．

5 LawtonのIADLスケール（表9）

- ロートン（Lawton）の手段的ADL（IADL）の評価法であり，適応対象は高齢者（60歳以上）である．面接法か自記式で行う．
- 評価項目は①電話を使用する能力，②買い物，③食事の準備，④家事，⑤洗濯，⑥外出時の移動，⑦自分の服薬管理，⑧財産取り扱い能力の8項目であり，男性は項目③④⑤は採点しない．
- スケールに示す採点基準に沿って採点し，男性は0〜5点，女性は0〜8点で評価する．
- 得点が高いほど自立度が高いことを表す．

表9　LawtonのIADLスケール

項目	基準	配点（男性）	配点（女性）
電話を使用する能力	1. 自分から電話をかける（番号を調べてダイヤルを回す，など） 2. よく知っている2，3の番号へ電話をかける 3. 電話を受けるが自分からはかけない 4. 全く電話を使用しない	基準1，2，3のいずれかに該当すれば1点	基準1，2，3のいずれかに該当すれば1点
買い物	1. すべての買い物は自分で行う 2. 小さな買い物は自分で行う 3. 買い物に行くときはいつも付き添いが必要 4. 全く買い物はできない	基準1に該当すれば1点	基準1に該当すれば1点
食事の準備	1. 献立，調理，配膳を適切に自分で行う 2. 材料があれば適切に調理を行う 3. 準備された食事を温めて配膳する，または食事を調理するが適切な食事内容ではない 4. 食事の調理と配膳をしてもらう必要がある	採点しない	基準1に該当すれば1点
家事	1. 家事を1人でこなす，あるいはときに手助けを要する（例：重労働など） 2. 皿洗いやベッドメイキングなどの軽い家事を行う 3. 簡単な軽い家事はできるが，妥当な清潔さを保てない 4. すべての家事に手助けを必要とする 5. すべての家事にかかわらない	採点しない	基準1，2，3，4のいずれかに該当すれば1点
洗濯	1. 自分の洗濯は完全に行う 2. 靴下，ストッキングなどの小さなものは自分で洗濯をする 3. すべて他人にしてもらわなければならない	採点しない	基準1，2のいずれかに該当すれば1点
外出時の移動	1. 自分で公共交通機関を利用する，または自家用車を運転する 2. タクシーを利用するが，その他の公共交通機関は利用しない 3. 介助者と一緒なら公共交通機関を利用する 4. 介助者と一緒でのタクシーか自家用車の利用に限られる 5. 全く移動しない	基準1，2，3のいずれかに該当すれば1点	基準1，2，3のいずれかに該当すれば1点
自分の服薬管理	1. 正しいときに正しい量の薬を飲むことを責任をもって行う 2. あらかじめ分包して準備されていれば飲むことができる 3. 自分の服薬の管理ができない	基準1に該当すれば1点	基準1に該当すれば1点
財産取り扱い能力	1. 財産に関する問題を自分で管理して（予算，小切手，掛金支払い，銀行へ行く），一連の収入を得て，維持する 2. 日用品の購入は管理するが，預金や大きなものの購入などは手助けを必要とする 3. 金銭の取り扱いができない	基準1，2のいずれかに該当すれば1点	基準1，2のいずれかに該当すれば1点
合計点		5点	8点

文献6より引用．

6 老研式活動能力指標（表10）

- 手段的ADL（IADL）を測定する．対象は高齢者，脳卒中後遺症などの在宅生活者である．面接法か自記式で行う．
- 評価項目は，日用品の買い物，食事の用意など13項目である．
- 採点は，「はい」か「いいえ」の2択であり，「はい」の場合に1点，「いいえ」の場合は0点が評点となり，13点満点である．
- 手段的自立（質問1〜5），知的能動性（質問6〜9），社会的役割（質問10〜13）の3つの下位尺度として評価することも可能である．
- 得点が高いほど活動能力が高いことを表す．判定の指標として，全国代表サンプルにおける性別・年齢ごとの得点分布が報告されている（表11）．

表10 老研式活動能力指標

毎日の生活についてうかがいます．以下の質問のそれぞれについて，「はい」「いいえ」のいずれかに○をつけて，お答えください．
質問が多くなっていますが，ごめんどうでも全部の質問にお答えください．

(1)	バスや電車を使って一人で外出できますか	1. はい 2. いいえ
(2)	日用品の買い物ができますか	1. はい 2. いいえ
(3)	自分で食事の用意ができますか	1. はい 2. いいえ
(4)	請求書の支払いができますか	1. はい 2. いいえ
(5)	銀行預金・郵便貯金の出し入れが自分でできますか	1. はい 2. いいえ
(6)	年金などの書類がかけますか	1. はい 2. いいえ
(7)	新聞を読んでいますか	1. はい 2. いいえ
(8)	本や雑誌を読んでいますか	1. はい 2. いいえ
(9)	健康についての記事や番組に関心がありますか	1. はい 2. いいえ
(10)	友だちの家を訪ねることがありますか	1. はい 2. いいえ
(11)	家族や友だちの相談にのることがありますか	1. はい 2. いいえ
(12)	病人を見舞うことができますか	1. はい 2. いいえ
(13)	若い人に自分から話しかけることがありますか	1. はい 2. いいえ

文献7，文献3のp.250をもとに作成．

表11 老研式活動能力判定のための性・年齢別得点（平均値±標準偏差）

	男性	女性	計
65〜69歳	11.8±1.9 (316)	11.8±2.0 (352)	11.8±2.0 (668)
70〜74歳	11.1±2.8 (236)	11.0±2.4 (301)	11.0±2.6 (537)
75〜79歳	10.4±3.2 (134)	10.5±2.9 (211)	10.5±3.0 (345)
80歳〜	8.7±4.2 (96)	7.6±4.2 (163)	8.0±4.2 (259)
計	11.0±3.0 (782)	10.6±3.1 (1,027)	10.8±3.0 (1,809)

（ ）は標本数．文献8より作成．

7 Frenchay拡大ADL尺度（日本語版）（表12）

- 高齢者に特異的であり，文化を反映した手段的ADL（IADL）の尺度である．対象は高齢

表12 Frenchay拡大ADL尺度 日本語版（飛松・外里版）回答用紙

あなたの日常生活活動についてお聞きします

最近3カ月間の生活を振り返り，最もあてはまる項目に○をつけてください．

1. 最近3カ月間，食事をつくりましたか．
    1. 作らなかった．　2. 月に1～3回程度作った．　3. 週に1～2回程度作った．
    4. 週3回以上作った．
2. 最近3カ月間，食事のあと片付けをしましたか．
    1. しなかった．　2. 月に1～3回程度片付けた．　3. 週に1～2回程度片付けた．
    4. 週3回以上片付けた．
3. 最近3カ月間，何回洗濯をしましたか．
    1. しなかった．　2. 1～2回程度した．　3. 3～12回程度した．　4. 週3回以上した．
4. 最近3カ月間，家の中の棚やテーブルを拭いたり，ちょっとした片付けなどをしましたか．
    1. しなかった．　2. 1～2回程度した．　3. 3～12回程度した．　4. 週3回以上した．
5. 最近3カ月間，家の中で力のいる仕事をしましたか．（床を拭いたり，家具や椅子の移動，布団の上げ下ろしなど）
    1. しなかった．　2. 1～2回程度した．　3. 3～12回程度した．　4. 週3回以上した．
6. 最近3カ月間，お店に行って買い物（自分で選んだり購入したりすること）をしましたか．
    1. しなかった．　2. 1～2回程度した．　3. 3～12回程度した．　4. 週3回以上した．
7. 最近3カ月間，映画，観劇，食事，友だちとの会合に出かけましたか．
    1. 出かけた．　2. 1～2回程度出かけた．　3. 3～12回程度出かけた．　4. 週3回以上出かけた．
8. 最近3カ月間，15分以上散歩などで家の外に出ましたか．
    1. 出なかった．　2. 1～2回程度出た．　3. 3～12回程度出た．　4. 週3回以上出た．
9. 最近3カ月間，スポーツ，運動，囲碁将棋，映画鑑賞などのレクリエーションを何回程度しましたか．
    （テレビを観たり，ラジオを聴くのは含みません）
    1. しなかった．　2. 1～2回程度した．　3. 3～12回程度した．　4. 週3回以上した．
10. 最近3カ月間，車の運転をしたり，バスを利用しましたか．
    1. していない．　2. まれにしている（3カ月に1～4回程度）．　3. 時々している（1カ月に1～4回程度）．
    4. たいていしている（週1回以上）．

最近6カ月間を振り返り，最もあてはまる項目に○をつけてください．

11. 最近6カ月間，何回旅行や行楽に行きましたか．
    1. 行かなかった．　2. 1～2回程度行った．　3. 3～12回程度行った．　4. 2週間に1回以上行った．
12. 最近6カ月間，植木や鉢物の管理（草取り，水やり，植え替え，草木の手入れなど）をしましたか．
    1. していない．　2. 時々草取りをしている．　3. 定期的に草取りや草木の手入れをしている．
    4. 上記のほかに，剪定，整枝，植え替えなどの作業もしている．
13. 最近6カ月間，家の管理や車の手入れをしていますか？
    1. していない．　2. 電球など部品の取り替えをしている．
    3. 上記のほかに，網戸の修理，室内の模様替え，車の点検，洗車などもしている．
    4. 上記のほかに，家の修理や車の整備もしている．
14. 最近6カ月間，読書をしましたか．新聞，雑誌，パンフレット類は含まれません．
    1. 読まなかった．　2. 1冊程度読んだ．　3. 2～12冊程度読んだ．　4. 2週間に1冊以上読んだ．
15. 最近6カ月間，あなたの就労時間はどのくらいでしたか．
    1. なかった．　2. 週に1～9時間働いている．　3. 週に10～29時間働いている．
    4. 週に30時間以上働いている．

文献3のp116より引用．

者，脳卒中後遺症，大腿骨頸部骨折，下肢障害などの在宅生活者である．
- 評価項目は，「食事をつくる」「あと片付けをする」「店で買い物をする」「会合に出かける」「散歩に出かける」「行楽に出かける」「家の管理をする」など15項目で，基本的ADLより高次な社会的活動を反映した評価法である．
- 項目1〜10までは最近3カ月間，項目11〜15までは最近6カ月間を振り返りどれくらい行ったかの実行頻度を4段階で評価する．
- 得点が高いほど活動度が高いことを表す．

文献

1) 日本リハビリテーション医学会：ADL評価について．リハビリテーション医学，13：315，1976
2) 「FIM：医学的リハビリテーションのための統一データセット利用の手引き 原書第3版」（千野直一/監訳），慶応義塾大学医学部リハビリテーション科，1991
3) 「障害と活動の測定・評価ハンドブック 機能からQOLまで 改訂第2版」（岩谷 力，飛松好子/編），南江堂，2015
4) 荻山泰地：日常生活活動とは ADL評価法．「作業療法学ゴールド・マスター・テキスト8 日常生活活動（ADL）・福祉用具学」（木之瀬 隆/編），p15，メジカルビュー社，2012
5) 「脳卒中の機能評価−SIASとFIM［基礎編］」（千野直一，他/編著），金原出版，2012
6) 「ADL（PT・OTビジュアルテキスト）」（柴 喜崇，下田信明/編），羊土社，2015
7) 古谷野 亘，他：地域老人における活動能力の測定 老研式活動能力指標の開発．日本公衆衛生雑誌，34：109-114，1987
8) 古谷野 亘，他：地域老人の生活機能 ―老研式活動能力指標による測定値の分布．日本公衆衛生雑誌，40：468-474，1993

第6章 活動能力の評価

2 QOL評価

> **学習のポイント**
> - QOLとは何かを学ぶ
> - QOL評価の種類と特徴を学ぶ

1 QOLとは

- **QOL**（Quality of Life：生活の質）とは，障害の質や程度を問わず生活の状態を本人がどのように捉えているかを取り上げたもの[1]であり，人々の生活の「望ましさ」，個々人の満足感，生活の快適性，生活の「豊かさ」などと関連する概念である[2]．
- QOLという言葉は，癌治療による延命の意味を問う研究などを端緒として1970年代に使われはじめ，1980年代には医療，ケアのさまざまな領域に広がった[3]．
- QOLが重要視されるに伴い，保健・医療・福祉分野においても，すべての疾患や健康人を対象とした包括的尺度や特定疾患を対象とした疾患特異的尺度など，その評価方法もさまざまに検討されてきている．

2 SF-36（MOS short-form36）

1）開発者および開発年度

- **SF-36**（MOS short-form36）は，1980年代，米国の医療評価研究であるMedical Outcome Study（MOS）に伴って作成され，その後世界各国で翻訳されたQOLの評価尺度である．1992年にSF-36日本語版version1.2が完成した．
- その後，1996年からSF-36v2の開発が開始され，2004年にSF-36v2日本語版が公開された．変更点は①「日常役割機能」の各項目が，2選択から5選択となり，より細かいレベルでの測定が可能となった，②「心の健康」と「活力」の回答選択肢が6から5に変更，③項目の表現が一部変更の3点である[4]．

2）特徴

- 包括的尺度であり，疾病をもつ方から一般的に健康といわれる方の健康関連QOLを想定できる．

- 性別, 年代別の国民標準値が算出されており, 対象群の健康状態をそれと比較して検討することが可能である.
- SF-36の因子構造として8つの下位尺度（表1）があり, 2つのサマリースコア（身体的健康・精神的健康）を求めることができる. さらに日本のデータに基づく3つのサマリースコア（既存の2つのサマリースコアに社会的健康を加えたもの）が開発され, 2011年より使用可能となった[5].
- 信頼性, 妥当性は証明され, 計量心理学的にも問題なく, 国際的にも広く普及している.
- 面接式のほか, 自己記入式でも使用でき, 項目が少なく使いやすい.

表1　SF-36の下位尺度と項目数

下位尺度名	略号	項目数
身体機能（Physical functioning）	PF	10
日常役割機能（身体）（Role physical）	RP	4
体の痛み（Bodily pain）	BP	2
全体的健康感（General health）	GH	5
活力（Vitality）	VT	4
社会生活機能（Social functioning）	SF	2
日常役割機能（精神）（Role emotion）	RE	3
心の健康（Mental health）	MH	5

3）構成

- 健康概念を測定する8つの下位尺度と健康の推移を表す項目（尺度得点の計算には使用しない）, 計36の設問から構成される（表1）.
- 各尺度は決められた算出方法により0～100点の範囲で変換され, 高得点であるほどよいQOL状態を表す.
- さらに各下位尺度の得点は, 国民標準値に基づくスコアリング（Norm-Based Scoring：NBS）により, 国民標準値を50点, 標準偏差を10点とした国民標準値に基づく尺度得点に変換される. これにより, 得られた得点が50点より高いか低いかで標準値と比較することができ, 下位尺度同士の得点比較が可能となり, 結果の解釈が容易となった[6].
- 下位尺度はそれぞれ得点の解釈があり, 単独でも使用可能である.

3 EuroQol（EQ-5D）

1）開発者および開発年度

- EuroQol（EQ-5D）は, EuroQol groupにより開発されたQOLの評価尺度である. 1990年に5カ国版が開発された. 日本語版EQ-5Dは1997年に認定を受けた[7].

2）特徴

- 選好に基づく尺度であり, 設問に対する回答を効用値に換算する換算表を用いて間隔尺度

として表す．
- 信頼性・妥当性における研究は数多く報告されている．
- 多くの言語に翻訳され，国際的に使われてきている．「選好に基づく尺度」としては，最も世界的に使用されている．
- 日本の一般人口を対象に調査し，2001年に日本人固有の日本語版効用値換算表が発表されている．
- 効用値を健康指標として医療経済評価としても用いられる．
- 5項目法では3段階からの選択回答により，3の5乗で243通りの健康状態があり，これに「意識不明」と「死亡」を加えた245通りの数の健康状態が示される．

3）構成（表2）

- 現在のEQ-5Dは，**5項目法**（5 Dimensions：5D）と**視覚評価法**（Visual Analog Scale：VAS）の2部構成であるが，効用値の算出に使えるのは5項目法である．視覚評価法（VAS）については，主観的健康感のVASの項で述べる．
- 5項目法は5つの質問にそれぞれ3段階に基づいて1つを選択し記述する．例えば質問5項目をレベル2，2，1，3，2，と回答した場合「22132」と記述される．これを日本語版EQ-5Dの効用値換算表にあてはめると，効用値は「0.524」となる．効用値は死亡を0，完全な健康状態を1としている．

表2　EQ-5Dの設問（5項目）と回答（3段階）の内容

移動の程度
1. 私は歩き回るのに問題はない
2. 私は歩き回るのにいくらか問題がある
3. 私はベッド（床）に寝たきりである

身の回りの管理
1. 私は身の回りの管理に問題はない
2. 私は洗面や着替えを自分でするのにいくらか問題がある
3. 私は洗面や着替えを自分でできない

ふだんの活動（仕事，勉強，家事，家族，余暇活動など）
1. 私はふだんの活動を行うのに問題はない
2. 私はふだんの活動を行うのにいくらか問題がある
3. 私はふだんの活動を行うことができない

痛み/不快感
1. 私は痛みや不快感はない
2. 私は中等度の痛みや不快感がある
3. 私はひどい痛みや不快感がある

不安/ふさぎ込み
1. 私は不安でもふさぎ込んでもいない
2. 私は中等度に不安あるいはふさぎ込んでいる
3. 私は不安あるいはふさぎ込んでいる

文献8をもとに作成．

4 HUI

1) 開発者および開発年度

- HUI（Health Utilities Index）は，1970年代後半からカナダMcMaster大学のTorranceらにより開発が始められたQOLの評価尺度である．

2) 特徴

- 開発の段階順にHUI1（Mark1），HUI2（Mark2），HUI3（Mark3）の3バージョンが発表されている．
- 現在まで世界的に汎用されているのは，HUI2（Mark2），HUI3（Mark3）である．
- 信頼性・妥当性についての検討結果も報告されている．
- EQ-5D同様，選好に基づく尺度であり，設問に対する回答を効用値に換算する換算表を用いて間隔尺度として表す．
- 特定の健康状態に対する効用値測定の機能をもち，その効用値は1を完全に健康な状態，0を死とする間隔尺度である．
- HUI3（Mark3）では，972,000通りの健康状態を記載することが可能である．

3) 構成

- 3バージョンとも質問表，classification system（健康状態の特性分類体系：QOLを構成する下位尺度で寄与領域という），scoring function（効用値換算式）の3つの要素からなる．
- ここではHUI3（Mark3）について紹介する．表3に示すように，HUI3（Mark3）のclassification system（寄与領域）は，視力・聴力・会話・歩行・器用さ・感情・認知・痛みの8つであり，それぞれが5～6段階の状態で示されている．これを選択して回答し，scoring function（効用値換算式）にあてはめることで効用値が求められる．その効用値は1を完全に健康な状態，0を死とする間隔尺度である．

5 改訂PGCモラール・スケール

1) 開発者および開発年度

- 1972年，Lawtonが，22項目からなるPGCモラール・スケール（Philadelphia Geriatric Center Moral Scale）を開発し，その後自身で17項目の改訂PGCモラール・スケールを作成した．

2) 特徴

- モラールの概念は，もともと兵士や職員の士気を表していたが，Lawtonらは「モラールが高い」ということは，「満足感をもっている」「安定した居場所がある」「老いていく自分を受容している」と定義し，それらの側面を測るスケールとして，PGCモラール・スケールを開発した[3]．

表3 HUI3（Mark3）の健康状態分類システム

寄与領域	レベル	状態
視力	1	眼鏡やコンタクトを使わずに新聞を読み，通りの反対側にいる知人を認識できる．
	2	眼鏡を使って新聞を読み，通りの反対側にいる知人を十分認識できる．
	3	眼鏡の使用にかかわらず常に新聞を読めるが，眼鏡をかけても通りの反対側にいる知人を認識できない．
	4	眼鏡の使用にかかわらず通りの反対側にいる知人を認識できるが，眼鏡をかけても常に新聞を読むことができない．
	5	眼鏡をかけても新聞が常に読めず，通りの反対側にいる知人をも認識できない．
	6	全く視力がない．
聴力	1	補聴器を使用しなくても3人以上の中で会話を聞くことができる．
	2	静かな部屋の中では相手の人が話す事を聞き分けられるが，3人以上の中での会話を聞きとるのに補聴器を必要とする．
	3	補聴器を使えば静かな部屋の中で3人以上の会話が聞き分けられる．
	4	補聴器なしでも静かな部屋の中で相手の話すことは聞くことができる．しかし，3人以上の中での会話は補聴器をつけても聞きとることができない．
	5	補聴器をつけて静かな部屋の中で相手の人が話すことは聞ける．しかし，3人以上の中での会話は補聴器をつけても聞きとることができない．
	6	全く聴力がない．
会話	1	友達や知らない人とでも会話する時，完全に話を理解してもらえる．
	2	よく知っている人なら会話の中で完全に話を理解してもらえるが，知らない人との会話の中では部分的にしか理解してもらえない．
	3	自分のことをよく知っている，いないにかかわらず会話の中で話が部分的にしか理解してもらえない．
	4	知らない人との会話では全く話を理解してもらえないが，知っている人との会話では部分的に理解してもらうことができる．
	5	人との会話において，全く話を理解してもらえない（または全く話すことができない）．
歩行	1	難なく，歩行器などの器具を使わずに近所を歩きまわることができる．
	2	歩行器や他人の介助を必要とせずに辛うじて近所を歩きまわることができる．
	3	歩行器を使うが，他人の介助を必要とせずに近所を歩きまわることができる．
	4	歩行器を使って短い距離を歩くことができるだけで，近所を歩きまわるためには車椅子を必要とする．
	5	歩行器を使っても1人で歩くことができないが，短い距離なら他人の助けを借りて歩ける．近所を動き回るためには車椅子を必要とする．
	6	全く歩くことができない．
器用さ	1	手指を十分に使いこなすことができる．
	2	手指が不自由であるが，特別な道具や他人の助けを必要としない．
	3	手指が不自由であるが，特別な道具を使えば思い通りの作業ができる．
	4	手指が不自由，日常生活上の作業のいくつかで他人の助けを必要とする（特別の道具を用いても自由にならない）．
	5	手指が不自由，日常生活上のほとんどの作業で他人の助けを必要とする（特別の道具を用いても自由にならない）．
	6	手指が不自由ですべての作業で他人の助けを必要とする．
感情	1	幸せで，日常生活にいつも関心をもっている．
	2	いくぶん幸せ．
	3	いくぶん不幸．
	4	とても不幸．
	5	不幸すぎて人生に生きる意味を失っている．
認知	1	ほとんどのことを思い出して，日々の問題を明確に考え解決することができる．
	2	ほとんどのことを思い出すことができるが，日々の問題を考え解決するためには少し苦労を要する．
	3	いくぶん忘れっぽいが，日々の問題を明確に考え解決することができる．
	4	いくぶん忘れっぽく，日々の問題を考え解決しようとすると努力を要する．
	5	大変忘れっぽく，日々の問題を考え解決しようとする時，非常に苦労する．
	6	全く何も思い出すことができず，日々の問題を考えたり解決することができない．
痛み	1	痛みや不快感がない．
	2	いくらかの痛みはあるが，それが身体の活動を妨げるほどではない．
	3	身体の活動を妨げるような痛みがあり，それほどひどいものではない．
	4	身体の活動を妨げるような痛みがあり，それがかなりひどいものである．
	5	ひどい痛みがあり，それによりほとんどの活動が妨げられる．

文献9より引用．

表4 改訂PGCモラール・スケール

あなたの現在のお気持ちについてうかがいます．当てはまる答えの番号に○をつけて下さい．		
1. あなたの人生は，年をとるにしたがって，だんだん悪くなっていくと思いますか	（そう思う	<u>そうは思わない</u>）
2. あなたは去年と同じように元気だと思いますか	（<u>はい</u>	いいえ）
3. さびしいと感じることがありますか	（<u>ない</u>	あまりない　よくある）
4. 最近になって小さなことを気にするようになったと思いますか	（はい	<u>いいえ</u>）
5. 家族や親戚，友人との行き来に満足していますか	（<u>満足している</u>	もっと会いたい）
6. あなたは年をとって前よりも役に立たなくなったと思いますか	（そう思う	<u>そうは思わない</u>）
7. 心配だったり，気になったりして，眠れないことがありますか	（ある	<u>ない</u>）
8. 年をとるということは，若いときに考えていたよりも，よいことだと思いますか	（<u>よい</u>	同じ　　悪い）
9. 生きていても仕方がないと思うことがありますか	（ある	あまりない　<u>ない</u>）
10. あなたは若いときと同じように幸福だと思いますか	（<u>はい</u>	いいえ）
11. 悲しいことがたくさんあると感じますか	（はい	<u>いいえ</u>）
12. あなたは心配なことがたくさんありますか	（はい	<u>いいえ</u>）
13. 前よりも腹を立てる回数が多くなったと思いますか	（はい	<u>いいえ</u>）
14. 生きることは大変きびしいと思いますか	（はい	<u>いいえ</u>）
15. いまの生活に満足していますか	（<u>はい</u>	いいえ）
16. 物事をいつも深刻に考えるほうですか	（はい	<u>いいえ</u>）
17. あなたは心配事があると，すぐにおろおろするほうですか	（はい	<u>いいえ</u>）

測定因子：「心理的動揺」が設問4，7，12，13，16，17．「孤独感・不満足感」が設問3，5，9，11，14，15．「老いに対する態度」が設問1，2，6，8，10．
下線の選択肢を選ぶと1点が与えられ，17項目の単純加算によって17点満点で算出される．
文献3のp32より引用．

- 社会老年学の領域で検討され開発された尺度である．
- 幸福な老いの程度，あるいは「主観的QOL」の指標であり，幸福感に対する個人の相対的な位置を示すものである（"幸福な人"や"不幸な人"の弁別を行うものではない）．
- 信頼性，妥当性についても検討され確認されている．
- 老年者の主観的幸福感の尺度として最も広く使用されている．

3）構成

- 17項目，3因子の尺度である．測定される3つの因子は，「心理的動揺」「孤独感・不満足感」「老いに対する態度」である（表4）．
- 肯定的な選択肢（表4の下線を付した選択肢）が選ばれた場合に1点，その他は0点とし，単純加算で17点満点となり，点数が高いほど，その人の「主観的幸福感」は高いということになる．

6 主観的健康感のVAS

- 物差しスケールの両端を最高の状態と最低の状態とし，自己記入式で実施される．主観的な健康感が視覚的にわかりやすく表現される．しかし，"健康である""健康でない"を弁

別するものではなく，あくまでも個人の健康状態の目安というレベルである．前述したEuroQolの視覚評価法（図）はVASを用いている．

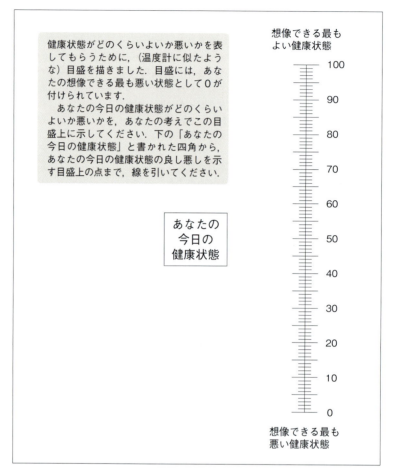

図　日本語版EQ-5Dの視覚評価法　文献10より引用．

文献

1) 染矢富士子：ADL，QOLの概念と評価法．「医学生・コメディカルのための医学書 リハビリテーション概論 —改訂第2版—」（上好昭孝，土肥信之/編著），p133，永井書店，2011
2) 「「生活の質」と共生」（三重野 卓/著），p59，白桃書房，2000
3) 髙橋龍太郎：精神機能評価法 意欲・モラール・QOL評価法．「高齢者の生活機能評価ガイド」（小沢利男，他/著），pp51-58，医歯薬出版，1999
4) 鈴鴨よしみ，福原俊一：SF-36® 日本語版の特徴と活用．日本腰痛会誌，8：38-43，2002
5) Suzukamo Y, et al：Validation testing of a three-component model of Short Form-36 scores. J Clin Epidemiol, 64：301-308, 2011
6) 鈴鴨よしみ，福原俊一：包括的QOL SF-36® SIP NHP．「リハビリテーションにおける評価法ハンドブック」（赤居正美/編著），p263，医歯薬出版，2012
7) 池田俊也，池上直己：包括的尺度 選好に基づく尺度（EQ-5Dを中心に）．「臨床のためのQOL評価ハンドブック」（池上直己，他/編），p46，医学書院，2006
8) 池田俊也，上村隆元：効用値測定尺度．「QOL評価法マニュアル」（萬代 隆/監），p59，インターメディカ，2001
9) 能登真一，上村隆元：包括的QOL HUI．「リハビリテーションにおける評価法ハンドブック」（赤居正美/編著），p279，医歯薬出版，2012
10) 池田俊也：包括的QOL EQ-5D．「リハビリテーションにおける評価法ハンドブック」（赤居正美/編著），p274，医歯薬出版，2012

第6章 活動能力の評価

3 観察に基づく動作分析

> **学習のポイント**
> - 動作分析・動作観察の基本的な考え方を学ぶ
> - 動作観察の手順とその具体例を学ぶ

1 動作分析・動作観察の基本的な考え方

1) はじめに

- 理学療法の対象となる「**基本動作**」とは，臥位，寝返り，起き上がり，端座位，立ち上がり，立位，移乗，歩行などを指し，理学療法士はこれらの基本動作能力の回復を業とする．
- **動作分析**は一度に多くの情報が入手できる点で非常に有用だが，熟練を要するものであり（表1）[1]，また考え方，方法論に統一した確立されたものがなく，初学者にとって非常に捉えづらい評価である．本項では動作分析の手順について具体例を交えながら解説する．

表1 観察に基づく動作分析の利点と欠点

利点	欠点
・一度に多くの情報が入手できる ・問題箇所が具体的に把握できる ・特殊な検査器具なしに，いつでもどこでも行える ・何度でも繰り返すことができ，その場で確認できる ・患者に不必要な不安や身体的負担を強いることが少ない ・結果をただちに治療に活用できる	・記録が困難なため，他者への伝達が難しい ・熟練を要する ・観察者の主観が入りやすく，観察内容にばらつきが大きい（再現性に乏しい）

文献1より引用．

2) 動作分析の目的

- 動作を他者へ伝えるためには，まず運動学，解剖学用語を用いて実際の動作を説明する能力が求められる．
- しかし，臨床において動作分析を行う一番の目的は，動作を説明するだけでなくその患者の問題点を把握し治療へ結びつけることである．つまり，その目的は以下[2]のようにまとめることができる．

①動作遂行能力を把握する
②正常動作から逸脱した動作を把握する
③動作の改善度を把握する
④検査・測定の結果と動作異常の原因の統合解釈
⑤検査・測定結果の追加実施の示唆を得る
⑥基本的動作練習のプログラム作成に役立てる
⑦二次的障害の予測に役立てる

2 臨床で求められる動作分析とは

1）動作の自立度，手段，動作環境の判定

- まず，動作の自立度（実用性），手段，環境を把握することから始める．
- **自立度**とはここでは「自立」，「監視（見守り）」，「軽介助」，「中等度介助」，「全介助（介助に要する人数）」と定義する．自立度に加えてその動作自体の**実用性**（安全性，安定性，速度，耐久力，遂行時間，社会に容認される方法[3]）についても検討する．
- **手段**とは「四点杖」，「ベッド柵」，「手すり」，「短下肢装具」などその動作実施場面で動作を補助したすべてのものを指す．
- **環境**とは「病室のベッド上」，「病棟の廊下」，「屋外」，「施設の階段」などを指し，その動作障害がただ単に支持能力の問題によるものか，環境に影響されやすい知覚処理に起因するバランス能力の問題によるものかを検討するために必要な情報である[4]．

2）ではなぜその自立度（実用性）なのか考える

- その自立度だと判断した理由を，支持基底面や運動の方向性の変化などを考慮して分けられた「相」で，もっと具体的にしていく．
- 問題があると考える相は動作の中のどの時期にあたるのか，またどの方向に問題がありそうか（転倒しそうな方向）をまず考えてみる．

3）観察結果を運動学用語で言い表す

- 次に，注目した相で起こっている現象を動作パターンあるいは各関節ごとに運動学的な用語を用いて説明してみる．特にその相でのアライメントの左右差を考えるとよい．その左右差は動作障害の理由となっている機能障害レベルの問題点を推測するためのヒントとなっていることが多い．

3 分析の種類[5) 6)]

- 臨床的に行われる動作分析はさまざまな方法があるが，すべて以下の「6つの"てみる"」[5)]の視点のいずれかに該当する．これらのいずれかではなく，すべての視点を動員しながらその動作を理解しようと努めたい．

1 みてみる：基本動作の力学的分析は，多くがこの観察により行われる．その動きは人の意思や重力，筋力，慣性モーメント（運動量），摩擦力，床反力などによって決定される．まずは人の意思については考えず，それぞれの体節，肢節の位置関係に着目する．それと同時にモーメントを常にイメージすることが重要である[6)]．

2 聞いてみる：動作完了後に患者の訴えを聞いてみること．また，動作時の患者の発する音（靴の接地音の左右差，ズボンが擦れる音など）や息遣い（息み）などは動作に関する重要な情報を含んでいることが多い．視覚的な観察のみでは得られない情報，もしくは補助的な情報として用いることができる．

3 まねてみる：動作の外見をそっくりに真似ることが重要なのではない．「動きの勢い」や「固定的な頑張り」などを真似てみる．患者の動作は見かけ以上に苦しく，セラピスト自身の身体を用いて体験できる簡便な方法であり，得られた情報は観察結果を補助する有益なものかもしれない．

4 触れてみる：動作場面において肢（手足），体幹などに触れてみるとその筋肉の緊張の変化がわかる．立位場面で大腿部や殿部を触知した結果，一側に強固な収縮を生じていた（もしくは左右差を感じることができた）など，同様に観察結果を補助するものとなることがある．

5 一緒に動いてみる：セラピストの手を患者のどこかにおき，患者の動作を阻害しないように一緒に動いてみる．重心の移動の方向だけでなく姿勢や動作の勢い，動作の切り替えのタイミングを感じることができる．

6 変えてみる：動作の流れの中で，動作の方向やタイミング，スピードなどを変化させて誘導してみる，または邪魔してみる．また補助具の使用を変えることでもその動作負担の力学的特性を変えることができる．本来頼るべき道具が使えないとなれば，通常，患者は戦略の変更を強いられることになる．さまざまな方法で行われた動作は，どれもその患者が発揮したパフォーマンスであり，患者がもつ筋力，可動域，感覚等の機能が統合されて発揮されたものである．すなわち，いくつかの様式で確かめた動作パターンから，どの機能に問題がありそうか，共通した問題点を探すことに役立つ．

4 起居・移動の動作分析（正常な動作と頻度の高い問題点）[1) 3)]

1）姿勢観察

- 姿勢は動作の構えであり，開始姿勢の段階でその動作パターンがある程度決まっていることが多い．
- 動作を観察する前に背臥位，端座位（椅子座位），立位を矢状面，前額面，水平面で左右差に注目しながら観察する．各ランドマークのアライメントを図示しておくとわかりやすい．
- 姿勢や後述する動作を分けた相はアライメントの左右差に注意しながら簡略図（図1）として記載する[2)]．

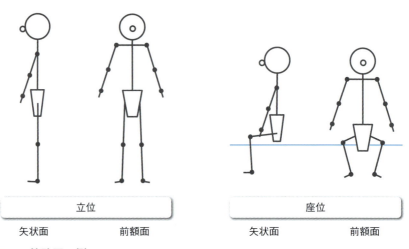

図1 簡略図の例
文献2をもとに作成．

2）寝返り

- **寝返り**とは，重心を背臥位から側臥位へ移動させつつ身体を移動させることを指す[3)]．背臥位から側臥位への移行は力学的には安定から不安定な状態への変化である．
- 力学的に安定した背臥位から運動を起こすには大きな力が必要である．上肢あるいは下肢を引き上げるか，あるいは床を手で押したり，足で蹴ったりすることで支持基底面を変化させる必要がある．

1 観察手順[1)]

①**運動の始まり**：頸部から，右上肢から，左足関節から，など背臥位から動き出した最初の場所をみる．動き始めは1つの場所とは限らない．その動き出した場所は妥当な場所か否かについてはまずは考えない．
　例）・開始肢位：背臥位
　　　・開始部位：上部体幹の屈曲回旋

②**運動の移行**：最初に動き出した場所の次の瞬間に動いた場所をみる．基本的には次々に動

き出す関節の分節的な動きを寝返り完成まで観察する．

例）・上部体幹からの開始：下部体幹が上部体幹についていくように回旋
　　・下部体幹からの開始：上部体幹が下部体幹についていくように回旋

③動作中の四肢の補助（もしくは阻害）的な動き

例）・上部体幹からの開始：上肢が補助として体幹とともに動く
　　・下部体幹からの開始：下肢が補助として体幹とともに動く
　　・非分節的な運動の開始：体幹と上下肢が同時に動く

④終了肢位：動作が完成したか，もしくはどの場面で終了したのか観察する．

3) 起き上がり

- **起き上がり**は頸の側屈，下側の上肢による床面の押し上げ，体幹の側屈，両下肢を持ち上げ，ベッドの端に下ろすという動作から構成される[3]．ただし，以下に示す各相を経由しない場合も多い．

◼ 観察手順[1]

①背臥位〜on elbowまで：まず，寝返り同様に動き始めの場所（肢）を観察する．その動きが各肢節にどのように伝わっていくか，もしくは別のところが動き出すかを示すことが重要である．肩甲帯の離床には比較的大きなパワーを要するため，ここまでの相で止まってしまうことも多い．

②on elbow〜on handまで

例）・背臥位から頸部の屈曲が起こり，支持側上肢に向かって体幹の屈曲・回旋運動となり，高重力方向に上部体幹が持ち上がる
　　・頸部や非支持側の上肢は，運動の妨げにならないように目的の運動方向に向いている
　　・支持側の肩関節が伸展・外転し，肩が離床する
　　・肘関節が伸展して離床するとともに，体幹の伸展と逆方向への回旋により運動方向が変わり，体幹を正中位に向けて押し上げる

③on hand〜端座位まで

例）・支持側の手が離床するとともに，体幹は正中位に戻る
　　・脊柱を伸展させ，骨盤はほぼ直角に垂直方向に回転して長座位が安定した位置で動作が完了した

◼ 障害構造の具体例（表2）[7]

4) 立ち上がり

- **立ち上がり**とは，重心を端座位（椅子座位）から立位へ移動させつつ身体を移動させることを指す[3]．
- 立ち上がり動作達成には，前伸展相（頭部・体幹の屈曲が最大となるまで）における「前方モーメント」と，伸展相（屈曲位による頭部・体幹が伸展位となるまで）における「上方モーメント」が1つになって円滑な並進運動が行われるか否かが重要である[6]．つまり，体幹屈曲時の回転モーメントの発生，屈曲相〜伸展相の切り替え，伸展相の減速がポイントとなる．

表2 「起き上がり動作」の障害構造の具体例

起き上がり動作	
能力障害	機能障害
1. 寝返りの際に患側上肢が後方に残る	(1) 肩甲帯の痙性 (2) 患側上肢の随意性および筋緊張の低下 (3) 患側上肢の無視傾向 (4) 高度の感覚障害 (5) 肩の痛み (6) その他
2. 寝返りの際に頭部を起こせない	(1) 頸部屈筋群の筋力低下 (2) 頸部伸筋群の筋緊張の亢進 (3) その他
3. 起き上がりの際,下肢全体が挙上する	(1) 連合反応(患側下肢) (2) 連合運動(健側下肢) (3) 協同運動障害 (4) 腹筋群の筋力低下 (5) その他
4. 体軸内回旋が不十分である	(1) 体幹の立ち直り反応の低下 (2) 麻痺側脊柱起立筋群の筋緊張亢進 (3) 脊柱の柔軟性低下 (4) その他
5. 側臥位から上体が起こせない	(1) 非麻痺側肩甲帯周囲筋の筋力低下 (2) 肩肘立ち位における安定性の低下 (3) 肘の伸展と頭部挙上のタイミングの不一致 (4) その他
6. 動作が緩慢である	(1) 意識(覚醒)レベルの低下 (2) 易疲労傾向(全身持久力の低下) (3) 筋力低下 (4) 運動失行 (5) その他

文献7より引用.

1 観察手順[1]

①端座位(椅子座位)

②体幹の前傾(骨盤の前傾):端座位から体幹前傾の相にあたり,まずはこれまで同様端座位から動き始めた場所を記録する.体幹の前傾がみられるかどうか(矢状面),左右どちらの方に前傾するか(前額面),骨盤の前傾が同時にみられるかどうか,がポイントとなる.左右の筋力差が大きい場合,もしくは一側に疼痛を有している場合など前額面での左右差が出現しやすい.

③離殿:体幹をどの程度前傾させたら離殿するか,具体的な前傾角度までは臨床上不要であるが,観察して再現できるようにする.離殿は立ち上がり動作の最も困難な場面である.離殿場面でも矢状面,前額面のアライメントをメモできているとよい.

④伸展相:体幹,股関節,膝関節,足関節の伸展がみられる場面である.

⑤立位

2 障害構造の具体例 (表3)[7]

表3 「立ち上がり動作」の障害構造の具体例

立ち上がり動作（起座位から立位へ）	
能力障害	機能障害
1. 非麻痺側に偏って立ち上がる	(1) 感覚障害 (2) 麻痺側下肢の支持性低下 (3) 麻痺側下肢による体重支持への不安感 (4) その他
2. 座位で体幹を前屈できない	(1) 座位バランス低下 (2) 背筋群の筋力低下 (3) 股関節，脊柱の可動域制限 (4) 背筋群の筋緊張亢進 (5) その他
3. 立ち上がり動作の後半（殿部の離床以降）に体幹が十分伸展しない	(1) 背筋群の筋力低下 (2) 股関節の屈曲拘縮 (3) 脊柱の可動域制限 (4) その他
4. 下腿後面を椅子に押しつけて立ち上がる	(1) 大腿四頭筋の筋力低下 (2) 麻痺側の尖足 (3) 足部周囲筋の筋力低下 (4) 立位バランスの低下 (5) その他
5. 立ち上がりの際にふらつく	(1) 非麻痺側の筋力低下 (2) 麻痺側下肢の支持性低下 (3) バランス低下（平衡機能，足部筋群の活動低下） (4) その他
6. 立ち上がり時，麻痺側下肢全体が突っ張る	(1) 麻痺側下肢の伸筋痙性の亢進 (2) その他
7. 麻痺側骨盤が後方に引ける	(1) 麻痺側腰部周囲筋の緊張亢進 (2) 麻痺側下肢への重心移動が不十分 (3) 股関節屈筋群の痙性 (4) その他
8. 麻痺側足底が接地しない	(1) 内反尖足 (2) その他
9. 立位時に反張膝が起こる	(1) 尖足 (2) 麻痺側膝関節安定性の低下 (3) その他

文献7より引用．

運動戦略[6)]

起き上がりや立ち上がりには「力制御戦略（force control strategy）」と「運動量戦略（momentum strategy）」に代表されるような運動戦略が利用される（図2，3）．ベッド上の起き上がり動作を例にとると，力制御戦略は体重の支持点を確保し，手足の冗長な自由度を利用して静的な安定性を常に確保しながら起き上がるという戦略といえる．すなわち，背臥位からいったん側臥位となり，両下肢をベッドから下ろした後に上肢を用いて上半身を起こすもので，頭部を含む重い上半身を起こすのに必要なモーメントが得られにくい．これに対し，運動量戦略は上半身を起こすのと同時に，両下肢を振り下ろす際，膝を伸展し下肢の慣性モーメントを大きくすることで，上半身を起こすのに必要な大きなモーメントを得ている．この2つの運動戦略に優劣はなく，健常者の場合には文脈に従って「使い分け」や「組み合わせ」が行われる．

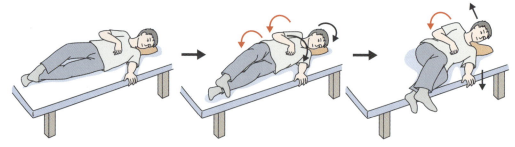

図2　寝返りの運動戦略
文献6をもとに作成.

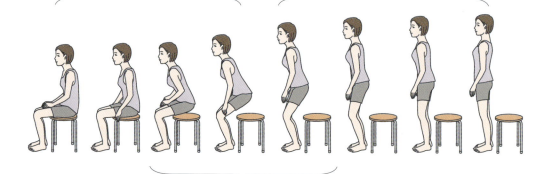

図3　立ち上がりの運動戦略
文献6をもとに作成.

5）歩行[8)～12)]

1 観察手順

- 観察はまずは大きく**立脚期・遊脚期**（表4，図4）[12)]に分けて行う．観察された異常歩行が機能障害を直接反映しているのか，それとも別の機能障害の代償運動として起こっているのかを判別することが重要である[8)]．
- 異常歩行は身体構造の制限（脚長差，関節可動域制限），疼痛，神経・筋の障害の原因により観察されるが，おおまかには患肢の支持性と運動性に注目した観察，すなわち歩行時の3つの時期[10)]に注目するとわかりやすい．
- ①荷重受け継ぎ期：同側の初期接地から荷重応答期にあたり，反対側では前遊脚期にあたる．矢状面では股関節，膝関節の屈曲伸展に着目し，足部からの運動連鎖が適切なタイミングで行われているか観察する．同様に前額面では内外転，内外反の動きが観察できる．
- ②単脚支持期：同側の立脚中期から立脚終期にあたり，反対側では遊脚初期から遊脚終期に

表4 歩行周期の各相と役割

相	特有の役割
初期接地：イニシャルコンタクト（IC）	・衝撃吸収の準備
荷重応答期：ローディングレスポンス（LR）	・衝撃吸収 ・荷重を支えつつ安定性を保証 ・前方への動きの保持
立脚中期：ミッドスタンス（MSt）	・支持している足の前足部の上まで身体を運ぶこと ・脚と体幹の安定性の確保
立脚終期：ターミナルスタンス（TSt）	・支持足（立脚肢）の直上を越えて身体を前に運ぶこと
前遊脚期：プレスイング（PSw）	・遊脚期の準備体勢
遊脚初期：イニシャルスイング（ISw）	・床から足が離れること ・脚を前に運ぶこと
遊脚中期：ミッドスイング（MSw）	・脚を引き続き前へ運ぶこと ・足と床の十分なクリアランスの確保
遊脚終期：ターミナルスイング（TSw）	・脚を前に運ぶことの終了 ・イニシャルコンタクトの準備

文献12をもとに作成.

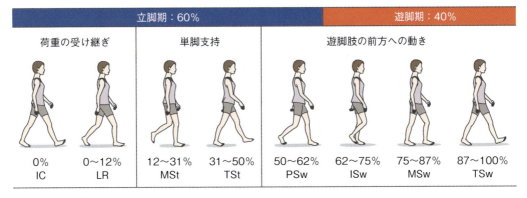

図4 歩行周期
文献12をもとに作成.

あたる．股関節と膝関節の伸展が適切に行われ，身体重心が最高到達点まで持ち上げられる時期であり，足関節の背屈とともに身体重心が前方へと移動する．足関節背屈，股関節伸展により重心が前方へ推進することに支障があれば，骨盤の過剰な前傾，後方回旋を伴って困難さが観察できる場合が多い[10]．股関節伸展筋の弱化により立脚後期に股関節が屈曲位であったり，股関節外転筋の弱化により股関節が側方に変位していることはそれ自体が動作の代償であり，機能障害と密接に関係する．

③遊脚肢の前方への動き：同側の前遊脚期から遊脚終期にあたり，反対側では初期接地から立脚終期にあたる．足関節底屈，股関節屈曲に続いて下肢が前方へ振り出される時期であり，足と床に十分なクリアランスが確保できなければ，つまずく，すり足であるなどと観察される場面である．遊脚肢の可動域制限，筋力低下は骨盤の挙上や回旋，過剰な後傾などの動きとして観察されることが多い[10]．

2 歩行の定量的分析と評価指標

- 歩行の検査・分析には三次元動作分析システムを用いた大がかりなものから，臨床でも簡便に実施できる方法までさまざまなものがある．臨床で広く用いられている評価法としては立ち上がりや方向転換などを含めた総合的な評価指標であるtimed up & goテスト（TUGテスト，5章-8参照），課題に対する歩行修正能力を求めるDynamic gait index（DGI），歩行持久力の評価指標である6分間歩行試験（6 minutes walk test：6MWT，5章-10参照）などがあげられる．TUGは高齢者のバランス機能を測定する目的で開発され，転倒リスクなどとの関連が明らかにされている評価指標である一方，6MWTは主に心肺系の運動耐容能評価を目的とした評価指標でありそれぞれの目的は大きく異なる．
- ここでは臨床現場で歩行そのものを定量化するための主要な指標を取り上げて概説する．

定義と特徴[13]

- **歩幅（ステップ長）**：「踵接地（HC）位置から対側HCまでの歩行進行方向に対する投影距離」と定義される（図5）．
  ▶歩幅（m）＝10（m）÷歩数（歩）

- **重複歩長（ストライド長）**：「対象脚の踵接地（HC）位置からHC位置までの歩行進行方向に対する投影距離」と定義される．左右の歩幅を合計したもの，ともいいかえることができ，距離を歩数で割ったものである（図5）．
  ▶ストライド長＝歩行距離（m）×2÷歩数

- **ケイデンス（歩行率）**：「1分間における歩数（ステップ数）」と定義され，歩行率ともよばれる．
  ▶ケイデンス（歩数／分）＝歩数×60÷時間（秒）

- **歩行速度**[14]：10 m歩行速度は歩行に関して定量的評価が可能であり，信頼性，妥当性が良好であることが示されている．歩行路の設定とストップウォッチの準備だけで測定が可能であり，簡便で検査に時間がかからない．歩行距離の設定には1.5 m，3 m，5 m，10 mなどいくつかの方法があるが，ここでは10 m歩行を取り上げて概説する．

- 10 m歩行速度の計測においては歩きはじめおよび歩き終わりに加速と減速が必要であるため，10m歩行路の前後にはそれぞれ数mの予備路をとる（図6）．本検査における歩行の様式には自由歩行（速さを一定に保つこと以外には決まりはなく，それ以外は自由とい

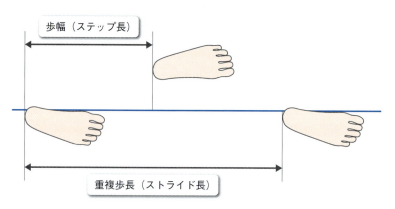

図5　歩幅と重複歩長の定義
文献13より引用．

図6　10 m 歩行速度計測の実施方法
文献15をもとに作成．

表5　地域在住高齢者の歩幅・歩行率・歩行速度の平均値

年齢群(歳)		自由速度			年齢群(歳)		最大歩行速度		
		速度(m/秒)	歩幅(m)	歩行率(steps/分)			速度(m/秒)	歩幅(m)	歩行率(steps/分)
65〜69	男	1.21	0.66	112.8	65〜69	男	2.08	0.81	153.8
	女	1.14	0.58	118.0		女	1.77	0.68	156.8
70〜74	男	1.17	0.62	112.3	70〜74	男	1.92	0.77	149.7
	女	0.95	0.50	112.3		女	1.49	0.60	148.7
75〜79	男	1.08	0.58	111.8	75〜79	男	1.75	0.71	146.9
	女	0.95	0.50	112.8		女	1.46	0.59	147.4
80〜	男	0.88	0.49	107.0	80〜	男	1.43	0.61	139.9
	女	0.78	0.44	106.2		女	1.12	0.52	136.4

文献14, 16より引用．

う歩き方），自然歩行（または通常歩行速度，好みの速さ，普段の歩き方，健常成人では70〜80 m/分），最大歩行速度（可能な限り速く歩いてもらう歩き方）がある．

▶10 m 歩行速度（m/秒）＝10（m）÷所要時間（秒）

- 10 m 歩行速度は加齢によって遅くなり，女性は男性より歩行速度が遅く，歩幅は小さいことが示されている（表5）．佐直らによる在宅脳卒中患者の生活活動と歩行に関する研究[17]では，20 m/分以上になるとかなり活動的な家庭生活が可能であり，40 m/分以上では余暇活動や政治的・文化的な社会参加，80 m/分以上では他人の世話なども行われることを報告している．さらに虚弱高齢者においては転倒リスク，活動レベル，生命予後と歩行速度との関連が示されている．

- PCI[14) 18]：歩行の生理的コスト指数（physiological cost index：PCI）は歩行時のエネルギー効率の指標であり，活動中の酸素摂取量と心拍数との間に相関関係を認めることを利用している．

- 被検者は約30 m の 8 字型歩行路を自分の好みの速さで（あるいは速く，遅く）歩くように指示され，200 m 歩くのに要した時間と歩数を記録する．別法として，被検者が3〜5分間，歩いた場合の移動距離を記録するものもある．いずれも歩行速度を算出し，歩行前の安静時と歩行終了時に心拍数を計測して，以下の計算式からPCIを算出する．PCIは歩

行速度により変化し，健常者では好みの速さで最小になる．

▶PCI（拍/分）＝（歩行終了時心拍数−安静時心拍数）÷歩行速度（m/分）

- 今日では多くの評価指標が開発されインターネット上からすぐに検索できるようになっているが，その分析・定量化・指標が目の前の患者に役立つよう，よく吟味して取捨選択することが望まれる．

3 障害構造の具体例（表6）[7]

表6 「歩行」の障害構造の具体例

歩行	
能力障害	機能障害
1. 分回しが起こる	（1）内反尖足 （2）麻痺側下肢の伸筋痙性 （3）その他
2. 前足部の引きずりが起こる	（1）内反尖足 （2）麻痺側下肢の伸筋痙性 （3）麻痺側下肢の随意性低下 （4）その他
3. 股・膝屈曲位歩行	（1）麻痺側下肢抗重力筋の随意性低下（筋力低下） （2）股関節屈曲拘縮 （3）膝関節屈曲拘縮 （4）その他
4. 鋏状歩行	（1）股関節内転筋群の筋緊張の亢進 （2）その他
5. トレンデレンブルグ歩行	（1）麻痺側股関節周囲筋の支持性低下 （2）その他
6. 麻痺側膝関節のロッキング（反張）が起こる	（1）尖足 （2）大腿四頭筋の筋力低下もしくは支持性低下 （3）膝関節周囲筋の協調性（同時収縮）低下 （4）感覚障害 （5）その他
7. 膝折れが起こる	（1）大腿四頭筋の筋力低下もしくは支持性低下 （2）感覚障害 （3）その他
8. 麻痺側上肢の振りが少ない	（1）体幹・骨盤の回旋運動減少 （2）麻痺側上肢の筋緊張亢進 （3）その他
9. 麻痺側下肢を振り出す際に上体が前後に揺れる	（1）麻痺側下肢の振り出しが不十分 （2）骨盤の回旋不十分 （3）その他

文献7より引用．

5 機能的動作獲得に向けた動作分析[19]

- 理学療法の中心的課題は，障害をもった患者に対して機能的動作を再獲得できるように支

援することである．**機能的動作能力**とは，「基本動作を多様な環境あるいは文脈の中で駆使し，具体的な機能的運動課題を遂行できる能力」といえる．つまり，これまで述べてきたような「なぜできないか？」の動作観察の延長ではなく，「どのようにしたらできるようになるか？」のための動作分析でなければならない．例えば，起き上がり，立ち上がり，歩行の動作において，それぞれの一連の動作の間に休止（pause）をおくことは，当該動作の効率を低下させる．これは運動の開始時に発生したモーメントが中断され，動作の開始とともに新たなモーメントを発生する必要があるためである．寝返り動作，起立動作などの個々の観察はもちろん重要であるが，動作間の結合（流動性）に着眼することも重要である．

- 脳卒中患者のような上位運動ニューロン障害患者で観察される動きは，運動に参加できる状態にあるシステムの最善の組み合わせによって生じる行動を表現している．したがって，リハビリテーション介入がこの異常な運動制御を改め，正常な運動制御に修正することを必ずしも意味しない．つまり，介入の目標は，機能的運動課題を行うために用いられた代償方法の効率を改善することになるかもしれない．すなわち，正常な運動パターンを繰り返し練習することよりも，1つの機能的運動課題に固有の問題を積極的に試みることによって学習がなされると考えるほうが合理的である．

- 動作分析は実生活の諸活動に結びつかない練習や促通のための評価ではなく，患者にとって意味のある実際の日常生活動作を再学習することにつながるような評価であるべきであり，リハビリテーションの中心的課題である「機能的動作課題の達成」に向けた介入に必要な情報を得るとともに，介入の具体的展開方法を明確にするための評価であることを忘れてはならない．

文献

1) 丸山仁司, 他：動作分析．「臨床運動学第3版」（丸山仁司/編），pp205-223，アイペック，2000
2) 古川順光：動作分析．「理学療法評価学」（柳澤 健/編），pp222-229，メジカルビュー社，2010
3) 鈴木俊明, 他：動作観察, 動作分析．「臨床理学療法評価法」（鈴木俊明/監），pp44-82，エンタプライズ，2003
4) 吉尾雅春：動作分析．「脳卒中理学療法の理論と技術」（原 寛美, 吉尾雅春/編），pp291-299，メジカルビュー社，2013
5) 竹中弘行：動作パターンに隠れているものを探る．「評価から治療手技の選択[中枢神経疾患編]」（丸山仁司, 他/編），pp156-167，文光堂，2006
6) 潮見泰藏：基本動作障害に対する理学療法．理学療法学，40：244-247，2013
7) 潮見泰藏：障害構造の具体例．「脳卒中理学療法学テキスト」（潮見泰藏/編），pp99-101，アイペック，2004
8) 櫻井好美, 他：歩行障害に対する運動療法．「運動療法学」（市橋則明/編），pp302-316，文光堂，2008
9) 古川順光：歩行分析．「理学療法評価学」（柳澤 健/編），pp230-245，メジカルビュー社，2010
10) 永井 聡, 他：歩行分析について．「筋骨格系理学療法を見直す」（対馬栄輝/編），pp164-193，文光堂，2011
11) 米田稔彦：姿勢・動作分析．「標準理学療法学専門分野 理学療法評価学第2版」（内山 靖/編），pp210-223，医学書院，2004
12) 歩き方-人の歩行の生理学．「観察による歩行分析」（Kirsten Götz-Neumann/著, 月城慶一, 他/訳），pp5-80，医学書院，2005
13) 西沢 哲, 他：歩行の基礎．「日常生活活動の分析 身体運動学的アプローチ」（藤澤宏幸/編），pp94-95，医歯薬出版，2012
14) 岩谷 力, 他：歩行の検査．「障害と活動の測定・評価ハンドブック 機能からQOLまで 改訂第2版」（岩谷 力, 飛松好子/編），pp105-107，南江堂，2015
15) 小林麻衣, 他：椅子からの立ち上がり動作, 歩行．「臨床運動学（15レクチャーシリーズ 理学療法・作業療法テキスト）」（石川 朗, 種村留美/総編集, 小林麻衣, 小島 悟/責任編集），p64，中山書店，2015
16) 古名丈人, 他：都市および農村地域における高齢者の運動能力．体力科学，44：347-356，1995
17) 佐直信彦, 他：在宅脳卒中患者の生活活動と歩行機能の関連．リハビリテーション医学，28：541-547，1991
18) 中村隆一, 他：歩行．「基礎運動学 第5版」（中村隆一, 齋藤 宏/著），p352，医歯薬出版，2000
19) 潮見泰藏：評価に基づいた理学療法：中枢②「脳卒中片麻痺」．理学療法学，36：236-238，2009

第6章 活動能力の評価

4 運動発達の評価

> **学習のポイント**
> - 運動発達を評価する際に留意すべきことを学ぶ
> - 「反射・反応」「姿勢・粗大運動」「微細運動」の代表的な評価について学ぶ

1 運動発達を評価するにあたって

1）運動発達と全体の発達

- 特に乳児のように幼い子どもの場合，運動発達を捉えることで知的発達も含めた発達全体を捉えることができる．
- 一方で，運動発達を評価するとき，運動発達と他の領域の発達（知的発達，意欲や感情の発達，社会性の発達など）の関連性に留意する必要がある．
- 例えば，運動発達の遅れとして観察された現象の原因が，実は知的な遅れにあるということはしばしば起こる．
- 運動発達の遅れや異常を観察した場合は，運動機能の精査と同時に，発達状況全体の評価を行う．

2）Key Months[1]

- 子どもの発達の確認を行いやすい月齢を **Key Months** という．
- 主な Key Months における発達上のチェック項目を表1にあげる．
- Key Months に明確な科学的根拠はない．しかし従来，これらの月齢が発達の確認に活用されている[2]．市町村の発達検診もおおむね Key Months に沿って実施されている．

3）運動発達の正常範囲

- 個々の子どもによって，Key Months でのチェック項目を達成する時期には若干のばらつきがある．つまり，正常発達にはある程度の幅がある[3]．
- セラピストが子どもの発達状況を確認するとき，このような正常発達の幅に留意することが必要である．Key Months に関連する代表的な粗大運動の獲得時期の目安を表2に示した．
- なお，一度獲得された機能が時間の経過とともに低下または消失した場合，進行性疾患が疑われるため専門医の診断が不可欠である．

表1　Key Monthsでのチェック項目

月齢	チェック項目
4カ月	・定頸（首の座り） ・モロー反射や非対称性緊張性頸反射の消失 ・追視
7カ月	・座位保持 ・視性立ち直り反射の出現 ・手を伸ばして物をつかむ，顔にかけられた布を自分で取る
10カ月	・つかまって立ち上がる ・パラシュート反応の出現 ・模倣行動，人見知り

文献1のp116表4-2をもとに作成．

表2　粗大運動の獲得時期の目安

粗大運動の内容	獲得時期の正常範囲	発達の遅れ・異常の目安
定頸（首の座り）	3カ月半〜4カ月	4カ月で未定頸
座位保持 （支持なしで背を伸ばして座る）	7カ月児の70％が獲得	8カ月で未獲得
つかまって立ち上がる	10カ月児の80％が獲得	1歳で未獲得
独歩	1歳で50％，1歳6カ月でほぼ100％が獲得	1歳6カ月で独歩困難

4）情報収集

- Key Monthsを中心とした発達検診などで発達の遅れや異常が心配される場合，二次検診や精密検査で対象児を詳しく評価することになる．その中で，他の領域の発達状況と合わせて，対象児の運動発達がより詳細に評価される．
- 詳細な運動発達の評価に入る前に，対象児の保護者などから表3のような情報も収集される必要がある．

5）発達全体の評価に用いられる検査

- 運動発達を含めた各領域の詳細な評価を実施する前に，検査バッテリーを使って対象児の発達全体を捉えることも評価の重要なワンステップである．
- 子どもの発達全体の検査にはさまざまな方法があるが，ここでは「デンバー発達判定法」（DENVER II）と「遠城寺式・乳幼児分析的発達検査法」を簡単に紹介する（表4，5）．

表3　情報収集の必要な項目

発達歴	妊娠中・出産時の状況	・母体の感染症 ・妊娠中の合併症 ・在胎週数 ・出生時体重 ・仮死の有無 ・アプガースコア
	新生児期の状況	・新生児集中治療室の利用の有無と期間 ・保育器の利用の有無と期間 ・呼吸障害の有無 ・感染症の有無 ・黄疸の有無
	乳幼児期の状況	・粗大運動（特に，定頸，座位，独歩）の獲得時期 ・病歴 ・けいれん発作の有無 ・過去の乳幼児健診の結果
家族歴・家族状況		・神経や筋の疾患の有無・種類 ・障害の有無・種類 ・突然死や小児期の死亡 ・発達歴
主訴・心配ごと・希望		

表4　デンバー発達判定法（DENVER Ⅱ）

対象年齢	・0～6歳
構成	・「個人−社会」（セルフケア，遊びも含めた他者とのかかわりなど），「微細運動−適応」（上肢・手の使用，対象物操作など），「言語」（言語の表出，理解など），「粗大運動」（姿勢や移動）の4領域から構成されている
評価方法	・対象児の実際の観察が必要な項目と養育者の報告から評価してよい項目がある
評価結果	・それぞれの項目の通過率が25％，50％，75％，90％で表示されている ・正常発達の幅の中の対象児の位置を知ることができる
掲載文献	文献4

表5　遠城寺式・乳幼児分析的発達検査法

対象年齢	・0～4歳7カ月
構成	・「運動」「社会性」「言語」の3分野より構成 ・このうち，「運動」は「移動運動」と「手の運動」，「社会性」は「基本的習慣」と「対人関係」，「言語」は「発語」と「言語理解」の下位領域からそれぞれ構成される
評価方法	・できるだけ実際に対象児が実施できるかどうかを観察する ・しかし，観察が難しい場合は，養育者からの聞き取りで実施してもよい
評価結果	・発達指数（DQ）を算出する ・折れ線グラフで発達のプロフィールが示され，発達の凸凹が一目でわかる ・暦年齢の4～5段階下で，「発達の遅れあり」とみる
掲載文献	文献5

2 運動発達の評価

- 子どもの運動発達の評価では，1）**反射・反応**，2）**姿勢・粗大運動**，3）**微細運動**を観察することが主な方法となる．
- 観察によって運動発達の遅れの有無を判断するには，子どもの運動の正常発達を頭に入れておくことが不可欠である．
- 以下で，運動発達を評価する際の主なポイントを説明する．
- なお，反射・反応，姿勢・粗大運動の評価項目として数多くをあげることができるが，ここでは表1にあげた反射・反応，姿勢・粗大運動を，特に評価が必要な項目として説明する．

1）反射・反応[1）3)]

1 モロー（Moro）反射

[観察方法]
① 対象児を背臥位にする
② 対象児の頭を検者の手のひらに載せて，上体を45°ほど起こす（図1A）．この状態で対象児が落ち着くのを待つ
③ 落ち着いたところで，対象児の頭を載せた検者の手をそのまま下方にスッと動かす

[観察すべき反応]
- まず，上肢および手指のすばやい伸展・外転が起きる（第1相，図1B）．
- 続いて上肢がゆっくり内転・屈曲し，体幹の上で何かを抱え込むような動きをみせる（第2相）．

[評価]
- 生後6週頃までは第1相・第2相がともに出現する．
- それ以降の月齢では，第1相のみ出現し，第2相は出現しなくなる．
- 通常は生後4カ月頃までにすべて消失する．

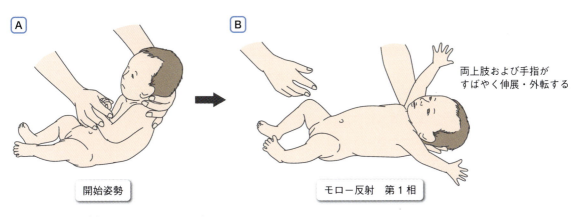

図1 モロー反射

2 非対称性緊張性頸反射

[観察方法]
①対象児を背臥位にする
②検者の手で対象児の頭を一側に回転する

*その際，頭部が回転する方向に体幹も回転するようであれば（つまり，頸性立ち直り反射が出る場合），対象児の胸部を検者の手で軽く押さえ，反対の手で頭部を一側に回転させる．

[観察すべき反応]
- 顔面側の上下肢は伸展し，後頭部側の上下肢は屈曲する（図2）．

[評価]
- 通常は生後4カ月頃までに消失する．

3 視性立ち直り反射

[観察方法]
①骨盤を支えるなどして対象児に座位をとらせる
②ゆっくり身体を左右一側に傾ける

[観察すべき反応]
- 対象児は頭部を垂直に保とうとする（図3）．
- 身体を傾けた側に頭部も傾くようであれば，まだ出現していない．

[評価]
- 生後6カ月頃から出現．
- 生後8カ月で出現していなければ発達の遅れを疑う．

4 パラシュート（Parachute）反応

[観察方法]
・前下方のパラシュート反応
①対象児を立位または腹臥位で抱きかかえる（図4A）
②急に前に落下するように対象児の身体を傾ける

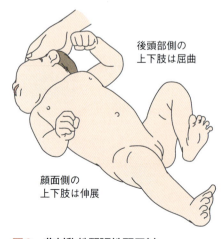

図2　非対称性緊張性頸反射

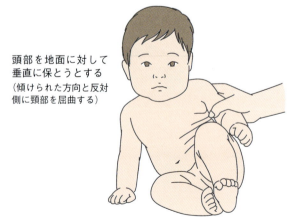

図3　視性立ち直り反射

・側方・後方のパラシュート反応
　①対象児を座位にする
　②急に側方または後方に傾ける

[観察すべき反応]
- 前下方のパラシュート反応：対象児は上肢を伸展，手指を伸展・外転し，身体を支えようとする（図4B）．
- 側方・後方のパラシュート反応：傾けられた側の上肢が伸展または外転し，転倒を防ごうとする．

[評価]
- 生後6〜7カ月頃より，前下方⇒側方⇒後方の順で出現する．
- 生後10カ月で出現していなければ発達の遅れを疑う（図4C）．
- 片麻痺の場合，麻痺側で上肢は伸展しても手指が屈曲したままのケースなどがある．

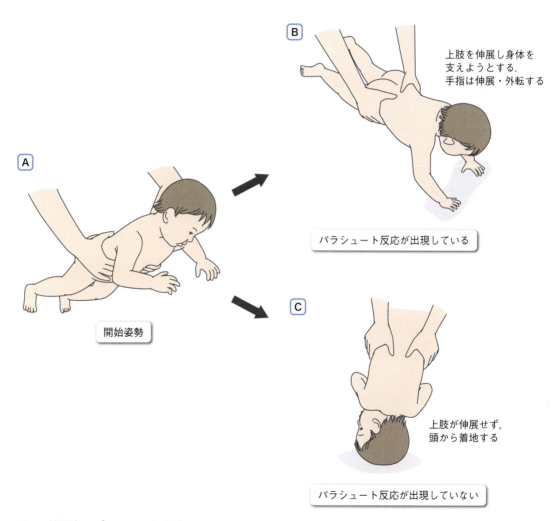

図4　前下方のパラシュート反応

2) 姿勢・粗大運動[1)3)]

1 定頸（首の座り）

[観察方法]
① 対象児を背臥位にする
② 両手（手関節近位部あたり）をもって座位の方向へ45°くらいスッと引き起こす
③ 続けてそのままゆっくり座位に引き起こす

[観察すべき反応]
- 体幹が引き起こされる速度に遅れず，体幹と直線をなして頭部がついてくる，あるいは体幹よりも頭部が前になって起きてくる．そして，座位まで引き起こした後も頭部がぐらつかない場合，首が座ったという（図5）．
- 体幹が引き起こされる速度についていけず，頭部が後屈する場合，まだ首は座っていない．

[評価]
- 生後4カ月で45°まで頭がついてこなければ発達の遅れを疑う．
- 引き起こした際に体幹が突っ張る場合や下肢が硬く伸展する場合は，異常な筋緊張亢進を疑う．
- 頭部が後屈したままで，かつ肩や肘にも力が入らない場合は，異常な筋緊張低下を疑う．

2 座位保持

[観察方法]
- 対象児を座位にしてみる．

[観察すべき反応]
- 両手支持が必要か，必要でないか．
- 背中は丸まっているか（図6A），まっすぐになっているか（図6B）．

[評価]
- ほとんどの7カ月児は，両手支持で背中を丸くしていれば1人で座っていられる．
- 7カ月児で両手支持があっても座っていられず前方につぶれてしまう場合，発達の遅れが疑われる（図6C）．
- 7カ月児の70％ほどが，手による支持なしで背中をまっすぐ伸ばして座位保持可能．
- 8カ月児で支持なしで背中をまっすぐ伸ばして座っていられない場合，発達の遅れが疑われる．

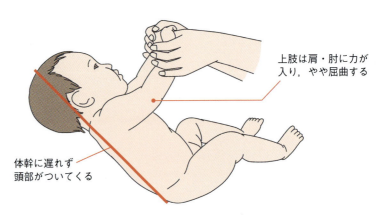

図5 引き起こし反応（Traction response）

3 つかまって立ち上がる

[観察方法]
- 椅子や検者の手につかまらせ，立ち上がりを促す．

[観察すべき反応]
- つかまって立ち上がれるかどうかを観察する．
- つかまって自ら立ち上がれない場合，つかまり立ちの姿勢にするとそのままつかまり立ちを続けられるかどうかを観察する．

[評価]
- 多くの10カ月児で，物や人につかまって立ち上がることが可能である．
- 生後10カ月で，つかまり立ちの姿勢にしてもその姿勢を保持できない場合は，発達の遅れが疑われる．

3）微細運動

- 微細運動の発達の評価では，上肢・手，眼球，口腔の動きを観察する．
- ここでは特に上肢・手の運動の発達を評価する方法について説明する．

1 把握

[観察方法]
- 積木や鈴など子どもが関心をもちそうで，かつ握れる大きさのものを対象児の前に提示し把握を観察する．

[観察すべき反応]
- 観察のポイントを図7に示す．

2 上肢・手の機能の検査法

- 脳性麻痺児を対象とした上肢・手の操作機能の検査法でエビデンスレベルの高い例として，ABILHAND-Kids scaleがある（表6）[2]．

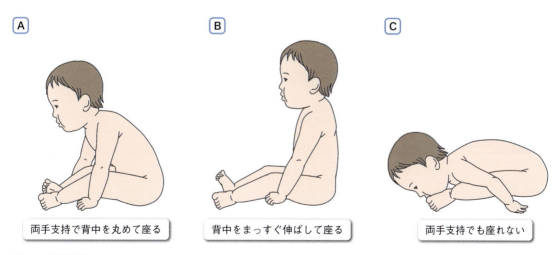

A	B	C
両手支持で背中を丸めて座る	背中をまっすぐ伸ばして座る	両手支持でも座れない

図6 座位保持

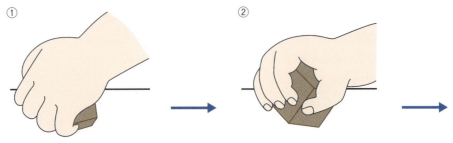
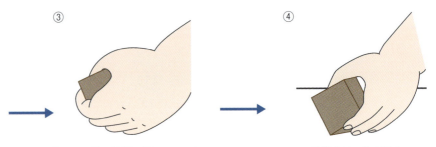

①
・最初に観察される把握では，物を尺側で握る
・生後4〜5カ月頃

②
・次の段階では，物を手掌の中央辺りで握る
・母指と他指の対立は不十分
・生後6〜7カ月頃

③
・続いて，物を橈側で握るようになる
・母指と他指が対立位になる
・手指だけでなく手掌も把握に関与
・生後7〜8カ月頃

④
・手指だけで物を握る
・母指と示指がしっかり対立する
・1歳頃

図7 把握の発達
文献6，7をもとに作成．

表6　ABILHAND-Kids scale

構成	・21の質問項目からなる
評価方法	・養育者からの聞き取りで実施する ・養育者はそれぞれの質問項目について，「実施不可能（0）」「困難だが実施可能（1）」「容易に実施可能（2）」の3段階で評価する．評価できない項目については「不明」とする
評価結果	・21の質問項目は難易度レベルが統計学的に標準化されている ・この難易度レベルのマップ上に，対象児の上肢・手の操作の機能レベルが描き出される（図8） ・対象児の難易度マップを参考に，「標準的には実施可能な項目」「次にめざすべきレベルの項目」などを評価することができる ・結果はオンライン分析による処理が可能である
掲載文献	文献8

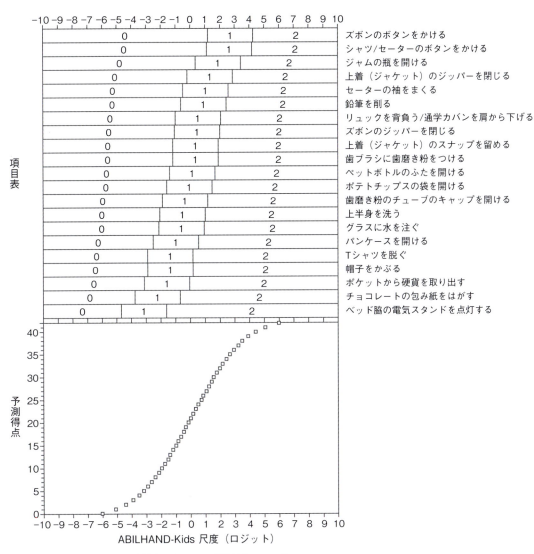

図8 ABILHAND-Kids評価スケール（難易度マップ）
文献8より引用．

3 生活機能の評価

- 子どもの運動発達の評価を臨床実践に活かすには，対象児の生活機能全般の評価を行うことも必要である．
- ADLやIADLの評価法は複数存在するが，エビデンスレベルの高いものとして，「リハビリテーションのための子どもの能力低下評価法（Pediatric Evaluation of Disability Inventory：PEDI）」があげられる（表7)[2]．

表7　リハビリテーションのための子どもの能力低下評価法（PEDI）

対象年齢	・6カ月～7歳6カ月
構成	・「セルフケア」「移動」「社会的機能」という3つの下位領域を「能力」と「遂行状態」の2つの側面から評価する ・「能力」は「機能的スキルの尺度」によって評価され，「遂行状態」は「介護者による援助尺度」と「調整尺度」によって評価される ・「介護者による援助尺度」は援助の必要量を評価する尺度であり，「調整尺度」は環境調整と補助具使用の度合いを評価する尺度である
評価方法	・実際の遂行状況の観察による評価，あるいは養育者からの聞き取りによる評価のいずれでも構わない
評価結果	・3つの領域の「機能的スキルの尺度」と「介護者による援助尺度」についてそれぞれ，「基準値標準スコア」と「尺度化スコア」によるプロフィールが描かれる ・「基準値標準スコア」は暦年齢で比較した際の対象児の相対的な位置を示す ・「尺度化スコア」は，暦年齢とは関係なく，項目の難易度順の中での対象児の位置を示す．対象児の個人内比較によって介入効果を評価する際などに有用である
掲載文献	文献9

■ 文献

1) 「写真でみる乳幼児健診の神経学的チェック法 改訂8版」（前川喜平，小枝達也/著），南山堂，2012
2) 「脳性麻痺リハビリテーションガイドライン」（日本リハビリテーション医学会/監），医学書院，2009
3) 「ベッドサイドの小児神経・発達の診かた 改訂3版」（鴨下重彦/監），南山堂，2009
4) 「DENVER II—デンバー発達判定法—」（Frankenburg WK/原著，社団法人日本小児保健協会），日本小児医事出版社，2009
5) 「遠城寺式・乳幼児分析的発達検査法—九州大学小児科改訂新装版」（遠城寺宗徳/著），慶應義塾大学出版会，2009
6) Halverson HM：An experimental study of prehension in infants by means of systematic cinema records. Genet Psychol Monogr, 10：107-286, 1931
7) 「生涯人間発達学 改訂第2版増補版」（上田礼子/著），p72，三輪書店，2012
8) ABILHAND-Kids：a measure of manual ability for children with upper limb impairment（http://www.rehab-scales.org/abilhand-kids.html）
9) 「PEDIリハビリテーションのための子どもの能力低下評価法」（里宇明元，他/監訳），医歯薬出版，2003

第7章 内臓関連の評価

1 呼吸機能評価

> **学習のポイント**
> - 呼吸機能と代表的な障害・疾患との関連性を理解する
> - 呼吸機能を把握する検査の基本を学ぶ

1 呼吸機能の概要

- **呼吸**は，外界・気道・肺胞を空気が行き来する換気，肺胞と肺毛細血管で行われるガス交換，肺と組織間で行われる酸素と二酸化炭素の運搬，全身の毛細血管と細胞内とのガス交換の過程で行われている．
- いずれの過程においても，不具合が生じると**呼吸機能障害**が発生する．呼吸機能のどの過程に障害がおよんでいるのかを理解するため，関連する各種検査と照らし合わせて判断することが最も重要である．

2 呼吸機能の主な評価項目

1）肺機能検査（スパイロメトリー）

- **肺機能検査（スパイロメトリー）** とは，被検者の呼吸状態を把握するために，図1のような機械で気流の出入りを計測しさまざまな肺気量を検査する方法である．
- 肺機能検査の測定のポイントは，被検者の最大努力により測定値が異なるため，検査内容を十分に説明しておくことである．なお，一般的には座位で測定することが多いが，立位で測定することもある．
- 肺機能検査の測定時にはノーズクリップを必ず装着し（排気漏れを防ぐため），マウスピースを口全体でしっかりくわえるように指示する（図2）．

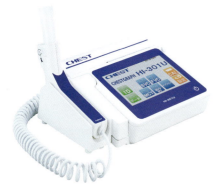

図1 電子スパイロメータ CHEST GRAPH HI-301U（CHEST社より提供）

図2 肺機能検査の方法

2）肺気量分画（スパイログラム）

- **肺気量分画（スパイログラム）** は，呼吸機能障害の診断基準や病態の重症度を判定するために必要な検査である．肺気量分画は以下に示すカテゴリーに分けて把握することが必要である（3章-1 図8参照）．
  - ▶4つの肺気量位（安静吸気位，安静呼気位，最大吸気位，最大呼気位）
  - ▶4つの換気量（1回換気量，予備吸気量，予備呼気量，残気量）
  - ▶4つの容量（肺活量，全肺気量，最大吸気量，機能的残気量）

3）換気障害分類

- **換気障害** は，努力性肺活量（最大吸気位から最大呼気位まで一気に呼出した肺活量）により，%肺活量（%VC）と1秒量（FEV_1）から判定される（図3）．
- 1秒量（FEV_1）は努力性肺活量（FVC）のうち最初の1秒間に呼出された量であり，1秒率（$FEV_1\%$）はFEV_1の値をFVCで除した値である．%肺活量は予測肺活量に対する実測肺活量の割合である（3章-1参照）．

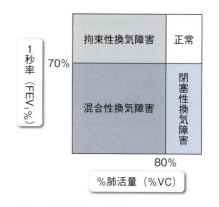

図3 換気障害の分類

- 拘束性換気障害では神経筋疾患，間質性肺炎，肺結核後遺症の，**閉塞性換気障害**ではCOPD，肺気腫，気管支喘息の，**混合性換気障害**では進行した肺気腫の可能性が考えられる．

4）フローボリューム曲線

- **フローボリューム曲線**は，最大呼気努力曲線で得られる各気量を横軸に，対応する呼気流速（フロー）を縦軸にプロットした曲線である（図4）．
- フローボリューム曲線により，**ピークフロー**（PEF：フローボリューム曲線の呼気流速の最大値を示す），$\dot{V}_{75}$（75％VC：上気道の狭窄の程度を示す），$\dot{V}_{50}$，$\dot{V}_{25}$（50％，25％VC：末梢気道の閉塞の程度を示す）を測定する．これらの点から現在の呼吸状態を把握したうえでリハビリテーションのプログラムおよび効果判定などに活用する（図5)[1]．

5）呼吸筋力

- 呼吸筋力は，呼吸で働く筋群と胸郭の動きが重要な因子となる．**呼吸筋**は，吸息時に働く横隔膜や外肋間筋，呼息時に働く内肋間筋がある．
- 呼吸筋力〔最大吸気筋力（MIP），最大呼気筋力（MEP）〕は，最大吸気圧（**PI max**），最大呼気圧（**PE max**）を指標とすることが多い．PI maxおよびPE maxは以下のような予測式が示されている．

❶ PI maxの予測式

- 男性：$45.0 - 0.74 \times$年齢$+ 0.27 \times$身長（cm）$+ 0.60 \times$体重（kg）
- 女性：$-1.5 - 0.41 \times$年齢$+ 0.48 \times$身長（cm）$+ 0.12 \times$体重（kg）

❷ PE maxの予測式

- 男性：$25.1 - 0.37 \times$年齢$+ 0.20 \times$身長（cm）$+ 1.20 \times$体重（kg）
- 女性：$-19.1 - 0.18 \times$年齢$+ 0.43 \times$身長（cm）$+ 0.56 \times$体重（kg）

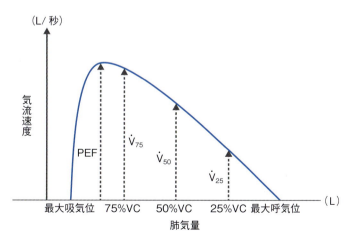

図4　呼気のフローボリューム曲線
文献1をもとに作成．

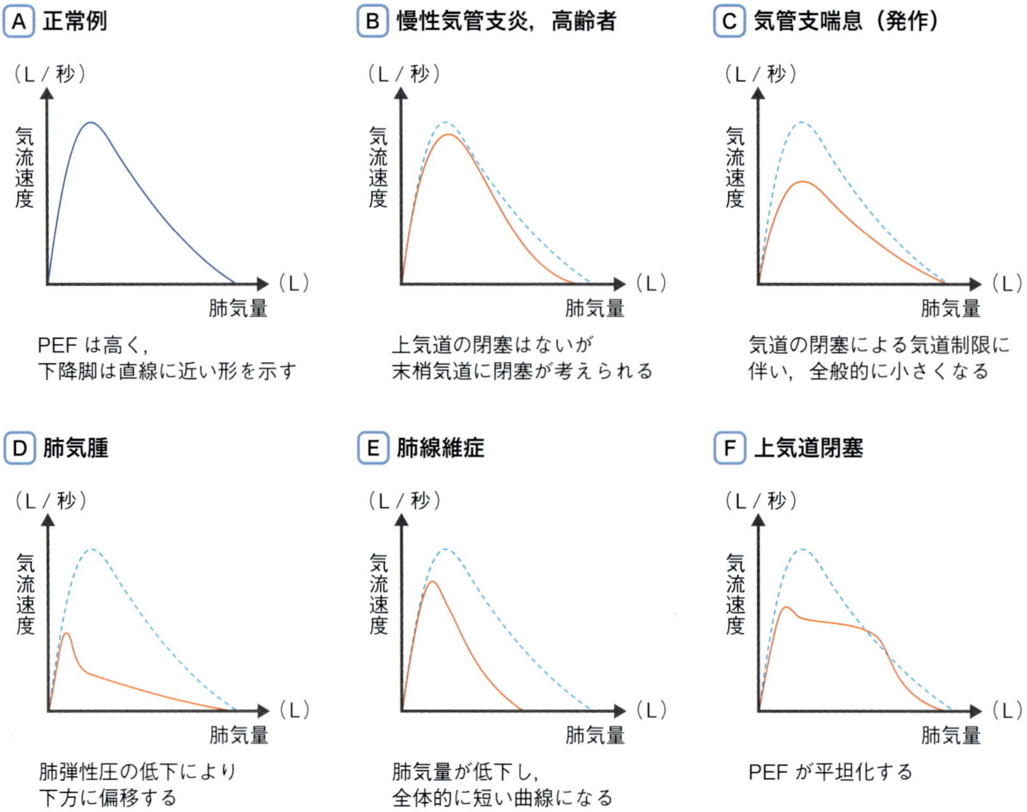

図5　フローボリューム曲線と各種の疾患[1]

文献1をもとに作成.

6）呼吸困難感

- 呼吸困難感は患者の主訴となることが多いが，主観的な指標であり実際の症状を反映していない場合もあるため，特に注意が必要である．
- リハビリテーションを実施する際に，呼吸困難感を表す代表的な主観的評価は，ボルグスケールおよび修正ボルグスケール（5章-10表5参照），MRC息切れスケール（3章-1表7参照）である．リハビリテーション効果判定にも使用できるため，初期評価時のみならず中間評価時・最終評価時なども利用すべきである．

7）フィジカルアセスメント（視診，触診，打診，聴診）

- フィジカルアセスメント（視診，触診，打診，聴診）は，リハビリテーション実施中に変化する生体反応を見逃さず，簡便にリスク管理するために必要な評価である．
- 視診は，呼吸機能に関与する身体部位を観察する（表1）．いずれも安静時，運動時の両方を確認し，他のモニタリングと同時に観察を行う．呼吸パターンは，呼吸数，呼吸様式，呼吸リズムを観察する．正常な呼吸数は12〜20回/分である．異常な呼吸数は，頻呼吸が24回/分以上，徐呼吸が12回/分以下である．呼吸リズムは，呼吸の時間成分で吸気時間：呼気時間を1：1となる．呼吸様式は，呼吸数と深さの異常，呼吸リズム，努力呼吸のそれぞれに区分する．そのうえで，呼吸状態と呼吸の型，症状が出る状況・疾患を確認する（表2）[2]．

表1 呼吸機能に関与する身体部位観察のポイント

顔	表情（呼吸苦），チアノーゼ，鼻翼呼吸・下顎呼吸
頸部	呼吸補助筋の収縮，頸静脈怒張，吸気時の鎖骨上窩・胸骨上窩の陥没
胸部	呼吸パターン，胸郭拡張性と変形，吸気時の肋間の陥没
腹部	呼気時の腹部呼吸補助筋の収縮，胸部との協調性，吸気時の胸骨剣状突起下・肋骨弓下の陥没，腹部の膨満
四肢	ばち指，四肢末梢の皮膚温

文献2をもとに作成.

表2 呼吸様式状態と呼吸の型，症状・疾患

		状態	呼吸の型	症状が出る状況・疾患
正常		成人：呼吸数：おおむね12〜18回/分 1回換気量：約500 mL 規則的である．	1,000 mL / 500 / 0	—
呼吸数と深さの異常	頻呼吸（techypnea）	呼吸数：増加（24回/分以上） 呼吸の深さ：変化なし		・肺炎 ・発熱 など
	徐呼吸（bradypnea）	呼吸数：減少（12回/分以下） 呼吸の深さ：変化なし		・頭蓋内圧亢進状態 ・麻酔時 など
	多呼吸（polypnea）	呼吸数：増加 呼吸の深さ：増加		・呼吸窮迫症候群（RDS） ・過換気症候群 など
	少呼吸（oligopnea）	呼吸数：減少 呼吸の深さ：減少		・死亡直前
	過呼吸（hyperpnea）	呼吸数：変化なし 呼吸の深さ：増加		・過換気症候群 ・神経症 ・もやもや病 など
	減呼吸（hypopnea）	呼吸数：変化なし 呼吸の深さ：減少		—
	無呼吸（apnea）	安静呼気位で，呼吸が一時的に停止した状態を指す．		・睡眠時無呼吸症候群

文献2をもとに作成.

- 視診・触診による胸郭・脊柱の形態評価は，主に拘束性換気障害を確認する．側弯を呈する症例は，凸側では換気が比較的良好なものが多いが，凹側では換気が不良になる症例が多く存在する．そのため，図6のように胸郭の可動性を確認しつつ胸郭・脊柱の形態評価を実施する．

- 視診・触診による胸郭拡張性の評価は，ポンプハンドルモーションとバケツハンドルモーション（図7）[3]の両者を理解し，胸郭が正常な動きをしているか，左右差はないかを確認する．呼気時に胸郭運動方向に圧迫を加えて，胸郭の可動性を評価する．長期間にわたる胸郭運動が低下している症例や胸郭変形を有する症例では大幅に胸郭柔軟性が低下する．

第7章-1 呼吸機能評価

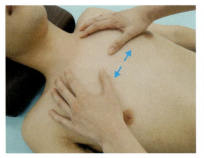
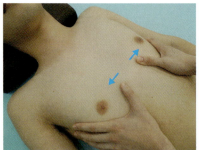
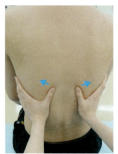

図6 胸郭可動性の評価方法

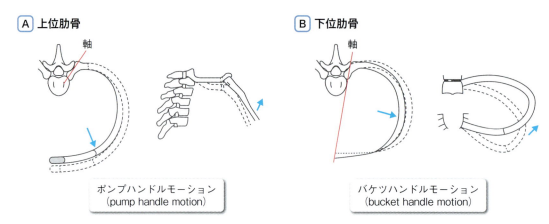

図7 ポンプハンドルモーションとバケツハンドルモーション

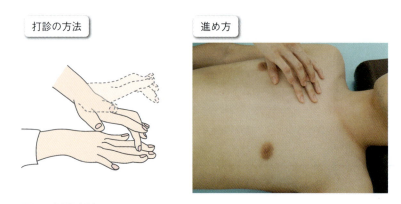

図8 打診方法
左右対称に上部胸郭から下部胸郭に向けて実施．下側肺障害患者では側胸部を腹側から背側に向けて打診すると，背側に向かうにつれ濁音化する．

- 打診は，肺内の含気量や横隔膜位置などを確認するために胸壁上を叩打することによって胸腹部を評価する方法である．清音（正常音），濁音（無気肺など少し鈍い音），鼓音（肺気腫，気胸など高い音）のそれぞれがある．打診方法は図8のように左右対称に実施し，胸郭上部から下部に向けて行う．下側肺障害患者では側胸部を腹側から背側に向け打診すると，背側へ向かうにつれて濁音が確認される．一般的な正常打診音領域は図9[4]となる．

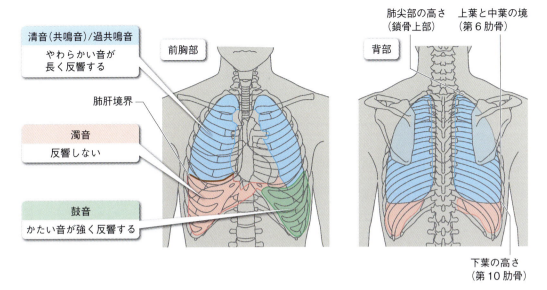

図9　正常打診音領域と部位
上葉・中葉（舌）・下葉のおおよその区分を体表から判断できるようにしておく．

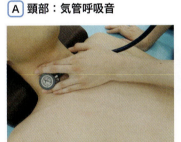

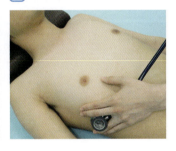

図10　呼吸音の聴取部位
左右対称に聴診器をあてるようにし，肺野の位置を常に確認しながら聴診を進める．冬期では，聴診器をいきなり胸部にあてると冷たく，患者に不快感を与えることがあるため，ポケットや手掌などであらかじめ温めておくようにする．

- **聴診**は，肺野の含気や副雑音の確認のため聴診器を用いて聴取する．肺音は呼吸音と副雑音に区分され，呼吸音では正常呼吸音と異常呼吸音に分かれる．正常呼吸音は，気管周囲で聞かれる気管呼吸音，気管支上や気管支に近い胸壁正中部や肺尖区で聴取される気管支呼吸音，胸壁正中部，肺尖区以外の肺野で聞かれる肺胞呼吸音がある（図10）．それぞれの呼吸音の聴取部位，発生機序，特徴，音のイメージは表3を参考に評価する．副雑音はラ音とその他に区分され，特にラ音では症状に特徴的な音を捉えることができる．

表3 肺胞呼吸音の種類と特徴

	発生機序	特徴	音のイメージ
気管呼吸音	空気の流出入による乱気流	・呼気の音が長く大きい ・吸気と呼気の間で音が途切れる	
気管支呼吸音		・吸気・呼気ともに大きい ・吸気と呼気の間で音が途切れる	
気管支肺胞呼吸音		・気管支呼吸音と肺胞呼吸音の中間的な性質をもつ ・吸気と呼気が連続する	
肺胞呼吸音	より太い気道で発生した音の振動が胸壁に伝播する	・吸気全体と呼気の初期のみで聴かれる ・吸気と呼気が連続する	

文献4をもとに作成．

文献

1) 間瀬教史：呼吸・循環・代謝機能の計測．「計測法入門」（内山 靖，他編），p221，協同医書出版，2001
2) 「診療と手技がみえる vol.1 第2版」（古屋伸之/編），メディックメディア，2007
3) 「最新包括的呼吸リハビリテーション」（兵庫医科大学呼吸リハビリテーション研究会/編），メディカ出版，2003
4) 「病気がみえる Vol.4 呼吸器 第3版」（医療情報科学研究所/編），メディックメディア，2018

第7章 内臓関連の評価

2 循環機能評価

学習のポイント
- 循環機能と代表的な障害・疾患との関連性を理解する
- 循環機能を把握する検査の基本を学ぶ

1 循環機能の概要

- **循環機能**とは，血液を介した閉鎖回路であり，主にポンプ機能をもつ心臓に加えて，全身の動静脈や毛細血管，リンパ管からなる脈管系を総称するものである．
- 心臓のポンプ機能が直接障害される疾患は，虚血性心疾患や弁膜症，先天性心疾患など多岐にわたる．さらに，それらが重症化することで，ポンプの調律異常である不整脈や，ポンプ機能低下であるうっ血性心不全，心原性ショックを合併することも多い．それ以外にも動脈硬化症，解離性大動脈瘤などの動脈疾患や高血圧症なども循環器疾患である．
- 循環機能の検査は，さまざまな病態が合併する障害像をもつ経緯から，自覚症状，生理学的検査，生化学的検査結果を中心に総合的に評価する．総合的に評価することで，障害の重症度や進行度，または回復過程について判断することが可能である．

2 循環機能の主な評価項目

1）現病歴，前駆症状，発症時の状況の把握

- 虚血性心疾患などに代表される循環機能の障害では，重症度を適切に把握することが必要である．そのため，まずはじめに，**現病歴，前駆症状の有無と内容，発症時の状況**などを十分に聴取することが必要である．
- **現病歴**では，冠危険因子の有無や現在までの治療経過，虚血性心疾患や高血圧などの既往歴またその治療経験などを中心に聴取する．
- **前駆症状の有無と内容**では，「前日から胸が締めつけられるようであった」，「少し動いただけで胸にドキドキが続いていた」，「特に違和感はなかった」など，具体的に聴取する．この聴取された内容は，退院後のリスク管理や再発予防のための患者教育に役立てる．

- **発症時の状況**では，胸痛や部位（胸部だけに限らず左肩や左腕，季肋部，背部の放散痛など），不整脈の感じ方などを患者に部位を指してもらいながら聴取し，心筋のダメージの程度や退院後のリスク管理として役立てる．

2）12誘導心電図

- 12誘導心電図の変化を読みとることで，心筋虚血や梗塞の部位を特定することが可能となる（図1）[1]．そのため，安静時，運動時のそれぞれに測定を実施する．
- 心電図を読む主なポイントは，ST部分の変化である．主に心筋に虚血や壊死が起こるとST部分に変化が起こり，狭心症などの虚血でST低下，急性心筋梗塞でST上昇が出現する（3章-1参照）．

*12誘導心電図：四肢に装着した電極（四肢誘導）と胸部に装着した電極（胸部誘導）から，心電図として測定するものである．

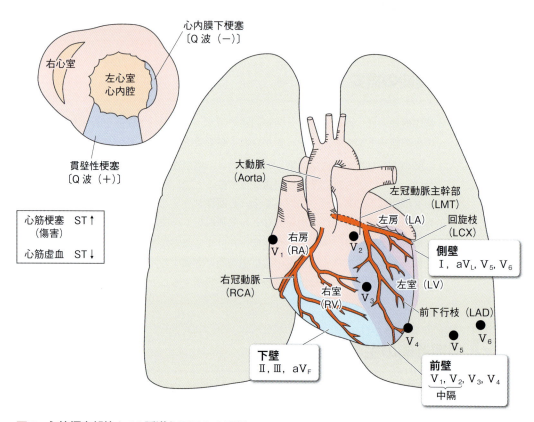

図1　心筋梗塞部位と12誘導心電図との関係

3）胸部X線画像

- 循環器疾患に関連する胸部X線画像では，心拡大，肺うっ血，胸水などの所見が確認される（2章-3参照）．これらの所見は心不全症状を示している．その他，心胸郭比（CTR）の増大（50％未満が正常）（図2）や上肺野の血管影の増強による形態異常なども特徴である．

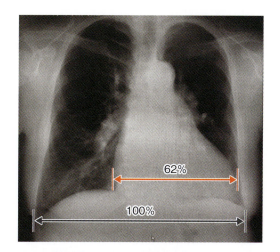

図2 心胸郭比（CTR）測定方法
心不全患者の胸部X線画像．胸郭の幅（黒矢印）を100%として，心臓の幅（赤矢印）の比で求める．CTRは50%未満が正常であり，本症例では62%で異常所見となる．

4）血液検査（生化学的検査）

- 循環機能における代表的な血液検査は，**心筋傷害マーカーや心不全マーカー，冠危険因子**の検査である．心筋傷害マーカーは心筋壊死の程度の推測の目安となるため，リハビリテーション開始時には確認する．
- BNPに代表される心不全マーカーや冠危険因子を示す血液検査では，心筋や末梢循環に関連する生化学的検査が可能となる（表1，表2）．
- これらの血液検査は，循環機能障害をもつ患者のリスク管理やリハビリテーション効果判定に役立てることができるため，リハビリテーション前後で定期的に確認すべき事項となる．

表1 心筋傷害マーカー[2]

クレアチンキナーゼ（CK）	上昇は2～4時間で現れ，発症後12～32時間でピークとなり，その後急速に減少する．CKのピーク値は心筋壊死の程度の推測の目安となる．
CK-MB	心筋特異性が高く，心筋の傷害の程度を反映する．
心筋トロポニン	心筋特異性が高いので確定診断に有用．心筋梗塞発症3～6時間後から2～3週後まで有意な上昇が持続する．
アスパラギン酸アミノ基転移酵素（AST）	6～12時間で異常が現れ始める．
乳酸脱水素酵素（LDH）	12～24時間で異常が現れ始める．

表2 冠危険因子

危険因子	内容
脂質異常症	・LDLコレステロール140 mg/dL未満が正常. ・一度，虚血性心疾患を発症すると治療目標値は100 mg/dL未満となる. ・non-HDLコレステロール＝総コレステロール－HDLコレステロール：トリグリセリドが高いとLDLコレステロール値の信頼性が低くなるので，近年使用されるようになった．基準値70～149 mg/dL. ・HDLコレステロール40 mg/dL以上が正常. ・L/H比：高血圧，糖尿病，心疾患の既往がある場合は1.5以下を目標とする. ・高トリグリセリド血症（トリグリセリド150 mg/dL以上）.
高血圧	・140/90 mmHg未満が正常，（家庭血圧が135/85 mmHg未満にコントロールする）（文献3を参照）.
糖尿病	・HbA1cを7.0未満にコントロールする.
家族歴	・両親，祖父母および兄弟・姉妹における突然死や若年で発症した虚血性心疾患の既往. ・家族性高コレステロール血症についても問診する.
体重	・BMI 25未満かつウエスト周囲径が男性で85 cm，女性で90 cm未満が正常.
喫煙	・喫煙が虚血性心疾患の発症率および死亡率を上げる（喫煙者の虚血性心疾患の相対危険率は非喫煙者に比べて男性1.73倍，女性1.90倍）. ・1日の喫煙本数が増えると冠動脈疾患の危険度が高まる（1日1～25本喫煙した場合の相対危険率は2.1倍，25本以上では2.9倍）. ・非喫煙者でも受動喫煙や環境的タバコ煙について問診する.
精神保健（ストレス）	・精神的，肉体的ストレスを最小にするカウンセリングなどを行う.
年齢	・男性は45歳以上，女性は55歳以上から動脈硬化に注意が必要.
運動不足	・文献4によると18～64歳は1日8,000歩，65歳以上は1日40分は動くことが目標.

文献1をもとに作成.

5）心超音波検査（心エコー）

- 心超音波検査は，超音波の反射波を利用して，心臓自体の解剖学的な形態・機能障害を評価する検査法である．特に心臓収縮能の評価は，主要臓器や末梢骨格筋への血液を供給する能力を検査するため，リハビリテーションを施行するうえで効果判定に重要な評価の1つとなる．
- 心臓収縮能を評価する代表的な指標は，左室駆出分画（LVEF），左室拡張末期径（LVDd），左室収縮末期径（LVDs），左室内径短縮率（%FS），左室拡張末期圧（LVEDP）などがある．また，心臓拡張機能を評価する代表的な指標は，僧帽弁口血流速波形（TMF）などがある．その他，心臓の弁や壁運動，心臓の大きさ，心拍出量などを測定することができる．

6）冠動脈造影検査

- 冠動脈の状態や狭窄程度は，**冠動脈造影検査（心臓CT）**で評価する（表3）[5]．冠動脈のどの血管がどの程度狭窄しているのかを把握し，治療方針や治療後のリハビリテーションを検討する．
- 残存血管（未治療血管を含む）の部位や程度によってもリハビリテーションが異なるため，他職種と連携し情報収集を実施する．

表3 冠動脈のAHA分類

25％狭窄	25％以下の狭窄が認められる
50％狭窄	26〜50％の狭窄が認められる
75％狭窄	51〜75％の狭窄が認められる
90％狭窄	狭窄部に造影剤が見える
99％狭窄	狭窄部末梢は造影されるが狭窄部自体は造影されない
100％閉塞	完全閉塞

文献5をもとに作成.

7）運動耐容能

- **運動耐容能**を評価するためには，日常生活における運動強度で出現する身体に対する自覚症状を確認し評価する**NYHA（New York Heart Association）の分類**が代表的である（表4）．
- さらに詳細は**身体活動能力質問表**を活用し，症状が出現する最小の運動量を確認することも重要である（表5）（7章-3参照）．
- **心肺運動負荷試験**は，正確に運動療法の運動負荷量を確認するためには最も必要な評価であるが，計測機器が高価であるため実際には実施できない施設もある．心肺運動負荷試験の基本的な測定項目は，酸素摂取量，二酸化炭素排出量，1回換気量，分時換気量，呼吸数，酸素濃度，二酸化炭素濃度などである．詳細は5章-10 **4**全身持久力の評価参照．

表4 NYHA（New York Heart Association）の分類

NYHA Ⅰ度	心疾患があるが症状はなく，通常の日常生活は制限されないもの．
NYHA Ⅱ度	心疾患患者で日常生活が軽度から中等度に制限されるもの．安静時には無症状だが，普通の行動で疲労・動悸・呼吸困難・狭心痛を生じる．
NYHA Ⅲ度	心疾患患者で日常生活が高度に制限されるもの．安静時は無症状だが，平地の歩行や日常生活以下の労作によっても症状が生じる．
NYHA Ⅳ度	心疾患患者で非常に軽度の活動でも何らかの症状を生ずる．安静時においても心不全・狭心症症状を生じることもある．

文献6より引用.

表5 身体活動能力質問表

身体活動能力質問表
(Specific Activity Scale)

●問診では,下記について質問してください.
　(少しつらい,とてもつらいはどちらも「つらい」に○をしてください.わからないものには「?」に○をしてください)

	はい	つらい	?
1. 夜,楽に眠れますか?(1 Met 以下)	はい	つらい	?
2. 横になっていると楽ですか?(1 Met 以下)	はい	つらい	?
3. 1人で食事や洗面ができますか?(1.6 Mets)	はい	つらい	?
4. トイレは1人で楽にできますか?(2 Mets)	はい	つらい	?
5. 着替えが1人でできますか?(2 Mets)	はい	つらい	?
6. 炊事や掃除ができますか?(2〜3 Mets)	はい	つらい	?
7. 自分で布団を敷けますか?(2〜3 Mets)	はい	つらい	?
8. ぞうきんがけはできますか?(3〜4 Mets)	はい	つらい	?
9. シャワーを浴びても平気ですか?(3〜4 Mets)	はい	つらい	?
10. ラジオ体操をしても平気ですか?(3〜4 Mets)	はい	つらい	?
11. 健康な人と同じ速度で平地を100〜200 m歩いても平気ですか?(3〜4 Mets)	はい	つらい	?
12. 庭いじり(軽い草むしりなど)をしても平気ですか?(4 Mets)	はい	つらい	?
13. 1人で風呂に入れますか?(4〜5 Mets)	はい	つらい	?
14. 健康な人と同じ速度で2階まで昇っても平気ですか?(5〜6 Mets)	はい	つらい	?
15. 軽い農作業(庭掘りなど)はできますか?(5〜7 Mets)	はい	つらい	?
16. 平地で急いで200 m歩いても平気ですか?(6〜7 Mets)	はい	つらい	?
17. 雪かきはできますか?(6〜7 Mets)	はい	つらい	?
18. テニス(または卓球)をしても平気ですか?(6〜7 Mets)	はい	つらい	?
19. ジョギング(時速8 km程度)を300〜400 mしても平気ですか?(7〜8 Mets)	はい	つらい	?
20. 水泳をしても平気ですか?(7〜8 Mets)	はい	つらい	?
21. なわとびをしても平気ですか?(8 Mets以上)	はい	つらい	?
症状が出現する最小運動量			Mets

文献7より引用.

8) その他の評価

- **Killip分類**は,急性心筋梗塞によるポンプ失調に関する重症度を判定する評価の1つである.Killip分類のClassは,治療方針を決定する一助となるため,セラピストも確認を十分に行う必要性がある(表6)[8].
- **Forrester(フォレスタ)分類**(重症度を示す血行動態指標)は,急性心筋梗塞における急性心不全の予後を予測する評価である.病型の進行に伴い死亡率が増加することが示されているため,リハビリテーションを施行するために重要な指標となりうる(図3).
- **Nohria-Stevenson分類**(身体所見からより簡便に使える病態指標)は,末梢循環および肺聴診所見に基づいた心不全患者のリスクプロファイルとして,臨床上,よく利用されている(図4).

表6　Killip分類

Class	臨床所見	症状	死亡率
1	心不全徴候なし	自覚症状なし	3%
2	軽度〜中等度の心不全（ラ音聴取域が全肺野の50%以上）	軽〜中程度の呼吸困難を訴えることが多い	9%
3	重度心不全（肺水腫）（ラ音聴取域が全肺野の50%以上）	高度の呼吸困難を訴え，たいていの場合喘息を伴う	23%
4	心原性ショック（チアノーゼ，意識障害）	血圧90 mmHg以下，四肢が冷たい，尿量減少	51%

文献8より引用．

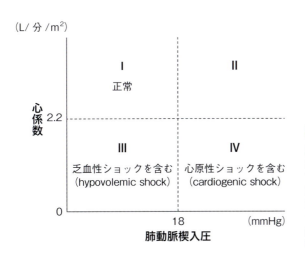

図3　Forrester（フォレスタ）分類

臓器灌流とうっ血を客観的指標で評価するForrester分類は，Ⅰでは正常（ポンプ失調なし），Ⅱでは肺うっ血，Ⅲでは末梢循環障害，Ⅳでは肺うっ血＋末梢循環障害を示している．日本循環器学会/日本心不全学会．急性・慢性心不全診療ガイドライン（2017年改訂版）．http://www.j-circ.or.jp/guideline/pdf/JCS2017_tsutsui_h.pdf（2019年9月閲覧）

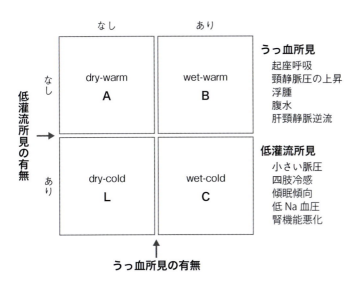

profile A：うっ血や低灌流所見なし（dry-warm）
profile B：うっ血所見はあるが低灌流所見なし（wet-warm）
profile C：うっ血および低灌流所見を認める（wet-cold）
profile L：低灌流所見を認めるがうっ血所見はない（dry-cold）

図4　Nohria–Stevenson分類

文献9をもとに作成．

■ 文献

1) 高橋哲也, 西川淳一：心電図を読むポイント―虚血・梗塞.「内部障害理学療法学 第2版」(高橋哲也/編), 医歯薬出版, 2014
2) 臨床検査のガイドライン JSLM2018 (https://www.jslm.org/books/guideline/index.html), 日本臨床検査医学会
3)「高血圧治療ガイドライン2019」(日本高血圧学会高血圧治療ガイドライン作成委員会/編), 日本高血圧学会, 2019
4)「健康づくりのための身体活動指針（アクティブガイド）」, 厚生労働省, 2013
5) Austen WG, et al：A reporting system on patients evaluated for coronary artery disease. Report of the Ad Hoc Committee for Grading of Coronary Artery Disease, Council on Cardiovascular Surgery, American Heart Association. Circulation, 51：5-40, 1975
6) Yancy CW, et al：2013 ACCF/AHA guideline for the management of heart failure: a report of the American College of Cardiology Foundation/American Heart Association Task Force on practice guidelines. Circulation, 128：e240-e327, 2013
7) Phillips CO, et al：Comprehensive discharge planning with postdischarge support for older patients with congestive heart failure: a meta-analysis. JAMA, 291：1358-1367, 2004
8) Killip T 3rd & Kimball JT：Treatment of myocardial infarction in a coronary care unit. A two year experience with 250 patients. Am J Cardiol, 20：457-464, 1967
9) Nohria A, et al：Clinical assessment identifies hemodynamic profiles that predict outcomes in patients admitted with heart failure. J Am Coll Cardiol, 41：1797-1804, 2003

第7章 内臓関連の評価

3 代謝機能評価

> **学習のポイント**
> - 代謝機能と代表的な疾患（メタボリックシンドローム，糖尿病）との関連性を理解する
> - 代謝機能を把握する検査の基本やMETsなどの指標を学ぶ

1 代謝機能の概要

- 代謝とは，広義の概念として，水分や塩分，食物に含まれる栄養素（糖質・タンパク質・脂質など）が消化器官を通じて分解・吸収され，身体を構成する器官合成やエネルギーに利用され，最終的に老廃物として尿や便で排出される過程のことである．
- **代謝機能障害**は，内臓脂肪型肥満を誘発し，メタボリックシンドロームといわれる脂質異常症（高脂血症），糖尿病，高血圧などの病態を発症しやすくなる．さらには，動脈硬化を助長し脳血管障害や虚血性心疾患などを併発する（図1）．
- 特に**肥満症**や**糖尿病**は，症状の進行を予防するためにリハビリテーションが重要であり，現状の病態を把握するため，的確な評価と解釈が重要となる．

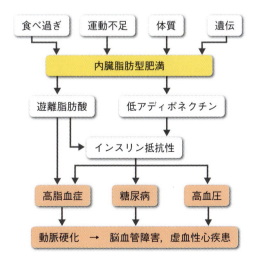

図1 内臓脂肪型肥満と動脈硬化の関係

2 代謝機能の主な評価項目

1) 身体所見と自覚症状

- 肥満症や糖尿病の発症初期は，自覚症状がほとんど確認されない場合が多い．そのため，罹患に気づかず長期間放置されてしまうことも多い．
- **糖尿病**の身体所見は，早期より口渇，多飲，多尿，体重減少，易疲労性を認めることが多い．その後，病状が進行すると，視力低下，感覚障害（足のしびれなど），歩行時下肢疼痛，勃起障害，発汗障害，足潰瘍や壊疽などの症状が出現する．

2) 肥満度

- 肥満は過栄養や運動不足などにより脂肪組織に脂肪が過剰に蓄積した状態である．
- **肥満度**の評価は，体格指数（BMI）「体重（kg）÷身長（m）の2乗」で示し，BMI 22 kg/m² を標準体重の基準としている（表1）[1]（5章-1参照）．

表1 肥満度分類

BMI	判定	WHO基準
＜18.5	低体重	Underweight
18.5≦～＜25	普通体重	Normal range
25≦～＜30	肥満（1度）	Preobese
30≦～＜35	肥満（2度）	Obese class Ⅰ
35≦～＜40	肥満（3度）	Obese class Ⅱ
40≦	肥満（4度）	Obese class Ⅲ

3) メタボリックシンドローム

- メタボリックシンドローム（別名：内臓脂肪型症候群）とは，糖代謝異常（空腹時の高血糖），脂質代謝異常（高中性脂肪血症，低HDLコレステロール血症），高血圧を組み合わせた，動脈硬化性疾患を招きやすい病態である．
- 診断基準は，内臓脂肪の蓄積としてウエスト周囲径の増大が必須条件となり，脂質異常症，高血圧，高血糖症の3項目のうち2項目以上が基準となる（図2，表2）[2]．

4) エネルギー消費量

- **基礎代謝量**（basal metabolic rate：BMR）は，生命維持をするために必要最低限のエネルギーを示す．一方，**安静代謝量**（resting metabolic rate：RMR）は，安静座位の基礎代謝量である．
- 日常生活の身体活動を測定するには，METs（metabolic equivalents of task または metabolic equivalents）を利用する（7章-2参照）．METsは身体活動の強さを安静時の何倍に相当するかを示す単位として活用される（表3～5）[3]．実際の身体活動量は，身体活動の強度（METs）に身体活動の実施時間（時）をかけたものを使用することが推奨され

ている（METs・時）．

▶簡易換算式：エネルギー消費量（kcal）＝ 1.05×METs・時×体重（kg）

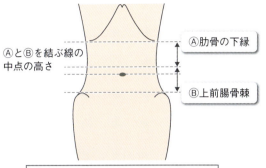

図2 ウエスト周囲径の正しい測り方
文献2をもとに作成．

①立った姿勢で
②息を吐いて
③へその高さに巻尺を水平に巻いて測定する．

へその位置が下に移動しているときは，Ⓐ肋骨の下縁とⒷ上前腸骨棘の中点の高さで測定する．

表2 メタボリックシンドロームの診断基準

内臓脂肪（腹腔内脂肪）蓄積	
ウエスト周囲径	男性≧85 cm 女性≧90 cm
（内臓脂肪面積　男女とも≧100 cm² に相当）	
上記に加え以下のうち2項目以上	
高トリグリセリド血症 　かつ/または 低HDLコレステロール血症	≧150 mg/dL <40 mg/dL 男女とも
収縮期血圧 　かつ/または 拡張期血圧	≧130 mmHg ≧85 mmHg
空腹時高血糖	≧110 mg/dL

＊高トリグリセリド血症，低HDLコレステロール血症，高血圧，糖尿病に対する薬剤治療を受けている場合は，それぞれの項目にあてはまると考える．
＊糖尿病，高コレステロール血症は，上記の「メタボリックシンドロームの診断基準」には含まれていないが，除外されるものではないことを留意する．

表3 3METs未満の身体活動

METs	活動内容
1.0	静かに座って（あるいは寝転がって）テレビ・音楽鑑賞，リクライニング，車に乗る
1.2	静かに立つ
1.3	本や新聞などを読む（座位）
1.5	座位での会話，電話，読書，食事，運転，軽いオフィスワーク，編み物・手芸，タイプ，動物の世話（座位，軽度），入浴（座位）
1.8	立位での会話，電話，読書，手芸
2.0	料理や食材の準備（立位，座位），洗濯物を洗う，しまう，荷作り（立位），ギター：クラシックやフォーク（座位），着替え，会話をしながら食事をする，または食事のみ（立位），身の回り（歯磨き，手洗い，髭剃りなど），シャワーを浴びる，タオルで拭く（立位），ゆっくりした歩行（平地，散歩または家の中，非常に遅い＝54 m/分未満）
2.3	皿洗い（立位），アイロンがけ，服・洗濯物の片付け，カジノ，ギャンブル，コピー（立位），立ち仕事（店員，工場など）
2.5	ストレッチング＊，ヨガ＊，掃除：軽い（ごみ掃除，整頓，リネンの交換，ごみ捨て），盛り付け，テーブルセッティング，料理や食材の準備・片付け（歩行），植物への水やり，子どもと遊ぶ（座位，軽い），子ども・動物の世話，ピアノ，オルガン，農作業：収穫機の運転，干し草の刈り取り，灌漑の仕事，軽い活動，キャッチボール＊（フットボール，野球），スクーター，オートバイ，子どもを乗せたベビーカーを押すまたは子どもと歩く，ゆっくりした歩行（平地，遅い＝54 m/分）
2.8	子どもと遊ぶ（立位，軽度），動物の世話（軽度）

＊印は運動に，その他の活動は身体活動に該当する．文献3より引用．

表4 3METs以上の運動

METs	活動内容	1エクササイズに相当する時間
3.0	自転車エルゴメーター：50ワット，とても軽い運動，ウエイトトレーニング（軽・中等度），ボウリング，フリスビー，バレーボール	20分
3.5	体操（家で．軽・中等度），ゴルフ（カートを使って．待ち時間を除く）	18分
3.8	やや速歩（平地，やや速めに＝94 m/分）	16分
4.0	速歩（平地，95〜100 m/分程度），水中運動，水中で柔軟体操，卓球，太極拳，アクアビクス，水中体操	15分
4.5	バドミントン，ゴルフ（クラブを自分で運ぶ．待ち時間を除く）	13分
4.8	バレエ，モダン，ツイスト，ジャズ，タップ	13分
5.0	ソフトボールまたは野球，子どもの遊び（石蹴り，ドッジボール，遊戯具，ビー玉遊びなど），かなり速歩（平地，速く＝107 m/分）	12分
5.5	自転車エルゴメーター：100ワット，軽い活動	11分
6.0	ウエイトトレーニング（高強度，パワーリフティング，ボディビル），美容体操，ジャズダンス，ジョギングと歩行の組み合わせ（ジョギングは10分以下），バスケットボール，スイミング：ゆっくりしたストローク	10分
6.5	エアロビクス	9分
7.0	ジョギング，サッカー，テニス，水泳：背泳，スケート，スキー	9分
7.5	山を登る：約1〜2 kgの荷物を背負って	8分
8.0	サイクリング（約20 km/時），ランニング：134 m/分，水泳：クロール，ゆっくり（約45 m/分），軽度〜中強度	8分
10	ランニング：161 m/分，柔道，柔術，空手，キックボクシング，テコンドー，ラグビー，水泳：平泳ぎ	6分
11	水泳：バタフライ，水泳：クロール，速い（約70 m/分），活発な活動	5分
15	ランニング：階段を上がる	4分

文献3より引用．

5）血糖

- 糖尿病は**空腹時血糖**（126 mg/dL以上）と**75 g経口ブドウ糖負荷試験**（75 g OGTT）（2時間値200 mg/dL以上）を組み合わせて，糖尿病型，境界型，正常型に分類される．
- 血糖のコントロール状況を把握するためには，**HbA1c**の値で確認する．HbA1cは過去1〜2カ月平均血糖値を反映する．基準値は4.7〜6.2％で，6.5％以上で糖尿病と判断される．血糖値が160〜180 mg/dLを超えると尿中に血糖が排出されていないかどうか検査を実施する．

6）インスリン分泌能

- 75 g OGTTで負荷後30分の**血中インスリン**の増加量を血糖値の増加量で除した値であり，糖尿病では0.4未満で判断される．

7）インスリン抵抗性（HOMA-IR）

- インスリン抵抗性の指標は，早朝空腹時の血中インスリン値と血糖値から，1.6以下を正

表5　3METs以上の生活活動

METs	活動内容	1エクササイズに相当する時間
3.0	普通歩行（平地，67 m/分，幼い子ども・犬を連れて，買い物など），釣り〔2.5（船で座って）〜6.0（渓流フィッシング）〕，屋内の掃除，家財道具の片付け，大工仕事，梱包，ギター：ロック（立位），車の荷物の積み下ろし，階段を下りる，子どもの世話（立位）	20分
3.3	歩行（平地，81 m/分，通勤時など），カーペット掃き，フロア掃き	18分
3.5	モップ，掃除機，箱詰め作業，軽い荷物運び，電気関係の仕事：配管工事	17分
3.8	やや速歩（平地，やや速めに＝94 m/分），床磨き，風呂掃除	16分
4.0	速歩（平地，95〜100 m/分程度），自転車に乗る：16 km/時未満，レジャー，通勤，娯楽，子どもと遊ぶ・動物の世話（徒歩/走る，中強度），高齢者や障害者の介護，屋根の雪下ろし，ドラム，車椅子を押す，子どもと遊ぶ（歩く/走る，中強度）	15分
4.5	苗木の植栽，庭の草むしり，耕作，農作業：家畜に餌を与える	13分
5.0	子どもと遊ぶ・動物の世話（歩く/走る，活発に），かなり速歩（平地，速く＝107 m/分）	12分
5.5	芝刈り（電動芝刈り機を使って，歩きながら）	11分
6.0	家具，家財道具の移動・運搬，スコップで雪かきをする	10分
8.0	運搬（重い負荷），農作業：干し草をまとめる，納屋の掃除，鶏の世話，活発な活動，階段を上がる	8分
9.0	荷物を運ぶ：上の階へ運ぶ	7分

文献3より引用．

常とする．2.5以上の場合は**インスリン抵抗性**（HOMA-IR）があると判断される．以下に計算式を示す．

▶HOMA-IR指数＝空腹時インスリン値（μU/mL）×空腹時血糖値（mg/dL）/405

文献

1) 「肥満研究 臨時増刊号 肥満症診断基準2011（Vol.17 Extra Edition）」（日本肥満学会/編），日本肥満学会，2011
2) メタボリックシンドローム診断基準検討委員会：メタボリックシンドロームの定義と診断基準．日本内科学会雑誌，94：794-809，2005
3) 宮地元彦，他：健康づくりのための身体活動基準2013とアクティブガイドの策定手順と概要．臨床栄養，123：24-30，2013

第7章 内臓関連の評価

4 摂食・嚥下機能評価

> **学習のポイント**
> - 摂食・嚥下の基礎知識を学ぶ
> - 摂食・嚥下障害の評価方法を学ぶ

1 摂食・嚥下障害とは

1）摂食・嚥下の過程

- **摂食**とは，水分・食物を認識し，口に取り込んでから，胃に至るまでの一連の過程である．**嚥下**とは，その過程の後半である飲み込む過程である．
- 摂食・嚥下にかかわる器官の解剖を図1に示す．

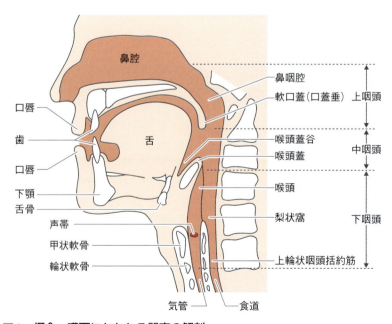

図1 摂食・嚥下にかかわる器官の解剖
文献1より引用．

表1 正常な摂食・嚥下における期

1	先行期	覚醒している 食物を認知する 口に運ぶ
2	準備期	食物を口で取り込む 咀嚼する 食塊としてまとめる
3	口腔期	食塊を舌で喉頭に送る
4	咽頭期	嚥下反射により食塊を食道に送り込む
5	食道期	蠕動運動により食塊を胃に送る

表2 摂食・嚥下障害重症度分類

	1	(a) 唾液誤嚥　　(b) 重度咽頭期輸送障害
誤嚥	2	食物誤嚥　　　　　直接訓練開始不可
	3	水分誤嚥　　　　　直接訓練開始可能
	4	機会誤嚥
非誤嚥	5	口腔問題
	6	軽度問題
	7	正常範囲

1および2は食物を用いた直接訓練開始不可．3～7は直接訓練開始可能レベルとする．また，1～4は誤嚥あり．5～7は誤嚥なしである．文献2より引用．

- 正常な摂食・嚥下は，5つの期（表1）に分類される．嚥下は，口腔期以降を指す．

2）摂食・嚥下障害

- 摂食・嚥下障害は，脳血管障害や神経筋疾患などの疾患により引き起こされた意識障害や高次脳機能障害，嚥下運動の障害などにより起こる．
- 誤嚥とは嚥下の過程において食物が気道に入ることである．肺炎の原因となる．
- 誤嚥したときにむせや咳があるものを**顕性誤嚥**，ないものを**不顕性誤嚥**という．
- 嚥下に関与する筋は，左右両側の大脳半球から神経支配を受けている．よって，一側の大脳病変のみでは，嚥下障害が起こることは少ない．
- 高齢者に多い多発性脳梗塞の場合，嚥下障害が起こりやすい．

3）摂食・嚥下障害重症度分類

- 表2に才藤らによる重症度分類[2]を示す．

2 摂食・嚥下障害の評価

1）観察の視点

- 主な観察の視点を下記にあげる．
  - 覚醒の程度，食物の認知ができているか，自分から食べようとするか
  - 座位保持時の頸部や体幹姿勢および座位耐久力
  - 上肢のリーチや食具の操作能力
  - 食べる速さ，1回で食べる量，食べこぼし
  - 発声（アーなどと言ってもらう）
  - 顔面の対称性，頬や口唇，舌，口腔内などの動き
  - 咀嚼能力や嚥下反射の有無，むせや咳など

2) 質問紙（表3）

- 2002年に大熊らによって，摂食・嚥下障害のスクリーニングテスト[3]として開発され，信頼性[3]，妥当性[4]の検討もされている．
- 質問項目は15項目で，おのおの3段階で回答する．
- 15項目のうち1つでもAの回答があれば，摂食・嚥下障害の存在を疑う．

表3　聖隷式嚥下質問紙

摂食嚥下に関する質問紙

氏名　　　　　　　　　　　　年齢　　　歳　　平成　　年　　月　　日
回答者：本人・配偶者・（　　　）

あなたの嚥下（飲み込み，食べ物を口から食べて胃まで運ぶこと）の状態についていくつかの質問をいたします．ここ2，3年のことについてお答え下さい．
いずれも大切な症状ですので，よく読んでA，B，Cのいずれかに丸をつけて下さい．

	質問	A	B	C
1.	肺炎と診断されたことがありますか？	繰り返す	一度だけ	なし
2.	やせてきましたか？	明らかに	わずかに	なし
3.	物が飲み込みにくいと感じることがありますか？	しばしば	ときどき	なし
4.	食事中にむせることがありますか？	しばしば	ときどき	なし
5.	お茶を飲むときにむせることがありますか？	しばしば	ときどき	なし
6.	食事中や食後，それ以外の時にものどがゴロゴロ（痰がからんだ感じ）することがありますか？	しばしば	ときどき	なし
7.	のどに食べ物が残る感じがすることがありますか？	しばしば	ときどき	なし
8.	食べるのが遅くなりましたか？	たいへん	わずかに	なし
9.	硬いものが食べにくくなりましたか？	たいへん	わずかに	なし
10.	口から食べ物がこぼれることがありますか？	しばしば	ときどき	なし
11.	口の中に食べ物が残ることがありますか？	しばしば	ときどき	なし
12.	食物や酸っぱい液が胃からのどに戻ってくることがありますか？	しばしば	ときどき	なし
13.	胸に食べ物が残ったり，つまった感じがすることがありますか？	しばしば	ときどき	なし
14.	夜，咳で眠れなかったり目覚めることがありますか？	しばしば	ときどき	なし
15.	声がかすれてきましたか？（がらがら声，かすれ声など）	たいへん	わずかに	なし

文献4より引用．

3) 改訂水飲みテスト・食物テスト[2]

- 改訂水飲みテストは，冷水3 mLを口腔底に注ぎ，嚥下を命じる．
- 食物テストは，プリン4 gを舌背に置き，嚥下を命じる．
- 評価基準を表4に示す．

表4 改訂水飲みテスト・食物テスト

手技	冷水3 mLは口腔底に，プリン4 gは舌背に置き，嚥下を命じる． 4点以上なら最大2施行繰り返し，最も悪い場合を評点とする
評価基準	1. 嚥下なし，むせるand/or 呼吸切迫 2. 嚥下あり，呼吸切迫（Silent Aspirationの疑い） 3. 嚥下あり，呼吸良好，むせるand/or 湿性嗄声，and/or 口腔内残留中等度＊ 4. 嚥下あり，呼吸良好，むせない 5. 4に加え，追加嚥下運動が30秒以内に2回可能

＊食物テストのみ．文献2より引用．

4) 嚥下造影検査（Videofluorography：VF）

- 造影剤を含んだ液体や食物を摂食してもらい，誤嚥の有無や食塊の流れに応じた口腔・咽頭の運動機能などを視覚的に評価する．
- 信頼性の高い有用な検査法であり，設備をもつ施設においては，摂食・嚥下障害が疑われる患者に対しほぼルーチンで行われている[2]．

■ 文献

1) 山口 昇：摂食・嚥下機能検査．「作業療法評価学 第2版」（岩崎テル子，他/編），p191，医学書院，2011
2) 戸原 玄，他：Videofluorographyを用いない摂食・嚥下障害評価フローチャート．日本摂食・嚥下リハビリテーション学会雑誌，6：82-92, 2002
3) 大熊るり，他：摂食・嚥下障害スクリーニングのための質問紙の開発．日本摂食・嚥下リハビリテーション学会雑誌，6：3-8, 2002
4) 大熊るり，他：摂食・嚥下障害スクリーニングのための聖隷式嚥下質問紙と30ml水飲みテストの関連．日本摂食・嚥下リハビリテーション学会雑誌，16：192-197, 2012

第8章

症例に基づく評価の進め方

> **学習のポイント**
> - 初期情報から疾患や術後の一般的な病態や経過を説明できる
> - 症例の障害像を把握し，理学療法や作業療法で解決すべき問題点をあげ，その理由を説明できる
> - 症例の治療目標，治療プラン（方針とプログラム），リスクを列挙し，その理由を説明できる

　本章では，第7章までの知識をもとに，具体的な症例に基づいて評価過程〔患者情報，検査・測定結果の要約，統合と解釈に基づく治療（理学療法・作業療法）方針，目標設定，治療プログラムの立案〕を理解することが学習目標となる．本章では，典型的な脳卒中患者と大腿骨頸部骨折（人工骨頭置換術後）患者の例を取りあげてみた．なお，各検査・測定の実施方法や結果の解釈については，第7章までの解説を参考にしていただきたい．

症例 1　脳卒中患者

初期情報

診断名　脳梗塞，左片麻痺

処方箋　61歳，男性，会社員（経理担当），平成X年Y月Z日に会社から帰宅後に自宅で発症し，救急搬送され即日入院となった．担当医からの依頼事項：入院4日目より理学療法（作業療法）を開始してください．血圧・脈拍等のバイタルサインをチェックし，著明な変化がなければ座位練習を開始し，早期にリハビリテーション室で実施してください．

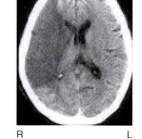
R　　　L

既往歴　若い頃より高血圧を指摘され，降圧剤を服用．7年前より糖尿病の診断を受け，服薬（経口血糖降下剤）と食事療法を併用していた．

現病歴　平成X年Y月Z日夜，帰宅後に左上下肢の軽いしびれと脱力感を訴え横になっていたが，左半身の麻痺が出現したため，救急車にて近医に搬送された．MRIでは，中大脳動脈領域に広範な低信号域が認められ，脳梗塞と診断され即入院となり，治療開始となった．第3病日より，ベッドサイドで理学療法と作業療法が開始となり，第4病日より座位練習から開始され，車椅子に乗ることが可能となった段階で，理学療法室での理学療法を行うこと

なった．

観察内容 口頭指示に対する反応はやや鈍く，表情はぼんやりした感じである．右側に顔を向けていることが多く，左からの指示には反応が乏しいことが多い．

上下肢とも筋緊張は低下しており，座位時の姿勢は右側に偏倚している．座位バランスは不良で，頭部を上方もしくは左方に動かした程度でも，姿勢を崩すことが多い．左手指にやや腫脹がみられ，前腕および手指の屈筋群の緊張が高く，左肩の他動運動時の痛みを訴えている．立ち上がりおよび立位保持は平行棒内で可能であるが，左方向にバランスを崩すことが多く，近位での介助が必要な状態である．

1 理学療法評価

- 身体属性：身長172 cm，体重82 kg
- 血圧，脈拍等のバイタルサインは安定しており，血糖値もコントロールされている．

1）心身機能・身体構造　⇒2章-1表2参照

1 意識（注意・覚醒）レベル　⇒3章-1参照
- 意識障害はないが，注意・覚醒がやや低下している．

2 コミュニケーション能力　⇒6章-1参照
- 口頭指示に対する反応はやや鈍いものの理解は良好で，会話の内容についても特に問題なし．

3 脳神経検査　⇒3章-2参照
- 中枢性顔面神経麻痺が認められ，時々左口角から流涎がみられる．

4 高次脳機能障害　⇒3章-3参照
- 常に顔面を右側に向けていることが多く，半側空間無視が疑われる．

5 反射異常　⇒5章-4参照
- 深部腱反射（DTR）：左上下肢で亢進．
- 病的反射：バビンスキー反射陽性，左足クローヌスが認められる．

6 感覚障害　⇒5章-2参照
- 表在感覚・深部感覚とも脱失に近い鈍麻．温度覚：軽度鈍麻

7 筋緊張　⇒5章-5参照
- 左上下肢の遠位筋に軽度の亢進（痙縮）が認められ，肩周囲（近位）筋は緊張が低い．
- 上腕二頭筋・前腕屈筋群・手指屈筋群（はMAS 2），膝関節伸筋群（はMAS 1～2），足底屈筋群（はMAS 4である）．
- 背臥位では下肢の伸筋群の緊張が亢進するが，立位では筋緊張は低下した状態である．

8 関節拘縮・変形　⇒5章-6参照
- 左上下肢に関節可動域制限あり．肩関節屈曲100°，外転80°，外旋10°，足背屈5°いずれも最終可動域に運動痛あり．変形は特になし．

❾ 麻痺側随意運動　⇒巻末付録p.447参照

- 左上肢は，連合反応と屈筋共同運動の一部がわずかに認められる（Brunnstrom stage Ⅱ）．手指は連合反応としてわずかに屈曲が認められるが，総握りは不可（Brunnstrom stage Ⅱ）．下肢の伸筋共同運動は全可動域の2/3程度が可．屈筋共同運動は1/3程度可（Brunnstrom stage Ⅱ～Ⅲ）．

❿ 筋力低下　⇒5章-7参照

- 右上下肢はMMT4～5レベル．

⓫ 基本動作能力　⇒6章-3参照

- 寝返り，起き上がりは要介助．座位は短時間の保持は可能だがバランス不良．
- 立位保持は困難（麻痺側下肢の支持性は不良で荷重が困難．平行棒内で非麻痺側手により平行棒を把持すれば可能だが，非麻痺側下肢に体重を移動し保持することが困難で，すぐに麻痺側に身体が傾いてしまう）．
- 立ち上がりは支持物があれば自力で可能であるが，上肢の力に強く依存して努力的に行われることが多く，立位バランスも不良なため，要監視下で行っている．

⓬ 歩行能力　⇒6章-3参照

- 装具（LLB）を装着し，介助すれば平行棒内でどうにか可能．
- 平行棒内立位時に非麻痺側下肢に体重を移動することができず，麻痺側に身体が傾いてしまうことが多く，自己修正が困難．このため，麻痺側下肢の振り出しが不良．

⓭ 動作分析　⇒6章-3参照

- ①寝返り（ベッド上）：可能な場合があるが，一度で遂行できない場合が多い．
  頭部と右上下肢を寝返る側に向けて身体を回旋させようと努力するが，この運動に連動した麻痺側の上下肢の動きがみられない．したがって，寝返る方向とは反対方向に発生する回転モーメントに打ち克つことができず，失敗に終わることが多く，成功確率が低い．
- ②起き上がり（ベッド上）：自力では困難．
  体幹・頭部の抗重力活動が不十分なうえ，頭部を挙上するタイミングとベッドを非麻痺側の肘から前腕，さらに手で押すタイミングが合わず，肘でベッドを強く押そうと過剰に努力するが，失敗を繰り返すことが多い．
- ③立ち上がり（車椅子）：支持物があれば可能であるが，実用性は低い．
  頭部と体幹の屈曲による前方への重心移動が不十分なまま，非麻痺側上肢や下肢の力を利用して強引に立ち上がろう（いわゆる，力制御戦略：force control strategy）と繰り返すが失敗することが多い．また着座動作でも，座面近くの速度の制御が困難なため，尻もちをつくようにして座ることが多い．

> **Point**　動作分析は，動作の開始から終了までを時系列に記載することが多いが，単に忠実に記載するだけでは意味がない．動作の観察を通じて，当該動作の問題箇所とその原因を特定し，具体的な改善方法を提案できるようにしなければならない．つまり，動作分析の結果は，あくまでも治療に資するものであるべきで，常に，「どうしたら動作がうまく遂行できるようになるか」という視点をもつことが必要である．

⓮ **車椅子の操作**：実用性は低い
- 非麻痺側上肢によるハンドリム（タイヤ）操作（上肢により前方に押し出す動作）が拙劣で，しかも下肢を踏み出すタイミングが不良なため，直進，旋回とも円滑に行うことができない．

2）活動〔基本的ADL（次項❷作業療法評価も参照）〕

- 食事：テーブル上に配膳すれば，右手を用いて自力で行う．左半分食べ残しあり．
- 更衣：上衣では麻痺側上肢を通す際に，下衣は麻痺側下肢を通すことが困難で，介助が必要．
- 排泄：排尿・排便のコントロールは可能だが，トイレの移動は要介助．
- 整容：歯磨き・洗顔・タオルで顔を拭くことは右手で可能．
- 入浴：浴槽の出入りは未経験．浴室の出入り，洗体は要介助．
- 起居・移動動作：上記の通り．
- FIM＝62点

3）参加

- 会社員（経理担当）で，現在は休職中．
- 通勤は徒歩と電車を利用し，通勤時間は約40分．
- 趣味は山登りや家庭菜園であった．

4）個人因子

- 性格は，普段から几帳面で明るい．
- 夫婦と子ども1人（娘）
- 妻は専業主婦（キーパーソン）

5）環境因子

- 戸建，2階建ての1階が主な住居空間．トイレ（洋式便座，引き戸），浴室（脱衣所から浴室内に段差なし，浴槽は半埋め込みタイプの浴槽）

6）問題点

①注意・覚醒障害および半側空間無視
②左上下肢の運動麻痺（随意運動の低下）
③基本動作（特に起居動作）能力の低下
④基本的ADL（食事・更衣・排泄・整容）能力の低下
⑤復職の可能性が不確定

7）理学療法方針

- 評価を通じて患者の全体像を把握することは重要であるが，すべての検査が終わらなければ，障害像を捉えられないということにならないようにしたい．

1 現時点の状態：再発等のリスクも十分考慮すべき時期ではあるが，バイタルサインも安定しつつあり，積極的に座位や立位へと治療が進められつつある．下肢の麻痺の回復は順調であるが，上肢および手指は弛緩性麻痺の状態で回復が不良である．

2 具体的対応：中枢覚醒を促すような課題を取り入れる．年齢的には比較的若く，代償機能も含めた回復が期待できると推測されることから，座位の安定性の獲得と並行して，立位ならびに歩行の獲得に向けたトレーニングを中心に進める．一方，病室のベッドでの起き上がりの獲得をめざす．理学療法・作業療法時間以外にも車椅子による離床を促す．

8) 目標設定

1 リハビリテーション目標（2カ月）
①室内歩行を獲得して自宅退院またはリハビリテーション専門病院への転院．
②職場復帰については，退院後に目標を定める．

> 機能的予後や回復の潜在的可能性については，治療の過程で追加情報を得ながら判断すればよいことで，初期評価から断定的な予測は困難なことが多く，往々にして過大もしくは過小評価してしまう可能性がある．

2 長期目標
①室内歩行の自立をめざす．
②基本的ADLの自立をめざす．

3 短期目標
①座位および立位バランスを改善する．
②歩行能力（介助下）を獲得する．
③身辺動作について介助量の軽減化を図る．

9) 理学療法プログラム（3単位）

①端座位練習（プラットフォームマット：体重移動練習およびリーチ動作による安定限界の拡大）…5分間
②ベッド上起き上がり動作，車椅子⇔ベッド間移乗練習…10分間
③関節可動域運動および痙縮筋（腓腹筋，手指・前腕屈筋群）に対する伸張…5分間
④立ち上がり練習（縦型手すり，座面高の調整）…30回（10回×3セット），10分間
⑤立位バランス練習（平行棒内，体重移動練習）…10分間
⑥歩行練習（平行棒内，LLB装着）…5往復，20分間

※①〜③は病室で実施し，④〜⑥は理学療法室で実施する．
留意点：バイタルサイン（血圧，脈拍，表情など）の確認（開始時および終了時）

2 作業療法評価

1）心身機能・身体構造

■1 高次脳機能 ⇒3章-3参照

①覚醒・注意
- 作業療法室では，ほぼ常にぼんやりしている．
- 病室でもぼんやりしている．自ら何かの活動をすることは少ない．
- 数列逆唱：3

②知的機能
- MMSE 18点．覚醒・注意が低下している影響が大きい．図形模写は不可．
- 複雑な内容の会話はまだ困難．
- 日常生活の細かな内容の記憶（例えば，昨日，奥さんが見舞いに来た時間など）はまだ曖昧．入院後に出会った職員の名前の記憶もまだ曖昧（例えば，病棟看護師）．理学療法士の名前は姓・名とも記憶している．
- 簡単な計算が曖昧（例えば，昨日，週刊誌の代金を支払う際，おつりが合っているか計算に迷った）．
- 日常の判断が曖昧（例えば，本日の作業療法実施中，尿意を作業療法士に伝えるか伝えないかでかなり迷ってしまった）．

③半側無視・半側の身体意識
- 座位時，顔はほとんど右を向いている．
- 左から話しかけた場合，気がつくことがほとんどだが，数回，気がつかなかった．
- 食事では，お盆の左側の皿に手をつけない．また皿の左側の半分〜1/4程度を残す．
- 線分の2等分：右方向へのずれ30％．
- 図形模写：図形の左半分を模写することができない．
- 麻痺側上肢の認識が不十分．例えば臥位時や座位時，麻痺側上肢の位置をあまり気にしない．

■2 意欲・気分・活動性 ⇒3章-4, 5参照
- 周囲からみて明らかにわかるほどの気分の落ち込みはない．しかし，睡眠が断眠で，早朝覚醒もある．熟睡感もない．
- 作業療法への意欲は高い．
- 「手は訓練すれば絶対元通りになりますよ」と気軽に言う．現実感の乏しい印象の言動が多い．気軽に他患に話しかける日と，全く周囲と接触しない日の差が大きい．今後，うつ傾向になる可能性もあり，評価を継続する．
- 病室では，何もする気がなくなる様子．体力の問題も大きいと推察される．

■3 麻痺側上肢随意運動 ⇒巻末付録p.447参照
- 上肢・手指ともにBrunnstrom stage Ⅱ．SIASの上肢近位テストでは1点，遠位テストでは1A．

- コミュニケーション能力，脳神経検査，反射異常，感覚障害，筋緊張，関節拘縮・変形，筋力低下については，前項**1**理学療法評価参照．

2）活動　⇒6章-1参照

1 食事
- 配膳すれば自ら食べることを開始する．
- 麻痺側上肢を補助として使用することはできない．
- 食べこぼしあり．むせあり．水を飲むのはゆっくり．
- 皿の左側の半分の食べ残しは，声かけだけでは気がつかない．スプーンをもった手を誘導すれば気がつく．

2 更衣
- 上衣の袖の左右に迷う．麻痺側上肢に袖を通す際，手が見えるまで通すことができない．

3 排泄
- 排尿・排便のコントロールは可能．尿意・便意を看護師に伝えることができる．
- 病室からトイレまでの車椅子移動はできない．
- 車椅子からトイレの移乗は介助．ズボンを下ろしてもらう間，手すりにつかまっての立位保持も不可能．

4 整容
- 麻痺側上肢を洗うことが不十分．
- 洗顔・タオルで顔を拭くことは，顔の左側が不十分．
- 歯磨きは，左側の歯が不十分．

5 趣味・今後やりたいこと
- 「今は，身体を元通りにしたい」と．
- 趣味は，登山，家庭菜園，料理．
- 今後やりたいことは，「仕事しか今は思いつかない」と．

6 起居・移動
- 前項**1**理学療法評価参照．

3）参加　⇒2章-1表2参照

1 仕事
- 本人は「仕事は絶対に復帰する」と．
- 会社は1部上場企業．職位は経理部長．会社からは休職期間を有効に使って，その後復帰すればよいといわれている．病気による休職期間は1年半．
- 仕事内容は経理部のマネジメント．
- パソコンは得意．

2 地域活動
- 会社中心の生活であり，近隣住民との交流はほとんどなし．

- 大学時代の友人とは，年に数回会っていた．
- 職場の同僚・部下との飲み会などは，積極的に行っていた．
- 登山は単独で行っていた．

4）問題点

①覚醒低下・半側無視
②上肢運動麻痺
③食事・更衣・排泄・整容能力低下
④職場復帰や今後の役割の未確定

5）作業療法方針

- まずは離床を促し，覚醒・注意機能の向上をめざす．入院中の目標は，麻痺側上肢を補助として使用できることとセルフケアの自立とする．今後の転帰や職場復帰，役割獲得などについては，対象者の機能・能力の変化に合わせ，継続して考える．

6）目標設定

1 リハビリテーション目標（2カ月）

①室内歩行を獲得して自宅退院またはリハビリテーション専門病院への転院．
②職場復帰については，退院後に目標を定める．

> 機能的予後や回復の潜在的可能性については，治療の過程で追加情報を得ながら判断すればよいことで，初期評価から断定的な予測は困難なことが多く，往々にして過大もしくは過小評価してしまう可能性がある．

2 長期目標（2カ月）

①麻痺側上肢：補助手機能の獲得．
②食事・更衣・排泄・整容の自立．

3 短期目標（2週間）

①座位の安定．
②麻痺側上肢機能の向上．
③昼食の左側食べ残しが，現在の半分になる．
④上着：麻痺側の袖を通すことができる．
⑤排泄時の介助量が現在の3/4程度になる．

7）作業療法プログラム（3単位）

①両上肢または非麻痺側上肢を用いてのワイピング・輪入れ・風船打ち
　目的：覚醒・上肢機能・座位能力の向上．半側無視の軽減
②徒手による上肢機能トレーニング（関節可動域運動を含む）
　目的：覚醒・上肢機能の向上．半側無視の軽減
③半側無視に対する机上トレーニング

④食事指導：昼食時，左側食べ残し軽減のための指導を行う．
⑤更衣指導：まずは上着から行う．その後，ズボン，靴下，ワイシャツ，ネクタイなども行う．
⑥排泄指導：病棟トイレおよび作業療法室トイレを用いて，1日に最低2回は行う．1つ1つの動作の介助量を調整しながら指導する．
⑦整容指導：手洗い，洗顔，歯磨きから行う．その後，髭剃りなどを行う．
⑧計算・パソコン操作など：職場復帰に向けて行う．開始時期は要検討．
⑨自宅改造：開始時期は要検討．

3 プログラム実施時の留意点

　本症例では，理学療法・作業療法とも提供するトレーニングの中で，中枢覚醒を高めるような配慮が必要である．特に，患者の注意を喚起しつつ，意欲を引き出すような課題設定が重要となる．その際，課題を反復することは重要であるが，単調とならないように提供方法を工夫する．

　また，プログラムでは，患者の中枢覚醒や機能状態は日々刻々と変化していくものであるから，その変化を見落とさないように，絶えず観察を怠らないようにすべきである．

　プログラムの内容（実施時間・時間配分，頻度，回数）については適宜変更すべきで，いつまでも同じ内容でプログラムが進行していくことは通常あり得ない．

　理学療法士と作業療法士の担当者は，介入目標の確認やプログラムの内容等について，お互いに情報交換を密に行い，無駄のないプログラムデザインを企画するようにしたい．

症例 2　大腿骨頸部骨折（人工骨頭置換術後）患者

初期情報

診断名　左大腿骨頸部骨折

処方箋　72歳，女性，主婦，平成X年Y月Z日に自転車乗車中に転倒し，左大腿骨頸部骨折を受傷（Garden分類Stage Ⅳ）．その2日後に人工骨頭置換術施行．
担当医からの依頼事項：第4病日より理学療法を開始してください．座位可能．
術後第2週より荷重開始．平行棒内より歩行を開始してください．

既往歴　骨粗鬆症の診断を受け投薬を受けていた．

現病歴　平成X年Y月Z日に，自転車で買い物に行く際に，人を避けようとして道路脇の縁石に自転車のタイヤが当たりバランスを崩して転倒．左殿部を強打し，立ち上がることが困難となった．事故の状況を見ていた人が救急車をよび，近医に救急搬送された．受傷2日後に人工骨頭置換術が施行された．

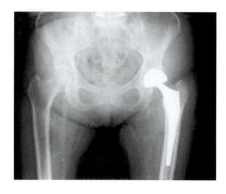

※早期荷重・歩行練習を可能とするために人工骨頭置換術（セメント）が選択され，術式は後方アプローチ（切開）であった．

> 注：後方アプローチでは小外旋筋群を切離するので，骨頭が後方に向く肢位，屈曲＋内転＋内旋で脱臼しやすくなる．前方アプローチは，正確には，やや外側からのアプローチになり，大転子を切離していったん中殿筋を切り離すので，過伸展＋外旋で脱臼しやすくなる．

第4病日より，ベッドサイドで理学療法が開始となり，第5病日より座位練習から開始され，車椅子に乗ることが可能となった段階で，リハビリテーション室での理学療法を行うこととなった．

病前の状況 夫との二人暮らし．もともと活動的な女性で，老人会の旅行や催しには欠かさず参加していた．買い物や散歩も好きで，1人で出かけることが多かった．日常生活は不自由なく，掃除・洗濯・食事の支度等の家事全般をこなしていた．

観察内容 明るく，にこやかに対応してくれ，やや饒舌なところがあり，事故のときの状況を詳しく説明してくれる．

現在，ベッド上端座位が可能で，長座位の保持も可能である．術部の痛みがまだ少し残っているが，下肢の運動は股関節屈曲・伸展，外転・内転が可能でベッド上で自ら行っている．左下肢は完全免荷の状態であり，排泄はナースコールを押し，移乗動作時に介助を受けている．術直後より深部静脈血栓症に対する予防策として弾性ストッキングを着用している．

臨床検査データ ⇒2章-2表9参照
- 白血球　12,400/μL（3,600〜8,900）
- 血沈　　21.4 mm/h（20以下）
- LDH　　448 IU/L（119〜237）
- CPK　　204 IU/L（44〜200）※カッコ内は基準範囲
- その他，問題なし

1 理学療法評価

- 身体属性：身長152 cm，体重44 kg
- 血圧：128/72 mmHg，脈拍数：68拍/分

1）心身機能・身体構造

1 認知機能　⇒6章-1参照

- 意識レベル，精神状態とも問題なく，コミュニケーションも良好．
- 全身状態は良好．術部の炎症所見がみられ，臨床検査データも局所の炎症に伴う数値の上昇が認められる．

2 肢長・周径　⇒5章-1参照

下肢長（棘果長）右74 cm，左73 cm
大腿周径　膝蓋骨上縁レベル　　右37 cm，左37 cm
　　　　　膝蓋骨上10 cmレベル　右38 cm，左37.5 cm
　　　　　膝蓋骨上15 cmレベル　右42 cm，左40.5 cm
下腿周径　右32 cm，左31.5 cm

3 関節可動域　⇒5章-6参照

股関節屈曲	右135°	左100°（P）	体幹屈曲	40°	
伸展	右10°	左10°	伸展	5°	
外転	右40°	左25°（P）	回旋右	25°	
内転	右25°	左10°（P）	左	25°	
外旋	右25°	左15°			
内旋	右45°	左10°（P）			
膝関節屈曲	右130°	左120°			
伸展	右0°	左-5°			
足関節背屈	右20°	左20°	※P：痛み		

4 筋力（MMT）　⇒5章-7参照

	右	左
腸腰筋	5	3
大殿筋	4	3
中殿筋	4	2
大内転筋・薄筋等内転筋	5	5
大腿方形筋・梨状筋外旋六筋	5	3
小殿筋	4	4
大腿四頭筋	5	4
大腿二頭筋・ハムストリングス	4	3
前脛骨筋	5	4
下腿三頭筋	5	3
腹直筋	3	
胸腰部脊柱起立筋	4	

5 感覚　⇒5章-2参照

- 表在・深部ともに異常なし．

6 起居・移動動作　⇒6章-3参照

- 寝返り・起き上がり：自力で可
- 座位保持：可
- 立ち上がり：物につかまれば可※
- 立位保持：支持なしでは不可
- 歩行：困難（未実施）
- ベッド⇔車椅子：自力で可（左下肢免荷）

※立ち上がり動作の股関節屈曲時に鼠径部内側に疼痛を訴える．

2) 活動・参加

1 日常生活活動（ADL） ⇒6章-1参照

- 基本的ADLでは，排泄動作，更衣動作（下衣），入浴動作が要介助．
- Barthel Index：食事10，移乗10，整容5，トイレ動作5，入浴5，移動5，階段昇降0，更衣5，排尿自制10，排便自制10，計65/100点

2 家屋環境 ⇒2章-2参照

- 家の前がすぐに道路で，比較的車の往来も多い．
- 住宅は一戸建ての2階建てであるが，病前の生活はすべて1階で行っていた．
- 近くに娘夫婦が住んでおり，しばしば娘の家と自宅を行き来していた．
- 自宅内には大きな段差として，玄関上がり框の30 cmと浴槽縁の60 cmがある．
- 生活様式ではトイレは洋式で，寝具はベッドではなく布団である．

3) 問題点

① 大腿骨頸部骨折後の手術によって生じた患側下肢の筋力低下
② 大腿骨頸部骨折後の手術によって生じた患側下肢の関節可動域制限および運動痛
③ 基本動作および身辺動作が一部困難
④ 歩行困難

> **Point**　大腿骨頸部骨折後の手術によって生じた患側下肢の筋力低下と関節可動域制限（運動痛を伴う），高齢者であるためその進行が早いと思われる廃用症候群や深部静脈血栓症が構造・機能障害レベルの問題点となる．また，それらの結果による基本動作，身辺動作，歩行の各障害が活動レベルでの問題点である．

4) 理学療法における介入方針

- 現時点では手術による損傷（術創部）の病理学的回復を待つ間に必要以上の安静を避ける．荷重が可能となるまでの間，下肢筋力の低下をできるだけ防止する．
- 機能レベルの障害に対するアプローチとしては，廃用症候群の予防・改善を中心に，組織損傷の回復，痛みに合わせて関節可動域の拡大，筋力の改善を図る．
- また，急性期では深部静脈血栓症の予防として，積極的に足部の運動を促すようにする．さらに，早期離床につながる室内ADLの獲得に向けたトレーニングを積極的に行う．
- 活動レベルの向上に伴い患側股関節脱臼のリスクが高くなるので，患者に対する予防指導を十分に行う．
- もともと活動量の高い女性であったことから，退院後も1人で外出が可能なレベルにまで，できるだけ歩行能力を高める必要がある．

5) 目標設定

1 リハビリテーション目標（3カ月）

- 自宅復帰し，屋外歩行の自立（可及的に受傷前の活動レベルへ）

2 長期目標
①室内歩行自立．屋外は杖使用
②日常生活活動の自立

3 短期目標
①運動（最終可動域）痛の軽減
②患側下肢の関節可動域の改善
③下肢筋力の改善
④杖歩行の獲得（荷重開始後）

6）理学療法プログラム（2単位）

①関節可動域運動（他動→自動介助）…10分間，両下肢各関節10回（必要に応じて20回）
②下肢筋力トレーニング…15分間
　免荷時（背臥位）：両下肢SLR（膝屈曲から足を背屈しながら膝伸展45°まで）
　　　　　　　　　　…左右各10回×2セット
　　　　　　　　　股関節外転−内転運動…左右各10回×2セット
　　　　　　　　　ブリッジ運動…10回×2セット
　　　　　　　　　※いずれも徒手抵抗または重錘バンド使用
　荷重時（立位）：立ち上がり（スクワット）動作の反復…10回×3セット
　　　　　　　　　ステップ運動…10回×3〜4セット
③歩行練習（練習回数は漸増していく）…15分間
　1）平行棒内5往復〜（前進，横歩き）
　2）T字杖歩行（平地）
　3）応用歩行（段差，階段，障害物のまたぎ）

2 プログラム実施時の留意点

　一般に，手術の際に，大腿筋膜張筋や中殿筋の筋膜が切開されることが多いため，外転筋力の回復には時間がかかることが多い．また，早期から荷重や歩行トレーニングを開始した場合には，侵襲を受けた外転筋に疼痛が起こることがある．これは，股関節外転筋出力の低下により筋に対して相対的に過負荷となり，さらに術後の歩行トレーニングで誤った歩行が学習されたために股関節外側部に痛みが生じたものと考えられる．したがって，歩行練習ではこれらの点について注意が必要となる．

　この症例でみられた鼠径部内側の痛みの原因については，次のような理由が考えられる．すなわち，立ち上がりの際に過度に体幹・骨盤の前傾が強制されると，相対的に股関節は過度に屈曲され，股関節でのインピンジメントによる圧迫や回旋，あるいは牽引のストレスが加わり，関節包，筋，腱の侵害受容器を刺激して疼痛を引き起こす可能性がある．このため，立ち上がりの際に骨盤前傾による股関節前方への圧迫によるストレスを回避させることが必要である．

巻末付録

各種代表的疾患の主な障害と評価項目ならびに疾患特異的評価指標

　ここでは，本文ではとりあげていないが，一般的に使用頻度の高い評価指標について，主として各疾患に特化したもの，および一部そのテストバッテリーについて掲載した．いずれの評価指標も，その実施にあたっては適応となる対象とテスト方法について十分に理解しておくことが必要であることは言うまでもない．

　また，最終頁には参考までに「リハビリテーション計画書」の書式を掲載してあるので，適宜，参考にしていただきたい．

1 脳卒中（脳血管障害）

■ 主な評価項目と検査・測定内容

評価項目	検査・測定内容	評価項目	検査・測定内容
情報収集	個人情報（年齢，性別，生活歴など） 現病歴，既往歴，合併症（診断名，経過） 画像所見（CT，MRI，MRA，脳血管撮影） 血液・生化学データ 治療方法 安静度 社会的情報（家族構成，生活状況など）	言語機能	標準失語症検査（SLTA） WAB失語症検査日本語版
		高次脳機能障害	標準高次動作性検査（SPTA） 行動無視検査（BIT） 線分二等分課題 トレイルメイキングテスト（TMT） 仮名ひろいテスト ウェクスラー記憶検査（WMS-R） レーブン色彩マトリクス コース立方体テスト リバーミード行動記憶検査（RBMT） プッシャー重症度
バイタルサイン	脈拍・血圧・呼吸数・体温		
意識レベル	ジャパン・コーマ・スケール（JCS） グラスゴー・コーマ・スケール（GCS）		
認知機能 精神機能	改訂長谷川式簡易知能検査（HDS-R） ミニメンタルステート検査（MMSE） ウェクスラー成人知能検査（WAIS-Ⅲ，WAIS-R） 日本脳卒中学会・脳卒中うつスケール（JSS-D）	摂食・嚥下機能	飲水テスト 嚥下造影検査（VF） 嚥下内視鏡検査（VE）
脳卒中包括的スケール	米国国立衛生研究所脳卒中うつスケール（NIHSS） Fugl-Meyer scale 日本脳卒中学会・脳卒中重症度スケール（急性期）（JSS） 脳卒中機能障害評価セット（SIAS）	脳神経	嗅覚 視力，視野，瞳孔の大きさ，対光反射，眼球運動，眼振の有無，角膜反射 顔面感覚 咬筋・側頭筋・内側翼突筋の運動検査 顔面麻痺の観察 味覚，聴力（リンネ試験，ウェーバー試験） 平衡感覚，眩暈 咽頭反射の有無，カーテン徴候，舌の偏位，舌運動 胸鎖乳突筋・僧帽筋の筋力
麻痺側運動機能	ブルンストロームステージ 上田らの12段階グレード motricity index 簡易上肢機能テスト（STEF）		
運動失調	運動失調評価尺度（ICARS） 指鼻指試験 膝踵試験 マン試験 ロンベルグ試験 継ぎ足歩行検査	姿勢・動作	アライメント Functional balance scale（FBS） Functional reach test（FRT） Timed up and go test（TUG） 動作分析
麻痺側感覚機能	表在感覚：触覚，痛覚，温度覚 深部感覚：運動覚，位置覚，振動覚 複合感覚：二点識別覚，書画知覚 異常感覚 疼痛：視覚的アナログスケール（VAS），数値的評価スケール（NRS）	ADL，QOL，その他	modified Rankin scale（mRS） バーセル・インデックス（BI） 機能的自立度評価表（FIM），SF-36 日常生活動作（ADL）の質的評価（できるADL，しているADLを含む） 生活関連動作（APDL）の評価（調理，洗濯，掃除などの家事）（外出）（交通機関の利用） コミュニケーション能力 家屋構造（一戸建て，集合住宅階数，エレベーターの有無）（玄関，屋内の段差）（トイレの様式）（寝室の様式）（台所）など 家屋周辺環境 仕事の業務内容，職場環境，通勤内容 趣味 社会的役割
腱反射，病的反射，クローヌス	大胸筋反射，上腕二頭筋反射，上腕三頭筋反射 膝蓋腱反射 アキレス腱反射 ホフマン反射 バビンスキー反射 膝クローヌス，足クローヌス		
筋緊張	視診，触診 被動性 伸展性 修正アシュワース・スケール（MAS）		
関節可動域	関節可動域（ROM）測定		
筋力低下 筋萎縮	徒手筋力検査（MMT） 四肢長・周径測定		

「リハビリテーションビジュアルブック」（落合慈之/監），p26，学研メディカル秀潤社，2011をもとに作成．

■ Brunnstrom stage test（ブルンストロームステージテスト）

- これは脳血管障害片麻痺患者の随意運動の回復の程度を捉える検査法で，病的共同運動パターンからの分離の程度を評定するものである．
- このテストは運動回復過程に沿って，病的共同運動の出現から運動の分離完成までを以下のようにⅠ～Ⅵに段階づけている．
  - ▶ StageⅠ：麻痺肢に運動の発現，誘発なし．回復の初期で，弛緩性完全麻痺の状態を呈しており，筋の随意的収縮も連合反応も認められない．
  - ▶ StageⅡ：麻痺肢の筋緊張の亢進とともに，非麻痺肢の努力に伴う連合反応（不随意的運動）が出現し，患者自身の随意的運動として，共同運動（一定の型にはまった運動）の要素（一部）が最初に認められる．
  - ▶ StageⅢ：随意的運動としての共同運動もしくはその要素が出現するとともに痙縮も著明となる．不十分であった共同運動がしだいに強くなり，完全な屈筋共同運動もしくは伸筋共同運動が起こるものの，この時期では，共同運動から分離した運動は困難である．また連合反応，原始的な姿勢反射の影響も強く受ける．
  - ▶ StageⅣ：共同運動から一部逸脱した運動が徐々に可能となり，痙縮も弱まる．この時期では共同運動パターンから分離・独立した運動が一部可能となる．
  - ▶ StageⅤ：共同運動からさらに分離した運動が可能となり，痙縮も低下する．StageⅣよりもさらに運動の自由度が大きくなり，より分離・独立した運動が可能となる．
  - ▶ StageⅥ：共同運動の影響を受けず，ほぼ完全に独立した運動が可能となる．協調運動はほぼ正常となり，より運動の自由度は大きくなる．動作の速度や巧緻性も正常に近づいた状態である．

	内容	検査課題		
		上肢（腕） [ステージⅢ以降は座位で施行]	手指 [姿勢の指定なし]	体幹と下肢 [臥：臥位　座：座位　立：立位]
Ⅰ	随意運動がみられない	□ 弛緩麻痺	□ 弛緩麻痺	□ 弛緩麻痺
Ⅱ	共同運動が一部出現 連合反応が誘発される	□ わずかな屈筋共同運動 □ わずかな伸筋共同運動	□ 全指屈曲がわずかに出現	□（臥）わずかな屈筋共同運動 □（臥）わずかな伸筋共同運動 □（臥）健側股内外転抵抗運動によるRaimiste現象
Ⅲ	十分な共同運動が出現	□ 明らかな関節運動を伴う屈筋共同運動 □ 明らかな関節運動を伴う伸筋共同運動	□ 全指屈曲で握ることが可能だが，離すことができない	□（座）明らかな関節運動を伴う屈筋共同運動
Ⅳ	分離運動が一部出現	□ 腰のうしろに手をもっていく □ 肘伸展位で肩屈曲90° □ 肘屈曲90°での回内外	□ 不十分な全指伸展 □ 横つまみが可能で母指の動きで離せる	□（座）膝を90°以上屈曲して，足を床の後方にすべらす □（座）踵接地での足背屈
Ⅴ	分離運動が全般的に出現	□ 肘伸展回内位で肩外転90° □ 肘伸展位で手を頭上まで前方挙上 □ 肘伸展位肩屈曲90°での回内外	□ 対向つまみ □ 随意的指伸展に続く円柱または球握り □ 全可動域の全指伸展	□（立）股伸展位での膝屈曲 □（立）踵接地での足背屈
Ⅵ	分離運動が自由にできるやや巧緻性に欠ける	□ ステージⅤまでの課題すべて可能で健側と同程度にスムーズに動かせる	□ ステージⅤまでの課題すべてと個別の手指運動が可能	□（座）下腿内外旋が，足の回内外を伴って可能 □（立）股外転

回復段階の判定：1つ以上の課題が可能な最も高いステージ

「理学療法ハンドブック改訂第3版 第1巻 理学療法の基礎と評価」（細田多穂，柳澤 健／編），p649，協同医書出版社，2008をもとに作成．

■ 片麻痺機能テスト〔12段階グレード（上田）〕

● Brunnstrom stage testをもとにサブテストを作成し，判断基準をより明確にしたテストである．上田らにより標準化が行われている．12段階（グレード0〜12）で0が弛緩状態であり，12がスピードテスト十分であることを示している．

上肢

テストNo. サブテストの種類 出発肢位・テスト動作	判定	テストNo. サブテストの種類 出発肢位・テスト動作	判定
①連合反応（大胸筋） 背臥位で患手を耳に近い位置に置く（屈筋共同パターンの形）．健側の肘を曲げた位置から，徒手抵抗に抗して肘を伸ばさせ，患側の大胸筋の収縮の有無を触知する．	連合反応: 不十分（無）／十分（有）	⑦肘屈曲位で前腕の回内 肘を曲げ前腕の回内（掌を下に向ける）を行う（50°以上が十分）．肘を体側にぴったりとつけ，離さないこと（つかない場合は失格）．肘屈曲は90°±10°の範囲に保つ．	不十分: 肘が体側につかない／体側につくが前腕回外位／前腕中間位保持可能 十分: 回内5°〜45°可能／回内50°〜85°／回内90°
②随意収縮（大胸筋） 出発肢位は①と同じ．「患側の手を反対側の腰の辺に伸ばしなさい」と指示し，大胸筋の収縮を触知する．	随意収縮: 不十分（無）／十分（有）	⑧肘伸展位で腕を横水平位に開く 肘伸展位のまま腕を横水平に開く．上肢は真横から20°以上前方に出ないようにし，肘は20°以上は曲がらないように気をつける．60°以上を十分とする．	不可能 不十分: 5°〜25°／30°〜55° 十分: 60°〜85°／90°
③共同運動（随意運動） 出発肢位は①と同じ．②と同じ動作で手先がどこまで動くかをみる（伸筋共同運動）．	不可能 不十分: 耳〜乳頭／乳頭〜臍 十分: 臍より下／完全伸展	⑨腕を前方に挙上 バンザイをする．肘は20°以上曲がらないようにし，前方からできる限り上にあげる．上肢は横に30°以上開かないようにする．130°以上を十分とする．	不十分: 0°〜85°／90°〜125° 十分: 130°〜155°／160°〜175°／180°
④共同運動（随意運動） 腰掛け位で患手の先が健側の腰のところにくるようにおく（肘最大伸展位，前腕回内位－伸筋共同運動パターンの形）．「患側の手を耳までもっていく」ように指示し，手先がどこまで上がるかをみる．	不可能 不十分: 0〜臍／臍〜乳頭 十分: 乳頭以上／耳の高さ	⑩肘伸展位で回外 肘伸展位で前方に上げ，前腕を回外する（掌を上に向けず），肘は20°以上曲げず，肩関節は60°以上前方挙上するようにする．50°以上を十分とする．	不十分: 前方挙上位をとれない／とれるが前腕回内位／中間位をとれる 十分: 回外5°〜45°／回外50°〜85°／回外90°
⑤腰掛け位で手を背中の後へ 手を背中の後へまわす．手が背中の中心線から，5cm以内に達するか否かをみる．1動作で行うこと．	不可能 不十分: 体側まで／体側を越えるが不十分 十分: 脊柱より5cm以内	⑪スピードテスト① 手を肩から頭上に挙上する．手先を肩につけ真上に挙上する．できるだけ早く10回繰り返すのに要する時間を計る．肘が20°以上曲がっていてはならず，肩関節は130°以上挙上すること．健側を先に測定する．	所要時間: 健側　秒／患側　秒 不十分: 健側の2倍以上／健側の1.5〜2倍 十分: 健側の1.5倍以下
⑥腕を前方水平位に挙上 腕を前方水平位に上げる．（肘は20°以上曲がらないように気をつける．肩関節での水平内外転は±10°以内に保つ）60°以上を十分とする．	不可能 不十分: 5°〜25°／30°〜55° 十分: 60°〜85°／90°	**■ 上肢予備テスト**（テストNo.11が施行不可能の場合実施する．） スピードテスト② 腕を横水平位に挙上する．肘伸展位のままで腕を横水平に開く．できるだけ早く10回繰り返す．上肢は真横から20°以上前に出て，肘は20°以上曲がらないようにする．60°以上の側方挙上を行うこと．	所要時間: 健側　秒／患側　秒 不十分: 健側の2倍以上／健側の1.5〜2倍 十分: 健側の1.5倍以下

「目でみるリハビリテーション医学 第2版」（上田 敏/著），東京大学出版会，1998より引用．

下肢

テストNo. サブテストの種類 出発肢位・テスト動作		判定	
①レイミストの連合反応（内転）背臥位で健側の下肢を開き，徒手抵抗に抗してこれを閉じさせる．患側下肢の内転，または内転筋群の収縮の有無をみる．		股内転の誘発（連合反応）	不十分（無）
			十分（有）
②随意運動（内転）背臥位で随意的に患側下肢を閉じさせ，内転筋群の収縮を触知する．		随意収縮（股内転筋群の触知）	不十分（無）
			十分（有）
③伸筋共同運動（随意運動）背臥位で膝を90°曲げ，自然に股外旋した位置に置き，「足を伸ばす」よう指示し，膝屈曲角をみる．		随意運動（膝伸展）	不可能
			不十分 90°～50°
			45°～25°
			可能 20°～5°
			0
④屈筋共同運動（随意運動）背臥位で股伸展位（0～20°）「患側の足を曲げる」ように指示し，随意的な動きの有無，程度を股関節屈曲角でみる．90°以上を十分とする．		随意運動（股屈曲）	不可能
			不十分 5°～40°
			可能 45°～85°
			90°～
⑤股関節屈曲（下肢伸展挙上）背臥位で膝伸展位のまま挙上させ，股関節の動く角度をみる．この間，膝関節は20°以上屈曲してはならない．30°以上を十分とする．			不可能
			不十分 5°～25°
			30°～45°
			十分 50°～
⑥膝関節の屈曲 膝関節90°の腰掛け位をとらせる．足を床の上ですべらせて膝関節を100°以上に屈曲させる．膝関節は60°～90°の屈曲位に保ち，床から離さず行うこと．			不可能
			可能（十分）

テストNo. サブテストの種類 出発肢位・テスト動作		判定	
⑦足関節の背屈 腰掛け位で踵を床につけたまま，足関節を背屈する．5°以上の背屈を十分とする．			不可能
			可能（十分）
⑧足関節背屈 背臥位で股・膝伸展位のままで足関節の背屈動作．5°以上を十分とする．		不十分	不可能
			可能だが底屈域内
		十分	背屈5°以上可能
⑨膝伸展位で足関節背屈 腰掛け位で足関節背屈動作の有無と程度をみる．股関節は60°～90°の屈曲位で膝は20°以上曲がらないようにして行う．背屈5°以上を十分とする．			不可能
		不十分	可能だが底屈域内
		十分	背屈5°以上可能
⑩股関節内旋 腰掛け位，膝屈曲位で中間位からの股関節内旋動作の角度をみる．股関節60°～90°屈曲位で大腿部を水平にし，膝関節90°±10°を保って行う．			不可能
		不十分	内旋5°～15°
		十分	内旋20°～
⑪スピードテスト①股関節内旋 膝屈曲位で中間位から股関節内旋動作，（テスト⑩の動作）を10回行うのに要する時間．（内旋が20°以上できること．その他の条件はテスト⑩と同じ）健側を先に測定すること．		所要時間	健側　秒 患側　秒
		不十分	健側の2倍以上
			健側の1.5～2倍
		十分	健側の1.5倍以下

「目でみるリハビリテーション医学 第2版」（上田 敏／著），東京大学出版会，1998より引用．

12段階片麻痺グレード判定（上下肢）

（片麻痺回復グレード）	片麻痺機能テスト結果		参考（ブルンストロームステージ）
	サブテストNo.	判定	
0	①（連合反応）	不十分（②，③，④も不十分）	Ⅰ
1	①（連合反応）	十分	Ⅱ-1
2	②（随意収縮）	十分	Ⅱ-2
3	③，④（共同運動）	一方不可能・他方不十分	Ⅲ-1
4		両方とも不十分または一方不可能・他方十分	Ⅲ-2
5		一方十分・他方不十分	Ⅲ-3
6		両方ともに十分	Ⅲ-4

（片麻痺回復グレード）	片麻痺機能テスト結果		参考（ブルンストロームステージ）
	サブテストNo.	判定	
7	⑤，⑥，⑦（ステージⅣのテスト）	1つが十分	Ⅳ-1
8		2つ以上が十分	Ⅳ-2
9	⑧，⑨，⑩（ステージⅤのテスト）	1つが十分	Ⅴ-1
10		2つが十分	Ⅴ-2
11		3つが十分	Ⅴ-3
12	⑪（スピードテスト）	ステージⅤのテストが3つとも十分でかつスピードテストが十分	Ⅵ

「目でみるリハビリテーション医学 第2版」（上田 敏／著），東京大学出版会，1998より引用．

手指

サブテストNo.	サブテストの種類	出発肢位・テスト動作	判定		
①	指の集団運動 / 集団屈曲	出発肢位：前腕中間位（以下テスト⑦まで同じ．とりにくい場合は，テスト者が軽く支えてもよい），手指伸展位（可能な限り），手関節は中間位（背屈 ROM1/4 以内までを含む）～掌屈位の範囲（テスト②，④も同じ）．テスト動作：	0	手指伸展位がとれない，または屈曲不能		
			1	ROM の 1/4 未満		
			2	ROM の 1/4～3/4 未満		
			3	ROM の 3/4 以上		
			出発点と終点との差で判定する． 1) 健手 ROM を基準（4/4）とする． 2) MP, PIP, DIP の角度を足し合わせて判定する．すなわち，指末節の最終位置により判定することになる． 3) 全指が揃わない場合は平均して判定する．			
②	集団伸展	出発肢位：手指屈曲位（可能な限り）．テスト動作：	0	手指屈曲位がとれない，または伸展不能		
			1	ROM の 1/4 未満		
			2	ROM の 1/4～3/4 未満		
			3	ROM の 3/4 以上		
			テスト①と同じ．			
③	手関節の分離運動 / 手関節背屈	出発肢位：手指屈曲位（屈曲は ROM の 3/4 以上あればよい）．肘を机の上につき，手部は机の面から少し浮かして行う．テスト動作：	不十分	ROM の 3/4 未満		
			十分	ROM の 3/4 以上		
			テスト施行中の手関節橈尺屈は ROM の 1/4 以内であればよい．			
④	指の分離運動 / 四指屈曲位での指示伸展	出発肢位：全指屈曲位（ROM の 3/4 以上）．テスト動作：	不十分	ROM の 3/4 未満		
			十分	ROM の 3/4 以上		
			1) 検査指以外の指（母指を含む）の屈曲は，ROM の 3/4 以上に自力で保っていることが条件．途中で 3/4 以下になる場合はならない範囲の角度で判定する．母指は屈曲していれば，その位置は問わない．			
⑤	MP 伸展での IP 屈曲（手背屈位）	出発肢位：手関節背屈（ROM の 1/4 以上），MP 伸展（ROM の 1/4 以上）．母指の位置は自由とし，判定には含めない．テスト動作：	不十分	ROM の 3/4 未満		
			十分	ROM の 3/4 以上		
			1) 手関節背屈は全 ROM の 1/4 以上をテスト動作中，自力で保っていることが条件．途中で 1/4 以下になる場合は，ならない範囲の角度で判定する． 2) 全指が揃わない場合は平均して判定する（母指を除く）．			
⑥	指の分離運動 / 四指屈曲位での指示伸展（手背屈位）	出発肢位：全指屈曲位（ROM の 3/4 以上），手関節背屈（ROM の 1/4 以上）．母指は屈曲していればその位置は問わない．テスト動作：	不十分	ROM の 3/4 未満		
			十分	ROM の 3/4 以上		
			1) テスト⑤の 1) に同じ． 2) テスト④の 1) に同じ．			
⑦	四指屈曲位での小指伸展（手背屈位）	出発肢位：テスト⑥に同じ．テスト動作：	不十分	ROM の 3/4 未満		
			十分	ROM の 3/4 以上		
			1) テスト⑤の 1) に同じ． 2) テスト④の 1) に同じ．			
⑧	スピードテスト	鉛筆を机の上から I, II 指の指腹つまみで 5 回（2～3 cm 程度）つまみあげて離す．5 回で判定しにくい場合は，10 回行わせて計測する（ストップウォッチで秒単位に小数点 1 桁まで測定）． 注 1) まず健手で正しいやり方を教える． 注 2) III～V 指は 3/4 以上屈曲位に保つ．	所要時間	計測は 10 回分として計算し，小数点 1 桁まで記載する．	健側　　秒	
					患側　　秒	
			不十分	患側/健側の比が 1.0 を越える．または，患側の所要時間が 8 秒を越える．		
			十分	患側/健側の比が 1.0 以内で，かつ，患側の所要時間が 8 秒以内．		
⑨	連合反応	健手に握力計をもたせ，最大限握らせたときに，患指の屈曲が起こるかどうかをみる．患手の位置は自由（膝の上，体側など）．	不十分	なし		
			十分	あり		

「目でみるリハビリテーション医学 第 2 版」（上田 敏／著），東京大学出版会，1998 より引用．

12 段階片麻痺グレード総合判定（手指）

グレード 2～6 は右表参照．

総合判定（グレード）	サブテスト No.	判定		
0	⑨（連合反応）	不十分	全テスト不能	
1		十分	連合反応のみ「あり」	
7	③	十分	不十分	1) グレード 6 にまで達していない場合には，グレード 7 以上に判定してはならない． 2) No. ③～⑦のサブテストについて2つ連続して十分になった番号の大きいテストによりグレードを判定する（途中で不十分な番号があってもよい）．ただし，グレード 7 はグレード 6 に達していればテスト③のみで十分でよい．
8	④	十分	不十分	
9	⑤	十分	不十分	
10	⑥	十分	不十分	
11	⑦	十分	不十分	
12	⑧スピードテスト	十分	不十分	テスト③～⑦すべて十分の場合のみ実施する．

グレード 2～6 の判定基準（サブテスト①②）

グレード		集団伸展判定（サブテスト②）			
		0 不能	1 1/4 未満	2 1/4～3/4	3 3/4 以上
集団屈曲判定（サブテスト①）	0 不能	また１は	2	3	4
	1 1/4 未満	2	3	3	4
	2 1/4～3/4	3	3	4	5
	3 3/4 以上	4	4	5	6

「目でみるリハビリテーション医学 第 2 版」（上田 敏／著），東京大学出版会，1998 より引用．

SIAS（Stroke Impairment Assessment Set：脳卒中機能障害評価セット）

- 脳卒中による多面的な機能障害を見落としなく評価できるように作成された総合的な機能評価指標である．
- ADLなどの予後に影響する非麻痺側機能や体幹機能の評価を含んでいる．
- 試行時間は8～10分程度で，特別な検査器具を必要としない．
- 9種の機能障害に分類される22項目から構成され，各項目とも3点あるいは5点満点で評価される．
- 1項目を1課題により評価する方法（single-task assessment）を採用している．

＜運動機能＞

1）上肢近位（knee-mouth test）
座位において患肢の手部を対側膝（大腿）上より挙上し，手部を口まで運ぶ．この際，肩は90°まで外転させる．そして膝上まで戻す．これを3回繰り返す．肩，肘関節に拘縮が存在する場合は可動域内での運動をもって課題可能と判断する．
- 0：まったく動かない．
- 1：肩のわずかな動きがあるが手部が乳頭に届かない．
- 2：肩肘の共同運動があるが手部が口に届かない．
- 3：課題可能．中等度のあるいは著明なぎこちなさあり．
- 4：課題可能．軽度のぎこちなさあり．
- 5：健側と変わらず．正常．

2）上肢遠位（finger-function test）
手指の分離運動を母指～小指の順に屈曲，小指～母指の順に伸展することにより行う．
- 0：まったく動かない．
- 1：1A：わずかな動きがある．または集団屈曲可能．
  1B：集団伸展が可能．
  1C：分離運動が一部可能．
- 2：全指の分離運動可能なるも屈曲伸展が不十分である．
- 3：課題可能（全指の分離運動が十分な屈曲伸展を伴って可能）．中等度のあるいは著明なぎこちなさあり．
- 4：課題可能．軽度のぎこちなさあり．
- 5：健側と変わらず．正常．

3）下肢近位（hip-flexion test）
座位にて股関節を90°より最大屈曲させる．3回行う．必要ならば座位保持のための介助をして構わない．
- 0：まったく動かない．
- 1：大腿にわずかな動きがあるが足部は床から離れない．
- 2：股関節の屈曲運動あり，足部は床より離れるが十分ではない．
- 3～5：knee-mouth test の定義と同一．

4）下肢近位（膝）（knee-extension test）
座位にて膝関節を90°屈曲から十分伸展（-10°程度まで）させる．3回行う．必要ならば座位保持のための介助をして構わない．
- 0：まったく動かない．
- 1：下腿にわずかな動きがあるが足部は床から離れない．
- 2：膝関節の伸展運動あり，足部は床より離れるが十分ではない．
- 3～5：knee-mouth test の定義と同一．

5）下肢遠位（foot-pat test）
座位または臥位．座位は介助しても可．踵部を床につけたまま，足部の背屈運動を協調しながら背屈・底屈を3回繰り返し，その後なるべく速く背屈を繰り返す．
- 0：まったく動かない．
- 1：わずかな背屈運動があるが前足部は床から離れない．
- 2：背屈運動あり，足部は床より離れるが十分ではない．
- 3～5：knee-mouth test の定義と同一．

＜筋緊張＞

6）上肢筋緊張 U/E muscle tone
肘関節を他動的に伸展屈曲させ，筋緊張の状態を評価する．
- 0：上肢の筋緊張が著明に亢進している．
- 1：1A：上肢の筋緊張が中等度（はっきりと）亢進している．
  1B：他動的筋緊張の低下．
- 2：上肢の筋緊張が軽度（わずかに）亢進している．
- 3：正常．健側と対称的．

7）下肢筋緊張 L/E muscle tone
膝関節の他動的伸展屈曲により評価する．
6の「上肢」を「下肢」に読み替える．

8）上肢腱反射 U/E DTR（biceps or triceps）
- 0：biceps あるいは triceps 反射が著明に亢進している．あるいは容易に clonus（肘，手関節）が誘発される．
- 1：1A：biceps あるいは triceps 反射が中等度（はっきりと）に亢進している．
  1B：biceps あるいは triceps 反射がほぼ消失している．
- 2：biceps あるいは triceps 反射が軽度（わずかに）亢進．
- 3：biceps あるいは triceps 反射とも正常．健側と対称的．

9）下肢腱反射 L/E DTR（PTR or ATR）
- 0，1B，2，3：biceps，triceps を PTR，ATR と読み替える．
- 1：1A：PTR あるいは ATR 反射が中等度（はっきりと）に亢進している．unsustained clonus を認める．

（次ページへつづく）

(前ページからのつづき)

<感覚>

10) 上肢触覚 U/E light touch（手掌）

0：強い皮膚刺激もわからない．
1：重度あるいは中等度以下．
2：軽度低下，あるいは主観的低下．または異常感覚あり．
3：正常．

11) 下肢触覚 L/E position（足背）

0：強い皮膚刺激もわからない．
1：重度あるいは中等度以下．
2：軽度低下，あるいは主観的低下．または異常感覚あり．
3：正常．

12) 上肢位置覚 U/E position（母指 or 示指）

指を他動的に運動させる．
0：全可動域の動きもわからない．
1：全可動域の運動なら方向がわかる．
2：ROM の 1 割以上の動きなら方向がわかる．
3：ROM の 1 割未満の動きでも方向がわかる．

13) 下肢位置覚 L/E position（母趾）

趾を他動的に運動させる．
0：全可動域の動きもわからない．
1：全可動域の運動なら方向がわかる．
2：ROM の 5 割以上の動きなら方向がわかる．
3：ROM の 5 割未満の動きでも方向がわかる．

<関節可動域>

14) 上肢関節可動域 U/E ROM

他動的肩関節外転を行う．
0：60°以下．
1：90°以下．
2：150°以下．
3：150°以上．

15) 下肢関節可動域 L/E ROM

膝伸展位にて他動的足関節背屈を行う．
0：−10°以下．
1：0°以下．
2：10°以下．
3：10°以上．

<疼痛>

16) 疼痛 pain

脳卒中に由来する疼痛の評価を行う．既往としての整形外科的（腰痛など），内科的（胆石など）疼痛は含めない．また過度でない拘縮伸張時のみの痛みも含めない．
0：睡眠を妨げるほどの著しい疼痛．
1：中等度の疼痛．
2：加療を要しない程度の軽度の疼痛．
3：疼痛の問題がない．

<体幹機能>

17) 垂直性 verticality test

0：座位がとれない．
1：静的座位にて側方性の姿勢異常があり，指摘・指示にても修正されず，介助を要する．
2：静的座位にて側方性の姿勢異常（傾で15°以上）があるが，指示にてほぼ垂直位に修正・維持可能である．
3：静的座位は正常．

18) 腹筋 abdominal MMT

車椅子または椅子に座り，殿部を前にずらし，体幹を45°後方へ傾け，背もたれによりかかる．大腿部が水平になるように検者が押さえ，体幹を垂直位まで起き上がらせる．検者が抵抗を加える場合には，胸骨上部を押さえること．
0：垂直位まで起き上がれない．
1：抵抗を加えなければ起き上がる．
2：軽度の抵抗に抗して起き上がる．
3：強い抵抗に抗して起き上がる．

<視空間認知>

19) 視空間認知 visuo-spatial deficit

50 cm のテープを眼前約 50 cm に提示し，中央を健側指で示させる．2回行い，中央よりずれの大きい値を採用する．
0：15 cm 以上．
1：5 cm 以上．
2：3 cm 以上．
3：3 cm 未満．

<言語機能>

20) 言語 speech

失語症に関して評価する．構音障害はこの項目には含めない．
0：全失語．まったくコミュニケーションがとれない．
1：1A：重度感覚性失語症（重度混合性失語症も含む）．
　　1B：重度運動性失語症．
2：軽度失語症．
3：失語症なし．

<健側機能>

21) 握力 grip strength

座位で握力計の振り幅を約 5 cm にして計測する．健側の具体的 kg 数を記載すること．
0：握力 0 kg．
1：握力 10 kg 以下．
2：握力 10〜25 kg．
3：握力 25 kg 以上．

22) 健側大腿四頭筋力 quadriceps MMT

座位における健側膝伸展筋力を評価する．
0：重力に抗しない．
1：中等度に筋力低下．
2：わずかな筋力低下．
3：正常．

「理学療法ハンドブック改訂第3版 第1巻 理学療法の基礎と評価」（細田多穂，柳澤 健／編），pp642-643, 協同医書出版社，2008 をもとに作成．

■ SIAS chart

氏名　　　　　　　　年月日　　／　　／　　検者
（右・左）麻痺

	U/E	L/E				
Knee-Mouth			0：まったく動かず 課題可能でぎこちなさが 3：中等著明 4：軽度　5：なし	Pain		0：睡眠を妨げる 2：加療を要しない程度
Finger-Function			1A：わずかな集団屈曲 1B：集団伸展 1C：分離一部 2：分離可能屈伸不十分	Abdom. MMT		45°傾斜 0：起きられない 2：軽い抵抗 3：強い抵抗でも
Hip-Flexion			2：足部が床から離れる	Verticality		0：座位不可 2：指示にて垂直
Knee-Extension			2：足部が床から離れる	(Visuo-spat. 1)	cm	2回測定 患者の左からのcmを記載
Foot-Pat				(Visuo-spat. 2)	cm	2回のうち中央からずれが大きい方でscoring
DTR			0：sustained clonus 1A：中等亢進　1B：低下 2：軽度亢進 3：正常	Visuo-spat. score		15 cm　5 cm　3 cm 0　　　1　2　3
Tone			0：著明亢進 1A：中等亢進　1B：低下 2：軽度亢進 3：正常	Speech		1A：重度感覚（混合） 1B：重度運動 2：軽度
Touch			0：脱失 1：中等 2：軽度 3：正常	Unaffected Quad.		0：重力に抗せず 1：中等筋力低下（MMT 4） 2：軽度低下 3：正常
Position			0：動き不明 1：方向不明 3：わずかな動きでも可	(Unaffected GP)	kg	座位，肘伸展位
[ROM（sh./ank.）]			3 150° 2 90° 1 0 60°	Unaffected GP score		25 kg 10 kg　2　3 1 3 kg 0 kg
ROM（sh./ank.）score			−10°　10° 2 1 3 0	(Affected GP)	kg	参考（SIAS項目でない）

「理学療法ハンドブック改訂第3版 第1巻 理学療法の基礎と評価」（細田多穂，柳澤 健／編），p644，協同医書出版社，2008より引用．

Fugl Meyer Assessment (FMA)

- 患者の機能障害を多面的にとらえるための総合的身体機能評価法である.
- 採点方法が簡便であるため検者間の再現性が高く,またBrunnstrom stage testやBarthel Indexとも高い相関を示しており,身体機能評価法として妥当性を有している.
- FMAは226点満点であり,機能障害を多面的に評価できる一方,上肢・下肢・バランスなど各項目の得点を単純に合計し総得点としているため,総得点のみの情報では患者の日常生活動作などの状況を捉えにくい面がある.
- 項目数が多いため,上肢や下肢の項目のみを評価に用いることも多い.

上肢

A 肩/肘/前腕

			無・不能	不十分	有・十分
I 反射	二頭筋・指屈筋		0		2
	三頭筋		0		2
II a 屈曲共同運動	肩	後退	0	1	2
:座位で患側の耳まで手を挙上		挙上	0	1	2
		外転	0	1	2:>90°
		外旋	0	1	2
	肘	屈曲	0	1	2
	前腕	回外	0	1	2
b 伸展共同運動	肩	内転/内旋	0	1	2
:座位で健側の膝に触れる	肘	伸展	0	1	2
	前腕	回内	0	1	2
III 座位で手を腰椎に回す			0	1:上前腸骨棘を越す	2
肘伸展位,前腕中間位での肩屈曲90°			0	1:後半で肘屈曲	2
肩0°,肘屈曲90°での回内外			0	1	2
IV 座位で肘伸展位,前腕回内位での肩外転90°			0	1:途中で肘屈曲,前腕回外	2
肘伸展位での肩屈曲180°			0	1:後半で肘屈曲	2
肘伸展位,肩30~90°屈曲位での回内外			0	1	2
V 正常反射:Iの腱反射を検査			0	1:亢進≧1個, 軽度亢進≧2個	2

B 手関節(肩と肘の肢位は必要なら介助する)

	無・不能	不十分	有・十分
肩0°,肘屈曲90°での手関節15°背屈位保持	0	1:抵抗がなければ可能	2:軽い抵抗に抗して可能
手関節掌屈/背屈	0	1	2:全可動域で可能
肩軽度屈曲/外転位,肘伸展位,前腕回内位で			
手関節15°背屈位保持	0	1:抵抗がなければ可能	2:軽い抵抗に抗して可能
手関節掌屈/背屈	0	1	2:全可動域で可能
回旋	0	1	2:スムーズで可動域十分

C 手(必要なら肘を90°に保つように介助する)

	無・不能	不十分	有・十分
集団屈曲	0	1	2
集団伸展	0	1	2
握りa:第2~5指MP伸展,PIPとDIPの屈曲	0	1:弱い	2:強い抵抗に抗して可能
握りb:母指伸展位で示指MPと紙を挟む	0	1:弱い力で引き抜ける	2:引き抜けない
握りc:第1~2指の指腹で鉛筆をつまむ	0	1:同上	2:同上
握りd:筒握り	0	1:同上	2:同上
握りe:母指対立位でテニスボールを握る	0	1:同上	2:同上

D 協調性/スピード

:目隠しで患側示指を鼻につける動作を5回,できるだけ速く繰り返す

振戦	0:顕著	1:軽度	2:無
測定異常	0:顕著	1:軽度	2:無
健側との時間差	0:>6秒	1:2~5秒	2:<2秒

下肢

E 股/膝/足

			無・不能	不十分	有・十分
I 反射		膝屈筋	0		2
		膝蓋腱・アキレス腱	0		2
II 背臥位で共同運動を評価する.随意収縮と重力による動きとを鑑別する.					
a 屈曲共同運動	股	屈曲	0	1	2
:下肢伸展位から開始	膝	屈曲	0	1	2
	足	背屈	0	1	2
b 伸展共同運動	股	伸展	0	1	2
:下肢屈曲位から開始		内転	0	1	2
	膝	伸展	0	1	2
	足	底屈	0	1	2

(次ページへつづく)

（前ページからのつづき）

Ⅲ	椅子座位で膝を屈曲	0	1：≦90°		2：＞90°
	足を背曲	0	1		2
Ⅳ	立位で股伸展 0°以上での膝屈曲 90°	0	1：途中で股屈曲		2
	足背屈	0	1		2
Ⅴ	正常反射：Ⅰの腱反射を検査	0	1：亢進≧1個, 軽度亢進≧2個		2

F 協調性／スピード

：背臥位で患側踵を健側膝蓋骨につける動作を5回，できるだけ速く繰り返す

振戦	0：顕著	1：軽度	2：無
測定異常	0：顕著	1：軽度	2：無
健側との時間差	0：＞6秒	1：2〜5秒	2：＜2秒

G バランス

[座位]

支持なし端座位保持		0	1	2：5分以上可能
目隠しされてのパラシュート反応	健側	0	1	2：肩外転, 肘伸展
	患側	0	1	2：肩外転, 肘伸展

[立位]

介助立位保持	0	1	2：軽介助で1分以上可能
支持なし立位保持	0	1	2：動揺なく1分以上可能
健側片脚立位保持	0	1：4〜9秒	2：＞10秒
患側片脚立位保持	0	1：4〜9秒	2：＞10秒

H 感覚

			脱失	鈍麻	正常
a	触覚	腕	0	1	2
		手掌	0	1	2
		大腿・下腿	0	1	2
		足底	0	1	2
			正解＜3/4	≧3/4	正常
b	位置覚	肩	0	1	2
		肘	0	1	2
		手関節	0	1	2
		母指 IP	0	1	2
		股	0	1	2
		膝	0	1	2
		足	0	1	2
		母趾	0	1	2

I 他動可動域／関節痛

		ROM			疼痛		
		微動	低下	正常	重度	軽度	なし
肩	屈曲	0	1	2	0	1	2
	外転 90°	0	1	2	0	1	2
	外旋	0	1	2	0	1	2
	内旋	0	1	2	0	1	2
肘	屈曲	0	1	2	0	1	2
	伸展	0	1	2	0	1	2
前腕	回内	0	1	2	0	1	2
	回外	0	1	2	0	1	2
手関節	屈曲	0	1	2	0	1	2
	伸展	0	1	2	0	1	2
手指	屈曲	0	1	2	0	1	2
	伸展	0	1	2	0	1	2
股	屈曲	0	1	2	0	1	2
	外転	0	1	2	0	1	2
	外旋	0	1	2	0	1	2
	内旋	0	1	2	0	1	2
膝	屈曲	0	1	2	0	1	2
	伸展	0	1	2	0	1	2
足	背屈	0	1	2	0	1	2
	底屈	0	1	2	0	1	2
	外がえし	0	1	2	0	1	2
	内がえし	0	1	2	0	1	2

「理学療法ハンドブック改訂第3版 第1巻 理学療法の基礎と評価」（細田多穂，柳澤 健／編），pp645-646，協同医書出版社，2008 をもとに作成．

2 パーキンソン病

■ Hoehn-Yahrの分類

ステージⅠ	一側性障害で静止振戦，固縮のみ出現，軽症である
ステージⅡ	両側性障害になり，四肢・体幹に静止振戦と固縮出現，姿勢異常と動作緩慢，無動がみられ，日常生活に多少不便を感じる
ステージⅢ	無動および歩行障害著明，姿勢反射障害・方向転換の不安定・突進現象などのためにときに転倒，日常生活動作障害があるが辛うじて独自で可能，就労やや制限
ステージⅣ	無動および姿勢反射障害が高度で，起立・歩行障害が強く容易に転倒し介助が必要，日常生活の大半に介助，労働能力は失われる
ステージⅤ	1人では動けないため寝たきりとなり，介助による車椅子生活になる

「理学療法ハンドブック改訂第3版 第1巻 理学療法の基礎と評価」（細田多穂，柳澤 健／編），p702，協同医書出版社，2008より引用．

■ 統一パーキンソン病評価スケール（UPDRS）

Ⅰ	精神，行動，気分（知能，意欲など4項目）
Ⅱ	活動性，日常生活（会話，嚥下，書字，着衣，転倒，歩行など13項目をonとoff相で）
Ⅲ	運動（発語，振戦，固縮，タッピング，起立，姿勢，歩行，姿勢反射，無動など14項目をonとoff相で）
Ⅳ	治療による随伴症状 　A．異常運動（出現の持続時間，能力障害，早期ジストニアなど4項目） 　B．症候の日内変動（offの予測，変動の速度，off時間など4項目） 　C．他の症状（胃症状，睡眠，起立性めまいの3項目）
Ⅴ	Hoehn & Yahrのステージ（0〜5の6段階に1.5と2.5を加えた8段階評価）
Ⅵ	Schwab & EnglandのADLスケール（onとoff相で完全自立を100％，寝たきりで嚥下・排泄も悪いものを0％とし11段階で％表示）

「神経障害系理学療法学」（丸山仁司／編），p81，医歯薬出版，2005をもとに作成．

3 脊髄小脳変性症

■ 運動機能の重症度分類

	下肢機能障害	上肢機能障害	会話障害
Ⅰ度（微度）	**独立歩行** 歩行障害はあっても1人歩きは可能．補助具や他人の介助を必要としない．	発病前（健常時）に比べれば異常であるが，ごく軽い障害	発病前（健常時）に比べれば異常であるが，軽い障害
Ⅱ度（軽度）	**随時補助・介助歩行** 1人歩きはできるが，立ち上がり，方向転換，階段昇降などの要所要所で壁や手すりなどの支持補助具，または他人の介助を必要とする．	細かい動作は下手であるが，食事にスプーンなどの補助具は必要としない．書字も可能であるが，明らかに下手である．	軽く障害されるが，十分に聞き取れる．
Ⅲ度（中等度）	**常時補助・介助歩行・伝い歩行** 歩行はできるが，ほとんど常に杖や歩行器などの補助具，または他人の介助を必要とし，それらのないときは伝い歩きが主体をなす．	手先の動作は全般に拙劣で，スプーンなどの補助具を必要とする．書字はできるが読みにくい．	障害は軽いが，少し聞き取りにくい．
Ⅳ度（重度）	**歩行不能・車椅子移動** 起立していられるが，他人に介助されてもほとんど歩行できない．移動は車椅子によるか，四つ這い，またはすり歩きで行う．	手先の動作は拙劣で，他人の介助を必要とする．書字は不能である．	かなり障害され，聞き取りにくい．
Ⅴ度（極度）	**臥床状態** 支えられても起立不能で，臥床したままの状態であり，日常生活動作はすべて他人に依存する．	手先のみならず上肢全体の動作が拙劣で，他人の介助を必要とする．	高度に障害され，ほとんど聞き取れない．

厚生省特定疾患運動失調症調査研究班，1992より．

■ SARA（Scale for the assessment and rating of ataxia）日本語版

1）歩行
以下の2種類で判断する．①壁から安全な距離をとって壁と平行に歩き，方向転換し，②帰りは介助なしで継ぎ足歩行（つま先に踵を継いで歩く）を行う．

- 0―正常，歩行，方向転換，継ぎ足歩行が困難なく10歩より多くできる（1回までの足の踏み外しは可）
- 1―やや困難．継ぎ足歩行は10歩より多くできるが，正常歩行ではない
- 2―明らかに異常．継ぎ足歩行はできるが10歩を超えることができない
- 3―普通の歩行で無視できないふらつきがある．方向転換がしにくいが，支えは要らない
- 4―著しいふらつきがある．ときどき壁を伝う
- 5―激しいふらつきがある．常に，1本杖か，片方の腕に軽い介助が必要
- 6―しっかりとした介助があれば10mより長く歩ける．2本杖か歩行器か介助者が必要
- 7―しっかりとした介助があっても10mには届かない．2本杖か歩行器か介助が必要
- 8―介助があっても歩けない

2）立位
被検者に靴を脱いでいただき，開眼で，順に①自然な姿勢，②足を揃えて（親趾同士をつける），③継ぎ足（両足を一直線に，踵とつま先に間を空けないようにする）で立っていただく．各肢位で3回まで再施行可能，最高点を記載する．

- 0―正常，継ぎ足で10秒より長く立てる
- 1―足を揃えて，動揺せずに立てるが，継ぎ足で10秒より長く立てない
- 2―足を揃えて，10秒より長く立てるが動揺する
- 3―足を揃えて立つことはできないが，介助なしに，自然な肢位で10秒より長く立てる
- 4―軽い介助（間欠的）があれば，自然な肢位で10秒より長く立てる
- 5―常に片方の腕を支えれば，自然な肢位で10秒より長く立てる
- 6―常に片方の腕を支えても，10秒より長く立つことができない

（次ページへつづく）

（前ページからのつづき）

3）座位
開眼し，両上肢を前方に伸ばした姿勢で，足を浮かせてベッドに座る．

- 0―正常，困難なく10秒より長く座っていることができる
- 1―軽度困難，間欠的に動揺する
- 2―常に動揺しているが，介助なしに10秒より長く座っていられる
- 3―ときどき介助するだけで10秒より長く座っていられる
- 4―ずっと支えなければ10秒より長く座っていることができない

4）言語障害
通常の会話で評価する．

- 0―正常
- 1―わずかな言語障害が疑われる
- 2―言語障害があるが，容易に理解できる
- 3―ときどき，理解困難な言葉がある
- 4―多くの言葉が理解可能である
- 5―かろうじて単語が理解できる
- 6―単語を理解できない．言葉が出ない

5）指追い試験
被検者は楽な姿勢で座ってもらい，必要があれば足や体幹を支えてよい．検者は被検者の前に座る．検者は，被検者の指が届く距離の中間の位置に，自分の人差し指を示す．被検者に，自分の人差し指で，検者の人差し指の動きに，できるだけ早く正確についていくように命ずる．検者は被検者の予測できない方向に，2秒かけて，約30cm，人差し指を動かす．これを5回繰り返す．被検者の人差し指が，正確に検者の人差し指を示すかを判定する．5回のうち最後の3回の平均を評価する．

- 0―測定障害なし
- 1―測定障害がある．5cm未満
- 2―測定障害がある．15cm未満
- 3―測定障害がある．15cmより大きい
- 4―5回行えない
- （注）原疾患以外の理由により検査自体ができない場合は5とし，平均値，総得点に反映させない

6）鼻―指テスト
被検者は楽な姿勢で座ってもらい，必要があれば足や体幹を支えてよい．検者はその前に座る．検者は，被検者の指が届く距離の90％の位置に，自分の人差し指を示す．被検者に，人差し指で被検者の鼻と検者の指を普通のスピードで繰り返し往復するように命じる．運動時の指先の振戦の振幅の平均を評価する．

- 0―振戦なし
- 1―振戦がある．振幅は2cm未満
- 2―振戦がある．振幅は5cm未満
- 3―振戦がある．振幅は5cmより大きい
- 4―5回行えない
- （注）原疾患以外の理由により検査自体ができない場合は5とし，平均値，総得点に反映させない

7）手の回内・回外運動
被検者は楽な姿勢で座ってもらい，必要があれば足や体幹を支えてよい．被検者に，被検者の大腿部の上で，手の回内・回外運動を，できるだけ速く正確に10回繰り返すよう命ずる．検者は同じことを7秒で行い手本とする．運動に要した正確な時間を測定する．

- 0―正常，規則正しく行える．10秒未満でできる
- 1―わずかに不規則．10秒未満でできる
- 2―明らかに不規則．1回の回内・回外運動が区別できない，もしくは中断する．しかし10秒未満でできる
- 3―きわめて不規則．10秒より長くかかるが10回行える
- 4―10回行えない
- （注）原疾患以外の理由により検査自体ができない場合は5とし，平均値，総得点に反映させない

8）踵―脛テスト
被検者をベッド上で横にして下肢が見えないようにする．被検者に，片方の足を上げ，踵を反対の膝に移動させ，1秒以内で脛に沿って踵まで滑らせるように命じる．その後，足をもとの位置に戻す．片方ずつ3回連続で行う．

- 0―正常
- 1―わずかに異常．踵は脛から離れない
- 2―明らかに異常．脛から離れる（3回まで）
- 3―きわめて異常．脛から離れる（4回以上）
- 4―行えない（3回とも脛に沿って踵を滑らすことができない）
- （注）原疾患以外の理由により検査自体ができない場合は5とし，平均値，総得点に反映させない

※5），6），7），8）については左右の両側で測定し，その平均値を算出する．
脊髄小脳変性症〔難病情報センター（http://www.nanbyou.or.jp/session/new）〕をもとに作成．

4 脊髄損傷（SCI）

■ 国際標準評価法のkey muscle

C5	上腕二頭筋，上腕筋	L2	股関節屈筋群
C6	長短橈側手根伸筋	L3	大腿四頭筋
C7	上腕三頭筋	L4	前脛骨筋
C8	中指の深指屈筋	L5	長母趾伸筋
T1	小指外転筋	S1	下腿三頭筋

運動レベルの判定では，機能判定筋として上・下肢に5つの筋をkey muscleとして設定し，それぞれの筋力テストの結果から髄節の機能残存の有無を判定する．

■ 国際標準評価法のkey sensory point一覧

C2	外後頭隆起	T1	肘窩内側（尺側）	L1	T12とL2の中点
C3	鎖骨上窩	T2	腋下前端	L2	大腿部の中点
C4	肩鎖関節上端	T3	第3肋間	L3	大腿骨内側上顆
C5	肘窩外側	T4	第4肋間（乳頭線）	L4	内果
C6	母指	T5	第5肋間	L5	第3趾MP関節背側
C7	中指	T6	第6肋間（剣状突起）	S1	踵外側
C8	小指	T7	第7肋間	S2	膝窩
		T8	第8肋間（T6とT10の中間）	S3	坐骨結節
		T9	第9肋間	S4〜5	肛門周囲
		T10	第10肋間（臍）		
		T11	第11肋間		
		T12	鼠径靭帯の中点		

感覚レベルの判定では，体表面をC2からS4〜5までの髄節が支配する領域に区分し，各髄節の支配領域内に検査ポイント（key sensory point）を定めて検査を行う．
「リハビリテーションビジュアルブック」（落合慈之/監），p197，学研メディカル秀潤社，2011より引用．

■ Zancolliの分類（1979）

臨床上のグループ	下限機能髄節 （C髄節）	残存機能筋	部分群（亜群）	
Ⅰ　肘関節屈曲	C5	上腕二頭筋	A　腕橈骨筋は作用しない．	
			B　腕橈骨筋は作用する．	
Ⅱ　手関節背屈	C6	長・短橈側手根伸筋	A　手関節背屈が弱い．	
			B　手関節背屈が強い．	Ⅰ．円回内筋と橈側手根屈筋は作用しない．
				Ⅱ．橈側手根屈筋は作用しないが，円回内筋は作用する．
				Ⅲ．円回内筋と橈側手根屈筋，上腕三頭筋とも作用する．
Ⅲ　手外筋による手指伸展	C7	総指伸筋 小指伸筋 尺側手根伸筋	A　尺側の手指の伸展は完全であるが，橈側の手指と母指が麻痺している．	
			B　すべての指の筋の伸展は完全であるが，母指の伸展は弱い．	
Ⅳ　手外筋による手指屈曲と母指伸展	C8	深指屈筋 示指伸筋 長母指伸筋 尺側手根屈筋	A　尺側手指の屈曲は完全であるが，橈側手指と母指が麻痺している．	
			B　手指の屈曲は完全であるが，母指の屈曲は弱い．手掌の筋は弱く，手内筋は麻痺している．	Ⅰ．浅指屈筋は作用しない．
				Ⅱ．浅指屈筋は作用する．

■ 完全四肢麻痺のZancolliのクラス別ADL獲得可能性の目安

Level	Number of cases	電動W/C	車椅子駆動	寝返り	起き上がり	W/C-ベッドトランスファー	W/C-トイレトランスファー	W/C-車トランスファー	W/C積み込み	側方アプローチトランスファー	W/C-床トランスファー
C4	5	B	E	E	E	E	E	E	E	E	E
C5A	5	A	C	E	E	E	E	E	E	E	E
C5B	13	A	B	C	D	E	E	E	E	E	E
C6A	2		A	C	C	C	E	E	E	E	E
C6B1	17		A	A	A	B	C	C	D	D	E
C6B2	26		A	A	A	A	B	B	C	C	D
C6B3	16		A	A	A	A	B	B	B	C	C
C7A	10		A	A	A	A	A	A	B	B	C
C7B	5		A	A	A	A	A	A	B	B	C
C8A	5		A	A	A	A	A	A	B	B	C
C8B	5		A	A	A	A	A	A	A	B	C

A：ほぼ間違いなく可能　　　C：（〜60％）可能性あり，トライすべき
B：（〜90％）可能性が高い　　D：（〜20％）かなり困難，ほかの条件次第で可能性あり
「リハビリテーションビジュアルブック」（落合慈之/監），p197，学研メディカル秀潤社，2011より引用．

■ アメリカ脊髄損傷学会の神経学的評価

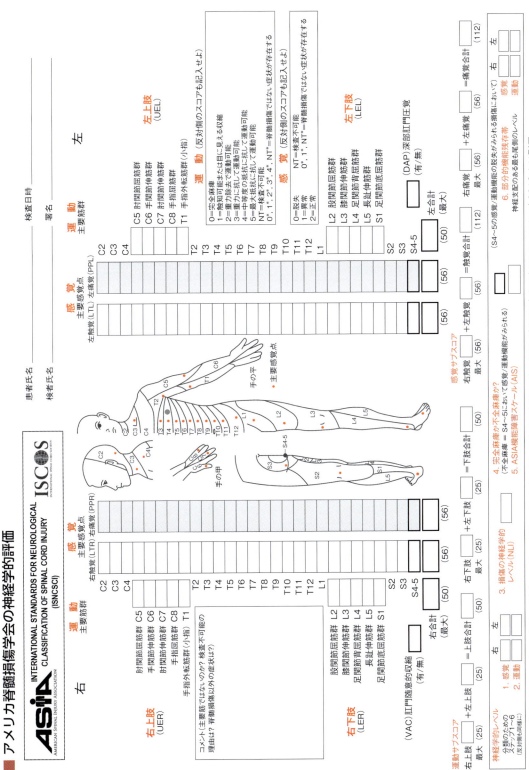

■ 筋力グレード

0	完全麻痺
1	触診または視診可能な収縮
2	重力除去での全可動域の自動運動
3	抗重力での全可動域の自動運動
4	抗重力と筋の特定の位置における中くらいの抵抗に抗する全可動域の自動運動
5	（正常）抗重力と障害のない人から予想される最大抵抗に抗する全可動域の自動運動
5*	（正常）定義可能な抑制因子（疼痛，廃用）が存在しないならば，審査官の判断において，正常であると思われる十分な抵抗と重力に抗する全可動域の自動運動
NT	検査不可能（固定，検査ができないほどの激しい疼痛，50％以下の可動域の拘縮などのために）

■ ASIA機能障害スケール

A = 完全損傷	感覚機能も運動機能もS4-S5仙髄節で保たれていない．
B = 感覚不完全損傷	運動機能を除き（運動機能は喪失），感覚機能は神経学的レベル以下と仙髄節S4-S5（触覚と痛覚または深部肛門圧覚）で残存しており，かつ運動機能は左右両側の運動レベルから3髄節以下までは残存しない．
C = 運動不完全損傷	運動機能は神経学的レベル以下で残存しており*，損傷の単一神経学的レベル（NLI）より下の標的筋の半分以上が筋力グレード3未満（0〜2）である．
D = 運動不完全損傷	運動機能は神経学的レベル以下で残存しており*，NLIより下の標的筋の少なくとも半分以上は筋力グレード3以上である．
E = 正常	ISNCSCIによる検査で感覚機能も運動機能もすべての髄節で正常である場合，以前からの障害である場合はAISのグレードはEである．初期（受傷期早期）に脊髄損傷のない人はAISのグレードに当てはまらない．

＊CまたはD，すなわち運動不完全損傷に分類されるためには，（1）肛門括約筋の随意的収縮があるか，または（2）仙髄領域の感覚残存かつ同側の運動レベルから3髄節下を超えて残存していなければならない．運動不完全損傷を決定する（AISのB対C）際の基準は，運動レベルから3髄節下以上の非標的筋機能の使用も許す．

注：AIS BおよびCを識別するためのレベル以下に運動回避の範囲を評価する際は左右各側の運動レベルが使用されるのに対し，（グレード3以上の強さの筋機能に基づき）AIS CとDを区別する場合は単一神経学的レベルを使用する．
（訳者注：「単一神経学的レベル」"single neurological level"とは，一般的に使用されているように，ただ1つの髄節高位で神経学的レベルを表す場合の高位のこと．）

■ 分類の手順

以下の順序でSCI患者各個の分類を決定する．

1. 左右の感覚レベルを測定せよ．
2. 左右の運動機能レベルを測定せよ．（訳者注：筋力グレード3以上）
   注：テストする筋がない髄節レベルでの運動機能レベルは，そのレベル以上の検査可能な運動機能が正常な場合，感覚のレベルと同じであると思われる．
3. 単一神経学的レベルを決定せよ．
   これは運動と感覚の機能が両側ともに正常である最も低い髄節で，ステップ1と2で同定された左右の運動機能と感覚レベルのうち，最も頭側のものである．
4. 完全損傷であるか不完全損傷であるか決定せよ（仙髄回避かどうか）．
   もし，（肛門括約筋の随意収縮＝無）＋（すべてのS4-S5感覚スコア＝0）＋（深部肛門圧覚＝無）であれば完全損傷であり，それ以外は不完全損傷である．
5. ASIA Impairment Scale（AIS）のグレードを決定せよ．

完全損傷か？　　　　もしYESであればAIS＝Aである．ZPPを記録せよ．
〔残存（ゼロ以外の得点）している左右それぞれの最も低い感覚または運動機能の髄節を記録する〕
＊ZPP＝zone of partial preservation　部分的機能残存帯

↓ NO

運動不完全損傷か？　　もしNOであればAIS＝Bである．
（YESとは，肛門括約筋の随意的収縮，または，もし感覚不完全損傷に分類される場合，運動レベルより3髄節下以上の運動機能が残存）

↓ YES

単一神経学的レベル（上記3.）より遠位の筋群のうち少なくとも半分は筋力グレード3もしくはそれ以上あるか？

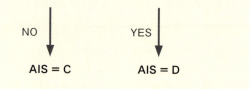

NO　　　　　　　　YES
AIS＝C　　　　　　AIS＝D

もし，感覚と運動機能がすべての髄節で正常ならば，AIS＝E

注：AIS＝EはSCIと記録された人が，いつ正常機能に回復したかについての追跡調査で使われる．もし，初期のテストですべての部分が正常ならば，欠陥はない．つまり神経学的に無傷なので，ASIA機能障害スケールの適用はない．

「理学療法評価学 改訂第4版」（松澤 正，江口勝彦／著），pp288-289，金原出版，2012より引用．

5 多発性硬化症（MS）

■ Kurtzkeの分類：機能障害評価

段階	錐体路機能	小脳機能	脳幹機能	感覚機能	膀胱直腸機能	視覚機能	精神機能	その他
0	正常	正常	正常	正常	正常	正常	正常	なし
1	異常所見あるが障害なし	異常所見あるが障害なし	異常所見のみ	1～2肢に振動覚障害，あるいは描字覚障害	軽度の遅延，切迫，閉尿	暗点があり，矯正視力0.7以上	情動の変化のみ	他の神経学的所見あり
2	ごく軽い障害	軽度な失調	中等度の眼振あるいは軽度の他の脳幹機能障害	1～2肢に軽度の触・痛・位置覚障害，あるいは中等度の振動覚障害，または3～4肢の振動覚障害のみ	中等度の遅延，切迫，閉尿，あるいはまれな尿失禁	悪いほうの眼に暗点あり，矯正視力0.7～0.3	軽度の知能低下	
3	軽度から中等度の対麻痺，片麻痺，高度な単麻痺	中等度の体幹，四肢の失調	高度な眼振，高度な外眼筋麻痺，あるいは中等度の他の脳神経障害	1～2肢に中等度の触・痛・位置覚障害，あるいは完全な振動覚障害，または3～4肢の軽度の触・痛覚障害，固有感覚障害	頻繁な尿失禁	悪いほうの眼に大きな暗点あり，中等度の視野障害，矯正視力0.3～0.2	中等度の知能低下	
4	高度な対麻痺，片麻痺，中等度の四肢麻痺，完全な単麻痺	高度な全四肢の失調	高度な構音障害，あるいは他の高度な脳幹機能障害	1～2肢に高度の触・痛覚障害，あるいは固有感覚障害（単独あるいは合併），2肢以上に中等度の触・痛覚障害，あるいは高度な固有感覚障害	ほとんど導尿を要する	悪いほうの眼に高度の視野障害，矯正視力0.2～0.1，悪いほうの眼は段階3で両眼の視力0.3以下	高度の知能低下（中等度の慢性脳徴候）	
5	完全な対麻痺，片麻痺，高度な四肢麻痺	失調のための協調運動不能	言語障害，嚥下障害	1～2肢の全感覚障害，あるいは頭部から下の中等度の触・痛・固有感覚障害	膀胱機能消失	悪いほうの眼の矯正視力0.1以下，あるいは悪いほうの眼は段階4で両眼の視力0.3	高度の認知症，あるいは高度の慢性脳徴候	
6	完全な四肢麻痺			頭部から下の全感覚障害	膀胱直腸機能消失	悪いほうの眼は段階5で両眼の視力0.3以下		
V	不明	不明	不明	不明	不明	不明	不明	
X		筋力低下（錐体路障害段階3以上）のため判断が困難な場合，段階とともにチェック						

「理学療法学ゴールド・マスター・テキスト1 理学療法評価学」（柳澤 健/編），p342，メジカルビュー社，2010より作成．

Kurtzkeの分類：拡張総合障害度

スケール	障害度	段階	個数	移動能力	日常活動
0	神経障害なし	0 *	8		
1	能力障害なし	1 *	1		
1.5	能力障害なし	1 *	2		
2	最小の能力障害	2	1, 他は0か1		
2.5	最小の能力障害	2	2, 他は0か1		
3	中等度の能力障害	3	1, 他は0か1	自立	
		2	3ないし4, 他は0か1		
3.5	中等度の能力障害	3	1, 他は0か1	自立	
		2	1ないし2, 他は0か1		
		3	2, 他は0か1		
		2	5, 他は0か1		
4	比較的重度な障害	4	1, 他は0か1	500 m 補助具なし	自立
		3.5を超える組み合わせ			
4.5	比較的重度な障害	4	1, 他は0か1	300 m 補助具なし	最小限の介助
		4を超える組み合わせ			
5	重度な障害	5	1, 他は0か1	200 m 補助具なし	特別な設備が必要
		4を超える組み合わせ			
5.5	重度な障害	5	1, 他は0か1	100 m 補助具なし	できない
		4を超える組み合わせ			
6		3以上	2以上	100 m 片側補助具あり	
6.5		3以上	2以上	20 m 両側補助具あり	
7		4以上	2以上	補助具があっても5 m以上不可．車椅子移乗可能	
		**			
7.5		4以上	2以上	2〜3歩以上不可．車椅子移乗は介助必要	
8		4以上	数個組み合わせ		ベッドと車椅子の生活，セルフケアは可
8.5		4以上	数個組み合わせ		ベッド上の生活，セルフケアはある程度可
9		4以上	ほとんど組み合わせ		ベッド上寝たきり，コミュニケーションと食事は可能
9.5		4以上	ほとんど組み合わせ		ベッド上全介助寝たきり，コミュニケーションと食事も困難
10	MSによる死				

＊精神機能段階1でもいい
＊＊非常にまれではあるが錐体路徴候段階5のみ

「リハビリテーションビジュアルブック」（落合慈之/監），p65，学研メディカル秀潤社，2011より引用．

6 筋萎縮性側索硬化症

■ Norris scale

A　徒手筋力検査							
上肢筋力		ゼロ	不可	可	良	優	正常
1. 母指と小指の対向（対立）	左	[0]	[1]	[2]	[3]	[4]	[5]
	右	[0]	[1]	[2]	[3]	[4]	[5]
2. 手関節屈曲（掌屈）	左	[0]	[1]	[2]	[3]	[4]	[5]
	右	[0]	[1]	[2]	[3]	[4]	[5]
3. 手関節伸展（背屈）	左	[0]	[1]	[2]	[3]	[4]	[5]
	右	[0]	[1]	[2]	[3]	[4]	[5]
4. 肘関節屈曲	左	[0]	[1]	[2]	[3]	[4]	[5]
	右	[0]	[1]	[2]	[3]	[4]	[5]
5. 肘関節伸展	左	[0]	[1]	[2]	[3]	[4]	[5]
	右	[0]	[1]	[2]	[3]	[4]	[5]
6. 肩関節外転（側方挙上）	左	[0]	[1]	[2]	[3]	[4]	[5]
	右	[0]	[1]	[2]	[3]	[4]	[5]
下肢筋力							
7. 足関節背側屈曲	左	[0]	[1]	[2]	[3]	[4]	[5]
	右	[0]	[1]	[2]	[3]	[4]	[5]
8. 膝関節屈曲	左	[0]	[1]	[2]	[3]	[4]	[5]
	右	[0]	[1]	[2]	[3]	[4]	[5]
9. 膝関節伸展	左	[0]	[1]	[2]	[3]	[4]	[5]
	右	[0]	[1]	[2]	[3]	[4]	[5]
10. 股関節屈曲	左	[0]	[1]	[2]	[3]	[4]	[5]
	右	[0]	[1]	[2]	[3]	[4]	[5]
頸							
11. 頸の前方屈曲		[0]	[1]	[2]	[3]	[4]	[5]
12. 頸の後方伸展		[0]	[1]	[2]	[3]	[4]	[5]
						総点	点

「理学療法ハンドブック改訂第3版 第1巻 理学療法の基礎と評価」（細田多穂，柳澤 健/編），p928，協同医書出版社，2008より引用．

B Limb Norris Scale

	普通にできる	いくぶん支障がある	十分にはできない	全くできない
1. 背臥位で頭をあげる	③普通にできる 約60°屈曲を保持可能	②床から約30°以下屈曲し保持できる	①床から30°以下だが屈曲できる	⓪床から頭を持ち上げられない
2. 寝返りをする	③普通にできる	②独りでできるが相当の努力と時間を要する	①人手をかりればできる 手すりのみでは困難	⓪全くできない
3. 背臥位から座位まで起き上がれる	③普通にできる	②独りでできるが相当の努力と時間を要する	①人手を借りなければできない	⓪全くできない
4. 名前を書く	③普通にできる	②時間をかければボールペンで読める字を書ける	①太めのマジックであれば，何とか判読可能	⓪全くできない
5. シャツ・ブラウスを自分で着る	③普通にできる	②通常のものであれば時間をかければ独りでできる	①一部介助が必要	⓪全くできない
6. シャツのボタンをかける（ファスナーの開けしめができる）	③普通にできる	②時間をかければ独りでできる	①一部介助が必要 あるいは，一部のボタンしかかけられない	⓪全くできない
7. ズボン・スカートを自分ではく	③普通にできる	②時間をかければ独りでできる（座位か立位…を明記）	①時間がかかり過ぎて実用的ではない．かなりの介助が必要	⓪全くできない
8. 定規をあてて線を引く	③普通にできる	②線は何とか実用的に引ける	①線は引けるが実用性にかける．自助具を使えば線は引ける	⓪全くできない
9. フォークまたはスプーンを握る	③普通にできる	②握る力は弱いが何とか実用的に握れる	①握る力は弱く実用性にかける（自助具を使うか，柄に布を巻き太くすることで何とか実用になる）	⓪全くできない
10. 急須から茶碗にお茶を入れそれを飲む	③普通にできる	②時間がかかるが実用的である	①自助具を使うか一部介助をすれば何とかできる	⓪全くできない
11. 立ち上がってお辞儀をする	③普通にできる	②時間をかければできる	①立ち上がれないかまたは頭を十分下げられない	⓪全くできない
12. 髪をとかす（櫛が使える）	③普通にできる	②時間をかければできる	①自分の思うようにできないまたは一部介助が必要	⓪全くできない
13. 歯ブラシを使う	③普通にできる	②時間がかかるが実用的である	①自助具を使用するか一部介助すれば何とかできる 電動歯ブラシしか使えない	⓪全くできない
14. 本や盆を持ち上げる	③普通にできる	②筋力は弱いが軽いものなら持ち上げることはでき，実用的である	①空の盆または新書本程度なら持ち上げることができる	⓪全くできない
15. 鉛筆やペンを持ち上げる	③普通にできる	②筋力は弱いが持ち上げることができ実用的である	①書字が可能な形で持ち上げるのは困難	⓪全くできない
16. 腕の位置をかえる	③普通にできる	②筋力は弱いが位置を変えることができ実用的である	①人手あるいは反対側の手による介助があればできる	⓪全くできない
17. 階段を昇る	③普通にできる	②時間がかかるが実用的である 手すりがあれば実用的に昇れる	①そばに人がいれば何とか昇れる（手すりが必要）	⓪全くできない
18. 50m歩く	③普通にできる	②時間はかかるが歩ける	①50mまでは歩けない	⓪全くできない
19. 独りで歩く	③普通にできる	②時間はかかるがどこでも行ける	①歩ける場所，距離は限られる（家の中程度）	⓪歩けない
20. 介助（杖・歩行器・人手）により歩く	③介助なしで歩ける	②介助（杖・歩行器・人手）により歩ける．時間がかかるが実用的である	①介助（杖・歩行器・人手）により1mくらい歩ける	⓪介助があっても歩けない
21. 座位より立ち上がる	③普通にできる	②時間をかければ独りでできる	①独りでは無理 介助が必要	⓪全くできない

総点　　点

「理学療法ハンドブック改訂第3版 第1巻 理学療法の基礎と評価」（細田多穂，柳澤 健／編），p929，協同医書出版社，2008より引用．

C Norris Bulbar Scale

	普通にできる	いくぶん支障がある	十分にはできない	全くできない
1. 息を一気に吹き出す	③普通にできる	②弱いが吹き出せる	①鼻にもれる	⓪全くできない
2. 口笛を吹く（口とがらしができる）	③普通にできる	②弱いが口笛らしく聞こえる	①口笛の形になるが音は出ない	⓪全くできない
3. 頬をふくらます	③普通にできる	②頬を押すと息が漏れる	①口唇は閉じるが頬は膨らまない	⓪口唇も閉じない
4. 顎を動かす	③あらゆる方向に動かせる	②左右上下に動かせるが，ゆっくりで弱い	①きわめてゆっくりで動く範囲も狭い	⓪全くできない
5. ラララと言う	③普通にできる	②ゆっくりとなら言える	①ラの発音が不明瞭	⓪全くラとは言えない
6. 舌を突き出す	③普通にできる	②口唇より外に出せる	①歯列まで出せる	⓪歯列を越えない
7. 舌を頬の内側につける	③舌を頬の内側につけ強く舌を収縮できる	②つけることができるが収縮が弱い	①頬に触れることができるが収縮しない	⓪つく所までいかない
8. 舌を上顎につける	③舌を上顎につけて強く押すことができる	②接触して維持できる	①上に向かって舌が動く	⓪舌はほとんど動かない
9. 咳払いをする	③普通にできる	②痰が切れる程度にできる	①痰が切れるところまでいかない	⓪全くできない
	なし	少しはある	ある	程度がひどい
10. 流涎	③なし	②下を向く，食事中，会話などにある	①食事，会話などをしなくとも時々ある．あるいは時々よだれを拭く必要がある	⓪絶えず流涎がある
11. 鼻声	③なし	②少しはある	①はっきりとわかる程度	⓪話の内容がわからない程度
12. 口ごもり，内容不明瞭	③なし	②ときどき解らない言葉が混じる	①ときどき解る言葉が混じる	⓪ほとんどわからない
13. 食事内容	③常食	②軟食	①きざみ食	⓪半流動食

総点　　　　　点

「理学療法ハンドブック改訂第3版 第1巻 理学療法の基礎と評価」（細田多穂，柳澤 健/編），p930，協同医書出版社，2008より引用．

7 関節リウマチ

■ Steinbrocker の Stage 分類

stage Ⅰ 初期	*1. X線写真上に骨破壊はない 2. X線学的オステオポローゼはあってもよい
stage Ⅱ 中等度	*1. X線学的に軽度の軟骨下骨の破壊を伴うあるいは伴わないオステオポローゼがある．軽度の軟骨破壊はあってもよい *2. 関節運動は制限されてもよいが関節変形はない 3. 関節周辺の筋萎縮がある 4. 結節および腱鞘炎のごとき関節外軟部組織の病変はあってもよい
stage Ⅲ 高度	*1. オステオポローゼのほかにX線学的に軟骨および骨の破壊がある *2. 亜脱臼，尺側偏位，あるいは過伸展のような関節変形がある．線維性または骨性強直を伴わない 3. 強度の筋萎縮がある 4. 結節および腱鞘炎のような関節外軟部組織の病変はあってもよい
stage Ⅳ 末期	*1. 線維性あるいは骨性強直がある 2. それ以外は stage Ⅲ の基準を満たす

*印のある基準項目は，特にその病期あるいは進行度に分類するためには不可欠な項目．

病期（stage）	X線所見	筋萎縮	皮下結節，腱鞘炎	関節変形	強直
Ⅰ（初期）	軽い骨多孔症があってもよい 骨破壊なし	なし	なし	なし	なし
Ⅱ（中等度進行）	骨多孔症あり 軽度の軟骨，あるいは軟骨下骨破壊しばしばあり	関節周囲のみ	多分あり	なし	なし
Ⅲ（高度進行）	骨多孔症，軟骨，骨破壊あり	広範	多分あり	亜脱臼尺側偏位過伸展	なし
Ⅳ（末期）	Ⅲに骨性強直が加わる	広範	多分あり	同上	線維性または骨性強直あり

「図解理学療法ガイド」（石川 齊，武富由雄／編），p954，文光堂，1998より引用．

8 変形性股関節症

■ 股関節機能判定基準

氏名：　　　　　　　　　　　年　　月　　日（評価日）

疼痛			可動域			歩行能力		日常生活動作	容易	困難	不能
	右	左		右	左						
股関節に関する愁訴が全くない．	40	40	屈曲			長距離歩行，速歩が可能．歩容は正常．	20	腰かけ	4	2	0
			伸展								
不定愁訴（違和感，疲労感）があるが，痛みはない．	35	35	外転			長距離歩行，速歩は可能であるが，軽度の跛行を伴うことがある．	18	立ち仕事（家事を含む） 注1）	4	2	0
			内転								
歩行時痛みはない（ただし歩行開始時あるいは長距離歩行後疼痛を伴うことがある）．	30	30	点数 注）	屈曲		杖なしで，約30分または2km歩行可能である．跛行がある．日常の屋外活動にはほとんど支障がない．	15	しゃがみこみ・立ち上がり 注2）	4	2	0
自発痛はない．歩行時疼痛はあるが，短時間の休息で消退する．	20	20		外転		杖なしで，10～15分程度，あるいは約500m歩行可能であるが，それ以上の場合1本杖が必要である．跛行がある．	10	階段の昇り降り 注3）	4	2	0
自発痛はときどきある．歩行時疼痛があるが，休息により軽快する．	10	10	注）関節角度を10°刻みとし，屈曲には1点，外転には2点与える．ただし屈曲120°以上はすべて12点，外転30°以上はすべて8点とする．屈曲拘縮のある場合にはこれを引き，可動域で評価する．			屋内活動はできるが，屋外活動は困難である．屋外では2本杖を必要とする．	5	車，バスなどの乗り降り	4	2	0
持続的に自発痛または夜間痛がある．	0	0				ほとんど歩行不能．	0	注1）持続時間約30分，休息を要する場合，困難とする．5分くらいしかできない場合，不能とする． 注2）支持が必要な場合，困難とする． 注3）手すりを要する場合は困難とする．			
具体的表現						具体的表現					

病名：　　　　治療法：　　　　手術日：　　　年　　月　　日

表記方法：　右，左／両側の機能 … 疼痛＋可動域／歩行能力＋日常生活動作

総合評価　右　左

カテゴリー：　A：片側　B：両側　C：多関節罹患

「CLINICAL REHABILITATION別冊実践リハ処方」（米本恭三，他／編），p200，医歯薬出版，1996より引用．

■ 変形性股関節症の評価一覧表

障害	評価方法	評価項目と評価目的
関節変形	・単純X線検査 ・関節造影 ・CT検査 ・MRI検査	・大腿骨頭，寛骨臼の形態，骨棘形成，関節軟骨の状態，臼蓋形成不全の程度（Sharp角，CE角，AHIなど） ・病期分類，関節適合性，骨被覆度，関節水腫
可動域制限	・可動域測定（自動，他動） ・トーマステスト ・日本整形外科学会機能判定基準（JOA score）	・屈曲・伸展，外転・内転，外旋・内旋 ・ADLの難易度，運動痛の有無 ・隣接関節（腰・膝）に対する影響
筋力低下	・徒手筋力テスト（MMT） ・トレンデレンブルグ徴候 ・大腿，下腿周径計測	・股関節周囲筋 ・荷重側としての耐久力 ・歩容異常の評価
疼痛	・問診 ・パトリックテスト ・スカルパ三角部での疼痛の有無 ・日本整形外科学会機能判定基準	・疼痛の程度 ・隣接関節（腰・膝に対する影響）
下肢短縮	・棘果長測定（SMD）	・歩容異常の評価
隣接関節障害	・腰・膝のX線検査 ・隣接関節の機能評価	・側弯，前弯の増強 ・内反・外反膝の有無
歩行能力低下	・問診 ・歩容観察 ・歩行距離 ・日本整形外科学会機能判定基準	・歩容，跛行の評価（硬性墜落性歩行，トレンデレンブルグ歩行，逃避歩行など）
日常生活動作（ADL）	・日本整形外科学会機能判定基準	・自立の程度（各種ADLの難易度，日常生活の自立度）

■ トーマステスト

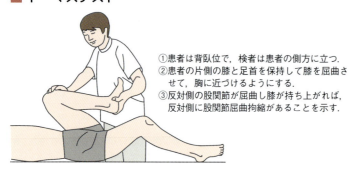

①患者は背臥位で，検者は患者の側方に立つ．
②患者の片側の膝と足首を保持して膝を屈曲させて，胸に近づけるようにする．
③反対側の股関節が屈曲し膝が持ち上がれば，反対側に股関節屈曲拘縮があることを示す．

■ パトリックテスト

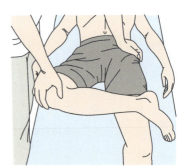

健側の下肢を組み，上前腸骨棘に手を添えて膝を下方に押す．

「リハビリテーションビジュアルブック」（落合慈之/監），pp97-98，学研メディカル秀潤社，2011より引用．

9 大腿骨頸部骨折

■ Garden のステージ分類（内側骨折）

ステージⅠ	ステージⅡ	ステージⅢ	ステージⅣ
・不完全骨折 ・内側の骨性連続が残存し，外反型	・完全嵌合骨折 ・転位なし ・骨頭転位がない ・軟部組織の連続性は残存し，骨折部は嵌合	・完全骨折 ・回転転位あり ・頸部被膜（Weitbrechtの支帯）の連続性が残存	・完全骨折 ・すべての軟部組織の連続性なし ・回転転位あり
〈治療法〉 ・保存的療法可能	〈治療法〉 ・保存的療法可能 ・転位が小さいか，なければ multiple pinning 法など	〈治療法〉 ・整復可能であれば骨接合術 ・転位が大きい場合は人工骨頭置換術	〈治療法〉 ・転位が大きい完全転位は，人工骨頭置換術

■ Evans のタイプ分類（外側骨折）

タイプ1　骨折線が小転子付近から大転子付近（外側遠位）へ向かう

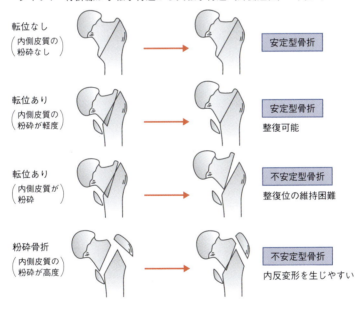

タイプ2　骨折線が小転子付近から外側遠位へ向かう

「リハビリテーションビジュアルブック」（落合慈之/監），p77，学研メディカル秀潤社，2011より引用．

10 切断

■ 下肢切断・離断の部位別名称と義足名

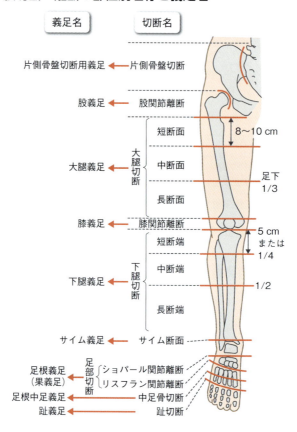

■ 下肢長計測点

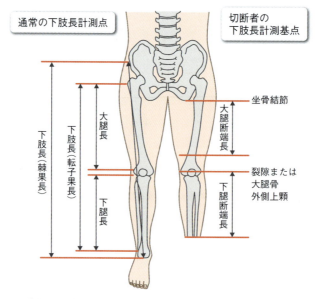

「リハビリテーションビジュアルブック」（落合慈之/監），p204，学研メディカル秀潤社，2011より引用．

■ 両下肢

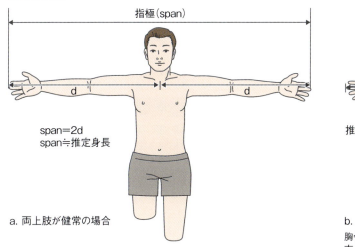

span＝2d
span≒推定身長

a. 両上肢が健常の場合

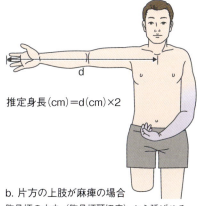

推定身長(cm)＝d(cm)×2

b. 片方の上肢が麻痺の場合
胸骨柄の中央（胸骨柄頸切痕）から延ばせる方（健側上肢）の指尖までの距離を計測して2倍し，それをおおよその身長とする．

■ 前後径・左右径・周径の計測

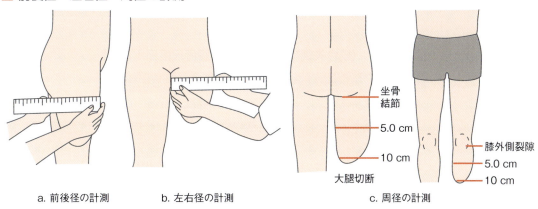

a. 前後径の計測　　b. 左右径の計測　　c. 周径の計測

「リハビリテーションビジュアルブック」（落合慈之/監），p207，学研メディカル秀潤社，2011より引用．

11 末梢神経損傷

■ Seddonの分類

Neurapraxia(神経遮断)
一時的な圧迫などにより部分的に伝導性を失った状態で,形態学的には軸索の連続性が保たれ神経自体の変化はほとんどない.麻痺は一過性で機能は完全に回復する.

Axonotmesis(軸索切断)
髄鞘は比較的正常に保たれているが,軸索の断裂が生じたもので,神経内膜のチューブは連続性を保っているため,いったんWaller変性に陥った軸索はもとどおりの道をたどることが可能で機能回復は良好である.

Neurotmesis(神経断裂)
軸索・髄鞘ともに連続性がなくなった状態で神経内膜も連続性を失うため,再生軸索は必ずしももとの終末部に到達できるとは限らない.

「CLINICAL REHABILITATION別冊実践リハ処方」(米本恭三,他/編),p131,医歯薬出版,1996より引用.

12 統合失調症

■ BACS-J(統合失調症認知機能簡易評価尺度日本語版)

認知機能領域	テスト
言語性記憶と学習	言語性記憶課題
ワーキングメモリ	数字順列課題
運動機能	トークン運動課題
言語流暢性	意味(カテゴリー)流暢性課題 文字流暢性課題
注意と情報処理速度	符号課題
遂行機能	ロンドン塔検査

兼田康宏 & Meltzer HY:統合失調症の認知機能障害と機能的アウトカム.脳と精神の医学,20:83-88,2009および兼田康宏,他:統合失調症認知機能簡易評価尺度日本語版(BACS-J).精神医学,50:913-917,2008をもとに作成.

■ LASMI（精神障害者社会生活評価尺度）

- 下記の計40項目について，おのおの0点（問題なし）〜4点（たいへん問題がある．助言や援助を受けつけず，改善が困難である）の5段階（持続性・安定性のみ6段階）で評点をつける．

1. D/日常生活
①身辺処理
D-1	生活リズムの確立
D-2	身だしなみへの配慮 - 整容
D-3	身だしなみへの配慮 - 服装
D-4	居室（自分の部屋）の掃除や片づけ
D-5	バランスのよい食生活

②社会資源の利用
D-6	交通機関
D-7	金融機関
D-8	買物

③自己管理
D-9	大切な物の管理
D-10	金銭管理
D-11	服薬管理
D-12	自由時間の過ごし方

2. I/対人関係
①会話
I-1	発語の明瞭さ
I-2	自発性
I-3	状況判断
I-4	理解力
I-5	主張
I-6	断る
I-7	応答

②集団活動
I-8	協調性
I-9	マナー

③人づき合い
I-10	自主的なつき合い
I-11	援助者とのつき合い
I-12	友人とのつき合い
I-13	異性とのつき合い

3. W/労働または課題の遂行
W-1	役割の自覚
W-2	課題への挑戦
W-3	課題達成の見通し
W-4	手順の理解
W-5	手順の変更
W-6	課題遂行の自主性
W-7	持続性・安定性
W-8	ペースの変更
W-9	あいまいさに対する対処
W-10	ストレス耐性

4. E/持続性・安定性
E-1	現在の社会適応度
E-2	持続性・安定性の傾向

5. R/自己認識
R-1	障害の理解
R-2	過大（小）な自己評価
R-3	現実離れ

「作業療法評価学 第3版（標準作業療法学 専門分野）」（矢谷令子/シリーズ監修，能登真一，他/編），pp487-488，医学書院，2017より引用．

13 認知症

■ Clinical Dementia Rating (CDR)

説明を参考にして障害の程度を5段階に評価し0〜3のどれかの数字に○を付ける．　　実施日　　年　　月　　日
また，各項目の得点を合計し記入する．

	健康 (CDR 0)	認知症の疑い (CDR 0.5)	軽度認知症 (CDR 1)	中等度認知症 (CDR 2)	重度認知症 (CDR 3)
記憶	記憶障害なし．ときに若干のもの忘れ． 0	一貫した軽いもの忘れ．不完全な想起．"良性"健忘． 0.5	中等度の記憶障害．特に最近の出来事に対して．日常生活に支障． 1	重度の記憶障害．高度に学習した記憶は保持．新しいものはすぐに忘れる． 2	重度の記憶障害．断片的記憶のみ残存． 3
見当識	見当識障害なし． 0	時間的関連性に軽度の障害がある以外は見当識障害なし． 0.5	時間的関連性に中等度の障害がある．質問式による検査では場所の見当識はあるが，他では地理的失見当がみられることがある． 1	時間的関連性に重度の障害がある．通常時間の失見当がみられ，しばしば場所の失見当がある． 2	人物への見当識のみ． 3
判断力と問題解決	日常生活での問題解決に支障なし．過去の行動に関して判断も適切． 0	問題解決および類似や相違の理解に軽度の障害． 0.5	問題解決および類似や相違の理解に中等度の障害．社会的判断は通常保たれている． 1	問題解決および類似や相違の理解に重度の障害．社会的判断は通常障害されている． 2	判断不能．問題解決不能． 3
社会適応	仕事，買いもの，商売，金銭の管理，ボランティア，社会的グループで普段の自立した機能を果たせる． 0	これらの活動で軽度の障害がある． 0.5	これらの活動のいくつかには参加できるが，自立した機能を果たすことはできない．表面的には普通に見える． 1	家庭外では自立した機能を果たすことができない．一見家庭外の活動にかかわれるように見える． 2	家庭外では自立した機能は果たせない．一見して家庭外での活動に参加できるようには見えない． 3
家庭状況および趣味・関心	家庭での生活，趣味や知的関心は十分に保たれている． 0	家庭での生活，趣味や知的関心が軽度に障害されている． 0.5	家庭での生活に軽度であるが明らかな障害がある．より難しい家事はできない．より複雑な趣味や関心は喪失． 1	単純な家事はできるが，非常に限られた関心がわずかにある． 2	家庭で意味のあることはできない． 3
パーソナルケア	セルフケアは完全にできる． 0		ときに励ましが必要． 1	着衣や衛生管理，身繕いに介助が必要． 2	本人のケアに対して多大な介助が必要．しばしば失禁． 3

重症度	0　0.5　1　2　3

合計得点	点

CDR (Clinical Dementia Rating) の判定方法

6つのカテゴリーのそれぞれの評価に障害の軽いほうから重いほうへ順位づけ (×1≦×2≦×3≦×4≦×5≦×6) を行う．なお，カテゴリーの障害度が同じ場合は，カラムの上のカテゴリーから順位をつける．CDRの重症度の判定は×3または×4のレベルとするが，×3，×4の障害度が異なる場合は，記憶の障害度に近いほうを選択する．
下の例では，CDRは2とする．

具体例

カテゴリー＼CDR	0	0.5	1	2	3
記憶				○：×4	
見当識			○：×3		
判断力と問題解決					○：×6
社会適応				○：×5	
家庭状況および趣味・関心		○：×2			
パーソナルケア	○：×1				

↓

CDR＝2となる．

「認知症の作業療法 第2版 ソーシャルインクルージョンをめざして」(小川敬之，竹田徳則／編)，p133，医歯薬出版，2016，および本間 昭，臼井樹子：Clinical Dementia Rating (CDR)．61：120-124，日本臨牀 増刊，2003，および「痴呆の臨床」(目黒謙一／著，山鳥 重，他／シリーズ編集)，pp104-141，医学書院，2004をもとに作成．

日本語版 Montreal Cognitive Assessment（MoCA-J）の検査用紙

Japanese Version of
The MONTREAL COGNITIVE ASSESSMENT（MOCA-J）

氏名：
教育年数：　　　　　　生年月日：
性別：　　　　　　　　検査実施日：

視空間/実行系		図形模写	時計描画（11時10分）（3点）	
（連結課題 1-あ-2-い...5-お） [ ]		[ ]	[ ] 輪郭　[ ] 数字　[ ] 針	__/5

命　名				__/3
ライオン [ ]	サイ [ ]	ラクダ [ ]		

記　憶	単語リストを読み上げ、対象者に復唱するよう求める。2試行実施する。5分後に遅延再生を行う。	顔（かお）　絹（きぬ）　神社（じんじゃ）　百合（ゆり）　赤（あか）	配点なし
	第1試行		
	第2試行		

注　意	数唱課題（数字を1秒につき1つのペースで読み上げる）　順唱 [ ] 21854　逆唱 [ ] 742	__/2
	ひらがなのリストを読み上げる。対象者には"あ"のときに手を叩くよう求める。2回以上間違えた場合には得点なし。[ ] きいあうしすああくけこいあきあけえおああああくあしせきああい	__/1
	対象者に100から7を順に引くよう求める。[ ] 93　[ ] 86　[ ] 79　[ ] 72　[ ] 65　4問・5問正答：3点，2問・3問正答：2点，1問正答：1点，正答0問：0点	__/3

言　語	復唱課題	太郎が今日手伝うことしか知りません。[ ]　犬が部屋にいるときは、猫はいつもイスの下にかくれていました。[ ]	__/2
	語想起課題／対象者に"か"ではじまる言葉を1分間にできるだけ多くあげるよう求める。[ ] ____ 11個以上で得点		__/1

抽象概念	類似課題　例：ミカン-バナナ＝果物　[ ] 電車-自転車　[ ] ものさし-時計	__/2

遅延再生	自由再生（手がかりなし）	顔 [ ]	絹 [ ]	神社 [ ]	百合 [ ]	赤 [ ]	自由再生のみ得点の対象	__/5
参考項目	手がかり（カテゴリ）							
	手がかり（多肢選択）							

見当識	[ ] 年　[ ] 月　[ ] 日　[ ] 曜日　[ ] 市（区・町）　[ ] 場所	__/6

©Z.Nasreddine MD Version 7.0　www.mocatest.org　健常 ≧ 26/30　合計得点　__/30
検査実施者＿＿＿＿＿＿＿＿＿＿＿＿　教育年数12年以下なら1点追加

鈴木宏幸，藤原佳典：Montreal Cognitive Assessment（MoCA）の日本語版作成とその有効性について．老年精神医学雑誌，21：198-202，2010 および Fujiwara Y, et al：Brief screening tool for mild cognitive impairment in older Japanese: validation of the Japanese version of the Montreal Cognitive Assessment. Geriatr Gerontol Int, 10：225-232, 2010をもとに作成．

リハビリテーション計画書

事業所番号 _____　　□入院　□外来　／　□訪問　□通所　　計画作成日：令和　　年　　月　　日

氏名：　　　　　様　　性別：男・女　　生年月日：　年　月　日（　歳）　□要支援　□要介護

リハビリテーション担当医：　　　担当：　　　（□PT　□OT　□ST　□看護職員　□その他従事者（　　　））

■利用者の希望（したいまたはできるようになりたい生活の希望など）　　■ご家族の希望（本人にしてほしい生活内容，家族が支援できることなど）

■健康状態，経過

原因疾病：　　　　発症日・受傷日：　年　月　日　直近の入院日：　年　月　日　直近の退院日：　年　月　日

治療経過（手術がある場合は手術日・術式など）：

合併疾患・コントロール状態（高血圧，心疾患，呼吸器疾患，糖尿病など）：

これまでのリハビリテーションの実施状況（プログラムの実施内容，頻度，量など）：

目標設定等支援・管理シート：□あり　□なし　日常生活自立度：J1, J2, A1, A2, B1, B2, C1, C2　認知症高齢者の日常生活自立度判定基準：Ⅰ, Ⅱa, Ⅱb, Ⅲa, Ⅲb, Ⅳ, M

■心身機能・構造

項目	現在の状況	活動への支障	将来の見込み（※）
筋力低下	□あり □なし	□あり □なし	□改善 □維持 □悪化
麻痺	□あり □なし	□あり □なし	□改善 □維持 □悪化
感覚機能障害	□あり □なし	□あり □なし	□改善 □維持 □悪化
関節可動域制限	□あり □なし	□あり □なし	□改善 □維持 □悪化
摂食嚥下障害	□あり □なし	□あり □なし	□改善 □維持 □悪化
失語症・構音障害	□あり □なし	□あり □なし	□改善 □維持 □悪化
見当識障害	□あり □なし	□あり □なし	□改善 □維持 □悪化
記憶障害	□あり □なし	□あり □なし	□改善 □維持 □悪化
その他の高次脳機能障害（　　）	□あり □なし	□あり □なし	□改善 □維持 □悪化
栄養障害	□あり □なし	□あり □なし	□改善 □維持 □悪化
褥瘡	□あり □なし	□あり □なし	□改善 □維持 □悪化
疼痛	□あり □なし	□あり □なし	□改善 □維持 □悪化
精神行動障害BPSD	□あり □なし	□あり □なし	□改善 □維持 □悪化

※「将来の見込み」についてはリハビリテーションを実施した場合の見込みを記載する

■活動（基本動作，移動能力，認知機能など）

項目	現在の状況	将来の見込み（※）
寝返り	□自立 □一部介助 □全介助	□改善 □維持 □悪化
起き上がり	□自立 □一部介助 □全介助	□改善 □維持 □悪化
座位	□自立 □一部介助 □全介助	□改善 □維持 □悪化
立ち上がり　椅子から	□自立 □一部介助 □全介助	□改善 □維持 □悪化
立ち上がり　床から	□自立 □一部介助 □全介助	□改善 □維持 □悪化
立位保持	□自立 □一部介助 □全介助	□改善 □維持 □悪化
□6分間歩行試験　□Timed Up & Go Test		□改善 □維持 □悪化
□MMSE　□HDSR		□改善 □維持 □悪化
服薬管理	□自立 □見守り □一部介助 □全介助	□改善 □維持 □悪化
コミュニケーションの状況		□改善 □維持 □悪化

■活動（ADL）（「している」状況について記載する）

項目	自立	一部介助	全介助	将来の見込み（※）
食事	10	5	0	□改善 □維持 □悪化
椅子とベッド間の移乗	15	10←監視下　座れるが移れない→5	0	□改善 □維持 □悪化
整容	5	0		□改善 □維持 □悪化
トイレ動作	10	5	0	□改善 □維持 □悪化
入浴	5	0		□改善 □維持 □悪化
平地歩行	15	10←歩行器など　車椅子操作が可能→5	0	□改善 □維持 □悪化
階段昇降	10	5	0	□改善 □維持 □悪化
更衣	10	5	0	□改善 □維持 □悪化
排便コントロール	10	5	0	□改善 □維持 □悪化
排尿コントロール	10	5	0	□改善 □維持 □悪化
合計点				

※「将来の見込み」についてはリハビリテーションを実施した場合の見込みを記載する

■環境因子（課題ありの場合☑　現状と将来の見込みについて記載する）

課題		状況	
家族	□	□独居　□同居（　　　）	
福祉用具など	□	□杖　□装具　□歩行器　□車椅子　□手すり　□ベッド　□ポータブルトイレ	□調整済　□未調整
住環境	□	□一戸建　□集合住宅：居住階（　階）　□階段　□エレベータ　□手すり（設置場所：　　　）　□食卓（□座卓　□テーブル・椅子）　□トイレ（□洋式　□和式　□ポータブルトイレ）	□調整済　□改修中　□未調整
自宅周辺	□		
社会参加	□		
交通機関の利用	□	□有（　　）　□無	
サービスの利用	□		
その他	□		

■社会参加の状況（過去実施していたものと現状について記載する）

家庭内の役割の内容	
余暇活動（内容および頻度）	
社会地域活動（内容および頻度）	
リハビリテーション終了後に行いたい社会参加等の取組	

■リハビリテーションの目標

（長期）

（短期（今後3カ月間））

■リハビリテーションの方針（今後3カ月間）

■リハビリテーションの実施上の留意点

（開始前・訓練中の留意事項，運動強度・負荷量など）

■リハビリテーション終了の目安・時期

利用者・ご家族への説明：令和　　年　　月　　日

本人のサイン：　　　　　家族サイン：　　　　　説明者サイン：

特記事項：

巻末付録

計画作成日：令和　　年　　月　　日　〜　見直し予定時期　　　月　　頃

■居宅サービス計画の総合的援助の方針　　　　　　　　　■居宅サービス計画の解決すべき具体的な課題

■他の利用サービス
□（地域密着型）通所介護（週　　回）　□訪問介護（週　　回）　□訪問リハ・通所リハ（週　　回）　□訪問看護（週　　回）
□通所型サービス（週　　回）　□訪問型サービス（週　　回）　□その他（　　）

■活動（IADL）

アセスメント項目	前回点数	現状	将来の見込み（※）	評価内容の記載方法
食事の用意			□改善 □維持 □悪化	0：していない　　1：まれに 2：週に1〜2回　3：週に3回以上
食事の片付け			□改善 □維持 □悪化	
洗濯			□改善 □維持 □悪化	
掃除や整頓			□改善 □維持 □悪化	
力仕事			□改善 □維持 □悪化	0：していない 1：まれにしている 2：週に1回未満 3：週に1回以上
買物			□改善 □維持 □悪化	
外出			□改善 □維持 □悪化	
屋外歩行			□改善 □維持 □悪化	
趣味			□改善 □維持 □悪化	
交通手段の利用			□改善 □維持 □悪化	
旅行			□改善 □維持 □悪化	
庭仕事			□改善 □維持 □悪化	0：していない　　1：時々 2：定期的にしている　3：植替等もしている
家や車の手入れ			□改善 □維持 □悪化	0：していない 1：電球の取替、ねじ止めなど 2：ペンキ塗り、模様替え、洗車 3：家の修理、車の整備
読書			□改善 □維持 □悪化	0：読んでない　　1：まれに 2：月1回程　3：月2回以上
仕事			□改善 □維持 □悪化	0：していない　　1：週1〜9時間 2：週10〜29時間　3：週30時間以上
合計点数			※「将来の見込み」についてはリハビリテーションを実施した場合の見込みを記載する	

■活動と参加に影響を及ぼす課題の要因分析
■活動と参加において重要性の高い課題

■活動と参加に影響を及ぼす機能障害の課題

■活動と参加に影響を及ぼす機能障害以外の要因

□リハビリテーションマネジメント加算（Ⅰ）　　□リハビリテーションマネジメント加算（Ⅱ）　　□リハビリテーションマネジメント加算（Ⅲ）

■リハビリテーションサービス
□訪問・通所頻度（　　　　　　　　　　）　□利用時間（　　　　　　　　　　）　□送迎なし

No.	目標（解決すべき課題）	期間	具体的支援内容（何を目的に（〜のために）〜をする）	頻度	時間	訪問の必要性
				週　　回	分/回	いつ頃
				週　　回	分/回	いつ頃
				週　　回	分/回	いつ頃
				週　　回	分/回	いつ頃
				週合計時間		

■サービス提供中の具体的対応　※訪問リハビリテーションで活用する場合は下記の記載は不要

	開始〜1時間（　）	1〜2時間（　）	2〜3時間（　）	3〜4時間（　）	4〜5時間（　）	5〜6時間（　）	6〜7時間（　）	7〜8時間（　）	〜（　）
利用者									
看護職員									
介護職員									
理学療法士									
作業療法士									
言語聴覚士									
その他（　）									
必要なケアとその方法									

□訪問介護の担当者と共有すべき事項　　□訪問看護の担当者と共有すべき事項　　□その他、共有すべき事項（　　　）

※下記の☑の支援機関にこの計画書を共有し、チームで支援をしていきます
【情報提供先】□介護支援専門員　□医師　□（地域密着型）通所介護　□（　　　　　　　　　　　　　　　　　　　　　　　　　　　　　　　　　　　　）

■　社会参加支援評価
□訪問日（　　年　　月　　日）　□居宅サービス計画（訪問しない理由：　　　　　　　　　　　　　　　　）
□サービス等利用あり　→　□（介護予防）（地域密着型、認知症対応型）通所介護（週　　回）□（介護予防）通所リハ（週　　回）□通所型サービス（週　　回）□訪問型サービス（週　　回）
　　　　　　　　　　　　　□（介護予防）小規模多機能型居宅介護（週　　回）□看護小規模多機能型居宅介護（週　　回）□地域活動へ参加（　　）□家庭で役割あり

■現在の生活状況

索 引

数 字

2点識別覚	189
3-3-9度方式	80
5項目法	378
6MWT	392
6分間歩行試験	392
6分間歩行テスト	330
10 m歩行速度	392
12段階グレード	448
12誘導心電図	416
40点柳原法	100

欧 文

A

ABI	90
ABILHAND-Kids scale	404
Action Research Arm Test	335
ADL	348
AHA分類	419
Alb	157
Andersonの運動負荷基準	87
APDL	348
ARAT	335
arm stopping test	314
Ashworth尺度改訂版	216
ASIA機能障害スケール	462
AT	329
ATP	320
ATP-CP系	321
attitude	162
ATポイント	330

B

BACS-J	474
BADS	128
Balance Evaluation Systems Test	280, 300
Barthel Index	358
Behavioral Assessment of Dysexecutive Syndrome	128
Behavioral Inattention Test (BIT) 日本版	111
Bell現象	99
BESTest	280, 282, 300
BIT日本版	111
BMI	167
BNP	417
Borgスケール	328
Box and Block Test	334
Brief-BESTest	280, 282, 306
Brunnstrom stage test	447

C

CAT	120
Catherine Bergego Scale	109
CBS	109
CDR	476
Cheyne-Stokes呼吸	92
CI療法	337
classification system	379
Clinical Assessment for Attention	120
Clinical Dementia Rating	476
constraint induced movement therapy	337
CPX	323
cranial nerve	96
CT画像	60
CT値	60

D

Delirium Rating Scale	82
demand	21, 26
DOCTOR JADE	42
DRS	82

E

ECS	81
Emergency Coma Scale	81
EQ-5D	377
EuroQol	377
Evansのタイプ分類	471

F

FAB	127
Faces Pain Scale	198
FACT	344, 345
FBS	296
FEV曲線	92
FIM	52, 348
finger wiggle	315
FLAIR画像	69
FMA	454
foot pad	316
Forrester（フォレスタ）分類	420
FPS	198
Frailty	159
Frenchay拡大ADL尺度（日本語版）	374
Frontal Assessment Battery	127
Fugl Meyer Assessment	454
functional balance grades	296
functional balance scale	296
functional reach test	294

G

Gaenslerの1秒率	92
GAF	141
Gardenのステージ分類	471
GCS	80
gegenhalten	216
get up and go test	294
Glasgow Coma Scale	80
goal setting	26
GUG	294

H

HDA	60
HDS-R	104, 105
Health Utilities Index	379
HHD	251
HIA	69
Hoehn-Yahrの分類	456
HOMA-IR	426
Horner症候群	181
HU	60
HUI	379
HUI1（Mark1）	379
HUI2（Mark2）	379
HUI3（Mark3）	379

I

IADL	348, 371
ICF	21, 31
ICIDH	21

J

J-ZBI_8	49
Japan Coma Scale	80
JASMID	340
JCS	80
Jendrassik maneuver	205
Jikei Assessment Scale for Motor Impairment in Daily Living	340
JSS-DE	136

K

Key Months	396
Killip分類	420
Korotkoff音	88
Kurtzkeの分類：拡張総合障害度	464
Kurtzkeの分類：機能障害評価	463
KWCST	127

L

LASMI	475
LawtonのIADLスケール	371
LDA	60
LIA	69
long term goal	26
LTG	26

M

manual perturbation test	293

McGill Pain Questionnaire (McGill痛みの質問票：MPQ) …… 199	PEDI …… 406	SPTA …… 115	X線画像 …… 54
METs …… 87, 154, 325, 424	performance oriented mobility assessment …… 296	Standard Language Test of Aphasia …… 113	Zancolliの分類 …… 460
MI …… 108	PGCモラール・スケール …… 379	Standard Performance Test for Apraxia …… 115	**和 文**
Mini-BESTest …… 280, 282, 304	pH …… 92	State-Trait Anxiety Inventory …… 200	**あ**
Mini-Mental State Examination …… 105	PI max …… 409	STEF …… 334	アキレス腱反射 …… 207
MMSE …… 104, 105	POMA …… 296	SteinbrockerのStage分類 …… 468	足クローヌス …… 211
MMT …… 242	POS …… 28	step test …… 294	足趾手指試験 …… 313
MoCA-J …… 477	position …… 162	Stewart-Holmes現象 …… 317	アシュワース（Ashworth）尺度改訂版 …… 216
modified functional reach test …… 294	postural stress test …… 293	STG …… 26	圧覚 …… 179
Modified Stroop Test …… 127	posture …… 162		圧痛 …… 196
Modified Tardieu Scale …… 217	Pusher's Syndrome …… 108	**T, U**	圧迫法 …… 251
Moro反射 …… 399	QOL …… 376	T1強調画像 …… 69	アデノシン3リン酸 …… 320
MOS short-form36 …… 376	**R**	T2強調画像 …… 69	アナルトリー …… 112
Motor Activity Log …… 338	RBMT …… 124	TCT …… 344	アパシー …… 143
Motor Impersistence …… 108	RDQ …… 200	Tiffeneauの1秒率 …… 92	アパシーの診断基準 …… 144
MPQ …… 199	Rey-Osterrieth …… 124	timed up and go test …… 295	アメリカ脊髄損傷学会の神経学的評価 …… 461
MRA画像 …… 68	Rivermead Behavioral Memory Test …… 124	TIS …… 288, 344, 346	アラートネス …… 117
MRC息切れスケール …… 91	Roland Morris Disability Questionnaire …… 200	TMT …… 118	安静時痛 …… 196
MRI画像 …… 67	ROM …… 218	tongue wiggle …… 316	安静代謝量 …… 424
	RTP …… 157	TUG …… 295	アンダーソン（Anderson）の運動負荷基準 …… 87
N	**S**	UPDRS …… 456	安定性限界 …… 279
NBS …… 377	SaO₂ …… 92	**V**	**い**
NEECHAM Confusion Scale …… 83	SARA …… 317	VAS …… 198, 378	医学的情報 …… 44
needs …… 26	SARA（Scale for the assessment and rating of ataxia）日本語版 …… 457	VAT …… 330	意識狭窄 …… 79
New York Heart Associationの分類 …… 419	scoring function …… 379	VF …… 431	意識混濁 …… 79, 80
Nohria-Stevenson分類 …… 420	SDS …… 136	Videofluorography …… 431	（意識される）深部感覚 …… 180
Norris scale …… 465	Seddonの分類 …… 474	Visual Analogue Scale …… 198	意識障害 …… 79
NRS …… 198	Self-care …… 361	Visual Perception Test for Agnosia …… 116	意識にのぼらない深部感覚 …… 180
Numerical Rating Scale …… 198	Self-rating Depression Scale …… 200	Vitality Index …… 150	意識変容 …… 79, 82
NYHA（New York Heart Association）の分類 …… 419	SF-36 …… 376	VPTA …… 116	移乗 …… 355
	SF-36v2日本語版 …… 200	**W, Z**	異常姿勢のタイプ …… 163
P, Q	SF-MPQ …… 200	Wallenberg症候群 …… 181	痛み …… 195
PaCO₂ …… 92	short term goal …… 26	watts …… 87	位置覚 …… 187
Pain Disability Assessment Scale …… 200	Short-Form McGill Pain Questionnaire（簡易型McGill痛みの質問票：SF-MPQ） …… 200	WCST …… 127	一次痛 …… 196
PANSS …… 141	SIAS …… 451	Wechsler Memory Scale-Revised …… 124	一段階負荷試験 …… 327
PaO₂ …… 92	SIAS chart …… 453	Westphal phenomenon …… 216	一般感覚 …… 178
Parachute反応 …… 400	SLTA …… 113	Wisconsin Card Sorting Test …… 127	一般性セルフ・エフィカシー（自己効力感）尺度 …… 152
PCI …… 393	SOAP …… 28	WMS-R …… 124	一般体知覚性 …… 96
PDAS …… 200		Wolf Motor Function Test …… 337	移動 …… 355
PE max …… 409			意図性と自動性の乖離 …… 114
			意味記憶 …… 122

意欲	143
意欲障害	143
医療面接	37
インスリン抵抗性	426
インスリン分泌能	426
咽頭反射	101

う

ウェーバー試験	100
ウェクスラー記憶検査改訂版	124
ウエストファル現象	216
うつ	135
うつ性自己評価尺度	136
運動維持困難	108
運動機能の重症度分類	457
運動検査	197
運動失調	308
運動終末感	220
運動戦略	389
運動耐容能	320, 419
運動痛	196
運動発達	396
運動負荷試験	87, 323
運動分解	310
運動無視	108
運動量戦略	389

え

エアーブロンコグラム	62
栄養アセスメント	155
栄養不良	157
エネルギー供給機構	320
エピソード記憶	122
円回内筋反射	206
遠隔記憶	122
鉛管様現象	216
嚥下	428
嚥下造影検査	431
遠城寺式・乳幼児分析的発達検査法	398

お

応用的動作能力	31
オールアウト	325
起き上がり	387
折りたたみナイフ現象	215
温度覚	178, 187

か

カーテン徴候	101
外眼筋	98
外呼吸	91
改訂長谷川式簡易知能評価スケール（HDS-R）	105
改訂水飲みテスト	431
外転神経	98
解糖系	321
介入計画	26
介入プログラム	27
概念失行	114
外乱負荷応答	281
過回内試験	314
カウプ指数	167
家屋調査項目	50
拡散強調画像	69
拡張期血圧	90
覚度	117
過呼吸	92
下肢実用長	169
下肢切断・離断	472
下肢長	166, 169
下肢内転筋反射	207
下肢の反射	207, 210
荷重受け継ぎ期	390
ガス検査	92
仮性延長	172
仮性球麻痺	101
仮性短縮	172
画像所見	45, 53
家族構成図	49
片脚立位検査	291
下腿切断端周径	173
下腿断端長	169
下腿長	169
片麻痺機能テスト	448
片麻痺の病態失認	108
滑車神経	98
活動係数	155
活動制限	31
かなひろいテスト	117
構え	162
カルテ	43
簡易上肢機能検査	334
簡易知的機能検査	104
感覚	177
感覚異常の表現方法	184

感覚検査	184
感覚検査器具	186
間隔尺度	35
感覚障害の程度	184
冠危険因子	417
換気障害	92
眼球	98
環境	384
眼瞼下垂	98
喚語困難	112
観察	23
眼振	98
関節覚	187
関節可動域	218
関節可動域制限	219
関節可動域測定	221
関節リウマチ	468
冠動脈造影検査（心臓CT）	418
観念運動失行	113
観念失行	113
顔面神経	99
関連痛	196

き

記憶	120
記憶の分類	122
期外収縮性不整脈	85
気管呼吸音	413
気管支呼吸音	413
気管支透亮像	62
起坐呼吸	92
基礎代謝量	424
企図振戦	309
機能障害	31
機能的自立度評価法	348
機能的動作能力	395
基盤の能力	102
気分	134
基本的ADL	348
基本的動作能力	31
基本動作	383
逆説性収縮	216
脚長差	172
逆向性健忘	122
嗅神経	97
急性相タンパク（RTP）	157
急性痛	196

球麻痺	101
胸囲	173
胸郭拡張性	411
共感的態度	39
胸筋反射	206
協調運動	308
協調運動障害	308
強直	219
共同運動	309
共同運動障害	309
共同運動不能	309
恐怖	135
胸部CT画像	61
胸部X線画像	55, 416
棘果長	166, 169
局在性平衡反応	283
寄与領域	379
筋萎縮	172
筋萎縮性側索硬化症	465
筋強剛	216
筋緊張	213
筋緊張異常	213
筋緊張低下	216
近時記憶	122
筋持久力	322
筋伸張反射	204
緊張性迷路反射	284
筋トーヌス	310
筋肥大	172

く

首の座り	402
クリニカルリーズニング	29
クローヌス	211

け

慶應版WCST	127
痙縮	215
形態測定	167
傾聴	39
経腸栄養	154
ケイデンス	392
頸部の立ち直り反応	286
傾眠	80
ゲーゲンハルテン	216
血圧	87
血液ガス検査	92
血液検査	45

索引

血清アルブミン（Alb） …… 157
血糖 …… 426
牽引法 …… 251
嫌気性代謝閾値 …… 329
検査 …… 23
検査バッテリー …… 35
原始触覚 …… 178
検者間信頼性 …… 36, 245
検者内信頼性 …… 36, 244
懸振性（振り子）の検査 …… 214
ゲンスラー（Gaensler）の1秒率 …… 92
顕性誤嚥 …… 429
見当識障害 …… 121
健忘症 …… 121

こ

高吸収域 …… 60, 62
高血圧 …… 90
交叉性伸展反射 …… 284
高次脳機能 …… 102
高次脳機能障害スクリーニング検査 …… 104, 105
抗重力姿勢 …… 162
拘縮 …… 219
高信号域 …… 69
構成失行 …… 108
構成障害 …… 108
拘束性換気障害 …… 92, 409
巧緻性 …… 308
硬直 …… 216
行動性無視検査 …… 111
行動体力 …… 319
硬度の検査 …… 214
興奮伝導速度 …… 196
誤嚥 …… 429
語音の認知障害 …… 112
股関節機能判定基準 …… 469
股関節戦略 …… 291
股関節内転拘縮 …… 172
呼気ガス分析装置 …… 324
呼吸 …… 407
呼吸音 …… 413
呼吸器の検査 …… 91
呼吸筋力 …… 409
呼吸困難感 …… 410
呼吸数 …… 410
呼吸様式 …… 410

呼吸リズム …… 410
語義理解障害 …… 112
語義聾 …… 112
国際障害分類 …… 21
国際生活機能分類 …… 21, 31
国際標準評価法の key muscle …… 459
国際標準評価法の key sensory point …… 459
国民標準値に基づくスコアリング …… 377
固縮 …… 216
個人情報 …… 23
コップつかみ運動 …… 314
固定 …… 250
語の理解障害 …… 112
個別的行動・認知能力 …… 102
コミュニケーション …… 356
コロトコフ（Korotkoff）音 …… 88
混合性換気障害 …… 92, 409
昏睡 …… 80
コンピューター断層撮影 …… 60
昏眠 …… 80
昏迷 …… 80

さ

鰓運動性 …… 96
座位姿勢 …… 166
最終域感 …… 220
最終評価 …… 34
最小下腿周径 …… 173
最小血圧 …… 90
最小前腕周径 …… 173
最大下腿周径 …… 173
最大下負荷試験 …… 325
最大血圧 …… 90
最大酸素摂取量 …… 324
最大前腕周径 …… 173
最大負荷試験 …… 325
座位能力スケール …… 288
座位バランス検査 …… 288
再評価 …… 34
座位保持 …… 402
錯語 …… 112
作話 …… 121
作動記憶 …… 122
酸塩基平衡（pH） …… 92
参加制約 …… 31

三叉神経 …… 99
酸素分圧（PaO_2） …… 92
酸素飽和度（SaO_2） …… 92

し

視運動性眼振 …… 98
ジェンドラシック法（Jendrassik maneuver） …… 205
視覚失語 …… 115
視覚失認 …… 115
視覚性の立ち直り反応 …… 286
自覚的運動強度 …… 87, 328
視覚評価法 …… 378
時間の測定異常 …… 310
識別性触覚 …… 178
持久力 …… 320
刺激伝導系 …… 87
思考 …… 140
思考機能 …… 140
自己効力感 …… 151
四肢X線画像 …… 57
支持基底面 …… 162
四肢長 …… 168
指周径 …… 173
視診 …… 411
視神経 …… 97
ジスメトリア …… 309
姿勢 …… 162, 279
姿勢・粗大運動 …… 402
姿勢安定性 …… 279
姿勢観察 …… 386
姿勢制御 …… 279
視性立ち直り反射 …… 400
姿勢バランス …… 279
姿勢反射 …… 283
姿勢評価 …… 162
肢節運動失行 …… 113
持続的注意 …… 117
膝蓋腱反射 …… 207
疾患特異的尺度 …… 376
失行 …… 113
失構音 …… 112
失行の分類 …… 113
失語症 …… 111
失語症の分類 …… 112
失調歩行 …… 310
失認 …… 115
失文法 …… 112

質問紙法 …… 144
質問紙法による意欲評価スケール …… 147
実用性 …… 384
自動運動検査 …… 197
自動的関節可動域 …… 219
支配灌流領域 …… 66
自発性障害 …… 143
ジャーゴン …… 112
社会的情報 …… 47
社会的認知 …… 357
視野狭窄 …… 98
尺骨反射 …… 206
シャトル・ウォーキングテスト …… 331
ジャルゴン …… 112
手囲 …… 173
縦隔条件 …… 61
住環境情報 …… 47
周径 …… 168
自由時間の日常行動観察 …… 144, 149
自由質問法 …… 40
収縮期血圧 …… 90
収縮性組織 …… 197
重心 …… 162
重心線 …… 163
修正ストループテスト …… 127
修正ボルグスケール …… 328, 410
重点的質問法 …… 40
手回内・回外試験 …… 315
主観的幸福感 …… 381
主訴 …… 40
手段 …… 384
手段的ADL …… 348, 371
手段的日常生活活動 …… 348
手長 …… 169
手部の感覚検査 …… 190
循環機能 …… 415
循環器の検査 …… 83
順序尺度 …… 35
障害 …… 31
障害の範囲 …… 31
障害モデル …… 18
松果体レベル …… 65
症候性最大負荷試験 …… 325
上肢 …… 333
上肢機能 …… 333
上肢機能検査 …… 334

索　引　483

上肢実用長	169
上肢宙吊り型温痛覚障害	181
上肢長	169
上肢の反射	205, 209
情動	134
小脳性失調症	310
情報収集	37, 42
小脈	85
静脈栄養	154
上腕三頭筋反射	205
上腕切断端周径	173
上腕断端長	169
上腕長	169
上腕二頭筋反射	205
初回評価	34
触診	411
触診検査	197
触診法	89
食物テスト	431
徐呼吸	92
書字障害	317
除脂肪体重	173
触覚	187
自立度	384
視力	97
シルエットサイン	55
心因性痛	196
侵害刺激	196
侵害受容性痛	196
心拡大	416
心胸郭比	56
心胸郭比（CTR）の増大	416
心筋傷害マーカー	417
神経因性痛	196
神経根障害	183
神経性難聴	100
深昏睡	80
浸潤影	56
振戦	309
心臓CT	418
身体活動	157
身体活動能力質問表	419
身体構成成分	156
身長	167
心超音波検査	418
心電図	45, 86
伸展性の検査	214
振動覚	189
心肺運動負荷試験	320, 323
深部感覚	178, 187
深部腱反射	204
深部腱反射の増強法	205
深部腱反射の判定基準	208
深部痛	196
深部反射	204
信頼性	36

す

随意的重心移動	281
遂行機能	126
遂行機能障害症候群の行動評価法	128
数唱	118
図形模写	109
スチュワート-ホームズ現象	317
ステップ長	392
ストライド長	392
ストレス係数	155
スパイログラム	92, 408
スパイロメトリー	407
すりガラス様陰影	56

せ

生活関連動作	348
生活の質	376
精神障害者社会生活評価尺度	475
静的筋持久力	323
静的姿勢保持	281
静的バランス	279, 280
整脈	85
聖隷式嚥下質問紙	430
脊髄横断型全感覚障害	183
脊髄障害	181
脊髄小脳変性症	457
脊髄性失調症	310
脊髄損傷	459
脊髄半切型障害	183
脊柱・脊髄MRI画像	69
舌咽神経	101
舌下神経	101
摂食	428
摂食・嚥下障害重症度分類	429
絶対性不整脈	85
切断	472
セルフ・エフィカシー	151
セルフケア	350
前向性健忘	122
全体像	18
選択的注意	117
前庭検査	100
前庭・迷路性失調症	310
前頭前野	125
前頭葉簡易機能検査	127
全般的機能評価	141
線引き試験	315
線分二等分試験	109
せん妄評価	82
前腕切断端周径	173
前腕断端長	169
前腕長	169

そ

造影CT	60
造影MRI	68
造影X線	54
躁状態	135
足囲	173
足関節／上腕血圧比（ABI）	90
足関節戦略	291
即時記憶	122
側性化	103
足長	169
測定	23
測定過小	309
測定過大	309
速脈	85
粗大運動の獲得時期	396

た

体位	162
体運動性	96
体温	83
体格・姿勢タイプ	164
体格指数	167
体幹機能	342
体幹機能障害尺度	344, 346
体幹制御検査	344
体幹の立ち直り反応	286
対光反射	98
大字症	317
代謝機能障害	423
体重	167
体重心	162
体重変化率	156
代償運動	245
対称性緊張性頸反射	284
体性感覚	177
体性痛	196
体節性平衡反応	283
大腿骨頸部骨折	471
大腿周径	173
大腿切断端周径	173
大腿断端長	169
大腿長	169
大脳性失調症	310
大脈	85
体力	319
体力測定	320
多項目質問法	40
打診方法	412
多段階負荷試験	327
立ち上がり	387
立ち直り反応	284
他動運動覚	187
他動運動検査	197
他動的関節可動域	219
多発神経障害型感覚障害	183
多発性硬化症	463
単一末梢神経・神経根障害	183
単一末梢神経障害	183
短期目標	26
単脚支持期	390
炭酸ガス分圧（$PaCO_2$）	92
単純CT	60
単純MRI	68
単純X線	54

ち

チアノーゼ	91
チェーン-ストークス呼吸	92
知覚	177
力制御戦略	389
地誌的見当識障害	108
遅脈	86
着衣失行	108
着衣障害	108
チャドック反射	211

索引

注意 ……………………………… 117
注意の制御機能 ………………… 117
注意の容量または分配 ………… 117
中間評価 ………………………… 34
中立的質問法 …………………… 40
聴（内耳）神経 ………………… 99
長期目標 ………………………… 26
聴診 ……………………………… 413
聴診法 …………………………… 88
調整反射 ………………………… 98
重複歩長 ………………………… 392
聴力 ……………………………… 99
直接的質問法 …………………… 40
陳述記憶 ………………………… 122

つ

ツァリット（Zarit）介護負担
　尺度短縮版 …………………… 49
痛覚 ………………………… 178, 187
継ぎ足歩行 ……………………… 311
継ぎ足立位検査 ………………… 291

て

低吸収域 …………………… 60, 62
定頸 ……………………………… 402
抵抗 ……………………………… 250
抵抗症 …………………………… 216
低信号域 ………………………… 69
ティフノー（Tiffeneau）の
　1秒率 ………………………… 92
テストバッテリー ……………… 35
手続き記憶 ……………………… 122
デマンド（demand） …………… 26
デルマトーム …………………… 181
伝音性難聴 ……………………… 100
転子果長 …………………… 166, 169
天井効果 ………………………… 335
デンバー発達判定法 …………… 398
展望記憶 ………………………… 122

と

頭囲 ……………………………… 173
統一パーキンソン病評価
　スケール …………………… 456
統覚（知覚）型視覚失認 ……… 115
動眼神経 ………………………… 98
瞳孔 ……………………………… 98
統合型視覚失認 ………………… 115

統合失調症 ……………………… 474
統合失調症認知機能簡易評価
　尺度日本語版 ……………… 474
統合的能力 ……………………… 102
統合と解釈 ……………………… 24
橈骨回内筋反射 ………………… 206
動作能力に関する障害 ………… 31
動作分析 ………………………… 383
同時刺激の消去現象 …………… 109
等尺性抵抗運動検査 …………… 197
洞性不整脈 ……………………… 85
同側顔面・対側半身型温痛覚
　障害 ………………………… 181
等速性筋力測定機器 …………… 251
東大脳研式（三宅式）記銘力
　検査 ………………………… 123
疼痛 ……………………………… 195
疼痛生活障害評価尺度 ………… 200
動的筋持久力 …………………… 323
動的バランス …………………… 279, 280
糖尿病 …………………………… 423
頭部CT画像 …………………… 62
頭部MRI画像 ………………… 73
トーマステスト ………………… 470
読影のポイント ………………… 54
特殊感覚 ………………………… 177
特殊性体知覚性 ………………… 96
徒手筋力計 ……………………… 251
徒手筋力検査 …………………… 242
トップダウン過程 ……………… 29
跳び直り反応 …………………… 287
努力性呼出曲線 ………………… 92
トレイルメイキングテスト
　………………………………… 118
トレムナー反射 ………………… 209

な

内呼吸 …………………………… 91
内臓運動性 ……………………… 96
内臓感覚 ………………………… 178
内臓脂肪型症候群 ……………… 424
内臓知覚性 ……………………… 96
内臓痛 …………………………… 196
ナインホールペグテスト ……… 337
軟口蓋 …………………………… 101

に

ニーズ ……………………… 26, 40

ニーチャム混乱・錯乱状態
　スケール …………………… 83
二次痛 …………………………… 196
日常生活活動 …………………… 348
日常生活行動の意欲評価
　スケール …………………… 148
日常生活行動評価 ……………… 144
日本語版CHS ………………… 160
日本語版Montreal Cognitive
　Assessment ………………… 477
日本語版Motor Activity Log
　………………………………… 338
日本語版SDS ………………… 200
日本語版STAI ………………… 200
日本語版Wolf Motor Func-
　tion Test …………………… 337
日本脳卒中学会・脳卒中感情
　障害（うつ・情動障害）ス
　ケール ……………………… 136
日本版日常記憶チェック
　リスト ……………………… 121
日本版リバーミード行動記憶
　検査 ………………………… 124
乳酸系 …………………………… 321
尿検査 …………………………… 45
認知症 …………………………… 476

ね

寝返り …………………………… 386

の

脳血管障害 ……………………… 446
脳神経 …………………………… 96
脳卒中 …………………………… 446
脳卒中機能障害評価セット
　………………………………… 451
脳損傷者の日常生活観察による
　注意評価スケール ………… 118
脳梁膨大レベル ………………… 65
ノモグラフ ……………………… 93

は

パーキンソン病 ………………… 456
把握 ……………………………… 403
把握反射 ………………………… 210
パーデュー・ペグボード・
　テスト ……………………… 337
肺炎 ……………………………… 56
背臥位 …………………………… 166
肺活量 …………………………… 93
肺機能検査 ……………………… 407

肺機能測定 ……………………… 92
肺気量分画 ………………… 92, 408
排泄コントロール ……………… 354
バイタルサイン ………………… 83
排尿管理 ………………………… 354
排便管理 ………………………… 354
肺胞呼吸音 ……………………… 413
肺野条件 ………………………… 61
歯車様現象 ……………………… 216
発語失行 ………………………… 112
発動性障害 ……………………… 143
パトリックテスト ……………… 470
鼻指鼻試験 ……………………… 312
はね返り現象 …………………… 317
ハの字レベル …………………… 65
バビンスキー反射 ……………… 210
パフォーマンステスト ………… 293
ハミルトンうつ病評価尺度
　………………………………… 136
パラシュート（Parachute）
　反応 ………………………… 400
半昏睡 …………………………… 80
汎在性平衡反応 ………………… 283
反射 ……………………………… 203
反射・反応 ……………………… 399
反射弓 …………………………… 203
半側無視 ………………………… 105
反復拮抗運動不能症 …………… 309
半卵円中心レベル ……………… 65

ひ

引き起こし反応 ………………… 402
非構築性側弯症 ………………… 165
微細運動 ………………………… 403
膝打ち試験 ……………………… 312
膝踵試験 ………………………… 313
膝クローヌス …………………… 211
非識別性触覚 …………………… 178
肘屈曲位上腕周径 ……………… 173
肘伸展位上腕周径 ……………… 173
非収縮性組織 …………………… 197
非対称性緊張性頸反射
　……………………………… 284, 400
非陳述記憶 ……………………… 122
被動性の検査 …………………… 214
皮膚感覚 ………………………… 178
皮膚書字覚 ……………………… 190
皮膚分節 ………………………… 181
肥満症 …………………………… 423

肥満度	424
描画課題	109
評価計画の立て方	34
評価尺度	35
評価の時期	33
表在感覚	178, 187
表在痛	196
表在反射	212
標準意欲評価法	144
標準高次動作性検査	115
標準高次視知覚検査	116
標準失語症検査	113
標準注意検査法	120
病的反射	209
比率尺度	35
比例尺度	35
頻呼吸	91

ふ

不安	135
フィードバック制御	308
フィードフォワード制御	308
フィジカルアセスメント	410
フォレスタ分類	420
腹囲	173
腹臥位	166
複合感覚	178, 189
副雑音	413
複雑図形検査	124
副神経	101
輻輳反射	98
腹壁反射	212
不顕性誤嚥	429
不整脈	85
プッシャー症候群 (Pusher's Syndrome)	108
踏み出し戦略	291
踏み直り反応	287
プライミング	122
振り子運動試験	317
ブルンストロームステージテスト	447
フレイル	159
フレイルエルダリー	160
フローボリューム曲線	93, 409

へ

閉脚立位検査	291
平均血圧	90
平衡機能	279
平衡機能障害	308
平衡反応	286
閉塞性換気障害	92, 409
平地歩行試験	320, 330
ベル (Bell) 現象	99
変換運動 (反復) 障害	309
変形性股関節症	469, 470
片側半身型全感覚障害	181

ほ

防衛体力	319
包括的尺度	376
防御知覚	178
放散痛	196
歩行	390
歩行周期	391
歩行速度	392
歩行の生理的コスト指数	393
歩行率	392
保護伸展反応	287
ボトムアップ過程	29
歩幅	392
ホフマン反射	209
ボルグスケール	328, 410
ホルネル (Horner) 症候群	181

ま

抹消課題	109
末梢神経損傷	474
間取り図	49
マン試験	292, 311
慢性痛	196

み

味覚検査	99
右半球症状	105
身の回り動作	361
脈圧	90
脈拍	84

む

向こう脛叩打試験	314

無呼吸	92
無酸素系エネルギー供給機構	321

め

名義尺度	35
迷走神経	101
迷路性失調症	310
迷路の立ち直り反応	286
メタボリックシンドローム	424
面接による意欲評価スケール	145
面接評価	144

も

目標設定	26
モロー (Moro) 反射	399
問題解決プロセス	29
問題指向システム	28
問題点	25

や

夜間痛	196
柳原法	99
やる気スコア	150

ゆ

遊脚期	390
遊脚肢の前方への動き	391
有酸素系エネルギー供給機構	321, 322
指鼻試験	312
指指試験	312

よ

陽性支持反応	284
陽性症状・陰性症状評価尺度	141
要望	21, 41
予測肺活量	93

ら

ランドマーク	165
ランプ負荷試験	327

り

立位姿勢	165
立位前屈位	165
立位バランス検査	291
立脚期	390
立体覚	190
リハビリテーション計画書	478
リハビリテーションのための子どもの能力低下評価法	406
臨床思考過程	20
臨床推論	29
臨床的総合評価	144
臨床的体幹機能検査	344, 345
リンネ試験	100

れ

レイの複雑図形	124
連合型視覚失認	115

ろ

老研式活動能力指標	372
ローレル指数	167
ロッソリモ反射	211
ロンベルグ試験	292, 311

わ

ワーキングメモリ	122
ワルテンベルグ反射	210
ワレンベルグ (Wallenberg) 症候群	181
腕叩打試験	316
腕橈骨筋反射	206

執筆者一覧

※所属は執筆時のもの

■ 編　集

潮見泰藏	帝京科学大学大学院医療科学研究科
下田信明	東京家政大学健康科学部リハビリテーション学科

■ 執　筆（掲載順）

潮見泰藏	帝京科学大学大学院医療科学研究科
橋立博幸	杏林大学保健学部理学療法学科
髙見彰淑	弘前大学大学院保健学研究科
小賀野 操	国際医療福祉大学保健医療学部作業療法学科
河野　眞	国際医療福祉大学成田保健医療学部作業療法学科
下田信明	東京家政大学健康科学部リハビリテーション学科
廣瀬　昇	帝京科学大学大学院医療科学研究科
冨田和秀	茨城県立医療大学大学院保健医療科学研究科
藤平保茂	合同会社 BIN
伊藤俊一	北海道千歳リハビリテーション大学理学療法学専攻
酒井桂太	大阪河﨑リハビリテーション大学理学療法学専攻
丹羽　敦	広島都市学園大学健康科学部リハビリテーション学科作業療法学専攻
藤澤祐基	杏林大学保健学部理学療法学科

編者プロフィール

潮見　泰藏（しおみ　たいぞう）

帝京科学大学大学院医療科学研究科総合リハビリテーション学専攻・教授

1982年国立療養所東京病院付属リハビリテーション学院理学療法学科卒業．同年より埼玉医科大学付属病院リハビリテーション科勤務，1988年〜1995年埼玉医科大学短期大学理学療法学科勤務，1990年日本大学大学院理工学研究科博士前期課程修了〔修士（工学）取得〕，1993年杏林大学大学院保健学研究科博士後期課程修了〔博士（保健学）取得〕，1995年国際医療福祉大学保健医療学部理学療法学科講師を経て，2006年国際医療福祉大学保健医療学部理学療法学科教授，2009年杏林大学保健学部理学療法学科教授，2017年帝京科学大学総合教育センター教授，2018年より現職．理学療法科学学会副会長・理事・評議員，日本理学療法士協会認定専門理学療法士（神経系・基礎系・教育管理系）．主な著書に，編集として「ビジュアル実践リハ 脳・神経系リハビリテーション」（羊土社），「脳卒中に対する標準的理学療法介入 第2版」（文光堂），「脳卒中患者に対する課題指向型トレーニング」（文光堂），「PT・OTビジュアルテキスト 神経障害理学療法学」（羊土社），単著として「ビジュアルレクチャー 神経理学療法学」（医歯薬出版）がある．

下田　信明（しもだ　のぶあき）

東京家政大学健康科学部リハビリテーション学科・教授

1988年国立療養所東京病院附属リハビリテーション学院作業療法学科卒業．2009年博士（保健医療学）を取得．1988年昭島病院リハビリテーション部，1995年国際医療福祉大学保健医療学部作業療法学科助手・講師・准教授，2011年杏林大学保健学部作業療法学科教授を経て，2018年より現職．日本在宅ケア学会理事，一般社団法人日本在宅ケア教育センター理事．主な著書に，編集として「ADL」（羊土社），分担執筆として「Handedness: Theories, Genetics and Psychology」（Nova Science Publisher），「在宅ケア学の基本的考え方（在宅ケア学 第1巻）」（ワールドプランニング社），分担翻訳として「モーターコントロール」（医歯薬出版）がある．

PT・OTビジュアルテキスト

リハビリテーション基礎評価学　第2版

2014年11月15日	第1版第1刷発行	編　集	潮見泰藏，下田信明
2018年 2月 5日	第1版第5刷発行	発行人	一戸裕子
2019年 2月25日	第1版増補第1刷発行	発行所	株式会社 羊 土 社
2020年 1月 1日	第2版第1刷発行		〒101-0052
2024年 2月 5日	第2版第5刷発行		東京都千代田区神田小川町2-5-1
			TEL　03（5282）1211
			FAX　03（5282）1212
			E-mail　eigyo@yodosha.co.jp
ⓒ YODOSHA CO., LTD. 2020			URL　www.yodosha.co.jp/
Printed in Japan		表紙・大扉デザイン	辻中浩一（ウフ）
ISBN978-4-7581-0245-2		印刷所	広研印刷株式会社

本書に掲載する著作物の複製権，上映権，譲渡権，公衆送信権（送信可能化権を含む）は（株）羊土社が保有します．
本書を無断で複製する行為（コピー，スキャン，デジタルデータ化など）は，著作権法上での限られた例外（「私的使用のための複製」など）を除き禁じられています．研究活動，診療を含み業務上使用する目的で上記の行為を行うことは大学，病院，企業などにおける内部的な利用であっても，私的使用には該当せず，違法です．また私的使用のためであっても，代行業者等の第三者に依頼して上記の行為を行うことは違法となります．

JCOPY　<（社）出版者著作権管理機構 委託出版物>
本書の無断複写は著作権法上での例外を除き禁じられています．複写される場合は，そのつど事前に，（社）出版者著作権管理機構（TEL 03-5244-5088，FAX 03-5244-5089，e-mail：info@jcopy.or.jp）の許諾を得てください．

乱丁，落丁，印刷の不具合はお取り替えいたします．小社までご連絡ください．